SO-BND-851

Director de la colección:
ANTONIO BONET CORREA

Fernando Checa

PINTURA Y ESCULTURA DEL RENACIMIENTO EN ESPAÑA, 1450-1600

Fernando Checa ha nacido en Madrid en 1952. Es licenciado en Derecho y Doctor en Filosofía y Letras desde 1980. En la actualidad es Profesor Adjunto en la Sección de Historia del Arte de la Facultad de Geografía e Historia de la Universidad Complutense de Madrid, donde desempeña la docencia desde 1976. Es autor de varios libros en colaboración: *El Renacimiento. Formación y crisis del modelo clásico* (con Víctor Nieto), *El Barroco* (con J. M. Morán), *Guía para el estudio de la Historia del Arte* (con J. M. Morán y M. de los Santos García Felguera), *Ilustración y Romanticismo* (con Francisco Calvo et alt.). Ha colaborado en numerosas revistas especializadas con artículos dedicados fundamentalmente a la época del Renacimiento. Es de inminente aparición su estudio sobre *Carlos V y la imagen del héroe en el Renacimiento*.

Fernando Checa

PINTURA Y ESCULTURA DEL RENACIMIENTO EN ESPAÑA, 1450-1600

CÁTEDRA

TERCERA EDICIÓN

© Fernando Checa
Ediciones Cátedra, S. A., 1993
Telémaco, 43. 28027 Madrid
Depósito legal: M. 3.556-1993
ISBN: 84-376-0404-4 (Tela)
ISBN: 84-376-0405-2 (Rústica)
Printed in Spain. Impreso en España por
Gráficas Rogar, S. A. C/ León, 44. Fuenlabrada (Madrid)

ÍNDICE

«Si nos ponen en deuda los pintores, que como en archivo y depósito guardaron en sus lienzos —aunque debajo de líneas y colores mudos— las imágenes de los que por sus hechos heroicos merecieron sus tablas y de los que por sus indignas costumbres dieron motivo a sus pinceles, pues nos despiertan con la agradable pintura de las unas y con la aborrecible de las otras, por su fama a la imitación y por su imfamia, el escarmiento; mayores obligaciones sin comparación, tenemos a los que en historias tan al vivo nos lo representan, que sólo nos vienen hacer ventaja en haberlo escrito, pues nos persuaden sus relaciones, como si a la verdad lo hubiéramos visto como ellos.»

(Elogio de Alonso de Barros a Mateo Alemán y su *Guzmán de Alfarache*, Madrid, 1599.)

INTRODUCCIÓN

Plantear en este momento una historia de la pintura y escultura en España (1450-1600) tras la ingente cantidad no sólo de monografías y estudios parciales escritos sobre el problema, sino también de obras de conjunto sobre el particular, puede parecer arriesgado por una parte e innecesario por otra. Con todo, pensamos al iniciar el estudio que el empeño no podía dejar de tener interés si el enfoque con que se acometiera la materia variaba y la perspectiva que se adoptara pudiese ser diferente a la de las clásicas aproximaciones al tema.

No es este el momento de iniciar una revisión bibliográfica e historiográfica sobre el particular, pues ésta puede consultarse en otros lugares en que se realizó de manera documentada y con precisión (Brown, Soehner). Sí nos interesa en esta introducción precisar la perspectiva desde la que este trabajo aborda el problema de las artes figurativas en la España del Renacimiento.

Tras las primeras aportaciones clásicas de Palomino, Ponz y Ceán, el siglo XIX contempla un progresivo interés por el tema con una ingente aportación de datos que culmina, en los inicios del nuestro, con recopilaciones documentales de la importancia de las de Zarco del Valle, Ramírez de Arellano, Martí y Monsó o Gestoso y Pérez. Es a estas colecciones documentales a las que habría que añadir, ya en nuestro siglo, las de Esteban García Chico, el marqués del Saltillo o Abizanda y Broto —por citar sólo algunas de entre las de mayor relevancia—, a las que se debe un conocimiento más preciso de nuestro campo de estudio.

Sobre esta base documental va a trabajar la moderna historiografía del arte española que se extiende hasta nuestros días: Elías Tormo, Manuel Gómez Moreno, Francisco Javier Sánchez Cantón y, ya más recientemente, Diego Angulo Íñiguez, José María de Azcárate, Enrique Lafuente Ferrari o Juan José Martín González... A ellos habría que añadir la labor de dos historiadores extranjeros, fundamental en los campos que vamos a tratar, R. Ch. Post para la pintura y Georg Weise en la escultura.

De entre todos ellos destacaríamos las síntesis de Manuel Gómez Moreno y José María de Azcárate en el campo de la escultura y, sobre todo, la labor de Diego Angulo Íñiguez, sintetizada en su tomo correspondiente de la colección «Ars Hispaniae». Son estos los trabajos fundamentales desde lo que hay que partir para cualquier estudio concienzudo del problema. Con todo, y con ello enlazamos con las primeras palabras de esta introducción, el enfoque que adopta este estudio es diferente a los de estas clásicas aproximaciones. Frente al criterio biográfico y la ordenación por escuelas regionales —heredada esta última de criterios positivistas decimonónicos procedentes a veces del campo de la geografía—, el presente libro pretende acercarse a la obra de arte por medio de un criterio ordenador distinto: aquel que agrupa las obras por medio de problemas culturales, formales o estilísticos.

Partiendo del hecho de que una misma obra es susceptible de diversas lecturas, los distintos capítulos y epígrafes la abordan desde el punto de vista formal, el iconográfico, el ideológico y el social, mencionando, pero no convirtiendo en argumento esencial, el problema de las influencias italianas o del Norte a la hora de explicar la práctica pic-

tórica y escultórica de la España del siglo XVI.

Se da aquí una importancia decisiva a una
explicación de esta práctica desde el punto
de vista de la teoría —a la que se dedican
no sólo varios capítulos de la obra, sino que
está omnipresente a lo largo de todo su
desarrollo—, para de ahí pasar a un despiece formal y temático de la misma e in-
sertarla en los procesos y dinámica sociales.
Desde este punto de vista, y una vez desarrollado suficientemente un problema con los
ejemplos esenciales y algunos de los secundarios, no se insiste más en ellos, remitiéndose a los estudios específicos acerca de un
artista o de una escuela, ya que este libro no
pretende ser una recopilación y nueva ordenación de los datos aportados por la historiografía antes mencionada y sus seguidores.

Por otra parte el libro quiere dar una
importancia capital al tema de la *historia del
arte como historia del gusto*, por lo cual se hace
hincapié en fenómenos no tenidos a menudo
suficientemente en cuenta: fiestas y decoraciones efímeras, decoraciones perdidas en
palacios y jardines, el coleccionismo, etc. Sin
ellos, pensamos que queda falseado radicalmente un panorama estético del que fundamentalmente se han salvado los vestigios
de arte religioso. Pero el arte del Renacimiento es un arte en que el Humanismo ha
influido de manera notoria y en España no
podía dejar de ser así. El libro trata por
tanto de confirmar la hipótesis de existencia
de un Renacimiento humanista en nuestro
país que no se refleja tan sólo en ciertos
ejemplos de arte religioso teñidos de laicis-
mo, sino también en infinidad de obras de
un arte paganizante, que Angulo comenzó
a recopilar en su libro acerca de la Mitología
en el arte español del Renacimiento, y que
obras tan recientes como el estudio sobre la
Sevilla humanista de Vicente Lleó no hacen
otra cosa que confirmar clamorosamente.
Frente al tópico —a menudo ideológica-

mente interesado— de una España culturalmente aislada del mundo, hemos querido
demostrar lo común de bastantes de las
raíces ideológicas que el pensamiento español guarda con lo europeo y, preferentemente, con lo italiano. Para ello no se ha
dudado en atender a campos no explorados
sistemáticamente como los anteriormente
mencionados, ni en acudir a fuentes de tipo
literario (teóricas y poéticas) hasta ahora no
tenidas muy en cuenta. Por otra parte el
abordaje de la obra de arte desde angula-
ciones no biográficas o de escuelas regionales, muchas veces creadas artificialmente,
permite comprender mejor esta ligazón entre España y el resto de Europa, ya que nos
encontramos ante un ciclo cultural con temas comunes a muy amplias áreas del continente.

De igual manera otro de los ejes del libro
es la discusión de siglo y medio de alternativas en torno al problema de la imagen,
que se resuelve la mayoría de las veces en
una forma ecléctica y no necesariamente
unitaria. La polémica de los lenguajes, la
superposición en el tiempo de alternativas
lingüísticas distintas y aun contradictorias,
los «desarreglos cronológicos» y hasta el uso
por el mismo mecenas o grupos sociales de
estilos variados, configura un panorama de
gran complejidad que hemos pretendido des-
entrañar adoptando, siempre que ha sido
posible, un método cronológico y compara-
tivo de las distintas alternativas que la imagen plástica presenta en un determinado
momento.

El libro aparece así dividido en 11 capítulos que, en realidad, pueden verse como
tres partes diferentes: una primera que,
arrancando de la polémica contra el gótico
internacional que protagonizan las distintas
alternativas de finales del siglo XV, se centra
en el análisis de los componentes del clasicismo en España estudiado en sus aspectos
teóricos, culturales y sociales; una segunda
en que se analiza el tema del manierismo

desde su formulación en la tratadística hasta su concreción en la imagen religiosa, nobiliaria y cortesana, para culminar en una tercera en la que, desde el mismo punto de vista, se analizan las complejas relaciones entre Arte y Contrarreforma, culminando así un ciclo coherente que desde el pasado siglo viene denominándose Renacimiento.

Se estudia de esta manera, como decimos, la crisis del sistema representativo del gótico internacional y las primeras alternativas de la modernidad: influjos del humanismo italiano y presencia de la denominada corriente hispano-flamenca. Junto a ello, comienza a destacarse el papel modernizador que la corte y determinadas capas de la nobleza juegan en el proceso artístico español de finales del siglo XV.

Especial atención se presta en destacar el periodo clasicista en nuestro país: la integración de la nueva cultura humanista, el nuevo tipo humano que surge, los inicios de una reflexión teórica acerca del arte y las distintas alternativas que adquiere el sistema regular. De igual manera se plantea el influjo decisivo que la corte de Carlos V juega en este proceso y cómo ella misma conduce el debate artístico hacia el manierismo clasicista.

Al igual que sucede en Italia el clasicismo adquiere en España el carácter de momento relativamente fugaz, y la mayor parte del siglo XVI ha de definirse con la denominación de manierismo. La segunda parte del libro se detiene en destacar las obras manieristas en el terreno aún poco conocido de sus realizaciones nobiliarias y, sobre todo, en las distintas polémicas y realizaciones que la imagen religiosa adquiere en nuestro país. El influjo erasmista, tan fuerte en los medios cortesanos, apenas se deja sentir en la formulación de un concepto católico de la imagen que cala en amplias capas populares y aun de la misma nobleza.

Con todo, y aun realizándose en este campo la mayor y más original parte de las aportaciones españolas al debate artístico del Renacimiento, éstas se contemplan en el libro como muy ligadas a los debates y discusiones formales europeas, pues no en vano los mayores artistas del momento —Alonso Berruguete, Juan de Juni, Juanes, Pedro de Machuca o Morales— realizan sus obras muy en contacto con modelos aprendidos de ejemplos italianos; hemos de señalar que la misma discusión en torno a la validez y pertinencia de una imagen religiosa no es una polémica específicamente española, sino esencialmente europea.

Los últimos treinta años del siglo XVI contemplan la inserción definitiva del arte español en el contexto internacional. Los pintores de Felipe II y la importación de obras vinculan nuestro panorama artístico al del manierismo europeo y aun artistas como Gaspar Becerra o Anchieta han de comprenderse en este ambiente; de igual forma, la figura del Greco, cada vez mejor interpretada como la de un artista intelectual vinculado a las polémicas estéticas del manierismo italiano, viene a redondear un panorama enormemente influido por la ideología contrarreformista, de cuyo carácter europeo y no específicamente italiano es difícil dudar. Recordemos al respecto el decisivo papel que los españoles jugaron en el Concilio de Trento.

El libro concluye con un capítulo dedicado a la imagen artística de la nobleza española: hombres como don Álvaro de Bazán, el duque de Villahermosa, el de Alcalá o don Bernardo de Sandoval y Rojas, definen sus actividades artísticas al modo europeo con toda plenitud. De esta manera el siglo XVI se despide con un aire ciertamente cosmopolita en lo que respecta a las altas capas gobernantes españolas, a las que, como observaremos a lo largo de este trabajo, había correspondido el papel de integrar a nuestro país dentro de las corrientes artísticas y culturales de la modernidad.

PINTURA Y ESCULTURA DEL RENACIMIENTO EN ESPAÑA, 1450-1600

CAPÍTULO 1

EL FIN DE LA EDAD MEDIA Y LOS NUEVOS PLANTEAMIENTOS ARTÍSTICOS, 1450-1490

La segunda mitad del siglo xv contempla en España un panorama de enorme complejidad lingüística. La polémica fundamental, como ya había sucedido en Italia y en gran parte de Europa, se centraba en el abandono de las formas artificiosas del gótico internacional que se vieron sustituidas en Flandes e Italia por nuevas corrientes que se adscribían a la manera moderna de visión basada en las leyes de la perspectiva y de la proporción.

Pero junto a esta polémica que, en definitiva, no era sino un nuevo planteamiento de la eterna lucha entre lo viejo y lo nuevo, se inserta la mencionada dicotomía entre el modelo de Flandes y el clasicista italiano que en ningún lugar como en España alcanzaba caracteres tan claros y definidos.

Dentro de esta polémica lingüística se insertan las actividades artísticas de interés de la segunda mitad del siglo xv español en una sociedad que atravesaba una profunda crisis de adaptación a los tiempos modernos. La fuerte crítica a que se somete la institución monárquica por parte de los nobles, las continuas guerras y discordias internas, el sentimiento nostálgico de una vida refinada y caballeresca, actúan como acicates de una imagen artística a veces hipercrítica y satírica y otras veces escogida y sofisticada, y en las que ya son frecuentes los primeros atisbos de la mentalidad humanística.

Como será común en el siglo xvi, y continuando y aun agudizando tendencias medievales, ciertos reyes del siglo xv, Juan II de Castilla, Alfonso V de Aragón..., hacen girar gran parte de su actividad en torno al mecenazgo y apoyo de intelectuales y artistas,

y, en las postrimerías del siglo, los Reyes Católicos con su decidida protección a las artes y con su actividad política y militar, plantean las bases de la cultura humanística, fundada en el equilibrio teórico entre las armas y las letras, y relanzan de manera definitiva la actividad intelectual española hacia el camino del clasicismo.

LA POLÉMICA DE LOS MODELOS Y LA SUPERACIÓN DEL GÓTICO INTERNACIONAL

Entre 1417 y 1420, Julián Florentino esculpe para el trascoro de la Catedral de Valencia doce relieves con escenas de La Pasión de Cristo que podemos considerar como una de las primeras, y quizá la primera, obra del Renacimiento en España[1]. Los relieves de Florentino [1] imponen una visión de la figura basada en las leyes de la proporción, en un naturalismo ajeno a las convenciones góticas y un sentido racional del espacio inspirado con claridad en los modelos ghibertianos, cuyos relieves del Baptisterio de Florencia conocía sin duda su autor.

Pero la existencia de estos relieves en la Valencia de comienzos del siglo xv ha de considerarse un hecho aislado. La aceptación del modelo clásico italiano por parte de las artes plásticas españolas se produce, como veremos, a principios del siglo xvi; la pintura y escultura seguirán, durante la primera mitad del siglo xv, siendo góticas, y sólo a mediados de la centuria puede comenzar a hablarse de polémica antimedieval. Con todo, en un principio, la alternativa por un nuevo arte no vendrá de tierras italianas, pues Flandes y el nuevo sistema

1. Florentino: Crucifixión. *Valencia, catedral*

2. Luis Dalmau: La Virgen de los Consellers.
Barcelona, Museo de Arte de Cataluña

de representación formulado por los hermanos Van Eyck y sus contemporáneos se impondrá, si bien no de forma generalizada,
en el panorama artístico peninsular.

Como se ha señalado[2], la tradición italiana
presente en España desde la mitad del siglo XIV, no dejará de actuar durante la
mitad del siglo y terminará por imponerse,
ya en un sentido renacentista, a fines de
la centuria; pero, repetimos, el hecho más
llamativo de este momento es la verdadera
invasión de pintura flamenca ya en forma
de obras importadas, viajes de maestros del
Norte, e influencia sobre la población local,

que se produce en los reinos españoles de
la segunda mitad del siglo XV.

Ya de 1445 es la *Virgen de los Consellers* [2],
obra de Luis Dalmau, pintor oficial de Alfonso V de Aragón, y que constituye el monumento más claro de la influencia del
modelo eyckiano. Repetidas veces[3] se han
señalado los elementos que la obra de Luis
Dalmau toma del pintor de Flandes: los
retratos, los ángeles, el tipo de Virgen y el
sentido general de la obra tienen sus modelos en obras como el Políptico de San Ba-
vón o *La Virgen del Canónigo van der Paele*. Pero
desde nuestro punto de vista, tendente a

subrayar la complejidad del panorama español de los años centrales del siglo XV, nos interesa recalcar un hecho: Dalmau es pintor de Alfonso V de Nápoles, y es este rey quien en 1431 mandó al pintor a Flandes «con una pensión de cien florines de oro»[4] a ejercitarse en el nuevo arte. Sabemos que el rey era coleccionista de pintura flamenca, pero que, a la vez, su Corte constituía un importante foco de cultura humanística y de protección al arte italiano quatrocentista[5]. De esta manera una misma persona no parecía tener inconveniente en proteger tipos de arte tan distintos como los modelos nórdicos e italiano del Renacimiento en los que sin duda veía un importante factor común: su sentido antigótico[6]. Comienza a configurarse un modelo ecléctico en la recepción de los diversos sistemas artísticos que, como veremos a lo largo de este libro, será uno de los rasgos definidores del Cinquecento en España.

La inexistencia de una verdadera polémica entre los sistemas figurativos presentes en el debate artístico de estos momentos no sólo se puede percibir desde el punto de vista del mecenazgo. Pintores como Jacomart, que en seguida reconduce la pintura del reino de Valencia por los senderos del italianismo no dudan en emplear elementos figurativos góticos o renacentistas, indistintamente, en sus obras[7]. Y por su parte, el denominado Maestro de San Bartolomé en su *Virgen con el Niño* de tono más bien gótico, enmarca la figura central en un trono arquitectónicamente renacentista, mientras que en su *San Juan Evangelista* las resonancias flamencas son bien evidentes, sin olvidar que el Maestro de los Perea sólo puede ser definido en términos de eclecticismo.

Con todo, hay un hecho básico en esta recepción del modelo flamenco en nuestro país. A pesar de la segura presencia de van Eyck en España[8], la lectura que del arte flamenco se realiza en España se hace, en la mayoría de las ocasiones, en clave gótica. Hay obras como el *San Jorge* [3] de Pedro Nisart, pintor extranjero —quizá de Niza— afincado por una temporada en Palma de Mallorca, que probablemente deriven del cuadro del mismo tema obra de van Eyck, que estaba en posesión de Alfonso V. Pero la referencia fundamental de los pintores españoles que adoptaron el modelo flamenco no es van Eyck, sino las tendencias más patéticas de van der Weyden o Dierick Bouts. Se instalaba así en nuestro país una corriente expresiva y patética que culminará en la obra de Bartolomé Bermejo o Fernando Gallego, y que continuará siendo uno de los factores esenciales de la plástica del siglo siguiente.

Este concepto patético de la imagen, de indudable origen nórdico, alcanza su máximo desarrollo en la escultura. La huella

3. Pedro Nisart: San Jorge. *Palma de Mallorca, Museo Diocesano*

de Slüter es visible en escultores de la primera mitad del siglo xv, como el también artista de Alfonso V Guillermo Sagrera, pero pronto se abandona este concepto de la rotundidad monumental por otro de origen flamenco, importado por Gil de Siloé[9] y los hermanos Egas de Bruselas o por artistas de procedencia centroeuropea como Juan Alemán. De este último, y de su taller es una obra tan importante como la Puerta de los Leones [4] de la Catedral de Toledo, cuya escultura, de sentido monumental y volumétrico, no necesita ser comentada.

Pero, la mayoría de las veces, la lectura que de estas formas se realiza, es perfectamente gótica. Ello es bien evidente en obras del mismo Juan Alemán, como en el *Árbol de Jesé* esculpido en la parte posterior de la citada Puerta de los Leones, así como en la particular preferencia por ciertos temas iconográficos especialmente aptos para este tipo de lecturas; así sucede en el *Cristo de la Piedad* [5] de Pedro de Millán[10] en la iglesia de El Garrobo, al que acompañan dos ángeles de fuerte goticismo, o el de la Catedral de Cuenca, obra de Egas Cueman, cuyo mayor sentido clásico apenas encubre su sentido expresivo. Y lo mismo podríamos decir de las innumerables Piedades que tanto en el campo de la pintura, como en el de la escultura, se realizaron en estas décadas.

El que nos encontremos con una lectura gótica enfatizadora de los elementos patéticos del modelo flamenco, no quiere decir que el arte español de la segunda mitad del siglo xv mire continuamente al pasado. Los grandes artistas del momento, Bermejo, Gallego, Huguet, los pintores del círculo de los Mendoza, Gil de Siloé, los Egas... por citar aquellos en los que el sistema nórdico es más patente, suponen, por su tratamiento formal de la figura y del espacio, un importante paso adelante en el camino de la modernidad.

De todos ellos, quizá el caso más espectacular lo constituya Bartolomé Bermejo,

4. Juan Alemán: Puerta de los Leones. *Catedral de Toledo*

artista calificado de las más diversas maneras. Si Tormo le llamó «el más recio de los primitivos españoles»[11], enfatizando su sentido monumental y grandioso de la figura, Gudiol le califica como «el gran pintor nómada»[12], recalcando el poderoso influjo que dejó en los lugares donde efectuó su carrera, y Young, recientemente, le denomina, «the great hispano-flemish master»[13].

Nos encontramos, en efecto, con el pintor quizá más interesante de su momento que, al abandonar cualquier atisbo de convencionalidad propio del gótico internacional

5. Pedro Millán: Cristo de la Piedad. *El Garrobo*

6. Bartolomé Bermejo: San Miguel de Tous. *Inglaterra, Colección particular*

7. Bartolomé Bermejo: Santo Domingo de Silos. *Madrid, Museo del Prado*

sabe dotar a sus figuras de un sentido grandioso y monumental. Bermejo es un pintor de síntesis: sus figuras son verdaderos seres humanos, pero no por ello dejan de actuar como símbolos y emblemas intemporales. Así sucede en su *San Miguel* [6], donde ha querido reflejar el concepto de la lucha contra el mal, en *Santo Domingo de Silos* [7] (1474), cuya fuerte caracterización del rostro

no impide que se convierta en el emblema perfecto de la majestad y en su *Piedad del Canónigo Desplá* [8] (1490), arquetipo de una idea aún medieval del dolor, servido, sin embargo, con formas del más claro modernismo nórdico. Por otra parte hay en Bermejo una continua lucha por el desarrollo espacial de su pintura, que podemos seguir igualmente en las tres pinturas mencionadas.

8. Bartolomé Bermejo: Piedad del Canónigo Desplá.
Barcelona, catedral

Si en el *San Miguel*, las referencias paisajísticas son mínimas y el fondo se resuelve en una capa de oro, el amplio desarrollo del manto del santo y el sentido volumétrico de la armadura sitúan la escena en un espacio fuera de toda convención, en el *Santo Domingo*, el paisaje ha desaparecido y es la propia figura la que genera su espacio. Estas experiencias culminan en su *Piedad* de la Catedral de Barcelona: aquí la escena se inserta en un paisaje real, vivo, atmosférico, que se propone sin solución de continuidad entre el primer plano y el fondo, superando cualquier imagen convencional del mismo, como las que todavía planteaba Rodrigo

de Osona *el Viejo*, en su *Calvario* [14], fechado en 1746.

El caso de Fernando Gallego será estudiado en posterior capítulo en contraste con Pedro Berruguete; pero no hemos de dejar de mencionar aquí cómo es en Castilla, debido fundamentalmente a razones comerciales —el intercambio de productos con Flandes a través de ferias y mercados—, donde el modelo nórdico de Renacimiento aparece con mayor poder e influencia.

El problema de la recepción del modelo flamenco está muy ligado a los intentos culturalistas de determinadas élites sociales. Más adelante nos ocuparemos del problema de la pluralidad lingüística unida a la diversificación social que, conforme avanza el siglo XV, evoluciona hacia soluciones italianistas. Pero en la segunda mitad del siglo, pintores como Jorge Inglés, el Maestro de Sopetrán, Juan de Segovia, el Maestro de Ávila, el de San Ildefonso y el de los Luna, constituyen, junto a Fernando Gallego el núcleo más claro del hispano-flamenquismo español.

Los ejemplos de esta tendencia de la pintura castellana podrían multiplicarse: desde los delicadísimos apuntes paisajísticos de Jorge Inglés, al sentido compositivo de la figura, basado en experiencias nórdicas, de ciertas obras del Maestro de San Ildefonso, o al expresionismo del Maestro de Ávila. Y palabras similares podrían decirse de los pintores del Sur: si Pedro Sánchez I aún se muestra gótico en su *Entierro* del Museo de Budapest, el flamenquismo es ya patente en obras como *La Piedad* [9] de Juan Núñez, y el expresionismo en pinturas como *La Caída en el Camino del Calvario* de Antón y Diego Sánchez [14].

Estos pintores, así como los escultores Siloé, Egas..., plantean el problema fundamental de la crítica al gótico desde el punto de vista de Flandes. Y las mismas indecisiones y el carácter empírico de la vía nórdica al Renacimiento —que sólo se resuelven con satisfacción en tiempos de Durero— son las que, agudizadas, se producen en la España de estos momentos. El carácter no teórico ni especulativo del modelo flamenco, se oponía a la profunda reflexión científica que, en torno al problema de la imagen, se estaba produciendo en Italia. La adopción por parte de gran parte de la plástica española del modelo de Flandes nos ayuda a comprender no sólo lo que hemos denominado «lecturas góticas» del mismo, sino también la primacía de los valores emotivos y de expresividad por gran parte de los maestros menores, e incluso por pintores de la categoría de Bermejo o Gallego.

9. Juan Núñez: Piedad. *Sevilla, catedral*

Similares consideraciones se podrían hacer con respecto a aquellos artistas que optaron por el modelo italiano. Si el sistema hispanoflamenco había arraigado en Castilla debido a factores comerciales o, como veremos más adelante, al mecenazgo y coleccionismo de los nobles y la Corte, la región levantina, volcada en estos momentos hacia una actividad comercial y política centrada en Italia, y, sobre todo, en Nápoles, superó con rapidez el flamenquismo de origen eyckiano, que había gozado de la protección de Alfonso V. Este mismo rey y, fundamentalmente, el grupo de pintores que de Italia trajo el Cardenal Borgia, plantean de manera clara el tema de los inicios de la recepción sistemática del Renacimiento italiano en España [15].

Jacomart en Valencia y Jaime Huguet en Cataluña constituyen los paradigmas más claros de las vacilaciones iniciales del camino hacia el modelo italiano, que se impondrá de manera definitiva con los pintores del Cardenal Borgia. Gudiol ha señalado lo decisivo del momento en que Jacomart aparece en escena [16], cuando «Valencia se convierte en el epicentro de la política hispano-italiana, pues el rey Alfonso V fijaba en ella su corte: Nápoles, centro artístico importante, se incorporaba a la Corona de Aragón; dos naturales de ese reino eran elegidos Papas sucesivamente: Alfonso Borja, con el nombre de Calixto III (1455-58) y Rodrigo Borja, con el de Alejandro VI (1492-1503)».

10. Jacomart: San Ildefonso. *Valencia, catedral*

Era el momento, continúa Gudiol, en que Dalmau se encontraba en su mayor auge, pero la decisiva experiencia italiana de Jacomart, que se insertaba de manera armoniosa en el contexto histórico que acabamos de mencionar, explica la importante parte que el modelo italiano adquiere en su obra. El *San Benito* de la catedral de Valencia nos revela un pintor en contacto con las obras del Renacimiento italiano tal como se practicaba en la zona de Nápoles abiertas a las influencias flamencas, mientras que el *San Ildefonso* [10] —atribuido a Jacomart, a un Maestro de Bonastre y aun a Luis Dalmau— [17], nos revela las vacilaciones de la pintura valenciana de este momento en torno al problema de los modelos. Parecidas reflexiones podrían hacerse ante el *Retablo de la Santa Cena* del Museo de la catedral de Segorbe, cuya relación con el mundo flamenco es clara o ante el *Tríptico de Alfonso de Borja* [11] de la colegiata de Játiva en el que quizá pueda señalarse una mayor inclinación por el mundo italiano y napolitano [18]; y ante Juan Rexach, colaborador de Jacomart, y pintor de calidad inferior, nos encontramos con una cierta regresión hacia el decorativismo y la prolijidad típica de fórmulas medievales.

El caso de Jaime Huguet resulta en cierta manera similar al de Jacomart; la pugna entre las sugestiones nórdicas de Luis Dalmau, y la tradición italianista levantina, es constante en su obra [19]. Pero Huguet proporciona un dato más a la compleja polémica lingüística desarrollada en la España de la segunda mitad del siglo XV.

Aunque el eje del presente epígrafe lo constituyen los dos modelos alternativos que se disputaban el terreno frente al gótico internacional, el caso de Huguet puede considerarse, sin embargo, como el continuador, si bien con nuevos medios técnicos, de la tradición del gótico internacional representada en Cataluña por Bernat Martorell. Así lo ha visto con agudeza Gudiol, quien

11. Jacomart: Tríptico de Alfonso de Borja
(tabla central)

señala cómo para el pintor, la dicotomía
dibujo-color formaba una trama indisoluble,
pues Huguet «concibió cada tono con valor
independiente», a la vez que «cada color
tiene sus matices de luz y de sombra, que
no se confunden con los del campo vecino»[20].

Es ello lo que dota de modernidad a la
obra del pintor, y por lo que puede relacionarse con la alternativa internacional que
representaba Pisanello en el mundo de las
cortes del norte de Italia. Una obra como
el *San Jorge* [12] del Museo de Barcelona, ha

12. Jaime Huguet: San Jorge y la Princesa
(fragmento). *Barcelona, Museos de Arte de Cataluña*

de analizarse como ejemplo perfecto de la modernización del sistema estético del Gótico Internacional, en el que los ritmos de las figuras no las hacen perder el sentido de la corporeidad, que se centra en los rostros de los personajes. Y lo mismo podría decirse del *retablo de San Agustín* [13] (1465-1480): aquí el sentido decorativo y en cierta manera prolijo de la composición, no es óbice para un tratamiento convincente y anticonvencional de las figuras; y el mismo Gudiol ha señalado cómo obras como el *retablo de*

13. Jaime Huguet: Retablo de San Agustín (fragmento).
Barcelona, Museos de Arte de Cataluña

14. Osona *el Viejo:* Crucifixión. *Valencia, San Nicolás*

Valmoll (Tarragona) oscilan entre el amor al detalle y el decorativismo flamenquista a lo Dalmau.

Pero la renovación definitiva y la superación de los sentimientos medievalistas había de venir de Italia. Si pintores como Pedro Berruguete, que estudiaremos más adelante, no pudieron abandonar el influjo de Flandes a pesar de sus estancias en Italia, pronto el modelo nórdico se suavizará en pintores como Juan de Flandes o el Maestro

15. Pablo de San Leocadio:
La Virgen con el Niño. *Londres, National Gallery*

de los Reyes Católicos, y se impondrá de manera definitiva en los Osona y en los pintores del Cardenal Borgia.

Con respecto a Osona *el Viejo*, Angulo ha escrito estas precisas palabras: «Introductor en España del cuatrocentismo renacentista, supo rendir tributo al arte de los Países Bajos»[21]. De este pintor se conoce su ya citada *Crucifixión* [14] de 1476, en la que el mismo Angulo ha señalado su inspiración en la pintura holandesa y en los seguidores paduanos de Squarcione. Mayor grado de italianismo encontramos en su hijo Osona *el Joven*, en el que Post ha querido ver influjos de Lorenzo Costa y Francesco Francia, mientras que los pintores italianos traídos por el Cardenal Borgia, Pablo de San Leocadio y Francesco Pagano, reciben ecos de Bellini o Domenico Ghirlandaio.

Nos encontramos pues con la llegada de un sentido pleno del italianismo cuatrocentista, que sienta las bases del inmediato y breve ciclo clasicista del arte español del Renacimiento. Con todo, y hasta que no se produzca en España la aparición de hombres como Yáñez, Llanos o Bartolomé Ordóñez, es decir, en las primeras décadas del siglo XVI, el italianismo se verá reducido a la importación de modelos periféricos, que a lo largo del siglo XV polemizaron con el modelo clásico formulado en Florencia. Ya sea en su vertiente expresiva, como el caso de Squarcione en Padua, o en su lado amable o «dulce», el modelo español de pintura religiosa, de acuerdo con los sentimientos religiosos extendidos en la Península, va a atender más a razones devocionales, que a una visión racionalizada y rigurosa de la realidad. Continuando de esta manera una tradición medieval, el arte religioso español de los primeros tiempos del Renacimiento sienta las bases de su posterior contenido emocional y expresivo. Ciertas obras de Pablo de San Leocadio se convierten en el mejor ejemplo de lo que venimos diciendo; si *La Virgen con el Niño* [15] (Londres, Nation-

16. Pablo de San Leocadio: Caída en el Camino del Calvario.
Gandía, colegiata

17. Virgen del Caballero de Montesa. *Madrid, Museo del Prado*

al Gallery), plantea el tema mariano desde un punto de vista renacentista —marco arquitectónico, galería del jardín, perfecto sentido de la perspectiva— el tono general adquiere la dulzura y amabilidad de la manera «suave» del Quattrocento italiano, a pesar de su carácter dibujístico tan similar al de Bellini. Por su parte, la *Caída en el Camino del Calvario* [16] de la Colegiata de Gandía reelabora el tema rafaelesco del *Pasmo de Sicilia* (Madrid, Prado) en clave dramática y expresiva. Y si ya nos encontramos muy alejados de cualquier lectura gótica, sí que nos hallamos ante interpretaciones en clave expresiva de algunos de los temas favoritos del clasicismo italiano.

El epígrafe ha de cerrarse ante una obra clave, que recoge la mayor parte de los temas tratados y relanza la pintura española por el camino del clasicismo. En *La Virgen del Caballero de Montesa* [17] el espacio es ya claramente perspectivo, las figuras se equilibran con sentido realista e idealizado, adquieren un perfecto sentido de la proporción y de la simetría y la escena se enmarca en una arquitectura vitruviana, de clara inspiración italianista. Todo ello nos indica con claridad que hemos entrado en una nueva época, la del clasicismo en la que «el autor, renunciando a las celestes visiones pobladas de ángeles de concepción esencialmente trecentista, imagina el amplio escenario de un palacio con arquerías laterales abiertas al campo, donde el deseo de riqueza sólo se manifiesta en la calidad de los materiales» [22]. Se ha superado el modelo nórdico, y el clasicismo italiano hace su aparición en España.

CULTURA Y SÁTIRA EN LA ESPAÑA DE LA SEGUNDA MITAD DEL SIGLO XV

El siglo XV, en cuya segunda mitad se consuma el paso entre la Edad Media y la Moderna, contempla en España los inicios de una nueva cultura, que va acompañada de un fuerte sentimiento crítico hacia una realidad en su mayor parte hostil. Uno de los hechos más significativos de la centuria es la dicotomía existente entre los sentimientos de una clase social culta y refinada como la aristocracia —que oscilan entre la sofisticación y la desesperanza— y una áspera crítica social, producto, sin duda, de su incapacidad para controlar un mundo que se le escapa de las manos.

La segunda mitad del siglo XV es testigo de un espléndido auge en el patrocinio de la creación de objetos bellos, como los libros de miniaturas, y del interés por el nuevo fenómeno de la biblioteca y la colección privadas. Los libros miniados se encargan no sólo por miembros de la nobleza culta, la aristocracia y la corte, sino también por parte de clérigos, como el Obispo don Pedro de Montoya, protector del artista García de San Esteban de Gormaz [23], o el Obispo Luis de Acuña, cabildos —Guadalupe, Toledo...— y otros mecenas eclesiásticos.

En este momento, se ilustran obras como *Las Genealogías de los Reyes de España*, de Alonso de Cartagena, los *Libros de Horas de Isabel La Católica* existentes en Madrid y Granada... y ciertas piezas culturales destinadas a las bibliotecas de los nobles. Para don Juan de Zúñiga, hijo del conde de Plasencia se ilustraron las *Instituciones latinas* de Nebrija o el *Comentario de las Crónicas de Eusebio*, de Alonso de Madrigal [24], mientras que el Marqués de Santillana, uno de los iniciadores del movimiento prehumanista, poseía una de las más importantes bibliotecas de Europa [25].

Pero este interés por el libro y la cultura ha de interpretarse como el deseo de refugiarse en un mundo bello y refinado, que aislase a estos grandes mecenas de un entorno hostil.

¿Dó es justicia, templança, egualdad,
prudencia e fortaleza? ¿Son presentes?
Por cierto non, que lexos son fuidas,

afirma el mismo Marqués de Santillana, recogiendo un tópico literario muy extendido en su tiempo: el de la decadencia total de un mundo, cuya degradación podía palparse cotidianamente; ello explica el auge de ciertos temas que van a encontrar su mejor plasmación en el mundo, recientemente inventado, de la imprenta[26].

En 1497, Fadrique de Basilea publica en Burgos el *Anticristo*, traducido por M. de Ampies, desarrollando un tema que era recordado en estos momentos en toda Europa —recordemos los frescos contemporáneos de Signorelli en Orvieto—, y que proponía la reflexión acerca de la turbadora presencia del demonio en todos los campos de la actividad humana.

Es curioso señalar cómo durante estos momentos ciertos temas centroeuropeos gozan de una particular aceptación en España, tal como puede deducirse del establecimiento de impresores alemanes en la Península. El mismo Fadrique publica en 1499 el libro de Brandt, *Stultifera navis*, a la vez que el tópico de la *Danza de la Muerte* es objeto de composiciones literarias o de grabados

tan impresionantes como el que ilustra el libro sobre los Novísimos, traducido por Gonzalo García de Santa María y publicado en 1494[27]. El tema del monstruo y el pecado es igualmente habitual en un mundo que se siente dominado por la presencia del mal y la experiencia del dolor, antes que bendecido por la gracia divina. Y así, en 1500, las *Coplas de los Siete Pecados Mortales*, de Juan de Mena, ostentan en su frontispicio la horrible presencia de la hidra, los monstruos acechan al moribundo en un grabado del *Arte del Bien Morir* de Juan Rosenbach (Barcelona, 1495), y el Infierno y sus tormentos adquiere una espeluznante realidad en el *Cordial del ánima* de Dionisio Cartujano editado en 1495.

Pero una sociedad tan vital como la europea de fines del siglo xv, de la que la española forma parte en toda su plenitud, como lo demuestran la circulación de estos grabados en nuestro país, desarrolla toda una serie de antídotos contra la realidad de un mundo de lucha, enfrentamiento, decadencia y muerte. De esta manera, no sólo oímos quejas como la de Hernán Mexia —«Mundo

18. Fraile abusando de una mujer. Sillería de Zamora

ciego, mundo ciego/lleno de lazos amargos...»—, pues si la aristocracia se refugia en el mundo de la alta cultura, ésta misma clase, la incipiente burguesía e incluso la Iglesia, encuentran nuevas y originales vías de salida que, en realidad, van a estar en el origen de muchas tendencias del humanismo renacentista.

Desde este punto de vista hemos de indicar la importancia de la sátira. La risa como medio de conocimiento y de exorcismo de males no fue patrimonio exclusivo de la cultura de los Países Bajos. En España, ciertos libros impresos, y, sobre todo, los relieves de las misericorsias de las sillerías de coro de iglesias y catedrales, desarrollaron un mundo de dichos y refranes, en los que el moralismo se une a intención fuertemente crítica. Isabel Mateo[28], que ha estudiado el problema de los temas profanos [18] en las sillerías españolas de manera exhaustiva, indica cómo los refranes eran método frecuente de inspiración de Rodrigo Alemán; así, por ejemplo, asuntos como el dicho «dar margaritas a los cerdos» aparece en los relieves de Toledo y Plasencia. Junto a ello, temas como «el mundo al revés», la crítica social —recordemos que en León aparece el ajusticiamiento de don Álvaro de Luna—, asuntos literarios como el *Roman de Renart* o la representación moralista de las fábulas de Esopo (catedral de Ciudad Rodrigo), son algunos de los motivos más frecuentes que aparecen en las misericordias de las sillerías y también en los libros impresos, de manera que Juan Hurus publica en Zaragoza una edición de Esopo, al igual que hace Fadrique de Basilea en Burgos en 1496.

Para el hombre de fines del siglo xv el mundo está lleno de trampas y peligros —(cfr. los grabados del *Exemplario contra los engaños y peligros del mundo* [19], Pablo Hurus, Zaragoza, 1493, Johannes de Capua, Burgos, 1498)—, pero su superación puede lograrse por una triple vía. Ya hemos señalado el valor cognoscitivo de la risa y el sentido

moral de la sátira. A ello habría que añadir la repristinación romántica de los ideales caballerescos y el surgimiento de un nuevo concepto de la ciencia.

El tema del caballero es objeto de frecuentes reproducciones xilográficas que acompañan a los libros que tratan el tema; lo mismo puede decirse de santos como San Miguel o San Jorge, concebidos como vencedores de las fuerzas del mal, representadas por medio de seres monstruosos, y de personajes mitológicos como Hércules, cuyas caballerescas hazañas son motivo de inspiración tanto para la sillería del coro de la catedral de Sevilla[29], como en los famosos grabados zamoranos que ilustran el libro de Villena sobre los trabajos del héroe tebano. La utilización del motivo caballeresco como medio evasivo no ha de extrañar ya que, como decimos, el refugio en los mundos utópicos y de la fábula, era uno de los recursos de esta época ante la obsesiva presencia del mal y el pecado.

Por fin, y coincidiendo con un deseo de conocimiento renovado, que podía hacer salir al hombre de un mundo concebido como selva peligrosa —recordemos la importancia que en estos momentos adquiere el tema iconográfico del salvaje estudiado por Azcárate[30]—, hemos de señalar la aparición de ilustraciones sobre asuntos científicos, anatómicos y naturalistas. En 1494 E. Mayer publica en Tolosa el libro de Bartolomeus Angelicus, *De las propiedades de las cosas* [20], donde se estudian e ilustran temas como la naturaleza del aire, la del agua, las aves, los árboles, los colores..., en una verdadera enciclopedia del saber natural de fines de la Edad Media. Y por su parte el *Repertorio de los Tiempos* [21] de Andrés de Li —Zaragoza, 1495, Pablo Hurus— concibe al hombre bajo la influencia de las constelaciones; recordemos los frescos de Fernando Gallego en la Biblioteca de la Universidad de Salamanca y las sillerías con los meses y los signos del zodiaco estudiadas por Isabel

19. *Exemplario contra los engaños y peligros del mundo*.
Pablo Hurus, Zaragoza, 1493

Mateo, que nos indican cómo la ciencia astrológica, de tan alto desarrollo en el Renacimiento, era, en estos momentos de incertidumbre, un criterio intelectual que proporcionaba una respuesta válida ante la omnipresencia fatal de la muerte.

IMÁGENES PARA EL FIN DE UNA SOCIEDAD

La diversidad de opciones lingüísticas que hemos visto desarrollarse durante la segunda mitad del siglo XV, y que preludia la aparición del lenguaje clásico en España, tiene como marco social y cultural el momento de crisis y final de un modelo de vida —el bajomedieval—, que, durante la primera mitad del siglo, había dado evidentes muestras de agotamiento.

20. *De las propiedades de las Cosas.*
E. Mayer, Tolosa, 1494

Estas eran evidentes en el campo político. No es este el momento de señalar las convulsiones y guerras de los reinos cristianos durante el reinado de los Trastamaras, pero sí el de recordar las guerras civiles, las disputas intestinas y las banderías que eran sucesos habituales durante todo el siglo XV: los Reyes Católicos comenzarán a ordenar este caos y a restablecer una cierta autoridad dentro del estamento nobiliario, que no por ello dejará de ostentar un inmenso poder.

Pero la cultura literaria y plástica no se vio afectada por esta situación; antes bien, reyes como Juan II de Castilla convirtieron su corte en un círculo artístico e intelectual, planteando así el problema del mecenazgo artístico que no será olvidado por los Reyes Católicos. Esta sociedad en trance de desaparición sublimaba sus frustraciones desde una perspectiva estética, y el sentido de un mayor refinamiento, propiciado por el arte gótico en su fase final, se extendía hasta el arte de la guerra.

Uno de los personajes clave de la Castilla de la primera mitad del siglo, el Condestable don Álvaro de Luna, que era «pequeño de cuerpo e menudo de rostro, pero bien com-

puesto de sus miembros, de buena fuerça e muy buena cavalgada», había convertido su castillo de Escalona en un importante centro artístico. En su persona las cualidades estéticas no se veían reducidas a la vida cortesana. Cuando el 19 de mayo de 1445 se enfrenta en Olmedo con los Infantes de Aragón, su ejército se revistió de gala, como si de un torneo se tratase. Los caballeros, ricamente guarnecidos «... llevaban diversas debisas pintadas en las cubiertas de los caballos, e otros joyas de sus amigas, por veletas sobre las celadas...». Abundaban las perlas, las joyas, los emblemas y divisas y las invenciones extrañas, «... e non era poca la diversidad que llevaban en las cimeras, sobre las celadas e los almetes; ca unos llevaban penachos de bestias salvajes, e otros penachos de diversos colores... (y) ... plumajes como alas, que se tendían contra las espaldas»[31].

El brillante espectáculo que, como decimos, trasladaba al campo de batalla real, el ficticio y estetizante mundo de los torneos, es uno de los mejores ejemplos que nos ayudan a definir el punto final de una época.

21. *Repertorio de los tiempos*, Pablo Hurus, 1495

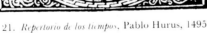

Pronto este mundo entrará en el campo de la leyenda romántica y sus protagonistas pasarán a ser celebrados en monumentos funerarios. Son ellos los que inician un sentido nuevo de la gloria, y con ellos comenzamos nuestras reflexiones acerca de un género —el mortuorio— de enorme importancia en la plástica del Renacimiento.

Con anterioridad al planteamiento de la Capilla Real de Granada como espacio funerario, los grandes conjuntos de este tipo existentes en España construidos en el siglo XV, se centran en tres ejemplos: la Ca-

pilla del Condestable, en la Catedral de Burgos, la de don Álvaro de Luna en la de Toledo, y la Cartuja de Miraflores en Burgos.

La primera de ellas recibirá lo esencial de su decoración escultórica durante los primeros años del siglo XVI y será estudiada más adelante, pero los dos conjuntos restantes albergan ciclos pictóricos y escultóricos de capital importancia para las artes plásticas españolas de la segunda mitad del siglo XV. El Condestable de Castilla fue enterrado en una gran capilla de la Catedral Primada y, años más tarde, en 1489, doña

22. Sebastián de Toledo: Sepulcro de los Condestables.
Toledo, catedral

María de Luna, Duquesa del Infantado, contrata el sepulcro de sus padres[32] con el escultor Sebastián de Toledo [22]. El programa se completa con las pinturas de un importante retablo.

Los aires de modernización que corrían por la Castilla de fines del siglo xv, y que la propia familia del Infantado estaba contribuyendo a crear, se reflejan en el programa total del conjunto funerario. Un espacio que, si bien aun definido por las leyes del gótico, adquiere caracteres de enorme transparencia y diafanidad, alberga las pinturas y estatuas, que hacen presentes los retratos de los Condestables a través de la tipología que permitía el sentido aún predominantemente religioso de la cultura de la época: el retrato sepulcral y el donante. Así, aparecen en la predella del retablo pintado por Juan de Segovia y Sancho de Zamora en 1488, iniciando un proceso de secularización que un tema como el del retrato lleva en sí mismo implícito, a la vez que los túmulos funerarios nos proporcionan una imagen de la muerte serena, reposada y, en cierta manera, solemne y ceremonial, debida sobre todo a la inserción de los ángeles de las esquinas y a la presencia de los blasones familiares. Son estos elementos, junto con las efigies de los propios yacentes y las representaciones de las virtudes, las que proporcionan el tono moderno de una obra, en la que las referencias al gótico se reducen a ciertos elementos decorativos de tipo arquitectónico de escasa repercusión en el conjunto. Y si del análisis de las tumbas pasamos al del retablo llegamos a las mismas conclusiones; aparte de la ya reseñada importancia de los retratos del Condestable [23] y su mujer, representados como donantes, el retablo adquiere un enorme sentido de sencillez y monumentalidad, enfatizada por la presencia de una sola figura en cada uno de los ocho paneles laterales, enmarcada en un espacio en el que la perspectiva se ha estudiado con cuidado.

Con estas dos obras tenemos el primer ejemplo del patrocinio artístico de una de las familias clave para la introducción del Renacimiento en España: los Infantado-Mendoza, que ya desde fines del siglo xv comienzan a adquirir conciencia del papel diferenciador que el uso de un diverso lenguaje artístico podía tener con respecto al mundo medieval. La capilla de los Luna es buen ejemplo de ello, al sustraerse a cualquier referencia al gótico internacional y propugnar un lenguaje más atento a la realidad como era el hispano-flamenco, del que se acentúan los rasgos triunfales en las estatuas funerarias y la racionalización de la imagen en las pinturas del retablo. De esta manera un lenguaje artístico diferente, servía a los fines requeridos de diferenciación social.

Por estos mismos años, el escultor Gil de Siloé que «ignoraba en absoluto el avance del Renacimiento italiano, la noble depuración que éste imprimía a las obras escultóricas»[33] realizaba en la Cartuja de Miraflores uno de los conjuntos más excepcionales de la escultura española: las tumbas de Juan II y su esposa Isabel de Portugal, la del Infante Alfonso y el retablo de la Iglesia [24].

Como en el caso de la capilla de los Luna, el tema del retrato hace su aparición tanto en las tumbas como en las esculturas de los reyes, concebidas según la habitual tipología del donante. Pero aquí la referencia formal es muy distinta. Si en el ambiente toledano el deseo de diferenciación se canaliza a través de la vía de la monumentalidad o el sentido espacial perspectivo, en Burgos, la idea de prestigio y ostentación de la realeza parece realizarse por el camino de la prolijidad y el hiperdecorativismo. La tumba de los reyes abandona cualquier tipología al uso, y se convierte en un polígono estrellado, cuyas 16 caras sirven de soporte a un complicado sistema iconográfico de virtudes, alegorías y personajes bíblicos. Se ha indicado[34] cómo la idea procede del mundo mudéjar, pero,

23. Juan de Segovia y Sancho de Zamora: Retrato del Condestable,
retablo de la capilla del Condestable. *Toledo, catedral*

24. Gil de Siloé: Retablo de la cartuja de Miraflores. *Burgos*

aparte de estas referencias autóctonas, las estatuas de los reyes y el sentido hiperrealista y extremadamente cuidado de sus vestidos, joyas y demás aditamentos, procede de la superación y exageración del naturalismo gótico de la corte borgoñona. Con estas estatuas, y con la mencionada del infante Alfonso —bajo un arco de gótico florido de mayor convencionalidad— nos encontramos ante verdaderas imágenes que festejan el fin de una época. La obra fue terminada en 1493; el rey había muerto en 1454, pero la reina vivió hasta 1496, con lo que cabe la posibilidad de que su retrato fuera realizado en vida. Pero lo que ahora nos interesa resaltar es el carácter de punto final que tienen estas tumbas, punto final de una época y de una dinastía, cuyo rey efigiado —Juan II— había convertido su corte en un lugar en el que la poesía tenía más cabida que la política. De su hijo, el denostado Enrique IV, señalaba Hernando del Pulgar que «era gran músico y tenía buena gracia en cantar y tañer, y en fablar cosas generales» y que «usava asimismo de magnificencia en los rescebimientos de grandes hombres... faziendoles grandes y suntuosas fiestas...»[35]. Las tumbas burgalesas y el retablo que las preside, sobre el que más tarde nos extenderemos, son un buen ejemplo de este refugio en la estética, a menudo paranoico, propio de las épocas decadentes y que, en el caso de Burgos, si bien celebra a personajes del inmediato pasado, se solapa cronológicamente con la aparición en España de las nuevas corrientes clasicistas que, como veremos más adelante, realizan su entrada en los años finales del siglo xv, en el reinado de los Reyes Católicos.

EL ARTE NOBILIARIO Y EL NUEVO SENTIDO DE LA MUERTE

El contraste antes señalado entre la diversidad de lenguajes empleados en las capillas funerarias del Condestable don Álvaro de Luna y la de los reyes Juan II e Isabel de Portugal, nos hacía recalcar la importancia que en ciertos estamentos nobiliarios adquiría el arte hispano-flamenco como factor de diferenciación de una clase aristocrática, frente a un entorno ambiental caracterizado por el goticismo y el mudejarismo.

Antes que el desarrollo del modelo clásico italiano venga a constituirse en elemento fundamental de diferenciación, la propia familia de los Mendoza, cuyo papel en este episodio será recalcado más adelante, adoptó el sistema plástico flamenco como medio de expresión artística, y su patrocinio constituye la alternativa más seria que en Castilla podía producirse al patetismo de Fernando Gallego, de raíces boutianas, y al incipiente italianismo de Pedro Berruguete.

No es este el momento de volver a incidir sobre ya reseñadas cuestiones lingüísticas, pero sí el de resaltar cómo el realismo flamenco se utiliza por los miembros de esta familia como medio favorito de introducción del género del retrato, iniciando de esta manera el proceso de secularización plástica de la España medieval que es, como es sabido, uno de los caracteres del Renacimiento humanista. Cobran a estos efectos gran importancia los *Retratos del marqués de Santillana y su mujer* en el *Retablo de Buitrago* [25] no sólo por su carácter naturalista sino, sobre todo, por la importancia que adquieren en el conjunto, del que constituyen la parte central y más destacada. Gudiol ha señalado cómo este hecho «expresa la profanización naciente de los nuevos tiempos prerrenacentistas»[36], que se manifiesta aquí por medio de una autoconciencia del valor de sí mismo y del individuo como sujeto preferente de representación.

Pocos años más tarde, el pintor conocido como Maestro de Sopetrán incidirá en estos mismos aspectos en su *Orante* [26] del Museo del Prado en el que se ha creído ver al hijo del marqués de Santillana. Ahora, el

25. Jorge Inglés:
Retrato del marqués de Santillana.
Retablo de Buitrago

26. Maestro de Sopetrán: Orante.
Madrid, Museo del Prado

sentido flamenco del espacio, más acusado en este artista, discípulo de Jorge Inglés, que en su maestro, inserta la figura en un marco perspectivo y la hace destacar sobre los elementos religiosos. El santo acompañante, típico elemento de los retratos de donantes, se sustituye por un paje; pero lo esencial de este proceso secularizador parece darse en la inversión que se realiza de los elementos habituales: los monjes y el retablo adquieren una proporción ostensiblemente menor que el retratado y su paje, y el espacio, si bien se trata de una iglesia, adquiere un desarrollo claro y diáfano acorde con los nuevos requisitos formulados por las corrientes más avanzadas.

Con todo, lo habitual sigue siendo la menor proporción del retratado con respecto a la escena religiosa, como sucede en la *Natividad* del Maestro de Ávila, o en pintores de menor calidad como la *Santa Ana* del Maestro de Osma.

Instituye así el donante un espacio propio, cualificado por los caracteres de secularidad y racionalidad, cuyos ejemplos pueden rastrearse no sólo en el ambiente de la Castilla hispano-flamenca. Una obra como *La Piedad del canónigo Desplá* [8], de Bartolomé Bermejo, inserta al retratado en el mismo nivel y en el mismo espacio lógico que la escena principal, superando anteriores convencionalismos presentes en los cuadros anteriores como el *San Miguel de Tous* [6] o en la tabla central del *Tríptico de Acqui*. Pero ya antes, Luis Dalmau había ofrecido una imagen retratística de claro cuño realista en su *Virgen de los Consellers* [2], inspirada, como dijimos, en modelos eyckianos.

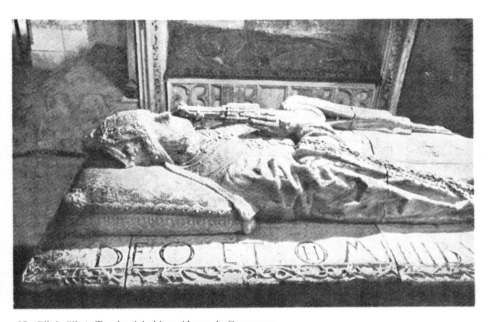

27. Gil de Siloé: Tumba del obispo Alonso de Cartagena.
Burgos, catedral

Aunque, como acabamos de ver, el tema del retrato no puede identificarse sin más con los estamentos de la nobleza y la aristocracia, sí es en estos círculos donde alcanzó una aceptación más clara y desde luego, la de mayor contenido de modernidad. Rara vez un donante eclesiástico, con la señalada excepción del Canónigo Desplá, suele retratarse en el mismo nivel y proporción que la escena religiosa. Y ello no sucede sólo en obras del siglo xv, sino en otras en que, como la *Virgen del Caballero de Montesa* [17], hemos destacado los caracteres de su profunda modernidad.

Junto al tema del donante, es el sepulcro el segundo lugar donde el sentido de la autoconciencia del individuo conduce la imagen artística a la formulación del tema del retrato y, con ello, a una mayor intensidad en el proceso secularizador de la representación. La segunda mitad del siglo xv contempla, por otra parte, la renovación del tema del sepulcro como una progresiva importancia conferida a la caracterización del difunto.

Desde este punto de vista, puede considerarse capital el sepulcro del obispo Alonso de Cartagena [27], personaje ligado a los ambientes cortesanos, y de gran relevancia en la introducción del humanismo en la Castilla del siglo xv [37]. Fallecido en 1447, la obra de Gil de Siloé ha de fecharse hacia 1475 [38] y constituye uno de los primeros ejemplos españoles de tumba tumular en la que, además, desaparece, aún en mayor medida que en la tumba de los Luna, cualquier referencia al gótico, relegado a mínimas citas decorativas. Gilman Proske señala además la novedad de las pequeñas basas de la figura de la cama con las inscripciones de los nombres de los santos. Y si en estos, los caracteres aún son góticos, la inscripción que recorre la parte superior se hace en grandes letras latinas, claro signo de los nuevos tiempos.

Pero esta importante obra quedó, junto a los monumentos funerarios estudiados anteriormente, en cierta manera aislada, y su

28. Sepulcro de Marcos Díaz de Mondéjar. *Iglesia parroquial de Mondéjar*

ejemplo sólo será retomado, con un lenguaje figurativo ya italiano, por las posteriores obras de Domenico Fancelli. El tipo habitual de tumba durante la segunda mitad del siglo XV constituirá el desarrollo lógico, con los medios formales del gótico tardío, del tipo de tumba bajo arco de procedencia medieval. Y la novedad residirá fundamentalmente en el énfasis individualizador que adquiere el retrato del difunto.

Los ejemplos en este sentido podrían multiplicarse casi «ad infinitum». Egas Cueman esculpe el sepulcro de Antonio Velasco y su mujer en el Monasterio de Guadalupe, siguiendo el tipo de orante, si bien, lo habitual será representar al difunto de manera yacente. Serán las disposiciones de los efigiados los que nos proporcionen una tipología variada, desde el recogimiento y devoción del sepulcro de Marcos Díaz de Mondéjar [28] en Guadalajara[39], al adusto sentido guerrero de don Rodrigo Campuzano [29], cuya imagen ha sido calificada por Orueta de «más intelectual que impresionista», a la vez que señala el sentido «materialista y concreto»

29. Sepulcro de don Rodrigo Campuzano. *Guadalajara, San Nicolás*

de sus elementos. Este mismo autor, al referirse a esta obra, ha expresado unos caracteres aplicables a gran parte de la plástica funeraria española del último tercio del siglo xv. La actitud del escultor «razonando y explicando, analizando sus elementos, enumerándolos todos o los más posibles, y por todo esto, por detenerse demasiado en ciertos detalles y contemplar su objeto demasiado de cerca... (no llega a establecer) ... una valoración ordenada entre estos mismos componentes... (y busca) ... precisamente la desintegración»[40].

Este sentido enumerativo es pues uno de los rasgos esenciales de la escultura de estos momentos y se hace especialmente patente en ciertas obras de la Catedral de Burgos como los sepulcros de los arcedianos Díaz de Fuentepelayo —del taller de Simón de Colonia— o en el de Fernando de Villegas —del propio Simón—, en los que la figura del difunto se pierde en un sinfín de elementos decorativos, iconográficos y, en el último caso, heráldicos. Y lo mismo, y aún con mayor énfasis, podría decirse de obras como la Capilla Dorada de la Catedral de Salamanca o el sepulcro del Dr. Grado en Zamora, cuya organización debe mucho al sentido retablístico que, bajo otras formas, se prolongará durante gran parte del siglo xvi.

Pero junto a este sentido escenográfico de la muerte, una idea más serena y reposada, que preludia el concepto triunfal de la misma, comienza a imponerse desde estas fechas. Nos referimos a las existentes en la Iglesia de *San Ginés* de Guadalajara y, sobre todo, al famoso *Doncel* de Sigüenza.

Ya la efigie de la reina Isabel de Portugal, obra de Siloé, la representaba con un libro entre las manos. Lo mismo sucede en las estatuas de los condes de Tendilla [30] en San Ginés, de los que Orueta señaló su sentido elegante y simplificado, calificado, en bellas palabras, como «el eco lejano de un nuevo sentir»[41]. Por su parte, las estatuas de Íñigo López de Mendoza, hijo del primer

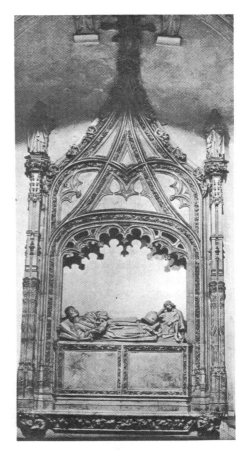

30. Sepulcro del conde de Tendilla.
Guadalajara, San Ginés

marqués de Santillana, se enmarcan bajo arcos góticos; pero lo que eran antes prolijidad y enumeración, se convierte ahora en elegante y sobrio linealismo. Se abandona cualquier sentimiento teatral, y todo el interés se concentra en las estatuas que comienzan a incorporarse de igual manera con un libro en las manos.

Esta tendencia a la elegancia y al énfasis en los elementos intelectuales de la lectura,

34 bis. Juan de Flandes: Retablo de San Miguel.
Salamanca, Museo Diocesano

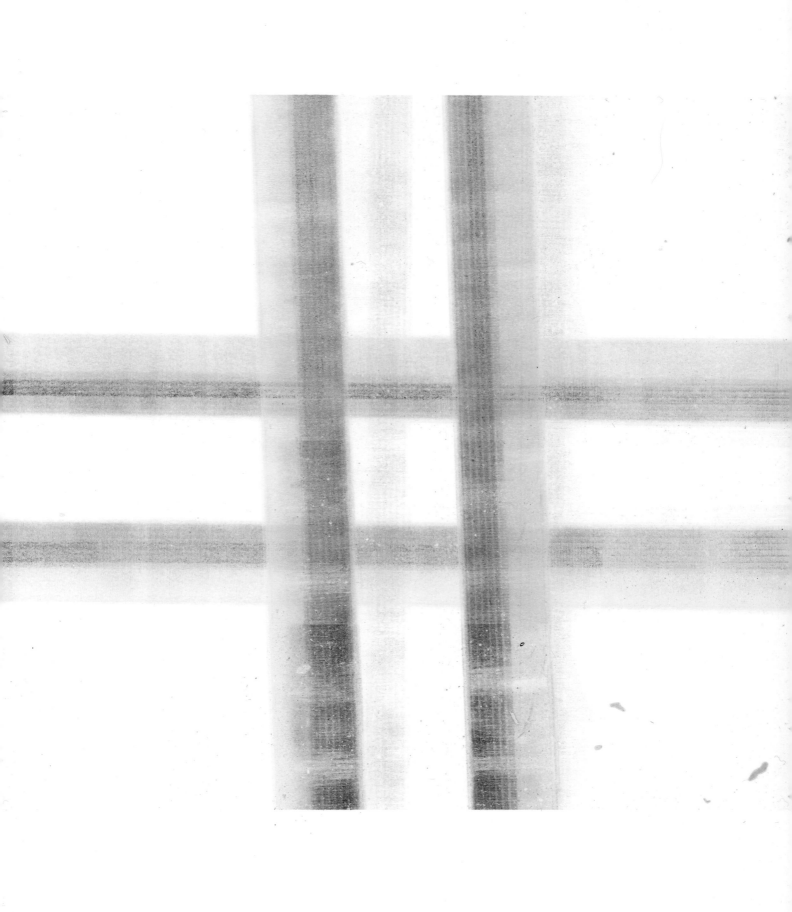

en una imagen de singular elegancia, en una tendencia que culmina en obras como el *Retablo del Condestable* [34], iniciativa del rey don Pedro, Condestable de Portugal (1464), y que representa el tema tan catalán «dels set goigs» (los siete gozos de la Virgen), o el *San Jorge y la Princesa*, en el que retoma un tema de tan especial significación para la Edad Media Caballeresca.

Esta consideración tardo-medieval del santo como caballero adquiere cierta relevancia en la España de finales del siglo XV, en la que la cultura caballeresca estaba muy lejos de olvidarse. Pero ya entonces debía considerarse este mundo como algo romántico y propio del pasado. Si, en un principio, la caballería se basaba en tres consideraciones: «la primera fue amor del bien público; la segunda deseo de atribuir honor devido a la virtud; la tercera dar a la orden devidos ministros e servidores», Diego de Valera, de quien son las anteriores palabras, señalaba en su *Espejo de la verdadera nobleza* cómo ahora «son mudados por la mayor parte aquellos propósitos, con los quales la cavallería fue comenzada, entonces se buscaba en el cavallero solo virtud, agora es buscada cavallería para no pechar; entonces a fin de honrar esta orden, agora para robar en su nombre...»[43]. Esta decadencia va unida a su exaltación romántica y fantástica —no olvidemos que es de ahora el auge de la novela de caballerías— y de la atribución a los seres divinos de las cualidades del caballero.

Quizá ninguna imagen mejor de lo que venimos diciendo que el *San Jorge* de Pedro Nisart del museo de Palma de Mallorca. El tema de San Jorge es sin duda el ideal para quienes querían ver en el santo las cualidades de virtud, lucha contra el mal y defensa de los débiles, tal como nos muestra de igual manera la versión, más goticista, de Rafael Moguer. Pero esta imagen del santo luchador tiene una mayor aceptación a la hora de representar la iconografía

35. San Miguel de Zafra.
Madrid, Museo del Prado

angélica. El arcángel San Miguel aparece esculpido por Siloé en la tumba del infante don Alfonso en la Cartuja de Miraflores en Burgos; Bartolomé Bermejo lo hace protagonista de una de sus mejores obras, y lo mismo sucede en artistas de la talla de Juan de Flandes [34 bis], Juan Rexach o en anónimos hispano-flamencos, como el existente en Granada. Pero será el anónimo pintor de Zafra quien nos proporcione con su *San Miguel* [35] —Museo del Prado— una de las más interesantes imágenes religiosas de fines del siglo XV español; situado en un espacio imaginario, la lucha del santo contra el monstruo símbolo de la maldad, es trasunto de una imagen de la realidad como lugar de contradicciones: si la parte inferior está dominada por un caos informe de bichos y seres monstruosos, un principio de orden se va instalando conforme ascendemos en la obra. Ahora los ángeles luchan contra los demonios, y en la parte superior, que representa el cielo, éste se ordena por medio de tres grupos de ángeles, perfectamente delimitados. La oposición entre ambas partes, es la misma que se establece entre la bella, elegante y erguida figura del santo y la

36. Luis Alimbrot: Calvario.
Madrid, colección particular

horrible y reptante del diablo, en una dicotomía similar a la que el Maestro de Palanquinos establece en su *Santa Marina y el Dragón* del retablo de Mayorga.

Cuando, ya a principios del siglo XVI, se hayan superado las contradicciones inherentes al final de la Edad Media, Pablo de San Leocadio, dotará al tema de San Miguel (catedral de Orihuela) de un reposo y una calma de nuevo cuño: el santo, vestido a la romana y ostentando un camafeo clásico, ha abandonado ya la tensión y el dramatismo que caracterizaban al siglo anterior.

Junto a las alternativas dramáticas y emocionalistas —Gallego, Bermejo, Antón y Diego Sánchez, *Piedad* de Dalmau...— y a la visión del santo como luchador, hay que señalar, sin embargo, la aparición de visiones reposadas y exentas en todo de dramatismo. En realidad, habrá épocas del arte español del siglo XVI que se caracterizarán por una mayor expresividad y exageración que este fin del siglo XV: así sucede en las mencionadas obras de Jacomart, en la sensación de orden y claridad del *Calvario* [36] de Luis Alimbrot, cuyo único elemento chirriante son los verdugos del primer término, por no hablar de la visión antidramática del tema de San Jerónimo que nos proporciona el Maestro de la Seo de Urgel, en una idea que se extiende hasta el mismo paisaje.

También en Castilla encontramos estas contradicciones. Frente al sentido expresivo de Gallego, el denominado por Gómez Moreno Maestro de Palanquinos[44] recupera, basándose en la pintura flamenca, un sentido elegante y aristocrático de la imagen del santo —San Cosme [37], León, Catedral— y una idea de la composición rítmica, cerrada y proporcionada en obras como *El Descendimiento*, que preludia ciertas maneras del clasicismo: la suave curva de Cristo cierra el borde inferior de la composición, que se geometriza por el madero de la cruz y las dos escaleras simétricas.

Con todo, el hecho de mayor relevancia por lo que respecta al arte religioso de la segunda mitad del siglo XV, es la progresiva importancia concedida al discurso iconográfico. Una especie de horror al vacío se extiende en la decoración interior y exterior de las iglesias y retablos, y las llamadas «fachadas-retablo» comienzan a aparecer de manera masiva en el arte español, en una tendencia que, una vez más, no será abandonada en la posterior centuria.

Los retablos pictóricos, que, al iniciarse la segunda mitad del siglo contaban ya con ejemplos tan importantes como el de Nicolás Florentino en la Catedral Vieja de Salamanca, desarrollan una iconografía basada en la Sagrada Escritura y en el santoral cristiano. Sería excesivamente prolijo la mención tan sólo de una ínfima parte de esta producción, algunos de cuyos ejemplos ya han sido reseñados; tan sólo nos interesa resaltar cómo, frente al sistema italiano de la «pala», en la que lo más frecuente era la inserción de una sola escena, o el más distante de la pintura al fresco, los condicionamientos de una religión más emocional y menos intelectual, exigen un sistema de formas basado en la proliferación de escenas, santos e historias evangélicas, que atraigan de manera inmediata y sentimental la atención del fiel.

El sentido hiper-decorativo del gótico final, que había encontrado su mejor caldo de cultivo en el Norte de Europa durante el siglo XV, se prolonga en la España de finales de siglo, donde encuentra un terreno propicio debido a la tantas veces señalada importancia del mudéjar, que actúa en el sentido de excitar la sensibilidad hacia una decoración prolija y sofisticada[45].

El recurso exasperado por el gótico en retablos y portadas, que en realidad tiene ya poco que ver con las realizaciones de éste durante los siglos XIII y XIV, puede tener, en la España de los Reyes Católicos, un contenido de tipo político determinado. Al

37. Maestro de Palanquinos: San Cosme. *León, catedral*

relacionarse con el mundo del Norte de Europa, que había permanecido cristianizado durante toda la Edad Media, se conseguía una diferenciación frente a lo musulmán, cuyos últimos residuos de dominio político no se vencieron hasta 1492, y se restauraba, mediante un discurso iconográfico todavía no codificado, pero sí muy impositivo, una imagen triunfalista de la religión.

De esta manera, surgen los temas citados del retablo y las portadas en los que se articulaba de manera armoniosa el paso del siglo XV, con su inevitable carga de goticismo, al XVI, cuando este espíritu gótico comienza a vestirse con el nuevo sentido de la forma y la decoración propio del Renacimiento.

Si en un principio la idea del retablo y del tríptico se adopta partiendo de obras importadas —*tríptico de Tordesillas, tríptico de la Adoración* [38] de Covarrubias—, pronto artistas extranjeros y españoles comenzarán a cubrir las capillas e iglesias con obras realizadas en España. El mayor influjo nórdico se dejará sentir tanto en las formas como en la tipología, como sucede, por ejemplo, con Alejo de Vahía, cuya *Asunción* [39] de

la iglesia palentina de Fuentes de Nava, retoma el tema del *Flügel-Altar* (altar volante) tan usual en tierras alemanas [46].

Fue Gil de Siloé uno de los primeros en plantear de manera grandilocuente el tema del retablo en la Capilla de Santa Ana [40] de la catedral de Burgos y en el Retablo Mayor de la Cartuja de Miraflores. Para ello adopta una tipología original, pues si en el primero, las pequeñas escenas que narran la historia de la Virgen rodean la escena principal —*El Abrazo de San Joaquín y Santa Ana*— enmarcada por la representación del árbol de Jessé, en el segundo, es alrededor de la efigie del Crucificado donde se articula la representación de escenas de la Pasión y las figuras de los Evangelistas. Desde un punto de vista iconográfico se trata de repre-

38. Tríptico de la Adoración de los Reyes.
Colegiata de Covarrubias

39. Alejo de Vahía: Asunción.
Fuentes de Nava, Palencia

40. Gil de Siloé: Capilla de Santa Ana. *Burgos, catedral*

sentar el comienzo y el final del drama de la Redención, tema habitual en los retablos posteriores; pero lo·que otorga importancia a estas obras es su estructuración geométrica. Si en el retablo de Santa Ana se insinúa el sistema de ordenación a base de calles y representación rectangular de las escenas, en la Cartuja de Miraflores se desconoce por completo este sistema organizativo y es en círculos donde, con preferencia, se inscriben las escenas. Es el férreo sistema geométrico el que proporciona una relativa claridad a un discurso de extrema complejidad. En el retablo de la Catedral aparecen, además del donante, las figuras de la Fe y la Herejía, y en Miraflores, los Evangelistas, los reyes Juan II e Isabel de Portugal como donantes, San Pedro y San Pablo, mientras que la Cruz, coronada por el Pelícano, es sostenida por efigies del Papa y el Emperador...

41. Francisco de Colonia: Retablo de la iglesia de San Nicolás. *Burgos*

La sabiduría de estas ordenaciones resalta más si la comparamos con una obra posterior, ya del siglo XVI, pero imbuida del espíritu siloesco. Nos referimos al retablo burgalés de la iglesia de San Nicolás [41] (1503-05), encargo del obispo Polanco a Francisco de Colonia[47]. En él, la mezcla de modelos rectangulares y circulares, y la interacción del sistema de calles con el de círculos, produce un efecto desagradable y carente de armonía, en el que no se acierta a dominar la prolijidad decorativa e iconográfica.

Es en esta época, a caballo entre dos siglos, cuando parte de las catedrales españolas instalan un gran retablo en su Capilla Mayor. Así sucede en Toledo, Oviedo, Sevilla, Orense o Zaragoza, a los que se unen retablos como los de la Cartuja del Paular, Gumiel de Hizán o Montearagón[48].

De todos ellos, el de Sevilla [42], iniciado en 1482 por Pierre Dançart, continuado en su mayor parte por Jorge Fernández Alemán y completado tardíamente (1563) por Bautista Vázquez, es el más espectacular. En él, como en el de Toledo, obra de Peti Juan, Diego Copin, Cristiano de Holanda y Felipe de Borgoña y en el de Oviedo (1511-1524), obra de Giralte y Juan de Valmaseda, aparecen ya los nombres de algunos de los grandes artistas de las primeras décadas del siglo XVI. En realidad, nos encontramos ante una de las primeras manifestaciones de la pervivencia del gótico en el arte español del Cinquecento, patentes sobre todo en la ordenación y el enmarque arquitectónico de las escenas. Mientras que sus figuras revelan el avance progresivo de las formas italianas y el abandono de las angulosidades nórdicas presentes en Gil de Siloé, el aspecto general es muy deudor de las formas del gótico. Nos encontramos en los inicios de un proceso, que estudiaremos en detalle a lo largo de este libro, que constituye una de las más características aportaciones del Renacimiento español: la adaptación de una tipología

42. Retablo mayor de la catedral de Sevilla

no italiana —el retablo— a las sucesivas exigencias del sistema arquitectónico de los órdenes, y que culminará en las grandiosas estructuras de Juan de Herrera y Pompeo Leoni.

Similar proceso habremos de observar en las portadas de las iglesias. Se trata de otro de los grandes temas de la plástica renacentista española, y lugar favorito para la discusión y debate formal de las soluciones del modelo clásico en un contexto que no es el suyo. Hasta llegar a la rigurosa adaptación del sistema vitruviano, se habrá de pasar por el plateresco en sus distintas versiones y, en un primer momento, por la formulación inicial del tema de la fachada-retablo en las iglesias vallisoletanas de *San Pablo* y *San Gregorio*, en la iglesia de Santa María de Aranda de Duero, obra de Simón de Colonia, o en la portada de la iglesia del Parral en Segovia. Todas ellas destacan por el sentido libre de sus formas, en el que el gótico final se adapta flexiblemente a las exigencias de los programas iconográficos. Es la necesidad de hacer partícipe a la ciudad del tema sagrado, la que mueve a los artistas y sus comitentes a incorporar al exterior los asuntos tratados en el retablo. Pero también, y esto es esencial, a desarrollar una idea del prestigio basado en la ostentación y la suntuosidad.

Si en las fundaciones de estricto carácter regio, como el portal de la iglesia del Parral, obra de Juan Guas y sus discípulos, la referio, como el portal de la iglesia del Parral, heráldico, o alcanza extremos de enorme sencillez —San Juan de los Reyes, en Toledo, Santo Tomás en Ávila—, en el caso de las fundaciones vallisoletanas el retrato del fundador, el obispo Alfonso de Burgos, se inserta de manera destacada en el tímpano de la fachada. El caso más singular es la fachada del Colegio de San Gregorio, verdadero canto de cisne de una época de la que se recogen todos sus tópicos: desde el tema del salvaje, al del caballero, destacando sobre

todos el heráldico, ya que el escudo de España, flanqueado por dos leones rampantes y dos reyes de armas, centra la composición.

Los esquemas estructurales de estas portadas superaban las organizaciones tradicionales de las portadas góticas que todavía en esta época se continuaban en magníficos ejemplos como el de La Puerta de los Leones [4] de la catedral de Toledo, obra, sobre todo, de Juan Alemán. En ella, el artista plantea un sentido monumental de la figura al que ya nos hemos referido, pero la estructura impuesta no le permitió grandes libertades compositivas, que sí desarrolló sin embargo en el interior de la misma portada en el tema del *Árbol de Jessé*. Estas intervenciones en estructuras preexistentes, que tendían a rellenar cualquier hueco con prolijas decoraciones, culminan con la obra de Pedro «entallador» y Copín, fechada en 1491 en el trasaltar de la Catedral de Toledo. Deudores de Juan Alemán y Egas Cueman[49], la significación de la obra no es otra que la que venimos comentando: se trata, una vez más, de extender un discurso iconográfico, minucioso y ornamentalista, a cualquier lugar donde éste sea posible.

Pero la inflación de imágenes con que se despide la Edad Media no se agota con estos problemas. Los objetos de culto —cálices, cruces procesionales...— se visten ahora con las galas del flamígero y un orfebre, Enrique de Arfe, plantea otro gran tema de la plástica española del XVI. Su custodia [43] de la catedral de Toledo, es el jalón inicial de un género que culminará en la de Sevilla de fines del siglo. En las custodias se despliega toda una iconografía dogmática, con un desarrollo tendente a exaltar las verdades de la Fe de las que la Iglesia institucional es portadora, y que en la custodia toledana se formula con el lenguaje del gótico final[50].

Si a fines del siglo XV la polémica religiosa parecía centrarse en la exaltación de unos valores anti-musulmanes y recurría sobre

todo al lenguaje nórdico como el más representativo de la cristiandad europea, pronto
las disensiones internas de la Iglesia harán
optar a la plástica española por un nuevo
sentido específicamente católico, de la imagen. Pero esto es un problema del siglo XVI:
lo que ahora nos interesa resaltar es cómo,
en los momentos iniciales de la Edad Moderna, es a través de sistemas medievales
como el retablo y la fachada-retablo, como
se organiza el sistema formal e iconográfico español y cómo, teniendo en cuenta
estos precedentes, podremos explicarnos las
contradicciones posteriores que surcarán el
sucesivo debate artístico.

EL MUNDO DE LA CORTE Y EL MODELO NÓRDICO

Ya hemos resaltado el papel que las familias aristocráticas, la Iglesia y la burguesía
jugaron durante la segunda mitad del siglo XV en la introducción de las nuevas
corrientes formales europeas. Pero en estos
momentos, junto con la Iglesia, era el mundo
de la Corte donde las polémicas alcanzaban
un mayor interés[51].

Si la partida de Alfonso V a Nápoles
y el mecenazgo allí ejercido con respecto
a artistas italianos, y la instalación en el
trono papal de dos miembros de la familia
Borja fueron factores de suma importancia
para la introducción del modelo clásico en
España, las cortes españolas de Juan II de
Aragón y la de Enrique IV de Castilla, se
inclinan preferentemente hacia un modelo
nórdico e hispano-flamenco; sólo será la
Corte de los Reyes Católicos —mejor estudiada en este aspecto que las de sus prede-
cesores— donde se plantee en toda su extensión la polémica de los modelos.

En el próximo capítulo estudiaremos las
iniciativas y el ambiente propiamente humanista de la Corte de Isabel y Fernando;
pero con anterioridad a la llegada de las
corrientes italianistas, este centro se convier-

43. Enrique de Arfe: Custodia.
Catedral de Toledo

te en uno de los reductos más firmes de mecenazgo artístico flamenquizante.

Ya en los últimos años de su reinado —1504— dispusieron los reyes la construcción en Granada de una capilla funeraria, que sirviera de reposo a sus cuerpos y a los de sus sucesores. El edificio, proyectado por Egas, todavía recurre al lenguaje formal gótico, pero los elementos que lo decoran —retablos, rejas, sepulcros...— son las primeras manifestaciones, realizadas en su mayoría en tiempos de Carlos V, del clasicismo temprano en España y se estudiarán más adelante. Pero con anterioridad a esta obra, los Reyes Católicos habían realizado otra serie de fundaciones, en las que los elementos de la decoración correspondían al gótico flamígero.

De entre ellas, las más interesantes y las

44. Juan Guas: Dibujo para la decoración de la iglesia de San Juan de los Reyes. *Toledo*

de mayor calidad, son las realizadas por Juan Guas y su taller en el interior de la iglesia toledana de San Juan de los Reyes. La iglesia fue construida entre 1478 y 1495 en conmemoración de la Victoria de Toro (1476) y constituye uno de los paradigmas de la sensibilidad estética de fines de la Edad Media. Los muros del crucero ostentan una profusa decoración dominada por los escudos de los monarcas [44] —a los que todavía falta la granada— sostenidos por el águila de San Juan, el titular del edificio. La reiteración del tema heráldico, del que ya destacamos su importancia en la plástica funeraria de la época, es ahora obsesiva. Junto a él, el yugo y las flechas y las iniciales de los reyes, completan la presencia de los emblemas que se enmarcan en decoraciones goticistas y magníficas estatuas de santos; además, el propio Juan Guas proyectó un retablo para el lugar, con las efigies orantes de los reyes ante la figura de San Juan[52].

Pero esta enorme profusión decorativa, que participa tanto del espíritu mudéjar, como del gusto tardomedieval por lo ostentoso y lo exagerado, lleva en sí unas leyes compositivas que lo alejan de lo prolijo y lo inorgánico. Durán Sampere ha notado cómo, si comparamos el proyecto de la gran banda de blasones, con lo efectivamente realizado, se ha producido una variación hacia formas más cuadradas y «macizas», a las que «sin vacilar hemos de considerar como sintomáticas de la periclitación del espíritu gótico, frente a las insinuaciones crecientes del próximo Renacimiento»[53]. Y el mismo autor ha indicado cómo en las esculturas, frente a las formas idealizadas y próximas al espíritu flamenco, aparecen otras deudoras del sentido expresivista del arte alemán, así como un grupo de obras, designado como del Maestro de San Juan de los Reyes, supera el frío formalismo mediante «una actitud llena de gracia y de mística vida interior»[54].

Pero antes que estas corrientes idealistas sean expresadas a través del modelo propor-

44 bis. Maestro de los Reyes Católicos: Bodas de Caná. *Colección Sa Herwhite*

cionado por el arte italiano, y que en la Corte de los Reyes Católicos será asumido por un artista como Fancelli, la influencia de la pintura flamenca llevará a determinados artistas por el camino de la suavidad y la delicadeza.

Algunos de estos artistas se localizan en los círculos cortesanos de los Reyes Católicos, como el caso de Juan de Flandes, autor, hacia 1490 del *retablo de Isabel la Católica*, y el del llamado Maestro de los Reyes Católicos [55]. En el próximo capítulo especificaremos la posición del primero de ellos en el debate artístico español de su momento ya que, si su formación es fundamentalmente flamenca, no está exento de reminiscencias italianas y aun de eruditas citas arqueológicas.

Más interesante a nuestros efectos es señalar la tendencia a una versión dulcificada del expresivismo nórdico que se observa en los círculos en torno a la Corte. Desde este punto de vista es necesario resaltar la importancia del Maestro de los Reyes Católicos, en el que se han señalado los influjos de Memling y Gerard David, es decir, de los pintores flamencos de mayor carga idealizante. Su principal obra es un retablo hoy disperso, al que la presencia de los escudos de Castilla, Flandes y Brabante, ha hecho datarlo hacia los años 1496-97, fecha de las bodas de las hijas de los Reyes con familiares de las casas de Austria y Borgoña. La obra, como las restantes que se le atribuyen, participa de la tendencia a la suavización y el idealismo que preludía el inicio del italianismo cinquecentista en los Países Bajos [44 bis].

El mismo interés por el retrato de corte, sobre el que más adelante nos extenderemos, es prueba evidente del sentido moderno con que concebían la presentación de su imagen, y del carácter renovador que, con respecto al gótico internacional, venimos atribuyendo al modelo hispano-flamenco. Pero el hecho más espectacular, en lo que se refiere a la idea del arte en la corte española, es la im-

portancia de la colección artística que Isabel donó a su muerte a la Capilla Real de Granada, y que todavía hoy constituye uno de los principales conjuntos pictóricos de nuestro país [56]. Centrada, fundamentalmente, en pintores de Flandes, puede considerarse como uno de los principales factores para comprender la extensión del modelo nórdico en Castilla. Todavía se conservan obras de Bouts, Memling, Maestro de la Santa Sangre o van der Weyden, pero los inventarios realizados a la muerte de la reina nos indican que su colección era mucho mayor. A ello habría que añadir pinturas de maestros españoles, como Pedro Berruguete y Bartolomé Bermejo, e incluso artistas italianos de la talla de Perugino, al que se atribuye un *Ecce-Homo*, y Botticelli, con una *Adoración en el Huerto*. Y si a ello sumamos la colección de tapices, sobre la que más adelante nos extenderemos, podremos darnos cabal idea de la brillantez del entorno artístico de la reina Isabel.

Otro hecho significativo confirma estas ideas. La aún poco conocida figura de Francisco Chacón cobra relevancia no sólo por su condición de pintor, sino también por el cargo administrativo que ocupa. Especie de «inspector general de los cuadros del reino», en 1480 se ocupaba de la vigilancia de las obras artísticas ejecutadas por los judíos y se piensa que tendría a su cargo la compra y conservación de los cuadros de la colección real [57]. La burocratización de funciones —el sucesor en su cargo sería Francisco Rincón— es un hecho sintomático del cuidado del Estado Moderno por las cuestiones de la imagen artística.

Al igual que poderosas familias como los Infantado y Mendoza, el modelo artístico a que se acoge la corte resulta de un acusado eclecticismo e indeterminación. Serán precisamente los círculos de la nobleza, en especial la familia de los Mendoza, los que antes de terminar el siglo, darán los primeros pasos hacia el Renacimiento italiano. Pero para ello era necesario una labor previa de asentamiento y centralización política y cultural: es lo que se realiza en la España de los Reyes Católicos y lo que explica cómo, a pesar de la fuerte y predominante influencia del modelo nórdico, la cultura humanista y el sistema regular, arraiguen pronta y rápidamente, pues ya se habían colocado las infraestructuras administrativas y culturales necesarias para ello.

CAPÍTULO 2

CULTURA HUMANISTA Y PRIMERAS OBRAS ITALIANAS
1490-1520

Durante los últimos años del siglo xv y los primeros del siglo xvi se consuma en España el tránsito del modelo nórdico del Renacimiento, que hasta el momento parecía ser uno de los puntos de referencia modernos de los artistas españoles, hacia el italiano. Pero, como veremos, el paso no se efectúa sin polémicas ni discusiones, y aun la selección de los repertorios italianos por los que se opta adquiere valor significativo. Serán los modelos anticlásicos —Ferrara, Lombardía...— hacia los que con mayor asiduidad mirarán nuestros artistas, entre los que la sugestión nórdica es aún muy grande. Centros como Milán, Roma o Florencia no atraen en estos primeros momentos a pintores y escultores como sucederá pocos años más tarde con hombres como Yáñez de la Almedina o Juan de Borgoña. Sólo en estos últimos, o en el tema del sepulcro, la opción por un modelo clasicista se ve de manera más clara.

Con todo, la importación de obras italianas, la presencia de artistas españoles en Italia y de italianos en España, la difusión de modelos decorativos por medio de grabados, ayudan a configurar un panorama cultural cada vez más renovado, y un pintor como Pedro Berruguete se destaca como uno de los más claros representantes de una opción italianista, que todavía no hemos de confundir con el clasicismo, a la vez que constituye la más clara polémica con el modelo formal de Fernando Gallego, muy ligado aún al mundo flamenco. Que en un mismo momento, Juan de Flandes, Fernando Gallego y Pedro Berruguete, así como gran parte de los artistas mencionados en anteriores epígrafes, trabajen en España cons-

tituye el mejor ejemplo de la pluralidad lingüística que, como sucedía en la misma Italia, se producía en nuestro país. Y todo ello, cuando, como elemento diferenciador respecto al modelo decorativo del gótico flamígero, las escasas alternativas clasicistas se han de destacar de un trasfondo plateresco que, no debemos de olvidar, constituía el verdadero telón de fondo de estas experiencias artísticas.

EL AMBIENTE CORTESANO Y EL EQUILIBRIO CLASICISTA: EL RETRATO Y EL SEPULCRO

Durante los años 1494 y 1495 el alemán Jerónimo Münzer recorre la Península Ibérica que sólo dos años antes había logrado arrebatar el control político al último reducto islámico localizado en el reino nazarí de Granada. La narración de Münzer describe una España aún islamizada pero de la que destacaban con claridad ciertos puntos que habían de ser claves en la recepción de la nueva cultura. Ciertos nobles, como los Mendoza de Guadalajara, encontraban ya en Italia su modelo cultural, y la Monarquía parecía empeñada en una renovación de mayores alcances. Uno de los focos del humanismo cortesano es aquella academia que Münzer describe con brevedad y en la que los hijos de la nobleza y los miembros de la corte se iniciaban en los «studia humanitatis» [1].

La preocupación por la cultura, y el comienzo de su uso como instrumento de control del aparato estatal —que, con los Reyes Católicos, comenzaba a concebirse desde un punto de vista moderno— es uno de los puntos esenciales desde donde debe contemplarse ahora determinados aspectos de la praxis artística. La vacilación entre el modelo del Renacimiento flamenco y nórdico y el clasicista italianizante, no es sino un ejemplo de la pugna entre el carácter tradicional de una Castilla burguesa y comerciante y el sentido moderno de afirmación absolutista, que no se resolverá en forma definitiva hacia la segunda opción hasta el fin de la Guerra de las Comunidades, ya en tiempos de Carlos I. Por ello, y como venimos señalando a lo largo de epígrafes anteriores, el reinado de los Reyes Católicos ha de contemplarse desde el doble punto de vista flamenco e italianizante. No sólo este momento contempla la pugna formal que supone la doble actividad de Fernando Gallego y Pedro Berruguete, sino que, en este último, y a pesar de su larga estancia en Urbino, la alternativa clasicista por un sistema regular es todavía difusa y vacilante. Por otro lado, si en el anterior capítulo resaltamos la importancia que el arte flamenco y el modelo nórdico habían tenido en el mundo cortesano de la segunda mitad del siglo xv, hemos de destacar ahora el hecho, decisivo para la cultura española, de la elección del sistema italiano por la corte y lo más avanzado de la aristocracia.

La opción por este modelo formal es sólo la muestra exterior de la importancia que el nuevo sistema cultural italiano comenzaba a tener en España. Desde este punto de vista uno de los temas que, dentro del mundo cortesano, explican la elección de un modelo formal es precisamente la idea que de la misma corte se tiene; así, si se concibe ésta como un lugar de perfecciones y equilibrio[2] no es de extrañar que el reflejo exterior tienda a proporcionar una imagen equilibrada y que se busquen las manifestaciones de un arte clasicista. Uno de los poetas más característicos de estos momentos iniciales, Juan del Encina, describe la corte como un lugar de perfecciones, donde la Prudencia

y la Sabiduría tienen un acomodo perfecto. Para él, la corte:

> es una escuela ecelente
> de crianca e cortesia
> y es un bivir diligente
> y un saber que al mas prudente
> da mayor sabiduria[3],

y no duda en compararla a un ameno vergel. Y el ya citado Jerónimo Münzer, cuando describe el estudio de retórica y elocuencia antigua dirigido en Madrid por Pedro Mártir de Anglería, exclama con entusiasmo: «se despiertan las Humanidades en toda España»[4]. Recordemos que era en este lugar donde los hijos de la nobleza aprendían el latín y se estudiaba a literatos como Juvenal, Horacio, etc.

La protección al saber renovado era una de las características de la corte en estos momentos en que ella misma se concibe como lugar privilegiado para el cultivo de artes y letras, y sitio donde el equilibrio tenía su asiento más perfecto. El hombre todavía puede dominarla, ya que si para algunos es mala, «para muchos —dice Juan del Encina— es muy buena», y sus actividades pueden ser controladas todavía por el individuo.

La idea de la corte como lugar de la sabiduría y la verdad, produce un tipo humano determinado, cuyas características estudiaremos más adelante, y una determinada visión de la cultura y el arte. De entre los «studia humanitatis», la Historia era uno de los privilegiados en mayor manera, ya que permitía controlar de manera rigurosa los acontecimientos y las personas y referirse a los modelos de comportamiento de la Antigüedad. El humanista italiano Lucio Marineo Sículo, activo en la corte española de los Reyes Católicos, cuando ofrece su libro *De las Grandezas y obras memorables de España* a Carlos V, obra en la que recogía toda su experiencia de la España del anterior reinado, establece una comparación de la Historia con la Pintura, de gran interés desde nuestro punto de vista. Para Marineo, la Historia y la escritura superan a la pintura, «porque aunque la invención del pintor fue muy sotil... la del escriptor fue mas necesaria, mas rica y mas provechosa», pues mientras la pintura se conforma con representar «las partes de fuera y la proporción del cuerpo», la escritura nos muestra el interior y «las riquezas del anima». De igual manera, la escritura es más duradera y firme que la pintura y de mayor comunicación pues «las obras del pintor están secretas y retraídas, impresas y pintadas en tablas o en paredes»[5].

Nos encontramos ante una de las primeras manifestaciones del «paragone» entre diversas actividades intelectuales, tema que, como veremos más adelante, pasará a ser tópico de la literatura artística. Lo que nos interesa destacar ahora es el cierto retraso que la pintura y las artes plásticas tienen en España con respecto al sentido moderno de la literatura y la historia, que, bajo el modelo de los autores clásicos, se había introducido en nuestro país, origen de las polémicas que al respecto se prolongarán hasta la época barroca[6].

Con todo, no hemos de olvidar la existencia de algún importante ciclo histórico en las artes plásticas españolas de finales del siglo xv. Y así, en la sillería baja del coro de la catedral de Toledo, Rodrigo Alemán esculpió, en los respaldos de los asientos, diferentes escenas de la Guerra de Granada, terminada felizmente por los reyes en 1492 [45]. La obra fue realizada entre 1489 y 1493, y es muy expresiva del momento contradictorio que venimos estudiando. Si estilísticamente la sillería de Rodrigo Alemán es muy deudora de un modo de hacer ligado a fórmulas medievalizantes, tanto el tema —una campaña militar concreta y contemporánea—, como, sobre todo, su sentido —la exaltación de las figuras históricas de los

Reyes Católicos, que se retratan varias veces a lo largo del ciclo—, nos están hablando de un nuevo sentido de la Historia, al que se piensa digno de ser figurado a través de la imagen artística, como signo de victoria y para memoria de los tiempos venideros[7]. Y como ya indicaremos más adelante, sólo será en tiempos del Emperador Carlos V cuando el clasicismo se introduzca con plenitud en el mundo de la corte; de entonces, hacia 1520-21, serán los relieves que Bigarny inserta en el sotabanco del retablo de la Capilla Real de Granada con escenas de la toma de esta ciudad: lo que queremos resaltar es cómo ahora un sentido moderno y conmemorativo de la Historia coincide con un lenguaje renovado[8].

Volviendo al razonamiento de Marineo, que justificaba la superioridad del lenguaje escrito sobre el plástico, el propio autor nos describe el ambiente visual de un palacio o de la corte misma en párrafos inapreciables, en los que el mundo de equilibrio y serenidad clasicista se capta como un universo unitario e indefectiblemente ligado a las ideas de lujo y ostentación. Lucio Marineo Sículo ofrece al rey su obra, allí donde otros, dice, le ofrecen perlas y piedras preciosas, olores «de mucha suavidad», animales exóticos —como tigres, elefantes, camellos, unicornios y leones—, con fines cinegéticos o, simplemente, decorativos, como son los que cumplen papagayos, faisanes... También otros le ofrecen objetos artísticos: «Otros —dice el humanista— (les presentan) tablas de hermosas imágenes. Otros hermosos y ricos atavíos de casa, como doseles, tapices y paños de Flandes texidos y labrados rica y sotilmente con diversas figuras de hombres y otros animales y historias antiguas»[9].

A través de estos párrafos se observa con claridad como el deseo del lujo y la ostentación era una de las características de esta sociedad española de fines del siglo xv y principios del xvi que se volcaba hacia el

45. Rodrigo Alemán: Relieves de la Guerra de Granada,
.'lería baja de la catedral de Toledo

humanismo como meta de sus aspiraciones culturales. Los libros que poseía Isabel la Católica —y que conocemos en detalle a través de sus inventarios— [10] son buena prueba de lo que venimos diciendo; junto a obras de contenido religioso, aparecen las de los autores clásicos y modernos. Pero, desde nuestro punto de vista, alcanza mayor interés su colección de tapices, que constituía el decorado fundamental en sus palacios en un momento en que la corte era aún itinerante. La extensa colección de los reyes se ha perdido en su entera totalidad, y, si bien su carácter formal y su estilo compositivo era todavía medievalizante, en ellos asomaban ya con frecuencia los temas profanos inspirados en el mundo clásico. Junto a motivos de contenido eminentemente caballeresco, como la serie con la Historia de Alejandro, aparecen otros con la de Hércules, Cupido, la Historia del Triunfo del Amor, e incluso algunos con temas de carácter alegórico como aquel «paño grande de lana e seda de la fama que tiene en medio una Reyna con una ropa azul e una espada en la mano y en la otra mano un ydolo que tiene una vallesta armada» [11]. En la colección abundan las escenas cortesanas, si bien el predominio es el tema religioso: pero ello no nos debe hacer olvidar el hecho de que las imágenes que rodeaban la vida cotidiana y el ceremonial de la corte de los Reyes Católicos participaban tanto de un carácter religioso, como de otro profano, y que si la fábula antigua solía servir de soporte a una historia ejemplar y moralizante, los temas profanos eran habituales en el mundo de la corte y constituían una de las vías de introducción de la cultura humanista en España.

Desde este punto de vista el tema del retrato cortesano adquiere una singular importancia y significación, ya que en él podemos observar la misma contradicción que hemos señalado en los tapices. Si en la mayoría de los casos el modelo de retrato por

el que se opta es el flamenco o nórdico, no por ello hemos de dejar de indicar el carácter humanista que comporta por sí mismo el tema [12]. Y, por otra parte, hemos de indicar igualmente cómo el interés por la perpetuación de su imagen adquiere en los Reyes Católicos un carácter inusitado y es enorme la cantidad de retratos de ellos que se conservan [13]. Su estudio nos ayudará a comprender el carácter ambivalente que adquiere la introducción del Renacimiento en España.

Cuando la imagen del rey quiere incidir sobre todo en el terreno religioso, se tiñe de formas más tradicionales y de referencias a la pintura flamenca. A sentimientos de tipo religioso obedecen los retratos orantes de los Monarcas, que nos remiten al tema, de procedencia medieval, del donante. Así aparecen retratados en Daroca por Pedro de Aponte, en la fachada de la Iglesia de Santa Engracia de Zaragoza, no en vano edificio de fundación real, o en las estatuas —ya, sin embargo, de gusto moderno— de la Capilla Real de Granada. Pero el retrato más característico desde este punto de vista es la llamada *Virgen de los Reyes Católicos* [46] del Museo del Prado, una de las obras maestras de la corriente hispano-flamenca. Atribuido por Post a Santa Cruz y por Vinigue a M. Shitium o Sittow, pintor de la Reina [14], la escena se sitúa en un interior gótico, el oratorio de Ávila, hacia 1490 [15]. Acompañan a los reyes, los Santos Tomás y Domingo de Guzmán, los infantes don Juan y doña Juana y los influyentes personajes de la corte el inquisidor Torquemada y el humanista Pedro Mártir de Anglería. Estamos ante un incipiente comienzo del retrato de corte, pero en el que todavía predomina el carácter de cuadro de devoción: por encima de cualquier figura, incluso la de los reyes, se impone la imagen de la Virgen, cuya presencia articula por entero el sistema visual de la tabla.

Además de noticias referentes a retratos

46. Virgen de los Reyes Católicos.
Madrid, Museo del Prado

46 bis. Medallón de los Reyes Católicos, fachada
de la Universidad de Salamanca

perdidos[16], las imágenes de los reyes se conservan en diversos lugares de España que
van desde la catedral de Plasencia a su inserción en miniaturas, pasando por el muy
conocido retrato del Palacio del Pardo atribuido a Juan de Flandes, Bartolomé Bermejo o Melchor Alemán[17]. En este último,
del que se poseen varias réplicas (Palacio
de Oriente, Real Academia de la Historia),
encontramos ya la característica individualización que plantea un concepto moderno
de retrato del que se abandona cualquier
referencia de tipo religioso.

Con todo, el retrato de los reyes que,
desde un punto de vista cultural, adquiere
mayor relevancia es el que centra la fachada
de la Universidad de Salamanca [46 bis], como principal punto de referencia de un programa decorativo y científico que más tarde
detallaremos. Si bien realizado con posterioridad al reinado de los Monarcas, el carácter
clásico de la imagen, que se enfatiza por medio de su inserción en un tondo, en clara
referencia al género artístico de las medallas,
y por una inscripción en caracteres griegos,
se une a la idea de tutela a las artes y las
letras y al cultivo de la ciencia, como una
de las actividades propias de la Monarquía.

Pero el episodio más decididamente clasicista que se produce en el mundo de la
corte durante los primeros años del siglo XVI
es la incorporación de un escultor florentino
para realizar distintas tumbas, entre ellas,
las de los Reyes Católicos y la del príncipe
don Juan. Se trata de Domenico Fancelli[18]
que en estas dos obras, que si bien con respecto a Italia no suponían un avance estilístico y tipológico importante —se inspiraban en modelos cuatrocentistas como la tumba de Sixto IV obra de Pollaiolo— supusieron uno de los puntos fundamentales en la
introducción del clasicismo en España.

En Granada, que tras su conquista había
adquirido la calidad de ciudad simbólica
y emblemática del nuevo estado moderno
que trataban de fundar los Reyes Católicos,

47. Domenico Fancelli: Sepulcro del infante don Juan. *Ávila, iglesia de Santo Tomás*

fueron enterrados los monarcas en la por ellos construida Capilla Real[19]. Por otra parte, la tumba del Infante don Juan fue instalada en la iglesia abulense, también de fundación regia, de Santo Tomás. El marco de ambos sepulcros, perfectos símbolos de un nuevo sentido triunfal y sereno ante la muerte, es, sin embargo, gótico. Nada mejor, pues, para comprender la pluralidad de modelos formales aceptados y la rápida evolución hacia el clasicismo, que la comparación entre el marco goticista —realizado en los últimos años del siglo XV— y los objetos artísticos que lo decoran: sepulcros de Fancelli, retablos de Vigarny o de Pedro Berruguete, se comportan aquí como objetos-emblema clasicistas que todavía resaltan más esta cualidad en un marco ambiental distinto.

El sepulcro del infante don Juan [47] participa del carácter pintoresco y decorativista

de la escultura florentina post-donatelliana. Pero en un ambiente como el español, los festones de la parte superior, de los que cuelgan objetos bélicos, los grifos de las esquinas y las figuras enmarcadas en tondos o en arcos puramente renacentistas, resultaron de una novedad extrema. Por otro lado, la casi total reducción de los elementos heráldicos, tan característicos de los repertorios decorativos funerarios del siglo XV, y, sobre todo, la serenidad, sencillez y ausencia de dramatismo en la figura del Príncipe, hacen de este monumento una pieza de capital importancia en la evolución de la escultura española.

Todos estos aspectos se enfatizan en la tumba de los Reyes Católicos [48] de la Capilla Real de Granada[20]. Ahora los tondos representan escenas religiosas alusivas al triunfo espiritual sobre la muerte del alma, y

48. Domenico Fancelli: Tumba de los Reyes Católicos. *Granada, Capilla Real*

sobre el mismo cuerpo; y así aparecen *El Bautismo de Cristo* [49] y *La Resurrección*, a los que se une la idea del triunfo militar de tipo caballeresco, enraizándolo tanto en la cultura europea —*San Jorge*— como en la tradición española —*Santiago*. El programa se completa con estatuas de los Apóstoles y las exentas de los Padres de la Iglesia, que acompañan a las representaciones yacentes de los reyes.

49. Domenico Fancelli: Bautismo de Cristo, tumba de los Reyes Católicos. *Granada, Capilla Real*

La modernidad del sepulcro viene dada no sólo por su tipología y sentido clásico de sus estatuas, sino por el peculiar uso de los motivos decorativos. La heráldica, con los emblemas de ambos monarcas, adquiere un doble funcionamiento entre simbólico y meramente ornamental, al quedar relegada al cuerpo superior realizado a base de festones y motivos alusivos a la muerte, y el escudo de España se rodea de una clásica corona de laurel llevada en triunfo por dos ángeles. Por otra parte, a los pies del monumento dos «putti» portan una cartela en la que en caracteres latinos se explica el sentido triunfal de la actividad guerrera de los reyes contra los mahometanos y el contenido simbólico de la elección del lugar donde se sitúa el túmulo[21].

Todos estos caracteres fueron captados a la perfección por el embajador A. Navagiero pocos años después. Éste subrayó el valor formalmente rezagado que los monumentos tenían con respecto a Italia, si bien para España constituían un enorme avance —«Qui fecero facer (dice) le loro sepolture di marmo assai belle per Spagna...»—, así como el contenido simbólico del lugar —«Per esser quello il luoco dove ordinorono i preditti Re, Regina che se si sepellisero tutti i Re di Spagna, per essere quella una terra che havevano acquistate loro di mano di infedeli»[22]—, por lo que fue aquí donde la reina, no sólo quiso enterrarse, sino dejar sus libros, medallas, vasos de vidrio, objetos de plata, tapices, cuadros... y así plantear la Capilla Real como un ambiente total concebido como Museo y Memoria de la Dinastía[23].

EL MODELO HUMANO DEL CLASICISMO

«El cortesano ha de ser padre de la verdad, hijo del Modo, hermano de la criança, pariente de la gravedad, varon con ley, amigo de limpieza y enemigo de Pesadumbre»[24]. Así, Luis de Milán definía en la Jornada I de su *Cortesano* al perfecto hombre de corte aproximándose de esta manera al modelo que había definido el conde Baltasar Castiglione en la célebre obra del mismo nombre, y en la que sin duda se inspiró el músico de la corte de los duques de Calabria. Efectivamente, Luis de Milán, cuyas actividades más conocidas son las de compositor musical encarna, en su diálogo *El Cortesano* y en el *Libro de motes de damas y caballeros*, los ideales estéticos en que había de basarse el modelo humano del clasicismo.

El equilibrio entre las distintas actividades era una de las cualidades básicas de dicho tipo humano y una obra como el epistolario de Pedro Mártir de Anglería está plagada de referencias en las que se alaba la práctica de las letras y se resalta la idea de cómo esta actividad no es impedimento para los ejercicios militares, tal como sostenían algunos componentes de la aristocracia española todavía influidos por los componentes militares de una sociedad esencialmente guerrera[25]. El mismo Luis de Milán especifica cómo el caballero armado y virtuoso es la mejor criatura de la tierra, aunque, dice, para ser perfecto hay que ser cortesano, «que es en toda cosa saber bien hablar y callar donde es menester». El ideal humano ha de basarse pues, en la contención, la mesura y la discreción, y ha de abandonar toda verbosidad, afectación y cortedad de palabras, «dando conversaciones para saber burlar a modo de palacio».

Esta última frase nos proporciona una de las claves para entender en su plenitud el tipo de cortesano perfecto. La sencillez, y aun la solemnidad, en la presentación ha de acompañarse de un sentido lúdico y, en cierta manera, extrovertido, que, desde el punto de vista de la actividad artística, se ve plasmado en unas manifestaciones en cierta manera olvidadas y que sólo la más reciente historiografía ha señalado su importancia; nos referimos a la fiesta. Frente a los triunfos militares, los cuales resaltaremos en un próximo epígrafe, la sociedad humanista española comienza a plantear un tipo de fiestas y diversiones en los que el puro placer y la idea de juego son los elementos más destacados. El mismo Luis de Milán describe varias de estas fiestas en *El Cortesano*, algunas localizadas en lugares muy concretos, como la celebrada en el Huerto del Real. Damas y caballeros realizan una mascarada en la que la alusión a temas clásicos como la Guerra de Troya, apenas encubre un contenido muy dependiente de la cultura caballeresca, pero al que añaden tópicos propios de la nueva cultura; de esta manera, se describe una fuente a la que acuden personajes vestidos de ninfas, en un ambiente que recuerda vagamente las fiestas que F. Colonna narra en su *Hipnerotomachia Poliphili*[26]. Y así, la obra de Luis de Milán que «representa la

corte del Real Duque de Calabria y la Reina Germana, con todas aquellas damas y caballeros de aquel tiempo», se constituye en ejemplar testimonio de un ambiente que ya podemos calificar de humanista y cuya fisonomía podemos completar con el *Coloquio de las Damas Valencianas*, de Juan Fernández de Heredia, cortesano, militar, poeta, y amigo de Luis de Milán. Es en estas actividades donde mejor se trasluce la evolución de la mentalidad caballeresca hacia el clasicismo, y las que explican el carácter formal de las obras artísticas que venimos estudiando y que mencionaremos en este capítulo.

Con todo, hemos de tener en cuenta que la representación plástica y efectiva de este nuevo tipo humano, si bien se acerca ya formalmente a los modelos italianos, no llega a producir en forma sistemática y masiva, obras del género del retrato considerado como actividad autónoma; en la mayor parte de los casos, la representación del individuo queda ligada al monumento funerario y a la inserción de donantes en la pintura religiosa.

Dentro del primer grupo, cuyas manifestaciones en el entorno regio ya hemos estudiado, el retratado aparece situado en un contexto iconográfico fúnebre cuyo contenido cambia ostensiblemente en los años iniciales del siglo XVI, y sólo en raras ocasiones alcanza una cierta autonomía e independencia. Una de ellas, quizá la más significativa, es la Lauda sepulcral de don Lorenzo Suárez de Figueroa [50] en la Catedral de Badajoz. Justi la ha relacionado con el veneciano Alejandro Leopardi[27] y la efigie de este personaje, que había sido embajador en Italia, puede convertirse, por su sencillez, solemnidad y énfasis en la individualidad del retratado, en prototipo estético del perfecto caballero y cortesano del humanismo. El elemento heráldico aparece relegado a un segundo término, a la vez que la figura se rodea de una decoración de grutescos y es el vestido, la espada y, sobre todo, la altivez

50. Lauda sepulcral de don Lorenzo Suárez de Figueroa. *Badajoz, catedral*

de la postura el elemento que más destaca el autor de la obra.

Don Lorenzo Suárez de Figueroa pudiera haber figurado en la relación de *Los Claros Varones de Castilla* que, años antes que *El Cortesano* de Luis de Milán, en 1500, publicó Hernando del Pulgar. Aún refiriéndose a personajes del reinado de Enrique IV, constituye sin duda una impresionante galería de personajes de la corte, prelados, etc., y en la que aparece el mismo rey, en los que el énfasis en determinados rasgos nos ayuda a comprender las características del tipo humano que en aquel momento se consideraba ideal. De don Fernando Álvarez de Toledo se dice que era «Ombre de buen cuerpo y de fermosa disposición, gracioso y palaciano en sus fablas»[28] y del marqués de Santillana, además de alabar sus cualidades exteriores, se traza un retrato en el que se resalta el equilibrio de actividades típico del clasicismo, tal como venimos definiéndolo: «Tuvo en la vida dos notables exercicios —dice Pulgar—, uno en la disciplina militar, otro en el estudio de la ciencia. E ni las armas le ocupaban el estudio, ni el estudio le impedía el tiempo para platicar con los cavalleros y escuderos»[29]. Estamos ante la más perfecta definición del tópico humanista acerca del equilibrio entre las armas y las letras que se repite más adelante cuando le compara a Febo en la Corte y a Aníbal en la guerra, para terminar describiendo su casa con «gran copia de libros» y llena de doctos maestros con los que platicaba. Todo lo cual se refleja en el retrato de Jorge Inglés que ya hemos comentado, que, a pesar de su sentido formal tan ligado al arte hispano-flamenco, constituye, desde un punto de vista cultural, una de las primeras manifestaciones del humanismo clasicista en España.

Porque, en definitiva, cuando Hernando del Pulgar describe los tipos humanos de los *Varones de Castilla* no duda en destacar virtudes específicamente laicas, como son el «buen gobernar», su «fortuna», su «liberalidad» o sus «dotes guerreras». E incluso, en la larga lista de prelados que incluye en su libro, junto a las cualidades propiamente religiosas, resalta, cuando ha de hacerlo, aspectos profanos; así, de un personaje de la talla de don Alonso de Fonseca alaba su gusto por los objetos bellos y lujosos: «El sentido de la vista —dice— tenía muy ávido y cobdicioso más que ningun otro de los sentidos. E siguiendo esta su inclinacion plazíale tener piedras preciosas y perlas y joyas de oro y plata y otras cosas fermosas a la vista»[30]. Una vez mencionada la raíz psicológica del gusto del prelado, se precisa cómo ella se extendía al servicio de su persona y de su casa, «que quería fuesen muy primeras y toviessen singularidad de perfección sobre todas las otras, y se deleitaba en ello»[31]. Que nos encontramos ante un verdadero hombre del Renacimiento, se demuestra cuando Pulgar dice que poseía la codicia de todos los hombres que quieren poseer bienes materiales, con lo que nos acaba de perfilar el tipo humano de un miembro de una familia que, como los Fonseca, tan importantes obras proporcionó al arte español[32].

Este «saberse comportar» del cortesano ante el mundo de la fiesta, ante el problema de la nueva relación entre armas y letras y ante las solicitudes representativas y diferenciadoras de un nuevo mundo de lujo y ostentación, configuran el nuevo tipo humano que propone el humanismo. Lo significativo es que en España donde, como hemos visto, existían estas preocupaciones, no hubiera una adecuada respuesta artística a las mismas. En estos primeros momentos de la introducción de nuevos temas intelectuales, literarios o, meramente, de actitudes de comportamiento, las artes plásticas proporcionan una respuesta vacilante, muy ligada en lo temático al mundo religioso que había predominado durante la Edad Media y en lo formal optando en muy contadas —si bien significativas— ocasiones por el modelo italiano. En España no hay una escuela retratística que pueda parangonarse con la flamenca, ni el tema religioso alcanza los niveles de desacralización formal que había alcanzado en casos como Ucello, Piero della Francesca o Andrea Mantegna. Ni los Osona, Pablo de San Leocadio... y los pintores del cardenal Borgia en la región levantina, ni la excepcional figura de Pedro Berruguete, ligada a Torquemada y al ambiente castellano plantean una opción radicalmente renovadora en lo que al género del retrato y al planteamiento estético de un nuevo tipo de imagen religiosa se refiere.

La imagen plástica del individuo rara vez, como decimos, alcanza categoría autónoma en el arte español de comienzos del siglo XVI. El retrato como género independiente apenas es cultivado en estos momentos y los ejemplos que podríamos citar —el pretendido *Autorretrato* de Pedro Berruguete [51] en el Museo Lázaro Galdiano, los de Fernando del Rincón—, resultan excepcionales en nuestro panorama artístico.

De esta manera, la aparición del individuo

51. Pedro Berruguete (?) : Autorretrato.
Madrid, Museo Lázaro Galdiano

52. Anye Bru: Santo.
Barcelona, Museo de Arte de Cataluña

se liga todavía al tema, de raíz medieval, del donante, y se sitúa, como veremos de inmediato, en el tema del sepulcro; por otra parte se utilizaba el subterfugio de las historias sagradas y de las representaciones de santos, para insertar rostros y actitudes de fuerte individualidad en un contexto sagrado.

A veces, el pretexto de la representación de un santo sirve para mostrarnos un tipo individualizado, como sucede, por ejemplo, en el *San Julián* de Juan Gascó (1508) y, sobre todo, en el magnífico santo atribuido a Anye Bru[33] [52], cuya serenidad, elegancia y sentido de la autoafirmación individual a través del vestido, el gesto y la propia presencia, le convierten en prototipo plástico del ideal humano a que nos venimos refiriendo. Y lo mismo podríamos decir de la representación autónoma de donantes, como sucede en las tablas de la Capilla de San Juan Bautista en la iglesia de San Salvador de Valladolid o de las representaciones de reyes de Judá en Paredes de Nava [53], obra de Berruguete, en las que Angulo ha señalado «el nacimiento del gran retrato español»[34].

Otras veces, es la propia escena la que sirve para integrar las figuras individuales en un contexto histórico. *El Martirio de San Cugat* [54] de Anye Bru[35] es una buena muestra de ello: los personajes que conversan a la derecha, un tanto al margen del dramatismo de la escena, se alejan de cualquier concepción convencional; y lo mismo podríamos decir de otros ejemplos menos conocidos como ciertas tablas del retablo de San Bartolomé en Granada[36] o del retablo de Tordesillas, en el que la escena del *Nacimiento de la Virgen*, incluye la presencia del donante integrada a la perfección en la historia, a la manera de los frescos florentinos

53. Pedro Berruguete: Ezequías, retablo. *Paredes de Nava, Palencia*

54. Anye Bru: Martirio de San Cugat. *Barcelona, Museo de Arte de Cataluña*

55. Manuel Ferrando: Fundación de la Cartuja de Valldemosa

56. Alejo Fernández: Flagelación.
Museo de Córdoba

de Ghirlandaio. Los pintores catalanes Pedro Matas y el Maestro de San Félix cuando retoman, como veremos más adelante, ciertos aspectos del incisivo Renacimiento del Norte dotan a sus escenas y personajes de un carácter de realidad que no está presente en el idealizado mundo clasicista de Yáñez o Llanos, y constituyen, por ello, otro de los factores a tener en cuenta en la hora del estudio de la introducción del individualismo en España.

En ocasiones, es el mismo carácter votivo o conmemorativo de la composición lo que induce a la inserción de retratos en ella. Este es el caso de Manuel Ferrando, en cuya *Fundación de la Cartuja de Valldemosa* [37] [55] aparecen los numerosos personajes con la inscripción de su nombre, o el de los retratos de los asistentes a la *Misa de San Gregorio*, tal como aparece en el retablo conservado en la parroquia de San Miguel de Estella en Navarra.

Pero el caso más frecuente de aparición del individuo, y que igualmente se liga a un contexto de tipo religioso, es el modelo del donante. Ejemplos de pinturas tan ligados formal y compositivamente a cierto arte italiano como *La Virgen del Caballero de Montesa*, insertan un retrato concebido en forma humilde y arrodillada, todavía perfilada a escala menor. Lo mismo sucede en obras como *La Flagelación* [56] de Alejo Fernández del Museo de Córdoba, en la tabla central del retablo de San José de la parroquia de Santa María de Tudela en Navarra y, ya al mismo tamaño y escala que el resto de la composición, en pinturas como el *Santo degollado entre donantes* [57] (Museo

del Prado) de autor anónimo, en tablas del ya citado retablo de San Bartolomé en Granada, o en ejemplos de Yáñez de Almedina en Cuenca y, sobre todo, en la *Tabla de la Crucifixión* del mismo pintor en la Catedral de Valencia [38] y en el *San Blas con donante* atribuido a este autor y a F. Llanos en la iglesia valenciana de Santa Catalina. El mismo Gran Capitán aparece retratado como donante en su iglesia granadina de San Jerónimo, los Reyes Católicos en la Capilla Real, y quizá Cristóbal Colón en el cuadro anónimo del Museo Lázaro de Madrid [58], lo que nos indica la aceptación unánime que gozó esta modalidad de retrato.

Así pues, mientras la cultura humanística

57. Santo degollado entre donantes.
Madrid, Museo del Prado

58. Virgen de Cristóbal Colón.
Madrid, Museo Lázaro Galdiano

y el mismo desarrollo de la vida intelectual y social, venían promoviendo un nuevo ideal humano de carácter renovado, el debate artístico aparece aún muy influido por elementos de la plástica medieval, y el individuo y su imagen se insertan con mayor facilidad en contextos religiosos, que en los específicamente laicos. Todo ello hace que en las primeras décadas del siglo XVI sea muy difícil hablar del género del retrato como algo realmente existente en España, pues la aparición del individuo adquiere, las más de las veces, un tono convencional y emblemático [39]. Una obra como la *Alegoría de la Redención* [59] del Museo de Vich, plantea el tema del individuo como emblema, mero

59. Alegoría de la Redención (detalle).
Museo de Vich

soporte de una especulación plástico-alegórica, ajena en todo a las concepciones retratísticas flamencas o italianas, desarrolladas a lo largo del siglo XV.

LA CULTURA Y EL HUMANISMO

La introducción del humanismo en España no sólo fue obra de la Corte. En realidad, y por lo que a las artes plásticas se refiere, el papel protagonista fue representado por ciertas familias nobles que, a pesar del tópico historiográfico que pretende su aplastamiento por la política centralista de los Reyes Católicos, todavía tenían un poder político y cultural de primer orden. Así sucedía con los Mendoza, uno de cuyos miembros, don Pedro, Cardenal de Toledo, fue llamado «el tercer rey de España», o los Fonseca, algunos de cuyos miembros ya han sido mencionados en este libro a causa de su interés por las artes. Estos últimos, relacionados por Hernando del Pulgar, eran personajes todavía del siglo XV: sus descendientes, ya en los últimos años de la centuria y en los inicios del siglo XVI, plantearon en su mecenazgo el tema del modelo cultural, y han de considerarse los formuladores y protectores del nuevo arte en España.

Ello había sucedido ya con el Cardenal Borgia, futuro Papa Alejandro VI y los pintores italianos Pablo de San Leocadio y F. Pagano, traídos por él a Valencia, y que, junto a los Osonas, se consideran los más tempranos introductores del Renacimiento en España. De todas maneras, hay que destacar, casi por encima de cualquier otro personaje, el papel del Cardenal Mendoza como mecenas y amante de la cultura y el arte [40].

Quizá como ningún otro personaje, don Pedro González de Mendoza encarne las cualidades del hombre moderno, en el que la cultura actúa como uno de los móviles esenciales de su biografía, a través del triple factor de diferenciación, emulación y prestigio. Si este último sólo puede explicarnos su interés por la cultura y el arte, los dos primeros constituyen los elementos en que se basa su precisa elección estética volcada hacia el mundo clásico e italiano: con ello se destacaba no sólo del ambiente medio español, sino incluso de gran parte de las manifestaciones artísticas de la Corte. Don Pedro, hijo del marqués de Santillana, nació en 1428. En 1475 es nombrado arzobispo de Sevilla y cardenal de España, culminando su carrera en 1482 cuando es nombrado arzobispo de Toledo, Primado de las Españas y Patriarca de Alejandría, alcanzando al morir la edad de sesenta y siete años.

Su afición a las bellas artes se plasma a través del patrocinio de obras ligadas al campo de la arquitectura; pero en ellas, su imagen, ya sea a través de sus emblemas heráldicos, ya por medio de su retrato, siempre estaba presente de manera concreta. Conocemos su fisonomía no sólo a través del retrato de Juan de Borgoña en la serie de la Sala Capitular de la catedral de Toledo o del relieve de su tumba [60], sino también por su presencia en los tímpanos decorados de edificios como el Colegio de Santa Cruz de Valladolid o del Hospital de la misma advocación en Toledo[41]. Pero en ellos se retrata en la actitud y tipología del donante, a cuyos caracteres nos acabamos de referir.

El carácter moderno de su actividad artística se refleja desde un doble punto de vista: su elección del modelo formal clásico, que corre a cargo fundamentalmente de su arquitecto áulico Lorenzo Vázquez, y su gusto por rodearse de un ambiente en el que las referencias a la antigüedad y al nuevo sentido estético son constantes.

Desde este punto de vista, cobra excepcional importancia su colección[42], en la que se reflejan sus gustos personales y constituye uno de los primeros ejemplos del coleccionismo clasicista en España. Aunque los datos que poseemos no nos permiten afirmar que

60. Tumba de don Pedro González de Mendoza. *Toledo, catedral*

la organización de la misma fuera un microcosmos orgánico, al estilo del Museo Ioviano en Como, sí podemos afirmar que constituye un primer jalón para su arraigo en nuestro país. Fue Azcárate quien dio a conocer el importante documento en que se especificaban los componentes de la colección integrada por monedas, medallas, pequeñas estatuas, camafeos y piedras preciosas.

Entre las medallas no sólo había obras clásicas con temas alegóricos y mitológicos, sino también obras contemporáneas de Pisanello, Matteo de Pasti, Francesco Laurana, etcétera. Y de entre las estatuillas en bronce también destacan las de producción contemporánea, como las del Antico, entre las que abundaban las de tema mitológico como Hércules o alegóricos como la Fortuna. Igualmente abundan las historias paganas, y, entre los camafeos hay siete de Hércules, uno de Ceres, de Orfeo, Palas, Faetón, Ateneo..., entre los que pueden identificarse, pues esta parte de la colección constaba nada menos que de 616 piezas «de las que se detallan su representación en 120 ejemplares. De éstos, 69 corresponden a temas clásicos, 39 a retratos y 12 a temas religiosos». Significativo porcentaje revelador del interés que por la cultura humanista poseía el cardenal.

En su colección tenían papel destacado las joyas, parte de las cuales donó al final de su vida a la catedral de Toledo, Sigüenza y Sevilla. A través del documento de la donación toledana[43] nos aparecen varios elementos significativos: por un lado, el mencionado amor al lujo y la ostentación y, por otro, significativas elecciones; así, sabemos que don Pedro cambiaba perlas y esmeraldas por camafeos, demostrando una vez más el carácter decididamente moderno de sus gustos. De la importancia de estas piezas nos puede dar idea el hecho de que a su muerte, no sólo pasaron a formar parte de los tesoros de las mencionadas catedrales, sino a los de personajes como la reina Isabel, la princesa Isabel de Portugal, los marqueses de Moya o don Rodrigo de Mendoza. De todo este aspecto, destacaremos finalmente dos hechos: el que gran parte de estas joyas procedían de talleres españoles y el que muchas de ellas se realicen según modelos alejados del arte goticista que tan gran papel jugó en los tesoros y joyeros de las catedrales e iglesias españolas[44].

Por otra parte, es necesario resaltar el carácter simbólico y emblemático que el Cardenal confería a ciertas piezas de su colección, sobre todo las ligadas al símbolo de la Cruz, bajo cuya advocación estaba situado; de esta manera, su *Cruz de Primado*, paseada por él en todas sus diócesis, y que era «la primera Cruz que se puso sobre la alta torre de la Alhambra de la Ciudad de Granada al tiempo que fue ganada», ha

de ser «puesta en el sagrario de la dicha nuestra Santa Iglesia en memoria de tan gran victoria» y «no puede ser sacada dende sino a las procesiones».

El último gran empeño artístico del Cardenal fue la construcción de su tumba para lo que dejó precisas instrucciones en su testamento[45] [61]. Lo que más parecía preocuparle era la elección del lugar, que había de ser del máximo rango, por lo que determinó fuera el altar mayor de la Catedral Primada. Junto a ello hace especial hincapié en la presencia de un arco que había de actuar a manera de arco triunfal: «Otrosí ordenamos e mandamos que en la pared de la dicha Capilla desde en derecho de donde mandamos que nuestro cuerpo sea sepultado fasta el dicho pilar a do esta la figura del pastor se faga un arco de piedra que sea trasparente e claro labrado a dos fazes la una que responda a la dicha Capilla Mayor e la otra a la parte del Sagrario.» Estos deseos se expresaban a fines del siglo XV y son una clara muestra del valor que la cultura humanista había alcanzado en España; ante ello, se pretendía conseguir una tipología sepulcral que expresase la idea abstracta de triunfo, al trasponer, como se había hecho en Italia, un tipo arquitectónico profano y ligado a celebraciones triunfalistas y militares, al campo de la escultura funeraria: por encima de las victorias militares, se exaltaba ahora el triunfo sobre la muerte.

La actividad de Mendoza es una palmaria expresión del prestigio que la cultura como instrumento de poder estaba alcanzando en España, manifestada en forma de patrocinio a las bellas artes. Para completar este panorama falta referirnos ahora a otros dos tipos de cuestiones: la visión de la antigüedad, y los programas científicos desarrollados en torno a la Universidad de Salamanca.

El renovado interés por los temas clásicos adquiere en España, en paralelo con lo que venía sucediendo desde hacía muchos años en Italia, un contenido arqueológico y filo-

61. Tumba de don Pedro González de Mendoza. *Toledo, catedral*

lógico, a tono con las exigencias culturales del humanismo. Lucio Marineo Sículo menciona como cosa memorable «un arco de piedra maravilloso y una fuente muy larga» que existían en Mérida, así como «la puente» de Segovia[46], pero será el gramático Aelio Antonio de Nebrija quien «pidió licencia a su alteza para que pudiesse descubrir y sacar a la luz las antigüedades de España que hasta nuestros días an estado encubiertas: i para que pudiesse, como dice Vergilio "Pandere res alta terra et caligine mersas"». La obra no se llevó a cabo, pero su intención era bien clara: al igual que, según Hernán Núñez, había resucitado la lengua latina y las «letras de humanidad», Nebrija pretendía revivir el pasado clásico de la península ibérica a través de excavaciones arqueológicas. El mismo Hernán Núñez relata poética-

mente un «paseo arqueológico» de él mismo y Nebrija, «pues el qual y yo viniendo de Alcantara a Villanueva de la Serena caminando en una noche con agua vimos este arco en el ayre, el cual causavan los rayos lunares que herian la parte contraria y ovimos mucho placer de lo ver...». La cita es de 1495 y es reveladora del ambiente cultural creado en torno a don Juan de Zúñiga, Maestre de Alcántara, que vivía en Zalamea rodeado de una pequeña corte en la que el cultivo de las letras y el saber ocupaba una parte importante de las actividades[47].

Esta interpretación y estudio de la antigüedad desde un punto de vista erudito y arqueológico encuentra su equivalencia en las artes plásticas en un nivel de citas y alusiones concretas y precisas. Pintores como Rodrigo de Osona o Juan de Flandes intro-

62. Rodrigo de Osona *el Joven*: San Dioniso y el joven. *Valencia, catedral*

63. Rodrigo de Osona: La Epifanía (detalle). *Londres, National Gallery*

ducen en sus pinturas fragmentos arqueológicos que sirven de comentario alegórico-
clásico a figuras e historias, a la vez que las
insertan en un marco clásico de precisas alusiones. Juan de Flandes en su *Coronación de Es-*
pinas (Detroit, Museo) o Rodrigo de Osona
el Joven en su *San Dionisio y el Joven* [62] concretan sus referencias a la Antigüedad a
través del uso de decoraciones clásicas tomadas de elementos tales como frisos, estatuas y festones, mientras que en el segundo
de los casos citados, las figuras de santos
de la predella conversan alrededor de un
sarcófago que representa al dios Pan. Y en
la *Epifanía* [63] de Osona, la influencia clásica se logra fundamentalmente merced a la
inserción de relieves clásicos con escenas mitológicas o estatuas de Hércules venciendo
a la Hidra de Lerna. A su vez, el autor
de la *Virgen del Caballero de Montesa* o el llamado Maestro de San Narciso precisan el
contenido clásico de su escenario insertando
citas, no ya iconográficas, sino decorativas
y ambientales.

Pero la antigüedad fue en España objeto
no sólo de experiencias arqueológicas, sino
también de goce estético y práctica cultural.
Y desde este punto de vista vuelve a apare-
cernos como fundamental el papel de la familia de los Mendoza, personificada en Rodrigo Díaz de Vivar, el marqués de Zenete,
primo del cardenal don Pedro González de
Mendoza[48]. Éste, construyó hacia 1509 un
patio renacentista, importado directamente
de Italia, y montado por Michele Carlone
y otros en el castillo granadino de La Calahorra [64]. Santiago Sebastián ha mostra-
do la procedencia de las esculturas mitológicas de una de las puertas como originada en
el llamado *Codex Excurialensis*, cuaderno de
apuntes realizado en Roma durante el siglo XV por miembros del taller de Ghirlandaio[49]. El *Codex*, antes de pasar a la Biblioteca de El Escorial perteneció, no sabemos
desde cuando, a la familia Mendoza, pero
lo cierto es que varias de sus láminas sirvieron

64. Portada del patio del castillo de la Calahorra

de inspiración a la mencionada portada en
la que los temas representados —Hércules,
Apolo, Tritones y dioses marinos, la Abundancia, la Fortuna, Aquiles y Quirón y dos
trabajos de Hércules— han sido interpre-
tados por Sebastián como una alegoría al
sentido moderno de la muerte concebida
como triunfo. Así, sin abandonar un sentido
cristiano del más allá, se expresaban estas
ideas «con un lenguaje netamente mitológico».

Que el marqués de Zenete estaba interesado por estos temas como medio de glorificación personal, lo pone de manifiesto el
hecho, destacado por Gómez Moreno, de
que se hallaba en posesión de una medalla en

64a. Portada del patio del castillo de la Calahorra (detalle)

64b. Portada del patio del castillo de la Calahorra (detalle)

cuyo anverso aparecía retratado de perfil, y en el reverso, una representación de Marte y Venus, típica alegoría neoplatónica, que simboliza el Amor y la Guerra, como elementos que han de presidir la vida del perfecto guerrero humanista[50].

Y de igual manera, don Francisco de Zúñiga y Velasco, virrey de Navarra, inserta un busto de Hércules en la portada de su palacio de Peñaranda de Duero siguiendo quizá el consejo de Luis Vives quien indicaba cómo en la Antigüedad, «solían colocar en la portada de la Casa a Hércules: aquel que no dexaba entrar a males ni a malos». Se trata aquí de una precisa referencia a la Antigüedad desde un punto de vista no sólo alegórico-significativo, sino también arqueológico y erudito: la figura de Hércules

es un busto a lo clásico que centra una composición entre «putti», festones y guerreros con armaduras romanas y una inscripción que, en caracteres latinos, proclama el orgullo del fundador ante su edificio.

Un último lugar en que la interacción entre la cultura humanística y las formas artísticas dio frutos abundantes fue la Universidad de Salamanca, ciudad alabada al máximo por los cronistas y viajeros del momento, desde Marineo Sículo a Jerónimo Münzer. La Universidad trata de adaptarse a la nueva situación cultural por lo que se recubrió de programas artísticos que expresaran los nuevos contenidos; la famosa portada plateresca recibió un complicado programa alegórico-mitológico presidido por el mencionado medallón de los Reyes Católi-

65. Salamanca: Portada de la Universidad (detalle)

cos, las figuras del Papa y las de Venus y Hércules [65], con lo que se aseguraba la modernidad del contenido. Si con Hércules se aludía al varón virtuoso y laborioso, con Venus se recalcaba la idea del amor como fuerza motriz y causa del conocimiento por parte de las criaturas. Mucho más claro aparece el sentido de las inserciones del patio, directa trasposición —como igualmente señaló Sebastián[51]— del libro de Francesco Colonna *Hypnerotomachia Poliphili* y que alegorizan conceptos como «En el medio está la virtud», «Todo lo vence el amor», «Gratitud a Dios», etc., e ideas como el reino de la Justicia, la Paz y la Concordia o la del paso del tiempo [66].

El sentido alegórico moral que hemos visto en las decoraciones esculpidas alcanza precisas referencias científicas en la que Fer-

nando Gallego hizo para la Biblioteca de este centro universitario [67], en cuyo programa las Artes Liberales —hoy perdidas— convivían con las representaciones astrológicas de la Bóveda Celeste, siguiendo una idea de Dante en el *Convivio*. El poeta italiano había dicho: «Como se ha referido, pues, más arriba los siete cielos más próximos a nosotros son los planetas; luego hay otros dos cielos sobre estos inmóviles, y uno sobre todos, quieto. A los siete primeros corresponden las siete ciencias del Trivio y del Cuadrivio, a saber: gramática, dialéctica...»[52].

El sentido humanista del programa no necesita ser ya resaltado, pues bien a las claras se demuestra el interés que en ciertos círculos había despertado la nueva idea del saber y la ciencia que proponía el Renaci-

66. Salamanca: Relieve del patio de la Universidad

67. Fernando Gallego: Bóveda de la biblioteca de la Universidad de Salamanca

miento; de esta manera, figuras como el cardenal Mendoza, el interés por la antigüedad, la nueva valoración plástica de la cultura, suponen un primer paso de capital importancia para la introducción del Renacimiento en España en el que, en una primera aproximación, hemos de indicar que fue un intento de tipo fundamentalmente cultural y humanístico antes que plástico y artístico. Pero, a la vez, y como señalaremos más adelante, el acercamiento a las fuentes de la antigüedad se hizo en España de manera más directa y radical que en otras partes de Europa.

LA GUERRA Y EL HUMANISMO

Si la conciencia de estar practicando una nueva cultura había suscitado el interés por un nuevo tipo de obra de arte, la importancia que la actividad bélica tenía para los hombres del clasicismo y que, como hemos señalado, en su esquema cultural había de situarse en perfecto equilibrio con la primera, era, sin duda enorme. De esta manera, las actividades plásticas que incidían en este aspecto se constituyen entre las fundamentales y primordiales de una sociedad para la que el tema del triunfo militar se había convertido en uno de los asuntos principales y en el lugar donde se ponían de manifiesto toda una serie de tendencias humanísticas.

Este tema se va a convertir entonces en uno de los obsesivos a lo largo del siglo XVI en toda Europa. España participa plenamente dentro de esta corriente plástica y cultural, que suponía la práctica de unas tipologías arquitectónicas triunfalistas —arcos triunfales, carros, decorados efímeros— y una nueva iconografía militar, que ya había sido propuesta en Italia en libros como el de Valturius, y que pronto pasará de la arquitectura efímera a la permanente a través de las decoraciones al grutesco[53]. Si Alfonso V de Aragón plantea en el *Arco*

de Castel Nuovo de Nápoles, obra de L. Laurana, el tema del triunfo militar a la italiana en un sentido plenamente clásico, en nuestro país, el rey Fernando el Católico entra en Valladolid el 30 de enero de 1509 a la nueva manera; «... e porque como es muy notorio que a los emperadores romanos ni cartagineses ni a los griegos ni mucho menos a Judas Macabeo no vimos ni conocimos, pero por lo que dellos leemos sus nombres, su gloria e fama jamas puede ni podra morir...», de igual manera, las decoraciones efímeras que trasforman la ciudad castellana, se levantan a mayor gloria del Rey Católico y en un sentido emulatorio de los grandes héroes del mundo clásico. La ciudad medieval se convierte en una urbe clásica, y la relación que describe la entrada la compara a modelos italianos como Florencia y Venecia —«la villa estava tan alegre, tan ataviada de riquezas e doseles e tapeceria tan rica que no faltava ni Florencia ni Venecia...»—; las alusiones iconográficas, no se centraban tan sólo en temas morales —las Siete Virtudes—, ni alegóricos —la Fortuna—, sino que participaban también de la visión de una antigüedad histórico-heroica: en el tercer triunfo, acompañaban a la Fama, los emperadores Julio César, Octaviano, Trajano, Constantino, el rey Alexandre [54]...

Todo ello planteaba a la cultura figurativa española un tema nuevo y que desde un primer momento recibe una respuesta clara: para la representación del triunfo del guerrero no se dudará, incluso, en importar directamente obras de Italia.

Este es el caso de la Tumba de don Ramón Folch de Cardona [68], obra de Giovanni de Nola situada en la localidad leridana de Bellpuig. El escultor era el artista áulico de los virreyes españoles de Nápoles[55], y no es de extrañar pues que don Ramón Folch, que sucedió en Italia al Gran Capitán y acabó sus días en el virreinato de Nápoles, quisiera perpetuar su memoria con un grandioso sepulcro triunfal: para ello, su viuda, la condesa

68. Giovanni de Nola: Tumba de don Ramón Folch de Cardona. *Bellpuig, Lérida*

doña Isabel encargó la importante escultura, y sabemos que hacia 1524 —dos años después de la muerte del virrey— ya lo labraba G. da Nola.

Por lo avanzado de su fecha, podemos considerar este sepulcro como la culminación del gusto clásico en materia de escultura, tanto desde un punto de vista formal, que recoge toda la tradición de encuadrar la imagen del difunto bajo un arco triunfal, como iconográfico. Es precisamente la hábil interpretación de ambos problemas lo que hace interesante la obra: los elementos arquitectónicos —arco triunfal y sarcófago—, ya de por sí significantes de la idea de triunfo sobre la muerte, se enfatizan al colocar en ellos una iconografía militar. La estatua de don Ramón Folch duerme plácidamente reposada sobre sus atributos guerreros, mientras que la Gloria y la Paz y otras virtudes le ofrecen sus respectivos símbolos; y mientras la base y el sarcófago aluden en sus decoraciones a las victorias marinas, el entablamento relaciona sus luchas terrestres en tono a menudo caballeresco. Las representaciones de Neptuno, Anfitrite y otros dioses marinos bajo la estatua yacente, así como los grutescos de tema bélico, ayudan a completar el carácter profano de una idea de la muerte que sólo encuentra una alusión religiosa en la imagen de la Piedad y en las efigies que coronan el conjunto.

Pace Gagini fue el autor italiano de los sepulcros sevillanos de los Ribera, cuyo último sentido ha sido puesto de manifiesto recientemente por Lleó [56]. Tras un complicado juego de alusiones religioso-alegórico-mitológicas, se refieren las virtudes morales y políticas de don Pedro Enríquez y doña Catalina Rivera, marqueses de Tarifa. Santos en relación con sus actividades guerreras, alegorías paganas de la muerte, como la inclusión de las estatuas de Hypnos y Thanatos, y la presencia de las estatuas de Marte y Venus, símbolo del tema neoplatónico de la «concordatio oppositorum», completan

el programa y nos ·muestran cómo «en el sepulcro de don Pedro... se han condensado sutilmente las apariencias formales de los "triunfos militares" convencionales, al modo de los antiguos arcos triunfales, con un erudito homenaje a la calidad humana del difunto» [57]. Similares características presenta el sepulcro frontero de doña Catalina en el que se mezclan de igual manera temas religiosos con los paganos para trasmitirnos el retrato alegórico moral, si bien ya en clave humanística, de la difunta. Vuelven a aparecer Hypnos y Thanatos [69], sugerencia del temor ante la muerte, pero esta vez en su calidad de conductores de almas hacia la nueva vida, en similar misión que tienen las sirenas que aparecen sosteniendo el cortejo [58].

Es indudable que con estas obras, el tema del guerrero y su triunfo sobre el mundo adquiere una plena significación humanística, que ya habían preparado las alusiones a la vida de la Fama del poema célebre de Jorge Manrique. Pero el mundo del clasicismo pedía unas mayores exigencias representativas que habían de traslucirse en una más grande monumentalidad y en contenidos iconográficos de sentido claro. Estos deseos, culminaron en obras como el sepulcro de don Ramón Folch, pero, sobre todo, en la construcción de capillas funerarias, que se convertirá en uno de los temas favoritos del Renacimiento, y que en España alcanzará una enorme importancia que culminará en el templo de El Escorial.

El tema de la capilla derivó pronto al de la iglesia funeraria, como ya hemos visto que sucedía en la Cartuja de Miraflores de Burgos; y, años después de su muerte, y para un personaje capital en la época que estamos estudiando, Gonzalo Fernández de Córdoba, el Gran Capitán, fue erigida y decorada la iglesia granadina de San Jerónimo. Prescindiendo de los problemas de tipología arquitectónica [59], estudiaremos, desde el punto de vista plástico, las cuestiones que plantea

69. Pace Gagini: Hypnos y Thanatos (figura moderna), sepulcro de doña Catalina Rivera. *Sevilla, iglesia de la Universidad*

el programa decorativo de la Iglesia, construida por Diego de Siloé.

En esencia, se trata de transmitir la imagen de un héroe guerrero desde una angulación clasicista, propia de un momento cuyos ideales morales habían sido perfilados en parte por el propio Gran Capitán. Un año antes de morir éste, Alonso González de Figueroa, publicó su *Alcázar Imperial de la Fama del Gran Capitán*, poema cuyo contenido resulta interesante a nuestros efectos al plantear una iconografía bélico-triunfal renovada, integrada en una imaginación arquitectónica. Nos encontramos ante la utopía de una fortaleza funeraria ya que «era tanta su hermosura que me representava parecia no ser formado por persona humana, mas descanso y gloria de las animas...»; la fortaleza, de la que salían gentes con guirnaldas

de laurel en sus cabezas y ramos de ciprés en las manos, se concibe como Palacio de la Fama, cuya representación coronaba la torre del homenaje. La obra de Gómez de Figueroa continúa con la descripción detallada del edificio y la aparición en escena de personajes tan significativos como Josué, Judas Macabeo, David, Alejandro, Elena, Andrómaca, Ulises, Rómulo, Remo, Venus, Juno [60]... En realidad se trata de una complicada alegoría retórica que ensalza las virtudes, la Fama, la Gloria y otras virtudes del Gran Capitán, en cuyo estudio no podemos entrar ahora.

Pero bien merece la pena la mención realizada a esta obra pues un programa similar, si bien de menor complejidad, se desarrolla en la citada iglesia de San Jerónimo de Granada, homenaje al «... Hispa-

70. Fortitudo e Industria. *Granada, iglesia de San Jerónimo*

niorum duce Gallorum et Turcarum Terror», tal como reza la inscripción exterior de la cabecera, sostenida por las alegorías de la *Fortitudo* y la *Industria* [70], que constituyen la introducción al programa alegórico que alberga el interior y que resalta las virtudes del Gran Capitán y su mujer. Santos, guerreros, escudos y los retratos orantes de los personajes son la base del programa, ilustrado con las figuras de los casetones que representan a César, Aníbal, Pompeyo, Marcelo, Cicerón, Homero, Mario y Escipión; Abigail, Judith, Débora, Ester, Hersilia, Artemisa, Penélope y Alcestis, que aluden precisamente a la Industria y Fortaleza de Gonzalo Fernández de Córdoba y su mujer, en un conjunto [71] que constituye una reflexión «a posteriori» acerca de las virtudes del guerrero y un verdadero «Castillo de

la Fama» de sus hechos, que recuerda el sueño literario de Gómez de Figueroa: «... llegamos al cabo de aquella sala imperial, y vi una muy alta boveda: y era tanta la claridad que della salia que parecia ser en ella todo el resplandor del mundo y alli se demostravan las altas hazañas del Gran Capitán, y vi un paño en el qual estavan pintadas todas las famas de los pasados: conviene saber, babilonia, troya, grecia, roma españa y vi en el las batallas y actos famosos de nuestro gran capitán».

PRESUPUESTOS ESTÉTICOS Y EL PROBLEMA DE LAS VÍAS DE PENETRACIÓN

Juan del Encina, uno de los poetas que, desde el punto de vista literario y artístico,

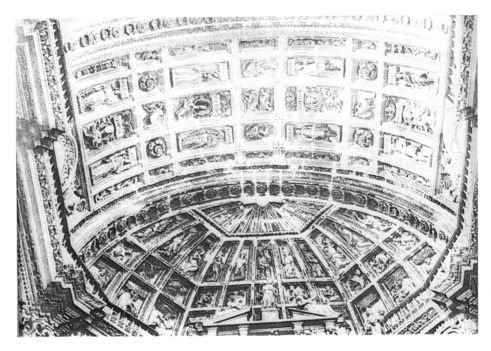

71. Programa histórico del interior de la iglesia de San Jerónimo. *Granada*

mejor definen la época que estamos estudiando, escribió en el prohemio a sus obras un *Arte de poesía castellana*, que nos ha de servir de introducción al estudio de los problemas de lenguaje que se plantearon en el debate artístico español de finales del siglo XV y principios del XVI.

Refiriéndose al problema de las licencias y figuras que pueden usar los poetas recomienda que en su uso no se cometan demasiados excesos ya que «los modernos gozan de la brevedad»; y, ya que la causa de su invención fue la necesidad, «no (las) devemos usar muy a menudo». Esta contención, que es uno de los fundamentos de la estética clasicista, se ve, sin embargo, desbordada en la práctica, y es entonces cuando inserta la siguiente y significativa frase, «... aunque verdad sea que muchas cosas al principio la necesidad ha introducido que despues el uso las ha aprovechado por gala, asi como los trajes, las casas y otras infinitas cosas que serian muy largas de contar»[61]. Esta dialéctica entre necesidad y uso, constituye una de las claves del arte de este momento, y es muy sintomático que cuando Juan del Encina habla de ellas, mencione precisamente los elementos de lujo en que la sociedad opulenta basaba su idea de la ostentación, es decir, los atuendos y la decoración de las casas, que, en su esplendidez, conculcaban en cierta manera los principios clásicos de sencillez y simplicidad[62].

Por otro lado, Juan del Encina plantea igualmente el problema del status y papel del artista, cuando, más adelante, establece la diferencia entre poeta y trovador; «mas a mi me parece que quanta diferencia ay entre musico y cantor, entre geometra y pedrero, tanta deve aver entre poeta y trobador... Boecio nos lo enseña, que el musico contempla en la especulación de la musica y el cantor es oficial della. Esto mesmo es entre el geometra y pedrero y poeta y trobador» [63]. De esta manera introduce desde fechas muy tempranas la diferencia entre la «especulación» y el «ser oficial de algún oficio», en una discusión que será caballo de batalla durante los siglos venideros.

Es importante resaltar estos aspectos teóricos que, en un primer momento, y en consonancia con el hecho repetidamente señalado de la prioridad de las materias lingüísticas y humanísticas sobre la evolución del lenguaje artístico, se desarrollan desde el campo de la lengua, ya que es aquí donde encontramos ciertos presupuestos estéticos que la actividad artística desarrolla únicamente de manera empírica. Desde este punto de vista cobra especial significación el prólogo-dedicatoria que Aelio Antonio de Nebrija imprimió al comienzo de su *Gramática Castellana*, en el que pasando revista a la «antigüedad de todas las cosas», resalta el valor unificador que las reglas tienen para la lengua; y por ello, propone una gramática castellana basada en el estudio de las lenguas clásicas que «por aver estado debaxo de arte, aunque sobre ellas an passado muchos siglos, todavia quedan en una uniformidad» [64].

Muchas veces se ha señalado el carácter estandarizador y uniformador del arte en tiempos de los Reyes Católicos, que, desde el punto de vista de la formulación de un arte de estado, se ha referido, sobre todo, a la arquitectura. Pero, desde presupuestos estéticos y de lenguaje artístico, las palabras de Nebrija cobran de igual manera singular valor ya que están proponiendo, en paralelo a las obras más avanzadas del momento, un arte sometido a la norma y a la uniformidad.

Pero la cuestión de la renovación formal depende igualmente, y por lo que a España respecta, del problema de las vías de penetración [65]. Las relaciones con Italia se convierten entonces en fundamentales y el viaje a este país, la importación de obras y la presencia de italianos en España, han de ser los tres puntos fundamentales de reflexión.

Si el primer y tercer factor van a ser hechos constantes a lo largo de todo el siglo XVI, la importación de obras adquiere en estos momentos una importancia decisiva. Se sobrepasa el habitual marco de la compra de pinturas y estatuas, para importarse directamente sepulcros monumentales, e incluso, palacios enteros como el caso de La Calahorra o el de Vélez Blanco [66]. La mayoría de los sepulcros a los que nos hemos referido fueron ejecutados en Italia, y no hemos de insistir en este momento en el valor ejemplar que, a causa de sus clásicas formas, adquirieron en el contexto del debate artístico español del momento que oscilaba, como hemos indicado, entre los modelos nórdico e italiano de Renacimiento.

La relación con Italia era en estos momentos muy intensa y adquiría particular relevancia en la región levantina donde la familia de los Borgia llegó a ocupar durante varios años la sede de San Pedro [67]. El ambiente pagano de la Roma renacentista caló pronto en ciudades como Valencia, como ya hemos tenido ocasión de indicar, y fiestas como la celebrada en 1498 en el Vaticano, con motivo de la boda de Lucrecia Borgia con don Alonso de Aragón, príncipe de Salerno, constituían ejemplos de una renovación formal en actitudes y comportamientos. En esta ocasión, no sólo aparecieron personajes danzantes disfrazados de animales, sino decoraciones tan exóticas como una fuente con serpientes y culebras, platos con invenciones, motes y emblemas en forma de mujeres, caballos [68]...

La toma de Granada en 1492 fue igualmente celebrada en Roma con grandes festejos, y el cardenal Riario encargó a C. Verardio de Cesena componer un poema latino, la *Storia Betica*, en ocasión de este acontecimiento. La presencia de España en Roma era muy considerable en estos momentos: iglesias como Santa María de Monserrat, San Giacomo degli Spagnoli eran de patrocinio hispano, Alfonso de Tapia, valenciano, recubrió los apartamentos Borgia del Vaticano con azulejos de Valencia y no olvidemos que el templete de San Pietro in Montorio, obra de Donato Bramante, fue fundación de los Reyes Católicos.

Desde este punto de vista, podemos entender que la fascinación por Italia constituyó uno de los hechos capitales en la renovación formal que experimentan las artes plásticas españolas de este momento. En la Catedral de Gerona existe una placa atribuida a Donatello, en la de Badajoz un relieve que se atribuye a Desiderio de Settignano, al igual que otro existente en la Catedral de Segorbe [69]. Por su parte, la Catedral de Sevilla posee un bello retablo de la Virgen de Andrea della Robbia.

Pero fue la venida de artistas italianos como Fancelli, llamado por los Mendoza para los que trabajó, así como para la familia real, los Niculoso Pisano, Pace Gagini, Antonio de Aprile, Antonio y Pier Angelo della Scala, Torrigiano y Jacopo Torni, el factor capital de la introducción del Renacimiento

72. Jacopo Torni: Santo Entierro. *Museo de Granada*

en España[70], en un momento en que, en el campo de la pintura, el problema que se dilucidaba era el del predominio del modelo nórdico, ejemplificado, entre otros, por Fernando Gallego, y el del modelo italiano, personificado por Pedro Berruguete. Y así, la actividad de parte de la nobleza y de la corte, importando obras italianas y protegiendo a artistas de este país, se constituye en hecho decisivo a la hora de introducir el parámetro humanista en las polémicas artísticas españolas. De esta manera, la obra de Fernando Gallego queda, en cierta manera, al margen de los centros oficialistas, y sólo Pedro Berruguete alcanza a ver algunos de sus retablos en centros importantes y significativos, como la iglesia de Santo Tomás en Ávila, presidiendo la sepultura del infante don Juan realizada por Fancelli.

Con todo, el hecho más significativo de la presencia de Italia en España es señalar cómo la pluralidad lingüística de modelos que tiene lugar en la propia Italia comienza a actuar en la España del siglo XVI como uno de los factores del carácter esencialmente ecléctico del Renacimiento español. Pietro Torrigiano y Jacopo Torni, que trabajan para ambientes religiosos del Sur de España, plantean en su escultura los inicios de la corriente emocional de la imagen religiosa española. El *Santo Entierro* [72] del segundo (Museo de Granada), es uno de los precedentes de la obra del mismo tema de Juan de Juni, y el *San Jerónimo* [73] de Torrigiano, no sólo influirá en el de Martínez Montañés, ya en los umbrales del Barroco, sino que servirá de modelo al que se esculpirá en el panteón de los duques de Osuna, en dicha localidad sevillana[71]. Por su parte, la obra de Niculoso Pisano en Sevilla, y la misma *Virgen y el Niño* [74] de Torrigiano, plantea el tema de una imagen religiosa amable y sencilla, apta para el consumo religioso de fieles sin especiales preocupaciones[72].

Junto a la corriente emocional, y ligado

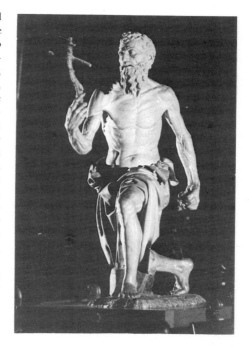

73. Pietro Torrigiano: San Jerónimo. *Museo de Sevilla*

a los ambientes áulicos y reales, hace su aparición el clasicismo y las variantes quatrocentistas del modelo italiano. Y si los escultores florentinos venidos a España centraban su lenguaje en torno a un concepto clásico de la imagen, ciertos pintores del cardenal Borgia y el mismo Pedro Berruguete, no dudaban en importar los modos dramáticos o emocionales de las escuelas de Urbino o Ferrara.

Estas tendencias parecían cuadrar mejor con el ambiente español preexistente, y la obra de Niculoso Pisano puede resultar ejemplar al respecto. El colorismo implícito en el uso de las terracotas de procedencia della-robbiana, le permite adaptarse al empleo

74. Pietro Torrigiano: La Virgen y el Niño (detalle). *Museo de Sevilla*

75. Niculoso Pisano: La Visitación. *Sevilla, Reales Alcázares*

de la tradición azulejera sevillana, cuyo colorismo y pintoresquismo no son óbice para plantear en ella escenarios perspectivos o temas decorativos modernos como los grutescos, como sucede en la Capilla de los Reales Alcázares, la del Monasterio de Santa Paula o la iglesia de Tentudia. Además, este mismo pintoresquismo permite su fácil inserción en contextos góticos —portada de Santa Paula— o gótico mudéjares —Reales Alcázares— [75], sin que resulten especialmente detonantes y perturben una cualidad estética tan del gusto del Renacimiento como es la «conccinitas» [73].

DEBATES ARTÍSTICOS Y PLURALIDAD SOCIAL: JUAN DE FLANDES, FERNANDO GALLEGO, PEDRO BERRUGUETE

Como hemos visto en el anterior capítulo, durante la segunda mitad del siglo XV la pintura y la escultura española experimentaron la sugestión ante el mundo flamenco y del Norte, que, en gran parte de los casos, se constituyó en paradigma y punto de partida en la reflexión de nuestros artistas. Destacamos igualmente la no uniformidad del panorama artístico español de la segunda mitad del siglo XV, aspecto que nos explica cómo, a finales de la centuria, la discusión alcance su punto álgido, y que nos permite afirmar que, a principios del siglo XVI, apenas si quedan rastros del influjo de los llamados «primitivos flamencos». Y en la discusión entablada en torno al Renacimiento nórdico que representaban estos pintores, la existencia en el tiempo de dos pintores tan diferentes como Fernando Gallego y Pedro Berruguete, puede considerarse un verdadero paradigma de la discusión, pues si el primero puede considerarse, junto a Bartolomé Bermejo, como el punto culminante de la alternativa hispano-flamenca, el temprano viaje a Italia —antes de 1497— de Pedro Berruguete constituye uno de los hitos en la introducción del Renacimiento italiano en nuestro país.

Es en el mundo de la corte donde estas contradicciones aparecen más claras. Junto a obras clasicistas que ya hemos mencionado, la presencia en ella de Melchor Alemán, Sitow o Juan de Flandes[74], nos habla de la preferencia, en el entorno áulico, por las obras flamencas. Pero es necesario señalar una diferencia entre los pintores que optaron por el modelo flamenco; pues, mientras Fernando Gallego se liga al mundo dramático de Dierick Bouts, Martin Schongauer e incluso Konrad Witz, Juan de Flandes, a la vez que a menudo inserta sus historias en escenarios italianos, encuentra su inspiración en Gerard David[75]. En realidad, la visión del mundo que nos ofrece Juan de Flandes se aproxima a ciertas ideas del clasicismo: sencilla ordenación en la composición, figura humana en perfecta serenidad y ausencia de dramatismo en las historias. De esta manera una tabla como Los peregrinos de Emaús [76] del retablo de Isabel la Católica es en realidad un juego geométrico de líneas horizontales y verticales, en la que la caída de los pliegues del traje en el peregrino vuelto de espaldas, prolonga la verticalidad de las columnas. El juego de verticales continúa en obras como Cristo ante Pilatos [77] del retablo de la catedral de Palencia, en donde los temas decorativos proceden igualmente de repertorios italianos. Y el sentido monumental en la concepción de la figura humana culmina en un tema, como hemos visto, tan del gusto de la época como su San Miguel del Museo Diocesano de Salamanca.

Lo que, sin embargo, nos induce a hablar de flamenquismo en Juan de Flandes es la minuciosa técnica empleada, aprendida en la precisión tan del gusto de los «primitivos»

flamencos, y el pintoresquismo y dulzura, al modo de Gerard David, que rezuman sus tablas. El sentido caricaturesco que aún podemos observar en ciertas obras como el Ecce Homo [78] del retablo de la catedral de Palencia, desaparece en la mayoría de su producción, abundante de bellos cuerpos, de clásicas proporciones —Resurrección (Palencia)— y de cuidadas y equilibradas composiciones —Calvario (Palencia, ahora en Madrid). De todo ello es igualmente expresiva una obra como La Resurrección de Lázaro [79] (Museo del Prado) en la que se abandona toda pretensión expresivista a la hora de tratar el tema de la muerte, para incidir en los aspectos más plácidos e incluso monumentales —figura de Cristo— de un tema tan querido por la iconografía cristiana.

La obra de Juan de Flandes aparece ligada a ambientes cortesanos y aristocráticos. Las tablas de su retablo de la reina Isabel la Católica fueron adquiridas, a la muerte de la reina, por la marquesa de Denia, el alcaide de los Donceles y Margarita de Austria[76]. Más adelante trabajó en Salamanca y hacia 1508 viaja a Palencia para realizar el retablo mayor de la Catedral por encargo de don Diego de Deza, amigo y albacea de la reina, inquisidor del reino, cargo en el que había sucedido a Torquemada, y miembro del Consejo Real. Todo ello nos indica el gusto de cierta élite española por las imágenes dulces, suaves y agradables a la vista que, sin proponer el sentido rigorista del clasicismo italiano, se alejaba de una visión dramática del mundo y de la religión.

Pero la piedad ligada a ambientes no esencialmente aristocráticos tiene aún necesidad, y la va a seguir teniendo a lo largo del siglo XVI, de unos contenidos más sensibles y dramáticos. Post ha señalado cómo, en este periodo, la pintura se ve más como pieza de devoción y decoración que como reproducción convincente de la realidad[77]; y, de esta manera, cobra así un extraordinario valor ejemplar la disyuntiva presentada

76. Juan de Flandes: Los peregrinos de Emaús, del retablo de Isabel la Católica.
Madrid, Palacio Real

77. Juan de Flandes: Cristo ante Pilatos. *Palencia, catedral*

78. Juan de Flandes: Ecce Homo (detalle).
Palencia, catedral

79. Juan de Flandes: Resurrección de Lázaro.
Madrid, Museo del Prado

en Castilla la Vieja por Fernando Gallego y Pedro Berruguete.

No se trata, desde nuestro punto de vista ya expuesto en el anterior capítulo, de oponer al «gótico» Gallego, el «renacentista» Berruguete, sino de aclarar la pluralidad de alternativas que, desde el campo de la pintura religiosa se producían en la Castilla finisecular. Pues, como ya hemos aclarado, estamos ante dos alternativas modernas, en las que cualquier referencia al gótico internacional aparece rechazada y hemos de tener en cuenta que el componente flamenco, a pesar de su estancia en Urbino, nunca fue olvidado por Pedro Berruguete.

Pero apenas hasta ahí llegan las similitudes entre los dos maestros. El papel de Fernando Gallego en la discusión artística de este momento es el de plantear el valor expresivo, emotivo y gesticulante de la imagen [78], para lo que el repertorio formal de la pintura hispano-flamenca le ofrece las soluciones más adecuadas. Desde el uso de figuras de canon alargado, cuyo modelo es, naturalmente, Dierick Bouts, a la insistencia pintoresquista en los ropajes de pesados y complicados pliegues, de lo que son excelentes ejemplos tanto sus *Epifanías* (Museos de Barcelona y Toledo —Ohio—), como las tablas de los retablos de Zamora o Toro.

Por otra parte, el valor espacial de los escenarios en que Fernando Gallego inserta sus figuras, le alejan definitivamente del aperspectivismo e irrealismo propio de la pintura medieval, y lo ligan a los empíricos juegos espaciales propios del mundo flamenco. Sólo una menor habilidad en su tratamiento, distingue este aspecto de su obra con el uso de interiores en Bouts o Van der Weyden; los suelos que definen el espacio de algunas de sus obras —como sucede en las tablas del retablo del Cardenal Mella en la catedral de Zamora— sitúan a sus figuras en espacios aún inestables. Pero este tipo de dificultades se atenúan en obras posteriores como las tablas de *Arcenillas* [80], y desaparecen por completo en las más convincentes inserciones de figuras en un paisaje —*Piedad, Crucifixión* del Prado o *San Andrés* del Museo de Salamanca—. Es quizá en el tratamiento de la naturaleza donde la interpretación de la realidad alcanza en Gallego grados de mayor firmeza, sin por ello abandonar los convencionalismos del mundo flamenco.

Quizá el caso de Pedro Berruguete sea el simétricamente opuesto a Fernando Gallego. Sin abandonar en ningún momento su formación flamenca, adquirida, en un primer momento, en su Castilla natal, plantea desde sus primeras obras una idea antidramática de la pintura, basada en los términos de medida y proporción, que hace que podamos calificar de «correcto», inclusive desde un punto de vista italianizante, su sentido espacial[79].

80. Fernando Gallego: La Visitación. *Arcenillas*

Si comparamos la mencionada *Piedad* [81] del Prado, obra de Fernando Gallego, con cualquiera de las de Berruguete nos daremos cuenta de este hecho. El estudio de la naturaleza y la perfecta inserción de las figuras en un paisaje de la tabla de Gallego, no es óbice para que los contenidos emocionalistas y dramáticos primen sobre el valor monumentalista de la *Piedad* [82] de Berruguete, cuyas figuras alcanzan una corporeidad mayor, a pesar de insertarse en un espacio irreal, de fondo dorado y de mínimas referencias naturalistas.

Berruguete aparece preocupado, pues, más que por el contenido devocional y emotivo —siempre presente, de todas maneras, en sus obras— por el problema de insertar acciones y figuras en un espacio real, tangible, en el que la luz juega un papel capital a la hora de conseguir una correcta defini-

81. Fernando Gallego: La Piedad. *Madrid, Museo del Prado*

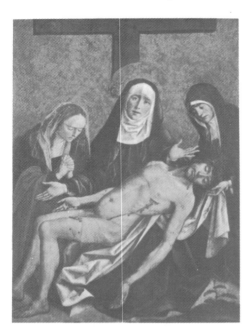

82. Pedro Berruguete: La Piedad.
Barcelona, Colección particular

83. Pedro Berruguete: La Anunciación.
Burgos, Cartuja de Miraflores

ción de los contenidos espaciales[80]. Desde este punto de vista, no debe abandonarse la suposición de Hulin de Loo[81] del componente napolitano en la formación de la manera definitiva de Berruguete. Una obra tan específicamente eyckiana como la *Anunciación* [83] de la Cartuja de Miraflores, presenta un estudio espacial y de la degradación lumínica tan sutil, que trae de inmediato a la mente las obras de Collantonio e incluso las de Antonello da Messina; y una visión del milagro, en clave racional y monumentalista, como las que proponen ciertas tablas del retablo mayor de Santo Tomás en Ávila —por ejemplo, *Santo Tomás venciendo las tentaciones*— sólo puede entenderse si lo observamos desde la particular angulación que plantearon a fines del siglo XV los italianos flamenquizados. La experiencia pictórica de Berruguete como reflexión acerca del comportamiento de figuras monumentales en un espacio cuantificado por medio de la luz y la perspectiva tiene quizá su mejor ejemplo en los *San Pedro* y *San Pablo* [84] de las sargas del Museo del Prado, en las que las únicas referencias al gótico se reservan para ciertos motivos ornamentales; pero otros, como las medallas de las enjutas y la definición de un arco de casetones, ya renacentistas, así como la idea del espacio en términos de volumen tridimensional. En estas obras ha desaparecido la incertidumbre, y aun torpeza espacial, presente en el retablo de Paredes de Nava, y se insiste en un concepto de la figura como monumento en todo diferente al más arcaizante de Fernando Gallego en su *Salvador* del Museo del Prado.

La misma concepción del tema del martirio se carga en Berruguete de una dignidad clásica ajena a las ideas de Gallego. En la *Degollación de Santa Catalina* [85] —obra no de Fernando, sino de Francisco Gallego—, la figura del verdugo se define por medio de rasgos expresionistas, mientras que en *La Decapitación del Bautista* [86] de Berru-

84. Pedro Berruguete: San Pablo.
Madrid, Museo del Prado

guete (iglesia de Santa María del Campo, Burgos) el tema se utiliza para efectuar un estudio de una figura en movimiento inserta en un espacio luminoso y perspectivo. El mismo momento elegido es ya de por sí significativo: Santa Catalina esta ya semidecapitada en la obra de Gallego, mientras que en la de Berruguete, el Bautista mantiene intacta la dignidad de la expresión momentos antes de la muerte. Y similares palabras podrían decirse si comparamos el tratamiento del tema de la *Flagelación* en ambos maestros.

No debemos olvidar, claro está, la fundamental experiencia urbinesa de Pedro Be-

85. Francisco Gallego:
Degollación de Santa Catalina
Salamanca, Museo Diocesano

86. Pedro Berruguete:
La decapitación del Bautista.
Burgos, iglesia de Santa María del Campo

rruguete que constituyó el principal hito de su carrera[82]. El contacto con la corte de Federico de Montefeltro, que en su momento era uno de los centros culturales más activos de la Italia pre-clásica de fines del Quatrocento, actuó de acicate en la concepción humanista que de la pintura poseyó Pedro Berruguete. El interés por la figura humana considerada como individuo inserta en un ambiente preciso y determinado por las reglas de la perspectiva, fue aprendido por el pintor en Italia. Y sus experiencias en el

campo del retrato individual y colectivo no pueden explicarse sin sus series para la Casa Ducal de Urbino, en las que representó al *Duque y su Corte* (Windsor), las *Alegorías de las Artes Liberales* y la *Serie de personajes ilustres* [87] (París, Berlín, Roma). Y si comparamos, una vez más, el papel monumental y configurador del espacio que Berruguete confirió a estas figuras, con el más estilizado y aperspectivo de los frescos de Gallego para la Universidad de Salamanca, comprenderemos la diferencia de alternativas que suponían ambos pintores. Por otra parte la colección de *Reyes de la Casa de Israel* que Berruguete insertó en la pedrella del retablo de Paredes de Nava, resume a la perfección lo fundamental de la aportación berruguetesca a la pintura del Renacimiento español: concebidas, casi como en Urbino, como una galería de personajes ilustres, su sentido lumínico, los sutiles juegos perspectivos de los objetos en escorzo y su alto sentido individual, constituyen, al decir de Angulo, una de las primeras apariciones del tema del retrato en el debate plástico del Renacimiento hispano. Con todo, y esto es lo que hace más interesante la obra de Berruguete, no hemos de olvidar que el propio pintor era un producto del ambiente ecléctico de la España de fines del siglo XV y principios del XVI. El mismo estudioso ha llamado la atención acerca de cómo en el retablo de la catedral de Ávila, una de sus últimas obras, diseña los tronos de los Padres de la Iglesia indistintamente en estilo «antiguo» y en modo «moderno», y cómo la iconografía del *Nacimiento* en Paredes de Nava participa más de lo flamenco, que de lo renacentista italiano[83].

De esta manera, la interacción comitente-artista se revela decisiva a la hora de la elección entre los repertorios formales por parte de los artistas del primer Renacimiento español. Una sociedad en perpetuo movimiento y cada vez más diferenciada comienza a optar por caminos formales plurales; en 1499 se imprime por primera vez *La Celestina*, obra clave para comprender este complejo momento social. A medio camino entre la moralidad y la exaltación de cualquier sentimiento humano, se exclama en su Introducción: «¿Pues qué diremos entre los hom-

87. Pedro Berruguete: Figuras de sabios. *París, Museo del Louvre*

bres a quien todo lo sobredicho es sujeto? ¿Quién explanará sus guerras, sus enemistades, sus envidias, sus aceleramientos y movimientos y descontentamientos? ¿Aquel mudar de trajes, aquel derribar y renovar edificios, y otros muchos afectos diversos y variedades que de esta flaca humanidad nos provienen?»

Fuera del mundo castellano, y como ya hemos indicado, los pintores italianos traídos por el cardenal Borgia, futuro Alejandro VI, Pablo de San Leocadio y Francisco Pagano, plantean una nueva manera de hacer visible el hecho religioso e incluso la concepción del retrato. En 1502, la duquesa doña María elige al primero de ellos para su exclusivo servicio y fija su residencia en Gandía; de igual manera sabemos que la familia Borgia poseía objetos religiosos con temas iconográficos de procedencia pagana, y lo mismo sucedía en ciertas pinturas de tema religioso de Osona *el Joven*[84].

El mecenazgo es distinto en Castilla. Fernando Gallego permanece ligado al mundo salmantino; pero la presencia del comitente se hace patente a la hora de medir la calidad de su intervención personal y la de su taller. En el retablo de Toro, costeado por don Pedro de Castilla y Beatriz de Fonseca, cuyos escudos aparecen en la obra, todo parece ser de su mano, mientras que en Zamora o en Trujillo se manifiestan las intervenciones del taller, quizá debido al carácter menos escrupuloso y aristocrático del clero. Por otra parte, esta sociedad, más en contacto con el mundo de Flandes, prefería verse reflejada en los suntuosos y pesados pliegues de las figuras de Gallego, que proponían un concepto de devoción más dramático que racional. Y por fin, Pedro Berruguete expresaba los sentimientos más modernos de los entornos no específicamente humanistas de la corte. Ligado al inquisidor Torquemada, realizó parte de sus obras para el Convento de Santo Tomás de Ávila, sede del tribunal de la Inquisición: su obra expresa los contenidos afirmativos de una religión que comenzaba a ser impositiva (retablo de Santo Domingo, Prado) [88], por encima de valores formales y estéticos a lo Juan de Flandes, y de contenidos expresivos y emotivos a lo Fernando Gallego.

88. Pedro Berruguete:
Retablo de Santo Domingo (detalle).
Madrid, Museo del Prado

EL ARTE PLATERESCO Y EL TEMA DE LA REJERÍA
Y EL RETABLO

Pero quizá el hecho más sobresaliente del panorama artístico español de los primeros años del siglo XVI y el que, sin duda, revela de una manera más clara la pluralidad y coexistencia de lenguaje resultado de una sociedad plural, sea el fenómeno de la recepción de determinados repertorios decorativos italianos y que conforman el mal llamado «arte plateresco». La nueva imagen, cuyos contenidos clasicistas hemos tratado de explicar, se destaca siempre sobre un trasfondo dominado por el hiperdecorativismo, cuya característica esencial ahora es el dejar de ser ornamentalmente gótico, para comenzar a ser renacentista.

Repetidas veces se ha señalado el comienzo del uso del término plateresco en nuestra literatura artística en autores como Diego de Villalón o el Padre Sigüenza, para decantarse, ya en el siglo XVII en Ortiz de Zúñiga, cuando describía las Casas Consistoriales de Sevilla o la Capilla de Reyes Nuevos en la catedral de esta misma ciudad. No es este el lugar del estudio de una historiografía del problema[85], ni de su consideración crítica. Bástenos indicar que nos inclinamos a considerar como plateresco, en un sentido restrictivo, aquellas manifestaciones decorativas que se extienden en las primeras décadas del siglo y que se caracterizan por los siguientes hechos: a) presencia de repertorios decorativos italianos y, sobre todo, lombardos;

89. Vasco de la Zarza: Sepulcro del cardenal Alonso Carrillo de Albornoz. *Toledo, catedral*

b) persistencia de un espíritu «gótico» en lo que este tiene de negación de la idea renacentista del orden y proporción, tal como lo entendía el sistema vitruviano; y c) se trata de una solución eminentemente decorativa al inicial problema de dotar de un aspecto moderno a imágenes, retablos, rejerías y edificios. Desde nuestro punto de vista, que tiende a estudiar los problemas de la imagen, consideraremos al plateresco desde esta tercera característica.

El problema esencial sería, pues, el estudio de las modificaciones que sufre la imagen clásica debido a su inserción en episodios hiperdecorativos alejados de la sencillez y claridad que postulaba el clasicismo. De esta manera, por ejemplo, las imágenes, en sí mismas aceptables desde el punto de vista de la proporción y ajenas a toda estilización y convencionalismo gótico, de un escultor como Vasco de la Zarza, pierden en gran medida estos caracteres al insertarse en contextos caracterizados por el abundante uso del repertorio formal del grutesco. Mientras sepulcros como el del Cardenal Alonso Carrillo de Albornoz [89] en la catedral de Toledo, todavía no aparecen empañados en su claridad por la insistencia en motivos decorativos, que no enturbian la nitidez de las líneas arquitectónicas y tienden a resaltar la figura del yacente bajo el motivo de un arco triunfal, en el *Monumento al Tostado* [90] (Ávila, Catedral), la figura sedente del protagonista se pierde en una maraña de pe-

90. Vasco de la Zarza:
Monumento al Tostado. *Ávila, catedral*

queñas escenas, estatuillas y motivos ornamentales. Se produce una pérdida de identi-
dad de la figura como individuo, ya que,
en vez de insertarse en un escenario regido
por las normas de la perspectiva —recordemos la manera de tratar el tema del santo
en el estudio de la pintura quatrocentista
italiana de Botticelli a Carpaccio— lo hace
en un espacio irreal, hiperdecorativo y aperspectivo. El proceso culmina en obras como
El Sagrario [91] de la Catedral de Ávila
donde las diminutas escenas actúan más
como mero factor de un mayor preciosismo
ornamental, que como referencias iconográficas y de significación precisa.

En el caso de Vasco de la Zarza, como
en el de sus seguidores más cercanos (Lucas
Giraldo o Juan Rodríguez), que plantean
similares problemas en los relieves en piedra
del trascoro de la catedral de Ávila, nos encontramos en realidad con la más explícita
formulación del problema del retablo y de la
concepción de la imagen sagrada, que será
uno de los temas centrales del debate artístico del Renacimiento español. Pero antes
de abordarlo, hemos de tratar otro problema
en estrecha conexión con el que venimos tratando.

La sustitución del repertorio decorativo
del gótico final por el renacentista-lombardo
puede observarse, como en ningún otro lugar, en la evolución que experimenta en los
primeros años del siglo XVI el arte de la
rejería. Considerada en nuestro tiempo como
una de las artes menores o industriales, sus
soluciones fueron incluso objeto de discusión
teórica en nuestro país: recordemos que el
primer tratado español acerca de las reglas

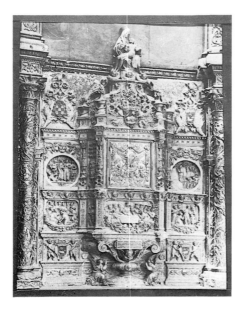

91. Vasco de la Zarza: Sagrario.
Ávila, catedral

del nuevo arte, las *Medidas del Romano* de Diego de Sagredo (Toledo, 1526) hace repetidas menciones al tema de la rejería y a uno de los mayores artistas en este campo como fue Cristóbal de Andino: «como haze —dice Sagredo— tu vezino Cristoval de Andino, por donde sus obras son mas venustas y elegantes que ningunas otras que hasta agora yo aya visto, sino veelo por esa rexa que labra para tu señor el condestable, la qual tiene conocida ventaja a todas las mejores del reyno. Deves comunicar su obrador pues tan cerca la tienes, y en el hallaras las colunas que desseas ver, y sus basas con tanto cuydado labradas quanto nos fue por los antiguos encomendado. Cuya formacion y medida començaremos mañana dios mediante»[86].

Como decimos, el problema, en un primer momento, consistió en la incorporación del repertorio decorativo renacentista al arte de la rejería. Si la reja que rodea el sepulcro de don Diego Anaya en la capilla Anaya de la Catedral Vieja de Salamanca puede considerarse todavía ligado a las formas góticas, así como la obra de fray Francisco de Salamanca —reja central del Monasterio de Guadalupe, capilla de la Asunción en Villaescusa de Haro (Cuenca)— es Juan Francés quien en su obra de Alcalá de Henares, convento de San Juan de la Penitencia en Toledo y Catedral de Sigüenza, da el paso decisivo a las formas del Renacimiento. En él, además, encontramos el orgullo de su oficio y de su calidad de artista, propia de los nuevos tiempos: en la reja de la Magistral de Alcalá [92] se lee la siguiente inscripción: «Maestre Juan Francés Maestro Maior de las obras de fierro en España»[87]. Como ha señalado Camón Aznar, Juan Francés plantea el cuerpo de la reja todavía según modelos góticos, pero el copete y ciertos elementos decorativos son ya renacentistas, pues «ya no se coronan estas rejas en la segunda fase de la obra de Juan Francés, por las grandes crestas de fray Francisco de Salamanca, sino con temas de roleos, de tallos ondulados terminados en cabeza de dragón y de candelabros»[88].

En Toledo, cuya Catedral presenta una de las más completas colecciones de la rejería española[89], destacan los nombres de Domingo de Céspedes o Juan Piñas en un arte más evolucionado que el salmantino; pero quizá las dos rejas que mejor definen el momento que estudiamos son las que Cristóbal de Andino labró en 1523 para la Capilla del Condestable de la Catedral de Burgos y la del maestro Bartolomé para la Capilla Real de la Catedral de Granada, realizada a partir de 1520.

Frente al carácter carente en cierta medida de idea de proporción y orden de la mayoría de las obras mencionadas, la primera de ellas «forma una entidad autónoma, con sus leyes propias, su cuerpo y su remate formando un todo unitario y cerrado... No es un ímpetu ascensional el que aquí domina, sino al revés, una tendencia a las ordenaciones tranquilas»[90]. En realidad, nos encontramos ya en el camino de la superación del plateresco; pero su huella no podía abandonarse fácilmente, y la discusión de Sagredo alcanza su punto de mayor fricción y carácter problemático con su vitruvianismo en el momento de insertar en su tratado el «orden monstruoso»: «... por mas satisfacerme, quise ver alguna cosa dello y assi de camino me lance dentro del obrador de Andino, donde vi por experiencia ser verdad todo lo que ayer me dixiste, y entre las colunas que avia quadradas y redondas, vi unas de tan extraña formación que no pude discurrir si eran doricas o jonicas, ni menos tuscanicas. Pregunte como se llamavan, fueme respondido que balaustres»[91]. De esta manera se introduce el tema del balaustre[92] que, junto al mencionado orden monstruoso, constituye punto esencial en la discusión de finales de los años 20 en España y cuyo planteamiento por Sagredo en el campo teórico y por artistas como Andino en sus obras concretas, suponen, desde nuestra perspectiva, el inicio

92. Juan Francés: Reja de la Magistral de Alcalá de Henares

93. Maestro Bartolomé: Reja para la Capilla Real de Granada

de las corrientes antiplaterescas en nuestro país.

Por su parte, la reja del maestro Bartolomé para la Capilla Real [93] granadina, plantea el problema de la reja concebida como retablo y, en definitiva, el del mismo retablo como soporte estructural del discurso iconográfico, lo cual fue captado por sus mismos contemporáneos. El 15 de junio de 1513, el conde de Tendilla dice, en carta a su hijo, desde la Alhambra: «Dí al Rey nuestro señor que en Jaen hace agora una rexa para la iglesia, la mas gentil que disen puede ser, y este maestro que la hace es muy buen onbre, allende de ser muy buen oficial. Yo le rogue que hiziere una muestra para la capilla real y hizole: sy tal se haze de hierro no ha menester retablo»[93]. La mencionada

obra, de grandiosas proporciones, constituye, por su tupido entramado, su carácter hiperdecorativo y lo amplio de su discurso iconográfico y emblemático, una de las mejores muestras de la tendencia de la rejería española a convertirse en retablo, a compartimentar el espacio arquitectónico por medio de la inserción de amplias referencias figurativas y, en fin, a dotar a la arquitectura de un carácter semántico por encima de la insistencia en problemas de número, proporción y orden.

El interés de que la coronación de la reja ha de ser «todo labrado de obra romana muy bien a dos fazes»[94], nos recuerda las decoraciones de tantos retablos y fachadas españolas de esta época en los que el carácter de lo moderno se abandonaba a los elementos ornamentales, es decir a un problema de carácter eminentemente plástico y figurativo.

De esta forma, las imágenes renacentistas, como ya hemos dicho, aparecen modificadas por su entorno decorativo, que en el caso del retablo alcanza incluso, como ya hemos visto en el de la rejería, clarísimas repercusiones de carácter espacial. La iglesia española del Renacimiento, continuando en ello tradiciones góticas, alcanza su punto culminante en el retablo que se constituye en el eje, de fuerte contenido significativo, al que se dirigen todas las miradas. Ya señalaremos más adelante la tendencia de los sepulcros a convertirse en retablos, pero no hemos de olvidar que estos mismos alcanzan en este momento su punto de mayor profusión decorativa e iconográfica; figuras y escenas se multiplican hasta el infinito y se convertirán, como pronto se les achacará, en verdaderos laberintos. Cierto tipo de religiosidad y piedad popular necesitaba de una gran minuciosidad a la hora de narrar las historias sagradas, y a los grandes conjuntos góticos de los retablos de las catedrales de Sevilla y Toledo, siguen los de multitud de iglesias y capillas españolas: el retablo de la capilla de San Gregorio de la Catedral de Palencia (1528), el de la iglesia de San Pablo de la misma ciudad, los de Juan de Valmaseda —del que destacamos su retablo de Becerril (hoy en la iglesia del Sagrario del Málaga)...— sin olvidar la fundamental aportación del núcleo aragonés articulado en torno a Damián Forment, Juan Moreto y Gabriel Yoly, que proponen un discurso de mayor claridad perceptiva, pero no por ello alejado del carácter hiperdecorativo propio del plateresco...

El punto culminante de la evolución lo constituye sin duda el retablo de la cabecera del monasterio segoviano del Parral, en el que los sepulcros de los marqueses de Villena plantean un doble juego muy comprensible de acuerdo con las tendencias del momento:

sepulcros-retablos por sí mismos, las figuras de los marqueses son, a la vez, orantes ante el mismo altar. Obra de Juan Rodríguez, Blas Hernández, Jerónimo Pellicer y Francisco González, estamos ante artistas del círculo de Vigarny, quien, a través de la figura de Giralte —autor de una obra de similares características para la Capilla del Obispo [219] en Madrid—, relanza el problema del retablo hacia posteriores polémicas sobre las que nos extenderemos más adelante.

Problema similar al planteado por la percepción de los retablos en los espacios del interior de las iglesias es el que proponen las portadas «antiguas», es decir, a la romana, insertas en edificios de todo tipo. La renovación visual y figurativa de la ciudad renacentista española se plantea en estos momentos no como el cambio espacial del entramado preexistente, ni siquiera como la involucración en el mismo de objetos arquitectónicos renovados, sino como la inserción, igualmente figurativa, de nuevas fachadas-telón decoradas con motivos de grutescos. Los nuevos tipos decorativos actúan como elementos de carácter emblemático y en casos como la iglesia del Sancti Spiritu de Salamanca se decoran con temas paganos y largas inscripciones de caracteres latinos, a la vez que los palacios se recubren de medallas con temas guerreros, mitológicos o, simplemente, heráldicos.

Pues, en realidad, lo que en estos momentos se produce es una confusión entre las artes e incluso del mismo concepto de artista. Una obra como la Escalera Dorada [94] de la catedral de Burgos, proyectada por Diego de Siloé, alcanza importancia tanto por su valor espacial y arquitectónico, como por la modernidad de la decoración escultórica y de rejería que soporta[95]. Y así, no es de extrañar que rejeros y plateros se vieran ellos mismos, y fueran vistos por sus contemporáneos, como arquitectos, antes que como escultores. Lo cierto es que eran verdaderos transformadores de espacios, para lo que empleaban medios decorativos e iconográficos antes que propiamente arquitectónicos. Y esta confusión, que el modelo clásico haría inaceptable, pervive durante casi todo el siglo XVI, en el que la alternativa popular y el consumo de un lenguaje figurativo hace girar la discusión sobre estos problemas, mejor que sobre consideraciones abstractas e intelectuales, reservadas a las élites cortesanas y aristocráticas.

94. Diego Siloé: Escalera dorada. *Burgos, catedral*

CAPÍTULO 3

EL MODELO CLÁSICO Y LOS INTENTOS DE REGULARIZACIÓN, 1510-1530

A principios del siglo xv había surgido en Florencia una nueva manera de representar la realidad basada en un sistema que tendía a regularizar los modos de percepción a través del uso de la perspectiva monofocal y de un nuevo sentido de la proporción, y que remitía al pasado clásico como su mejor fuente inspiradora. Las distintas discusiones a que este modelo fue sometido constituyen la historia del arte del Quatrocento en Italia[1], de manera que al final del siglo xv la Península era un mosaico de alternativas diversas, algunas de cuyas manifestaciones españolas —el caso de Pedro Berruguete, por ejemplo— ya han sido examinadas. Pero quizá, ninguna de mayor trascendencia que la verdadera alternativa clasicista, protagonizada por Leonardo, Rafael y las primeras obras de Miguel Ángel —por ceñirnos al campo de la pintura—, que, basada en los principios anteriormente citados, los elevó a categoría científica. Lo que en otro lugar[2] hemos definido como «intento imposible» se basó en una unión perfecta entre arte y ciencia, cuya manifestación más importante es la elaboración de un sistema regular por medio de un uso renovado y riguroso de las ideas de perspectiva, proporción y simetría.

La formulación del clasicismo en Europa se debe fundamentalmente a la labor del mecenazgo regio y cortesano que, si bien en medio de enormes contradicciones —como hemos visto en el arte en torno a la corte de los Reyes Católicos—, logra poco a poco imponer el sistema regular en fuerte polémica con el enraizado arte gótico, y a la obra de ciertos hombres que como Pedro Berruguete en España y, sobre todo, en un

contexto más amplio, Alberto Durero, habían visitado la península italiana y asimilado allí las nuevas experiencias. De la importancia de las obras y los escritos teóricos de Durero nos puede dar idea el hecho de que de él arrancan la mayoría de los aspectos y manifestaciones del Renacimiento nórdico.

LA TEORÍA DEL MODELO CLÁSICO EN ESPAÑA

Las obras que inicialmente en España podemos calificar de clásicas son relativamente tempranas pero carecen, en los primeros momentos, de apoyo teórico y de una explicación científica, tal como venía sucediendo en Italia. Por lo que respecta al primero de los puntos, podemos señalar como fecha tope el año 1526, cuando el «capellan de la Reyna nuestra Señora» (doña Juana), Diego de Sagredo, publica sus *Medidas del Romano*, tratado que inaugura la literatura artística española de la Edad Moderna, y que supone la primera codificación teórica de los intentos iniciales de regularizar el sistema de representación en nuestro país[3]. Ya desde 1510, en la obra de los pintores que estudiaremos más adelante, se había prolongado y profundizado en las aportaciones de Pedro Berruguete o Rodrigo de Osona; pero la nueva manera de representar la realidad no alcanza un carácter sistemático hasta las fases finales de la década de los 20 y años siguientes, cuando se publican las obras de Cristóbal de Villalón o de Pérez de Oliva, que suponen la adopción del modelo clásico en toda su plenitud.

La obra de Diego de Sagredo puede considerarse como el jalón inicial de la polémica antiplateresca que va a desarrollarse a partir de la década de los 30 y que si bien tiene su mejor representación en la arquitectura, extiende de igual manera sus intenciones reguladoras y sistematizadoras de una idea de las proporciones más clásica al campo de la pintura y, sobre todo, de la escultura.

95. Diego de Sagredo: Medidas del Romano. 1526. *Toledo*

Diego de Sagredo recomienda en un pasaje de su tratado el no mezclar romano con moderno y reprueba el afán de novedades «trastocando las labores de una pieça en otra»[4].

Sin embargo, su mayor preocupación era conseguir para las artes un sistema de proporciones basado en las nuevas ideas que acerca de las relaciones entre el hombre y la naturaleza se tenían en el Renacimiento. Como es bien sabido, en esta época se consideraba casi como un dogma la idea de las relaciones armónicas entre el hombre y el universo, y se veía en su relación analógica una de las manifestaciones de la perfecta conjunción que aunaba todo el cosmos. De esta manera, y siguiendo las doctrinas de la época, Sagredo indica cómo, no teniendo los «primeros fabricadores» reglas para ordenar los edificios, «parecioles devian ymitar la composición del hombre», pues era la más perfecta de todas las criaturas, por lo que fue llamado Microcosmo[5].

Si bien el interés de Sagredo es arquitectónico, este sentido de las proporciones humanas lo extiende igualmente a la escultura y entre sus fuentes no sólo se cuenta Vitruvio, sino el tratado *De Statua*, obra contemporánea de Pomponius Gauricus[6], para así entrar en la polémica acerca de las perfectas medidas del cuerpo humano. Mientras para Vitruvio un hombre bien proporcionado ha de tener diez veces su cabeza, Gauricus sostiene que han de ser nueve, «pero los modernos auténticos —dice Sagredo— quieren que tenga nueve y un tercio», como es la opinión de Phelipe Vigarny, escultor que es citado elogiosamente por el tratadista[7].

De igual manera, Diego de Sagredo concibe el cuerpo humano como un sistema de cuadrados divididos en tres partes correspondientes a la frente, las manos y la boca, a los que dota de cualidades simbólicas, ya que en el primero reside la sabiduría, en el segundo la hermosura y en el tercero la bondad [95]. Así, la preocupación esencial de Diego de Sagredo viene a ser la perfección y el concierto entre las diversas partes del cuerpo humano y se basa en la aplicación de esquemas geométricos exteriores y previos a la propia configuración concreta de la representación. La primacía de los esquemas abstractos sobre los datos concretos de la realidad y la pretensión de amoldar esta última a los primeros es uno de los rasgos típicos del clasicismo renacentista, y aparecen ejemplificados en Sagredo en la anécdota de los escultores egipcios que cita en esta parte de su tratado[8]. Estas ideas se basan en las dos ciencias que, para nuestro autor, son los pilares, no sólo de la arquitectura, sino de las artes de la representación, a saber, la geometría y la aritmética, que contienen «muchos secretos y grandes sotilezas», entre ellas las de la perspectiva, base de la pintura. Es debido a la aplicación de la geometría y la matemática al arte de la pintura, por lo que Eupompo —maestro de Apeles— «consiguió mucha fama y fue muy celebrado por toda Grecia»[9].

Las ideas de Diego de Sagredo son expresivas del momento optimista y confiado en las cualidades y capacidades del hombre que es el Renacimiento clásico que igualmente creía en las posibilidades de representación del mismo de una manera armoniosa y bella. Es ahora cuando, siguiendo el ejemplo de G. Manetti, se multiplican en Europa los libros en torno a la perfección del hombre, que en España tienen su mejor representante en la obra de Abad Pérez de Oliva, autor de un *Diálogo de la Dignidad del Hombre* en el que se exalta la grandeza y belleza de la persona humana[10].

Tras la primera exposición que sostiene la contratesis de la indignidad y pequeñez del hombre, el dialogante Antonio inicia la alabanza cuando indica cómo la naturaleza humana es hermosa, ya que el mismo Dios, por ninguna clase de «desvios ni desdenes ha dejado de seguirla». Para Pérez de Oliva esta belleza humana se basa en la «com-

postura» y en la «proporción», introduciendo argumentos estéticos en un tratado de tipo moral. El cuerpo humano está hecho con arte y medida ya que «La cara es igual a la palma de la mano, la palma es la novena parte de toda la estatura, el pie la sexta, y el codo la cuarta y el ombligo es el centro de un círculo que pasa por los extremos de las manos y los pies, estando el hombre abierto de piernas y brazos»[11]. El mismo Diego de Sagredo había hablado en su tratado de la inserción del hombre en las figuras ideales del círculo y el cuadrado, y, como vemos, Pérez de Oliva lo hace con respecto a la primera de las figuras, recogiendo así ideas ya expuestas por hombres como Francesco del Giorgio, Filarete o Leonardo, es decir, los formuladores del modelo clásico a que nos referíamos en un principio[12].

Pérez de Oliva en la alabanza que realiza de las distintas partes del cuerpo humano repite en parte ideas que ya había expuesto Diego de Sagredo cuando reconoce que la barba y las mejillas no son sólo expresivas de la forma y capacidad del hombre, sino también causas de su «singular hermosura»[13]. El parámetro estético es constante en la *Alabanza* «pues, si bien contemplais, vereis al hombre compuesto de nobles miembros y excelentes, do nadie pueda juzgar, cual cuidado tuvo mas su artifice, de hacerlos convenientes para el uso, o para la hermosura», y concluye con una afirmación que es todo un manifiesto de las ideas estéticas del clasicismo en lo que concierne a la representación humana: «Por lo cual los pintores sabios en ninguna manera se confian de pintar al hombre mas hermoso que desnudo»[14].

Para la mentalidad formada en el modelo clásico, el arte, y concretamente, la pintura era, además, uno de los fundamentos de la educación del hombre perfecto. Ahora, el ejemplo italiano que trata de imitarse es *El Cortesano* de Baltasar de Castiglione, a quien sigue muy de cerca en su *Escolástico*

Cristóbal de Villalón [15]. Se trata de un diálogo entre el maestro Oliva, «que era amigo de pinturas e invenciones», y otros contertulios en el que se pone especial énfasis en el valor de la cultura como elemento de la formación del perfecto cortesano que no sólo ha de conocer las «antigüedades de sepolturas y edificios», sino que ha de tener «noticia de la musica y de la pintura, de la Arquitectura, de la Cosmographia, agricultura y Astrología» [16]. La pintura, arte de grandes juicios y gran erudición, es poesía sin lengua, como la poesía es pintura hablada; recoge así Villalón el conocido tópico clásico *Ut pictura poesis*, a la vez que atribuye a este arte cualidades tan cercanas al modelo clásico como la de «apazible gracia», «mui dulce de ver» y «perpetua memoria de cosas pasadas». La cultura clásica del autor se muestra en este caso bien patente al recoger las teorías estéticas de Aristóteles y Platón, así como los escritos de Plinio *el Viejo* que están en la base de sus digresiones acerca del valor pedagógico de la pintura [17].

Las afirmaciones de estos autores matizan las opiniones habituales acerca de la difusión y arraigo del clasicismo en España. Si bien en ningún caso se puede comparar el peso específico de la teoría de las artes española con la italiana, ni con la importante aportación en este campo de Alberto Durero, sí hay que hacer notar que las ideas tópicas acerca del orden, la proporción y la medida eran patrimonio común de ciertos intelectuales españoles, y un divulgador como Pedro de Mexía las glosa largamente en sus escritos. En su *Silva de varia lección* no duda en afirmar cómo «guardadas y entendidas estas cuentas y reglas... aquellos antiguos estatuarios hazian una estatua de diversas pieças y en diversas partes, y despues las juntavan y unian tan conformes como si en una pieça se huviera hecho» [18].

De igual manera, es Mexía quien trata el problema de las proporciones con mayor extensión, glosando el libro III de Vitruvio,

al dedicar el capítulo XIX de la segunda parte de su *Silva de varia lección* a este asunto; allí vuelven a aparecer las palabras de proporción y medida y explica, de manera prolija, la idea vitruviana del hombre «ad circulum», para concluir con el típico axioma clasicista de que «en la compostura de los miembros humanos, en la cantidad dellos, entre sí guardan, proporción y armonía admirable» [19].

El tratado de Vitruvio era sobradamente conocido en España —como lo demuestra sobre todo el texto de Diego de Sagredo— y la admiración por los grandes pintores del clasicismo, Miguel Ángel y Rafael, es obvia en escritos como *La Ingeniosa Comparación entre lo Antigüo y lo Presente* atribuida a Cristóbal de Villalón. Pero, de entre los escritores clásicos, el más citado y copiado es Plinio cuya *Historia Natural* constituía la socorrida enciclopedia a la que se echaba mano en cualquier momento. Y, como veremos a continuación, la adhesión a la singular hermosura que el optimismo renacentista traducía en un sistema regular de medidas y proporciones se extendió al campo de las realizaciones prácticas desde los primeros momentos del siglo XVI.

EL ENCARGO Y LA NUEVA IDEA DEL ARTISTA

Si bien el papel de la corte imperial, como veremos más adelante, puede considerarse fundamental en la introducción y arraigo del clasicismo en España, el papel de los grandes señores, prelados, y aun de la aristocracia y burguesía locales, ha de tenerse muy en cuenta a la hora de estudiar el cambio de gusto y el deseo de diferenciación a través del arte que experimentaban las capas cultas de la sociedad española que intentaban ponerse a tono con sus homólogas en Italia y en el resto de Europa.

La estimación que estas clases sienten por sí mismas y por la plasmación de su imagen es pareja al sentimiento de la importancia que el propio artista tiene por sí mismo. Así, en el retablo y arco triunfal que Juan Moreto levantó en 1523 en la capilla de San Miguel de la Catedral de Jaca se inscribió en él el nombre del comerciante que lo encargó, junto con el de su autor[20], expresando de esta manera el orgullo del autor y del comitente ante la obra realizada. Y, en el retablo de Agreda, obra del denominado Maestro de Agreda se dice: «Esta capilla y retablo, hizo, fundo y le doto de una capellania perpetua para los de su linaje el Reverendo Señor Doctor don Garcia Hernandez de Cuellar, Tesorero de Tarazona, Arcipreste de Gomara...»[21].

Este orgullo de comitentes y artistas no es otra cosa sino una manifestación más del énfasis sobre la dignidad del hombre que ya hemos señalado como típico de la época. Pérez de Oliva nos lo recuerda al hablar de cómo el artífice de una obra se recrea en su labor ya terminada y reposa donde encuentra grandeza y perfección, «visitando la obra que ha hecho, y a veces vuelve al trabajo. Como suelen los pintores que alguna tabla pintan, si bien la comenzaron por deleite de ver lo hecho, cobran gana por lo que queda», pues, las obras de arte —o los «artificios», como los llama Oliva— «son gloria del hombre, que manifiesta su valor»[22].

De esta manera no es extraño que comience a surgir una nueva sensibilidad en torno a la profesión de artista y que su condición de artesano se contemple cada vez más de una manera crítica. Y es por ello por lo que uno de los escultores que definen la etapa clásica del arte del siglo XVI español, Damián Forment, esculpe su retrato y el de su mujer en el sotabanco del retablo del Pilar [96] de Zaragoza, repitiendo la misma idea en el de Huesca. Nada falta en estos retratos para enfatizar la importancia que Forment concede a los mismos, ni la forma —se escoge la idea clásica de representación

96. Damián Forment: Autorretrato, retablo del Pilar. *Zaragoza*

en forma de medallón—, ni siquiera la inscripción. En el medallón de su mujer en Zaragoza, se dice «Ecce mulier magister quia opus fecit»; Forment no se conforma con autodenominarse «magister», sino que se consideraba émulo de los grandes estatuarios de la antigüedad; en la tumba que hizo a su ayudante Pere Moyos dice de sí mismo: «Arte statuaria Phidiae Praxitelisque aemulus»[23].

Por su parte, Garin ha recordado cómo el marqués de Lozoya quiso adivinar el autorretrato de Yáñez de la Almedina en su retablo de Játiva[24], y en el de Olite, obra del taller del Maestro de Agreda, también aparece el autorretrato de su autor. Por fin, señalaremos cómo la catedral de Teruel conserva el sepulcro, con su presumible retrato, del escultor Gabriel Yoly[25].

Uno de los títulos que los artistas esgrimían para alcanzar una mayor valoración en su trabajo era su colaboración con los estamentos nobles de la sociedad. El contacto con la aristocracia, ennoblecía el arte y al artista, y con el Renacimiento, este tópico clásico adquirió una enorme vigencia. Por su importancia, estudiaremos en el siguiente apartado —y en forma separada— las empresas artísticas del cardenal Cisneros, pero ahora resaltaremos el papel de algunos mecenas de la época del clasicismo. Los duques de Gandía, de los que ya destacamos su papel

97. Alejo Fernández: Virgen, tabla central del retablo de maese Rodrigo Fernández de Santaella. *Sevilla*

a la hora de la introducción del Renacimiento en España, continuaron con su patrocinio artístico. Damián Forment, que había esculpido la portada de la Colegiata de Gandía con los escudos de los Borgia y los Enríquez, es encargado por la duquesa viuda de Gandía de la carpintería del gran retablo que pintara Pablo de San Leocadio, y Fernando Yáñez es autor, como acabamos de decir, del retablo de Játiva por encargo de Rodrigo de Borja, quien fue retratado en esta importante obra [26]. La dedicatoria de la obra a la Santa Cruz alude con toda probabilidad al título cardenalicio de Calixto III, primer papa Borgia, que ligaba así elementos de su biografía a una obra artística [27].

La idea de retratar a los donantes que, como ya dijimos, es de estirpe medieval, continúa en esta época. Diego de Siloé esculpe los grupos de los fundadores en la Capilla que Gómez Moreno le atribuyó en Santiago de la Puebla (Salamanca), costeado a expensas del licenciado Gómez de Santiago [28], el Gran Capitán y su mujer se arrodillan delante de su retablo en San Jerónimo de Granada, mientras que Maese Rodrigo Fernández de Santaella ofrece la maqueta del Colegio de Santa María de Jesús de Sevilla, obra de su fundación, en el retablo que encargó a Alejo Fernández [29] [97].

Aunque es muy difícil establecer reglas precisas con respecto al gusto de las distintas clases de comitentes en estos primeros años del siglo XVI, podemos señalar cómo es la aristocracia y la clase noble la que mayor interés tiene por poseer y manifestar su poderío a través de obras de arte realizadas «al romano». Un caso como el del Cabildo de Valencia, que encarga el famoso retablo de la Catedral a pintores formados en Italia como Fernando Yáñez de la Almedina y Fernando Llanos puede considerarse excepcional, así como la amplitud de las cláusulas, que revelan una confianza no habitual en este tipo de encargos [30]. La obra es, como veremos, de excepcional importancia en la definición formal del clasicismo en nuestro país, y en su encargo puede estar presente la figura de un clérigo valenciano afincado en Roma, Cabanyes, ya que fue protector de pintores y retratado en el ábside de San Onofrio in Janiculo en Roma[31].

Continuando el estudio de Fernando Yáñez hay que resaltar cómo una de las obras de mayor empeño de su vida se liga al patrocinio de la nobleza. Se trata de las pinturas de la capilla de los Albornoces [98] o de «Los caballeros», en la catedral de Cuenca, que comprende tres retablos, el del Calvario, el de los Reyes Magos y el de la Piedad, y que supone un cierto vuelco en las concepciones estéticas del artista. Nada mejor que las palabras de Garín, ellas mismas citando a anteriores estudiosos del conjunto para darnos idea de lo que esta obra supone: «A la clara ordenación mental de los paneles del gran retablo de Valencia, de escenas casi todas abiertas al pleno aire y a la vía pública —desarrolladas, un poco, como "anécdotas monumentalizadas"—, a su orden evidente, ha sucedido aquí la honda emoción y la carga, casi morbosa, de una acción trascendental desarrollada en una intimidad de penumbra, lindante con el misterio, que María Luisa Caturla calificó de "turbia inquietud", y Justi viera como "sombras evocadas del Hades"»[32].

El comitente fue don Gómez Carrillo de Albornoz, protonotario y tesorero de la Catedral de Cuenca, que había realizado estudios en Italia, pero es preciso señalar cómo el contacto con un ambiente español alejado del cosmopolitismo valenciano, incide en un concepto no tan clásico y sí dramático de la imagen.

Como decimos, gran parte de los pintores encuentran ahora protección y patrocinio en el mundo de la nobleza, cada vez partidaria más decidida de la renovación formal. Las relaciones entre el conde de Salvatierra, el Condestable y el pintor León Picardo fueron proverbiales[33], Hernando Rincón de Fi-

98. Fernando Yáñez: Última Cena, capilla de los Albornoces. *Cuenca, catedral*

gueroa es un artista que parece moverse en el entorno real[34], y Juan de Borgoña, extiende su colaboración con la nobleza, más allá de sus obras para Cisneros, en la capilla de los Ayala de la Colegial de Talavera de la Reina[35].

Pero el panorama es complejo y contradictorio. Grupos sociales en contacto con las nuevas realidades, como los que actuaban en Sevilla en torno a la Casa de la Contratación, protegían a pintores como Alejo Fernández, empeñados en una renovación estilística de cuño clásico: fruto de ello sería, sobre todo, su *Virgen de los Navegantes* [99], que adopta la tipología de «Virgen de la Misericordia» para albergar una espléndida serie de retratos. A la vez, en Segovia, ciertas familias como los Del Campo o los Arias

99. Alejo Fernández: Virgen de los Navegantes. *Sevilla, Reales Alcázares*

Ávila, protegen y compran obras de un flamenco como Ambrosius Benson, siguiendo la tradición castellana de relaciones con el mundo del Norte, y el marqués de Lozoya ha podido indicar la posibilidad de que Benson tuviera su taller consagrado a la exportación de obras para España, siendo mercaderes, como Lucas de Castro o Sancho de Santander, algunos de los clientes de los que podemos tener noticia [36]. Mientras tanto, en Valencia el gremio de los plateros se muestra crítico con respecto a las innovaciones de Forment, cuando retoma viejas ideas medievales, pues, al referirse a las decoraciones al grutesco propuestas por el escultor y Fer-

nando Yáñez para el desaparecido retablo de San Eloy, dicen: «... embelliments, com de poch ença n'acostume (n) e tales obres son tretes e fetes per gentils e infels, e de cosses de gentellitat e no trobades per a retaules... los dits embelliments no representen ni signifiquen coses de Sants, ans representen coses antigues e de edificis de gentils» [37].

LAS EMPRESAS ARTÍSTICAS DE CISNEROS

De entre los grandes prelados que ocuparon, a lo largo del siglo XVI, la sede primada de Toledo —Fonsecas, Mendozas, Taveras, Siliceos—, Cisneros es, junto a Pedro González de Mendoza, uno de los que mayor preocupación mostró por el cultivo de una cierta imagen plástica.

Como veremos, las empresas artísticas del cardenal, confesor de la reina y regente del reino hasta 1517, año de la llegada de Carlos I y de su muerte, no pueden en ningún momento desligarse de su proyecto cultural, como tampoco de sus empresas políticas y militares. Lo más relevante y lo que, desde nuestro punto de vista configura a Cisneros como hombre moderno, es este interés por dejar plasmado en una imagen artística sus preocupaciones culturales y políticas. Y es ello lo que nos induce a tratar su persona como uno de los más destacados comitentes del momento [38].

Vigarny, Juan de Borgoña y, si bien ya con posterioridad a su muerte, Ordóñez, son los artistas clasicistas que nos han dejado la imagen del cardenal. Al primero de ellos se debe una medalla con el perfil del cardenal que conmemora la fundación de la Universidad Complutense, y un retrato en alabastro del mismo personaje [39] [100]. Se trata de imágenes en que el aspecto solemne y distanciado del personaje, no elude un estricto sentido de la realidad. Este equilibrio entre una presentación serena y reposada, enfatizada por la posición de perfil y la insistencia en los rasgos característicos del personaje, es una buena muestra de lo que venimos denominando equilibrio clasicista.

Si Alcalá de Henares fue para Jiménez de Cisneros el lugar de retiro y reposo cultural e intelectual[40], Toledo fue el centro de su actividad política. La dualidad de fines de ambas ciudades se refleja en el distinto carácter de los programas artísticos del cardenal. A la iniciativa cisneriana se debe en Toledo fundamentalmente los conjuntos de la Sala Capitular y la Capilla Mozárabe, ambas en la Catedral Primada. El primero de ellos es un ejemplo típico de la pluralidad lingüística que caracterizaba el clasicismo hispánico, y cuya diversidad de alternativas expondremos a lo largo del presente capítulo. Si la puerta de entrada y la cubrición de la sala nos remiten al mundo de la tradición islámica, las pinturas de Juan de Borgoña y el aspecto general parecen remitirnos a un típico «studiolo» quatrocentista en Italia; la impresión se refuerza por medio de la galería de retratos de los sucesivos prelados toledanos y por la inserción de elementos paisajísticos bordeados de festones con claros colores de origen italiano. El aspecto agradable y decorativo, que resaltaremos en sucesivas ocasiones a propósito de Juan de Borgoña, en ningún momento se expresa mejor que en esta sala, cuyo aspecto más problemático es la integración de diversos lenguajes. Se plantea así uno de los problemas clave del Renacimiento español como es el del uso ecléctico de los repertorios, que, en esta ocasión se unen en una síntesis armoniosa y clasicista, ajena a las posteriores estridencias y heterodoxias lingüísticas propias del manierismo: la tracería de la cubrición mudéjar de la sala, se decora con grutescos a la italiana, y la yesería de la puerta principal se destaca sobre un fondo paisajístico de estirpe florentina.

En la Capilla Mozárabe [101] de la Catedral lo que se representa son varias escenas de

100. Felipe Vigarny:
Retrato del cardenal Cisneros

la Conquista de Orán, empresa patrocinada por el ímpetu mesiánico del prelado el año 1509 y que preludia el sentido providencialista que iba a dar a su política el emperador Carlos V. Estas ideas han sido resaltadas por todos los historiadores de Cisneros y recogidas por Bataillon quien recuerda lo grandioso del plan. La campaña se dirigía contra «la secta mahometana destruida, y (contra) los pueblos todos que viven fuera de la comunidad cristiana, incorporados por fin al rebaño de Dios: «Unum ovile et unum pastor»[41], y resalta la impresión causada en el providencialista francés Lefevre d'Etaples[42].

Las pinturas de Toledo resaltan, con un conciso sentido histórico y narrativo, la Conquista de Orán y la importante y activa presencia del Cardenal. En el *Desembarco del Cardenal Cisneros* se destacan los mismos ele-

101. Juan de Borgoña: Desembarco de Orán del cardenal Cisneros.
Toledo, Capilla Mozárabe

mentos que se indican en un poema contemporáneo:

La qual (la gente) como ya le viera
assomar con la su Cruz
mucho affuerco recebiera
diziendo veys la vandera
de nuestra victoria y luz
y por mas auctorizalla
y dar les mayor consuelo
de la misma forma y talla
como pedrico cazalla
mostro dios otra en el cielo [43].

Los frescos cobran importancia por ser
de las primeras ocasiones en que temas históricos, no tan habituales en España como
en Italia, dan vida a un ciclo programático,
que permite desarrollar un tipo de figuración
tampoco excesivamente frecuente: la crónica y narración objetiva; el sentido providencialista de la campaña no aparece reflejado
en clave alegórica en el programa, y se reduce
al carácter casi emblemático que tienen los
retratos de perfil de Cisneros.

Como decíamos, en Alcalá fue donde Cisneros decidió instalar su lugar de retiro y
reposo definitivo y convertirla en sede de
los nuevos estudios, en oposición a las tradicionales ciudades universitarias como Salamanca o Coimbra. Allí fundó el célebre
Colegio Trilingüe y protegió la actividad
editorial y las nuevas imprentas:

Y por muy más decorar
en sciencia de que se entolde
su colegio singular
cuando en alcala sentar
un gran maestro del molde
el qual por su señoria
imprimir siempre procura
muchos libros de valia [44].

De esta manera, Brócar y Miguel de
Eguía, los más importantes impresores de

Alcalá se convierten en los formuladores
plásticos y tipográficos de los gustos culturales de uno de los focos más importantes
del humanismo español. Nebrija, López de
Stúñiga y Núñez Pinciano encuentran plas-
mados sus intereses humanísticos a través
de un medio nuevo como es la imprenta.
Fruto de este ambiente es la bellísima edición
de la Biblia Políglota (1514-21), uno de los
monumentos capitales del humanismo cultural y artístico español [45].

La última obra artística en torno al Cardenal, realizada ya tras su muerte, pero la
más significativa desde el punto de vista del
clasicismo artístico, es su sepulcro, encargado a Fancelli y realizado por Bartolomé
Ordóñez y sus discípulos [46] [102]. Ya desde
el punto de vista iconográfico resulta expresivo de los intereses del entorno del cardenal:
los cuatro doctores de la Iglesia española
(Leandro, Isidoro, Eugenio e Ildefonso) son
muestra del deseo de destacar la investigación escriturística y su tradición española.
Ellos se representan en los relieves de los
medallones, mientras que los Padres de la
Iglesia latina, esculpidos en las esquinas del
sepulcro, nos remiten a miras más univer-
sales; además, el interés por la cultura se
refleja en las hoy mutiladas alegorías de las
Artes Liberales.

Con todo, el elemento más destacable del
sepulcro radica en la clara opción que en él
se realiza por el lenguaje clasicista al serle
encargado a Fancelli, en clara emulación
de los monumentos fúnebres de la dinastía
reinante. Ya en 1590, Diego de Villalta describe la soberbia pieza calificándola de «muy
sumptuosa», realizada en «excellente marmol blanco de Genova» y labrada con abundante ornamento de «maravillosa escultura», «y —continúa— alli esculpida su figura
y bulto recostado con vestiduras e insignias
del Cardenal y Arçobispo del mismo marmol
hecho con tanta grandeza como qualquiera
de los mas principales sepulchros de España
y de Italia, con unos elegantes versos y epi-

102. Bartolomé Ordóñez: Sepulcro del Cardenal Cisneros. *Alcalá de Henares*

taphio en el qual se refieren algo de sus virtudes y fechos»[47].

La clara referencia clásica que constituye la elección estilística del monumento, y la síntesis en él conseguida de las actividades religiosas, culturales y militares del cardenal, en un perfecto equilibrio entre armas, letras y religión, constituyen una aportación decisiva a la configuración del humanismo clasicista español. Nada mejor, para terminar, que la transcripción del epitafio, para darnos una idea de lo que venimos diciendo: «Advena marmoreos/mirari desine vultus/facta que mirifica/ferrea claustra manu/virtutem mirari viri/quae laude perenni/duplicis et regni cul-/mine digna fuit»[48].

EL PROBLEMA DE ITALIA Y LA RENOVACIÓN DEL MODELO NÓRDICO

Planteado en un primer momento el problema de Italia como el choque entre una tradición gótica de enorme arraigo en España a fines del siglo XV y la aceptación de un modelo clásico basado en las ideas de proporción y medida, que se introduce a través de grabados, obras importadas y la propia presencia de artistas italianos en nuestro país, las décadas iniciales del siglo XVI, contemplan las primeras críticas al modelo italiano desde el punto de vista del propio Renacimiento. Ya no es sólo Italia el lugar hacia el que miran los artistas españoles deseosos de una renovación formal opuesta al sistema tradicional gótico; alternativas lingüísticas tan nuevas como el arte de Durero o el de los manieristas de Amberes, comienzan a ser tenidas en cuenta por algunos de nuestros pintores, al lado del arte del Quatrocento italiano e incluso el del clasicismo milanés o romano.

Las distintas opciones que, sin salirse del modelo italiano del Renacimiento, van a adoptar los artistas españoles resultan extremadamente significativas. La que elige el modelo clásico se centra, más que en el gran momento romano de comienzos del siglo XVI, es decir, el de Rafael y el primer Miguel Ángel, en torno a las ideas quatrocentistas de Leonardo y sus discípulos, a las que se despojan de todo sentido profundo y misterioso; más que una elección filosófica, nos encontramos ante una opción por determinadas formas en polémica con el gótico internacional.

Cuando hablamos de Leonardo y España nos referimos, claro está, a la obra de Fernando Yáñez de Almedina y Fernando Llanos, localizada en la región valenciana[49]. Ya Ponz señaló el carácter leonardesco de la obra levantina del primero de los pintores citados: «Yo le aseguro a usted —dice— que si viese estas obras habría de creer firmemente que eran de Leonardo da Vinci. Han dado mucho que entender a los profesores que las han examinado en todos los tiempos y se han acercado a reconocerlas, quedando admirados de lo grandioso y sumamente expresivo, propio de la escuela florentina, que cabalmente y con particularidad floreció en las obras de Vinci cuando estas pinturas fueron puestas»[50], y el mismo Vasari, al referirse a un Ferrando Spagnuolo que había recibido diez florines en 1505 por colaborar en la *Batalla de Anghiari*, debe aludir al pintor manchego[51]. Pero, como decimos, la influencia leonardesca ha de verse más que nada como una sugestión formal en la elección de un cierto tipo de belleza dulce y

103. Fernando Yáñez: Santa Catalina. *Madrid, Museo del Prado*

suave que impregna los rostros de la mayor parte de las figuras de Yáñez y de Llanos, o en la copia casi literal de alguna de las más célebres pinturas del maestro florentino. De lo primero sería buen ejemplo la *Santa Catalina* [103] del Museo del Prado, mientras que, en lo que respecta a la composición, una tabla como *La Adoración de los Magos* de la puerta del retablo mayor de la Catedral de Valencia, ha de considerarse heredera directa de la obra del mismo asunto, debida a Leonardo, hoy en la Galería de los Ufizzi.

A la de Leonardo, ha de añadirse la influencia de Perugino[52] y la de los pintores naturalistas y decorativistas de la segunda mitad del siglo XV florentino (Ghirlandaio, Pinturicchio, Filippo Lippi...). La de estos últimos es más patente en Fernando Llanos que en Yáñez, quien, como veremos, posee una concepción más clara y rotunda del sentido monumental de las figuras y del espacio. Y, junto a ello, no hay que olvidar las sugerentes ideas de María Luisa Caturla, que liga el naturalismo de los valencianos con el mundo veneciano de Giorgione[53].

Si tenemos en cuenta que ejemplos como la *Santa Librada* [104] de Juan Soreda (1525-

104. Juan de Soreda: Santa Librada.
Sigüenza, catedral

26) —en el que la arquitectura rafaelesca de la *Stanza della Segnatura* es una cita explícita, más que una vaga referencia—, la *Flagelación* [105] del Prado de Alejo Fernández —cuya arquitectura retoma un modelo de Bramante y elementos de Piero della Francesca—, la *Virgen con el Niño* [106] de Bartolomé Ordóñez de la Catedral de Zamora —cuyo sentido italianizante la instala en los umbrales del manierismo—, las influencias rafaelescas de Juan de Bustamante[54], o las pre-manieristas de las pinturas de Pedro de Machuca, son casos aislados, habremos de señalar la escasez de influjos directos de la pintura y escultura clásica en la España de principios de siglo. Se trata de un problema que hemos de conectar con el de la brevedad del momento clásico del Renacimiento en la misma Italia, y con la escasa incidencia del modelo en Europa.

De la vía florentina al Renacimiento, tal y como se desarrolla a partir de las primeras experiencias quatrocentistas, los españoles optan más bien por su vertiente sensual, reposada, decorativista y naturalista. Acabamos de indicar cómo la sugestión pierfranceschiana se manifiesta en el caso de *La Flagelación* de Alejo Fernández, pero las influencias de Ucello, Castagno o Masaccio son prácticamente inexistentes en España. Y sin embargo, un pintor como Ghirlandaio está en la base de hombres como Llanos o, sobre todo, Juan de Borgoña.

De igual manera sucede en la escultura. Gómez Moreno percibió el influjo de Della Robbia y Donatello en Morlanes y la de Ghiberti en Forment, mientras que el florentino Gabriel Yoly encuentra su inspiración en Andrea Sansovino[55]. Hay que llegar a artistas como Bartolomé Ordóñez para apreciar la huella del mundo cinquecentista, pues, por lo general, la polémica antigótica se centra a base de retomar modelos del siglo XV, del que se elige su faceta más dulce y delicada (Ghiberti, Sansovino, Della Robbia, Amadeo o Benedetto da Maiano). El in-

105. Alejo Fernández: Flagelación. *Madrid, Museo del Prado*

106. Bartolomé Ordóñez: La Virgen con el Niño. *Zamora, catedral*

flujo de este último es particularmente evidente en Vasco de la Zarza[56].

De un pintor como Juan de Borgoña, Post[57] cree que trabajó en el taller del mismo Ghirlandaio, pues su aparición en Toledo se relaciona con la muerte del florentino. De él, toma, no sólo la preocupación por la amplitud espacial y de los escenarios, sino,

fundamentalmente, el sentido reposado, sereno y decorativista de las figuras. Una vez más, como en el caso de Yáñez y Llanos, el recurso a Italia se resuelve como expediente formal; y, aunque críticos como Post y Angulo[58] resaltan sus relaciones estilísticas con Piero della Francesca, las intenciones de Borgoña están más cercanas al discípulo de Piero, Melozzo da Forlí —relación también indicada por Post—, en lo que éste tiene de visión sensual de las rigideces del maestro. El sentido lumínico —basado en el estudio de la luz clara y uniforme como factor de unificación espacial— iniciado por el pintor de Sansepolcro y elaborado en forma decorativa por Melozzo o Ghirlandaio, está en la base de los grandes ciclos de Juan de Borgoña, como el de la Sala Capitular de la catedral de Toledo. Con este pintor estamos ante una opción clasicista menos radical que la de «la simplicidad arquitectónica, casi bramantesca»[59] de un Yáñez de la Almedina.

La piedad española se sentía reflejada más bien a través de estas vías sensuales y decorativas y, como veremos de inmediato, por el sentido dramático de la figura. Lo que, sin lugar a dudas rechazaba, era cualquier intelectualización de la religión y la idea de su inserción en grandes ciclos de carácter filosófico y cultural. Ni la profunda reflexión leonardesca, ni el neoplatonismo miguelangelesco o el de Rafael —tal como se estaba expresando en el Vaticano—, parecen interesar en estos primeros momentos a los mecenas y artistas españoles.

Pero, a pesar de la relativa intensidad con que el modelo clásico se vive en España a principios del siglo XVI, la polémica clasicismo-emocionalismo, que va a ser uno de los ejes fundamentales de la discusión en torno a la imagen en el siglo, comienza ya a plantearse en la hora de la elección de los sistemas plásticos. A este respecto, el caso del escultor Felipe Vigarny[60] puede considerarse ejemplar.

107. Felipe Vigarny:
Relieve del trascoro de la catedral de Burgos
(detalle)

108. Felipe Vigarny:
Degollación de San Juan Bautista, retablo.
Granada, Capilla Real

Preocupado en gran manera por el problema de las proporciones[61], sus obras se inspiran directamente en modelos italianos. Y no sólo por lo que respecta a la concepción de las figuras, sino también por su misma disposición espacial. Gilman Proske ha destacado su luminosa concepción del bajorrelieve, en una idea que habían desarrollado los italianos[62], y la misma autora ha indicado cómo la influencia de Italia pudo ser adquirida por Vigarny en Francia, a través de los trabajos de Francesco Laurana para René de Anjou, e indica cómo la expedición de Carlos VIII a Italia en 1495 pudo ser la manera de visitar este país por el artista[63].

Pero el sentido de la figura y de la composición de Vigarny —tal como se nos muestra en los relieves del Trascoro de la Catedral de Burgos [107], no puede explicarse sólo desde un punto de vista italianizante y clásico, ya que el dramatismo surge en alguna de sus obras principales. Este, no está ausente de su intervención en el retablo de la Capilla Real de Granada[64]. Algunas de sus escenas más expresivas, como la del *Martirio de San Juan Bautista* [108] se atribuyen a la influencia de Alonso Berruguete[65], pero el contraste entre las figuras de este último y las de Vigarny en el coro de la Catedral de Toledo es definitivo. Frente al emocionalismo manierista de Berruguete, la obra, ya tardía, de Vigarny, resulta todavía ligada al mundo clásico, preocupado más por la corrección y el formalismo que por el sentimiento y el drama.

En general, podemos afirmar que es en la

escultura donde vamos a encontrar con mayor intensidad el reflejo de los modelos nórdicos. Así resulta en algunos relieves como
el que, en 1522, esculpió Cornelis de Holanda
en la catedral de Santiago de Compostela
con el tema de *La Piedad* [109], de muy
directa relación con los modelos del mismo
tema en Solesmes y en Chaource, obras capitales, como señaló Gómez Moreno, del
arte borgoñón[66]. La obra de Cornelis puede
considerarse, en su conjunto, como ejemplo
de las pervivencias tradicionales del arte gótico a comienzos del siglo XVI.

Eclecticismo similar al de Vigarny encontramos en el pintor Alejo Fernández, perteneciente a una generación puente, en la que

el influjo cinquecentista se toma con frecuencia más de Flandes que de la propia
Italia. En Alejo, la presencia italiana repite
el esquema que venimos comentando y se
resuelve en influencias umbras o de los pintores «moderados» florentinos; para su *Virgen
de la Rosa* [110], Angulo ha señalado la posible inspiración en Botticelli, mientras que
Post habla de la de Pinturicchio en el Niño[66].
Es en las arquitecturas donde el gusto de
Alejo se muestra más moderno, con alusiones
bramantescas y venecianas, como destacaremos más adelante. Pero el hecho más destacable desde nuestro presente enfoque tendente a resaltar el problema de los modelos,
es la adopción por el pintor afincado en

109. Cornelis de Holanda: La Piedad. *Santiago de Compostela*

110. Alejo Fernández: Virgen de la Rosa.
Sevilla, iglesia de Santa Ana

111. Alejo Fernández:
Degollación de San Juan Bautista. *Marchena*

Sevilla del modelo flamenco. Si en *La Virgen y el Niño* del retablo de Villasana de Mena, Post ha señalado la influencia de Gerard David, el mismo autor ha llamado la atención de cómo en las pinturas de *San Juan de Marchena* [111] comienzan las relaciones estilísticas de Alejo con la Escuela de Amberes. De esta manera, en este pintor, y en otros que señalaremos inmediatamente, el paso del primitivismo quatrocentista a un sentido clásico y aun manierista, se establece a través del modelo nórdico[67].

En las obras de Alejo Fernández es patente su conocimiento del pseudo-Blesius y de Juan de Cock, pertenecientes al grupo de los manieristas de Amberes, y en la de pintores menos importantes como el Maestro de Agreda, la huella visible es de Lucas de Leyden. Por su parte el Maestro de Sigena, parece optar por la vía nórdica al clasicismo de Jan Gossaert y el anónimo autor del retablo de la *Virgen de Uncastillo*, se inspira en Durero y en modelos de la escuela de Amberes[68]. Por su parte, Pedro Núñez lo hace en Heemskerck, Scorel y Durero[69].

El tercer punto de referencia que los pintores que trabajaron en España durante las décadas iniciales del siglo XVI asumen como referencia a la modernidad es el mundo alemán. Los grabados de Schongauer y, sobre todo, los de Durero juegan un papel fundamental. Pintores como Jerónimo Cosi-

112. Jerónimo Cosida: Retablo de la Virgen. *Zaragoza, museo*

da en Aragón, del que destacamos obras como los Retablos de Calcena y el del Museo de Zaragoza [112], y cierto número de pintores catalanes emplean en diversos grados, según su habilidad e inteligencia, la manera del pintor alemán[70]. Desde la copia servil a la toma de modelos sueltos para figuras aisladas hasta aquellos que como Pedro Matas, Porta o el Maestro de San Félix, pueden considerarse lejanos discípulos durerianos, toda una estela germanizante puede señalarse en Cataluña[71].

El caso del Maestro de San Félix es buen ejemplo de lo que venimos diciendo. Si bien pueden señalarse influjos de italianos como Marcantonio Raimondi —véase su *Historia del Sueño de Santa Úrsula* [113]—, la opción por la pintura del Norte es clara y decidida: los manieristas de Amberes, paralelismos con el holandés Engelbrecht, con Patinir en los paisajes amplios y de elevado horizonte, se unen a la constante presencia en su obra de los grabados de Durero.

Como veremos en el siguiente epígrafe, el caso del Maestro de San Félix constituye uno de los exponentes más claros en los que la crítica al gótico se resuelve por medio de una alternativa anticlásica que busca su inspiración en modelos nórdicos. En general, y como venimos estudiando, las primeras décadas del siglo ven, con el fin de cualquier experiencia gótica, la asunción del clasicismo italianizante y la renovación del modelo nórdico basado ahora en la inspiración en la Escuela Manierista de Amberes y los grabados de Schongauer y de Durero. De esta manera, podemos afirmar que cuando en estos momentos, artistas como Juan de Valmaseda o Alonso Berruguete planteen de nuevo una alternativa goticista, están planteando un problema lingüístico crítico, pues ya no se trata de una pervivencia tradicionalista. Y la mirada que realizan hacia el goticismo de fines del siglo xv, es el punto de partida de la corriente emocional del manierismo religioso en España.

113. Maestro de San Félix: Historia del sueño de Santa Úrsula, retablo de las Olivas. *Gerona*

LA RENOVACIÓN DEL LENGUAJE PREEXISTENTE Y LAS ALTERNATIVAS ANTICLÁSICAS

Los problemas que plantea la difusión del modelo clásico del Renacimiento en Europa están muy lejos de ser resueltos en toda su complejidad. La asunción del modelo que, en otro lugar[72], hemos definido como un intento imposible era muy problemática para un arte como el europeo, que apenas había salido de los convencionalismos del gótico internacional. Por otra parte, era más fácil asimilar una poética como la del manierismo que oscilaba en una problemática discusión entre la norma y su conculcación herética, que un sistema perfectamente regular como el del clasicismo. Proporción, simetría y perspectiva monofocal eran las categorías formales en torno a las que giraban las obras pioneras de Leonardo, el Bramante romano, la primera época de Miguel Ángel o el Rafael de las primeras *Madonnas* y de la *Stanza della Segnatura*. Los presupuestos teóricos sobre los que se sustentaban estas obras, basados en una relación armónica entre arte y sistema racional de presentación, hacía muy difícil asimilar el sistema para unos artistas que, como los europeos, quizá con la única excepción de Durero,

114. Fernando Yáñez: San Juan Bautista.
Barcelona, Colección particular

basaban su arte en una práctica empírica y no en la especulación teórica.

Por lo que respecta a España, los problemas de base son esencialmente los mismos que en el resto de Europa. A ellos podríamos añadir la fuerte repercusión que el sistema figurativo flamenco había tenido en los últimos años del siglo XV y que persistía en los primeros del siglo XVI en algunos ambientes. El mundo de la corte de los Reyes Católicos había protegido con toda decisión el modelo figurativo flamenco, y, como veremos, sólo será con la aparición en España del joven rey Carlos I (1517) cuando se opte decididamente por el modelo clasicista italiano. El parangón entre lo italiano y lo antiguo actuará más como diferenciación frente a lo moderno y gótico, que como asimilación de un modelo teórico que comportaba un modelo formal, el clásico, demasiado rígido para una sociedad tan polifacética como la española del siglo XVI.

Es en los pintores valencianos donde las características de proporción, simetría, uso de la perspectiva monofocal —que venimos atribuyendo a la fase clásica del Renacimiento—, aparecen de manera más clara. La concepción de las figuras en las obras de Fernando Yáñez y Llanos es producto de su interés por la idea de la proporción y el volumen, a la vez que conseguían un reflejo de la realidad no en clave de estilización decorativa, sino de rotundidad monumental. De ello son buen ejemplo tanto las figuras de *San Cosme y San Damián* para el retablo de los Santos Médicos, como la *Santa Catalina* del Museo del Prado. La misma rigidez y frontalidad del *San Juan Bautista* [114] no ha de interpretarse como una referencia arcaizante, sino como el deseo de dotar de un componente de solemnidad a una figura que se concibe como un monumento. Las figuras del retablo de la Catedral de Valencia pueden considerarse como el punto culminante desde este punto de vista: el perfil de la Virgen de la *Adoración de los*

115. Fernando Yáñez: La Dormición de la Virgen. *Valencia, catedral*

Pastores, la figura de espaldas de *El abrazo ante la Puerta Dorada*, alcanzan una perfección y rotundidad estatuaria, que llega a su punto más alto en la escena de *La Dormición de la Virgen*[73] [115].

Similares ideas podríamos destacar en la obra escultórica de Felipe Vigarny, el escultor más citado y alabado por sus contemporáneos. Ya vimos cómo lo hacía Diego de Sagredo; por su parte, Pedro Mexía, en los párrafos que más arriba hemos destacado, dice refiriéndose al sistema de proporciones: «Los modernos de nuestros tiempos han tomado otras reglas en esta división principal, de todo el hombre, en que lo dividen en nueve rostros, o partes, y en un tercio de rostro: el principal de estos es Felipe de Borgoña singular escultor y haze la división desta manera...»[74].

La preocupación por la cualidad proporcionada y monumental de la figura es bien clara para Vigarny en obras como los relieves del trasaltar de la Catedral de Burgos, en los que, si bien son patentes aún ciertos rasgos de su origen francés, los aspectos que se imponen de manera más directa, inciden en la cualidad rotunda y volumétrica de los personajes. Pero la incertidumbre estilística de estos momentos es bien clara si comparamos estos relieves del trasaltar burgalés con otras obras del círculo de Vigarny, como *La Piedad* en la tumba de Juan de Padilla, cuyo fuerte acento medieval y francés ha llevado a su atribución a miembros del taller del escultor afincado en España[75]. Pero la imagen final de la abundante producción de Vigarny en Burgos —Capilla del Condestable—, Palencia —retablo de la Catedral—, y Toledo —sillería del Coro—, es la de una concepción de la figura reposada y rítmica, acorde con el modelo clásico del Renacimiento y cuya culminación podemos encontrar en la serie de figuras realizadas en la mencionada sillería toledana. Y el relieve de la Virgen con el Niño [116] (Burgos, iglesia de San Lesmes) es un buen ejemplo de lo que la poética del clasicismo implantada por Vigarny podía llegar en España: mezcla peculiar entre claridad perceptiva y rotundidad en las figuras, que, a partir de los ejemplos del Maestro, comienza a extenderse en ejemplos aislados españoles[76].

La presencia en Toledo de parte de lo más avanzado de la intelectualidad española y el estímulo artístico que supusieron prelados como Cisneros, Mendoza o Fonseca, concentra en esta ciudad gran cantidad de artistas renovadores, de entre los que Juan de Borgoña quizá sea el más interesante en el campo de la pintura. Dentro de este sentido de la claridad y monumentalidad que venimos comentando como uno de los rasgos del clasicismo en España, el ciclo de la Sala Capitular toledana y ciertos retablos del mismo pintor, como el de la Catedral de Ávila, merecen mencionarse como ejemplos capitales.

De igual manera ha de tenerse en cuenta la figura de León Picardo, el pintor del Condestable; su figura cobra singular relieve desde el punto de vista teórico ya que es uno de los dialogantes del tratado de Diego de Sagredo. Como señaló Angulo[77], de la lectura del tratado sólo podemos deducir el interés de Picardo por el modelo italiano del clasicismo y su preocupación por las medidas itálicas, que se traducen en algunas de sus pinturas, las más de las veces sólo desde el punto de vista de los interiores. «Su estilo —dice Angulo— tiene de renacentista lo que puede esperarse de un pintor de Picardía que no sólo no se ha formado en Italia, sino que ni aún ha pasado los Alpes.»

La presencia en la escultura del modelo italiano y clasicista que aparece de manera más clara tiene lugar, una vez más, en la Corona de Aragón. Nos referimos a personajes como Gabriel Yoly y en especial a Damián Forment, cuya obra, desde el punto de vista estilístico y formal, es un paradigma de las contradicciones y ambigüedades que

116. Relieve de la Virgen con el Niño.
Burgos, iglesia de San Lesmes

surcaron el momento clásico del Renacimiento en España [78]. Obras como la fachada de la iglesia de Santa Engracia en Zaragoza, los retablos del Pilar [117] o de la Catedral de Huesca, suponen un acercamiento al problema del lenguaje desde el punto de vista de un equilibrio sutil entre las exigencias de una percepción clara de la Historia y su envoltorio en un marco decorativo gótico. Sin embargo, en 1527, contrata el retablo de Poblet, en el que el deseo de hacer una obra plenamente a la moderna que renueve su anterior tipología del retablo le conduce al fracaso [79]. Y desde el punto de vista de la concepción de las figuras, la obra de Forment en Poblet resulta igualmente contradictoria: la monumentalidad de las del segundo cuerpo no guarda relación con las pequeñas de las del último y más alto, y mucho menos con la profusión de las diminutas y casi miniaturistas escenas. Sólo en su última obra de importancia —el retablo mayor de Santo Domingo de la Calzada— se llega a un equilibrio nuevo entre las figuras y su marco.

Pero la renovación del lenguaje preexistente no contemplaba sólo la polémica con el modelo gótico de figura y su sustitución por otro basado en la proporción y la monumentalidad, sino, y sobre todo, consistía en una idea del espacio y de los sistemas compositivos.

Es en Yáñez de la Almedina, en Fernando Llanos, en Juan de Borgoña y en Alejo Fernández donde la opción por un orden geométrico y racional de la superficie de la tela aparece con mayor claridad convirtiéndose, desde este punto de vista, en los formuladores del clasicismo renacentista en nuestro país.

El primero de ellos es quien asume la elección con mayor radicalidad. Las distintas tablas del retablo de Valencia pueden leerse como sistemas de tramas lógicas horizontales y verticales definidas idealmente o a través de formas reales como son las figuras o las arquitecturas; este aspecto culmina en las tablas de la *Adoración de los Pastores* y, sobre todo, en la de la *Dormición de la Virgen*, verdadera retícula de ortogonales y en *El Abrazo en la Puerta Dorada* en donde el predominio de la verticalidad alcanza caracteres de obsesión.

Pero estos momentos de racionalidad constructiva clásica, breves en Italia, también lo serán en España. Yáñez, «el artista de las perspectivas profundas, de las arquitecturas hermosas» y de las «anécdotas monumentalizadas» [80], opta, en la ya mencionada capilla conquense de don Gómez Carrillo de Albornoz por lo oscuro, lo misterioso y lo «circunstancialmente enigmático», envolviendo a sus figuras en un espacio nocturnal. Y si en sus obras de Játiva —por ejemplo, *Juicio de un alma* [118]— encontramos concomitancias en su parte superior con la ordenación de uno de los frescos rafaelescos para la *Stanza della Segnatura* y el conjunto se compone por medio de un orden visual clásico, en Cuenca las figuras se aglomeran y alcanzan un patetismo que preludia sustanciales cambios en la mentalidad y la imagen religiosa.

La opción de Yáñez era demasiado radical, y en sí misma llevaba los gérmenes de la crisis. Es por ello que pintores como Juan de Borgoña adquieren unas cualidades de mayor uniformidad a lo largo de su carrera. En él, el rigor se sustituye por un sentido amable de la composición y el cuidado por la simetría da paso a una idea decorativa de la pintura. El uso de la técnica de la pintura al fresco en la Sala Capitular de la Catedral de Toledo así parece mostrarlo; y de igual manera en las tablas del retablo mayor de la Catedral de Ávila o en las de los existentes en las capillas de la Concepción y de la Epifanía (catedral de Toledo) podemos observar su gusto, eminentemente clásico, por los escenarios amplios, iluminados por una luz clara, en los que las personas se mueven con comodidad y elegancia, controlados por una aplicación de la perspectiva que se domina sin problemas.

117. Damián Forment: Retablo del Pilar. *Zaragoza*

118. Fernando Yáñez: Juicio de un alma. *Játiva*

Aunque, perdido en 1936, sólo conocemos por defectuosas fotografías una obra como el *Juicio de un alma* de Fernando Yáñez, es útil realizar una comparación entre ésta y el *Juicio Final* [119] de Juan de Borgoña en la Sala Capitular de Toledo. De una ordenación, el primero, más rigurosamente clásica, adquiere, sin embargo, mayores cualidades dramáticas, tanto en lo que concierne a las figuras como a los fuertes contrastes luminosos. En Juan de Borgoña el conjunto resulta más en relación con modelos cuatrocentistas y en él abundan ingenuidades de «primitivo». La relación entre la parte baja y el Cielo se realiza sin dificultad en el pintor valenciano, mientras que en Borgoña es un tanto rígida y convencional. Pero la composición de este último resulta de una mayor claridad y legibilidad, ya que el contraste luminoso y dramático se ha cambiado en una luminosidad uniforme y diáfana que individualiza a la perfección cada una de las figuras.

Pintores como el ya mencionado Pedro de Aponte o Santa Cruz que en fechas muy tempranas (1508) trabajaba en el mismo retablo de la catedral de Avila, participan de similares características. De este último, y aunque Post[81] lo relaciona con la serie de artistas inspirados en el modelo nórdico de Renacimiento, hay que señalar que, si bien sus composiciones no alcanzan ni el rigor geométrico de Yáñez, ni la amplitud espacial y luminosa de Juan de Borgoña, se encuentran, sin embargo, sometidas al juego riguroso de la perspectiva lineal y aun sentido de lo monumental que sólo en Italia podía encontrar precedentes.

119. Juan de Borgoña: Juicio Final, sala capitular de la catedral de Toledo

Por su parte, y en cierta relación con las alternativas anticlásicas que se desarrollan en Cataluña en estos momentos, y que señalaremos de inmediato, la obra de Pedro Matas supone una idea del espacio y la figura caracterizada por el orden y la claridad, a la vez que por la bella y armoniosa disposición de las figuras en amplios paisajes. El autor del retablo de Santa Elena [120] (Catedral de Gerona), plantea el tema de la monumentalidad de la figura sin que ello suponga, como en Yáñez o en Borgoña, una opción por el estatismo o la estabilidad. Al igual que sucede en Alejo Fernández, las composiciones de este retablo suponen una inicial crítica al clasicismo desde sus mismos presupuestos. Pero lo que en el pintor afincado en Sevilla es estilización de la figura, es en el de Gerona recurso a una monumentalidad dinámica, tal como en estos momentos proponían pintores italianos como Portormo o Rosso. En realidad estamos ya en los umbrales de una concepción manierista de la imagen religiosa, que aúna dramatismo con monumentalidad y que, como veremos, ejemplifica como nadie Pedro Machuca[82].

120. Retablo de Santa Elena. *Gerona, catedral*

Terminaremos estos comentarios al sentido espacial perspectivo y los diversos sistemas de composición del clasicismo español refiriéndonos a una obra como el *Nacimiento* [121] del Maestro de Astorga en el Museo Lázaro de Madrid. Si bien en las figuras de los protagonistas la inspiración en los maestros de Flandes es clara, su ordenación, siguiendo el usual esquema triangular, no puede resultar más clásica. Y lo mismo podríamos decir de una obra como el retablo de Santa Ana en la Catedral de Granada, obra del Maestro del Pulgar. El clasicismo había recurrido a la idea de simetría como uno de los medios —muy relacionado con su concepto de la proporción— de regularización del sistema. De esta manera, se había concebido al cuerpo humano como simétrico y se había identificado la simetría arqui-tectónica del mismo con la de los distintos edificios. Estas ideas, que en Yáñez habían dado como resultado un sistema rigurosamente geométrico, son tomadas por el Maestro de Astorga o el del Pulgar de manera más convencional, decorativa y superficial. En el primero de los casos, el esquema triangular de la escena principal se integra en un espacio perspectivo perfecto, definido por elementos dibujísticos y lineales, como la arquitectura, así como a través de hábiles juegos lumínicos y de sombras. De esta manera, la obra del Maestro de Astorga constituye en su conjunto una de las que en mayor medida ayudan a calificar de eclécticos los componentes del clasicismo español del siglo XVI[83].

121. Maestro de Astorga: Nacimiento. *Madrid, Museo Lázaro Galdiano*

Pero junto a la adopción del modelo clásico, que renovaba definitivamente el lenguaje artístico preexistente, aparecen toda una serie de alternativas anticlásicas. Ya hemos mencionado la complejidad formal y estilística sobre la que descansaba el denominado arte plateresco, pero la crítica a las formas artísticas góticas se realiza no sólo desde el punto de vista del lenguaje italiano, sino también por medio de ciertas formas expresivas, emocionales y dramáticas.

La radicalidad de la doble alternativa puede aparecer clara si comparamos dos obras de tema similar. Se trata del *Cristo a la Columna* [122] y el *San Sebastián* [123], de autor desconocido, existente en Barbadillo de Herreros (Burgos): mientras la primera —una obra policromada— resalta lo que de doloroso y patético tiene el tormento e insiste en la presentación de un cuerpo lacerado

y un rostro casi deformado por el dolor, el San Sebastián —inspirado sin duda por el mismo tema existente en la Capilla Carracciolo de Nápoles— es sólo un pretexto para mostrarnos un cuerpo bello y proporcionado en el que la expresión del rostro sirve para enfatizar una cierta idea de la melancolía y resignación ante el martirio. Lo curioso y significativo del ejemplo es que, no sólo Diego de Siloé sea uno de los formuladores del clasicismo arquitectónico en España, sino que las dos obras comentadas se deban probablemente a su mano, dándonos así a entender el carácter plural y ecléctico, desprejuiciado en el uso de alternativas y repertorios, que adquiere el arte español del siglo XVI [84].

En el campo de la pintura, el pluralismo lingüístico es mayor que el formulado por la plástica. Ya hemos reseñado en un epí-

122. Diego de Siloé: Cristo a la columna.
Burgos, catedral

123. San Sebastián.
Barbadillo de Herreros, Burgos

grafe anterior la importancia de las influencias del Norte; hemos de señalar aquí cómo
estas influencias se resuelven en la práctica
en una cierta descomposición del espacio,
que, si bien utiliza las leyes perspectivas des-
cubiertas en Italia, trata de evitar la unitariedad espacial de su aplicación rigurosa y
monofocal, para proponer un espacio frag-
mentado y tratado por medio de bloques.

Un pintor como Alejo Fernández se encuentra ciertamente a caballo de estos dos
mundos. Junto a obras de unitaria y clara
espacialidad —tríptico de la *Santa Cena* [124]
(Zaragoza), *Virgen de la Rosa* [110] (Santa
Ana, Sevilla), retablo de la Virgen en la Capilla de Maese Rodrigo [97] (Sevilla)— en
otras, fundamentalmente a partir de sus
obras para Marchena, no duda en formular

una poética espacial basada en la fragmenta-
ción y la plurifocalidad, base del manierismo
que no tardará en llegar. En Alejo Fernández
no existe, como en el caso del Maestro de
San Félix, que estudiaremos a continuación,
una apuesta por la fealdad expresiva; se trata, sin embargo, de una distorsión del modelo clásico desde dentro de sus mismos presupuestos y sin abdicar de ninguno de ellos,
pues hasta las mismas figuras, cuando, como
en las obras para Marchena, pierden el aplo-
mo y majestuosidad que tenían en obras
como el retablo para la catedral de Sevilla,
adquieren una cualidad de deformación que
tiende a resaltar su vertiente estética y esti-
lizada, antes que a provocar efectos emocionales.

A esta manera de concebir el espacio y

124. Alejo Fernández:
Tríptico de la Santa Cena (tabla central).
Zaragoza

la figura, que en las obras finales de Alejo se acerca a la formulación de un uso manierista del lenguaje, se opone un pintor como el Maestro de San Félix, quizá el más inteligente de nuestros pintores que optaron por una alternativa anticlásica.

Nada hay de gótico en él y, curiosamente, el que puede considerarse la antítesis de Yáñez y Llanos, se formó en la ciudad de Valencia, pero toda su obra aparece dominada por un «rasgo de primer orden» que no es otro, en palabras de Diego Angulo que su «repugnancia a la belleza»[85]. En realidad se trata de un rechazo al canon de belleza clásica que, en su vertiente leonardesca habían importado a Valencia pintores como Yáñez y Llanos. Por el contrario, la concepción de la figura en el Maestro de San Félix aparece dominada por la insistencia en as-

pectos de expresivismo y de deformación a veces caricaturesca. De lo primero es buen ejemplo la complacencia en el martirio que aparece en su *Crucifixión* [125] y en su *San Félix en el Martirio* [126], de lo segundo, ciertos rostros de esta misma obra o el carcelero de su *San Félix en la Prisión*.

El tema del diablo o de los personajes demoniacos parece haber alcanzado cierto éxito entre estos pintores, que ven en él un buen pretexto para mostrar su anticlásica idea de la belleza. Así sucede en el Maestro de San Félix cuando representa al diablo con infernal expresión, en Gascó II en su *San Bartolomé ante el Juez* (1525), en el Maestro de Agreda en su *San Miguel expulsando al demonio del sepulcro de Moisés* (1529) [127] o en el Maestro del Portillo en sus *Escenas de la Vida de San Esteban* (Valladolid, Palacio Episcopal)[86]. En todos ellos, el tema del monstruo y de lo demoniaco se trata con la ambigüedad significativa de pintores como El Bosco o Grünewald: estos seres acosan al hombre, pero éste —al contrario de lo que sucede en la visión triunfante del *San Miguel* [141] de Pedro Delgado— no acierta a vencerlo plenamente. E incluso en el cuadro del Maestro de Agreda, cuyo tema es el vencimiento y expulsión de los seres infernales, la presencia de éstos se impone de manera desazonante al resto de la composición.

Si el concepto de figura se resuelve en estos artistas a través del recurso a la fealdad y a la contorsión, la idea compositiva se caracteriza por el rechazo de las ideas de claridad y diafanidad, y la búsqueda de esquemas regulares que caracterizaban a otros artistas del clasicismo. Es característico del Maestro de San Félix el uso de las aglomeraciones de figuras en un espacio estrecho, escalonando los distintos bloques de personajes —*San Félix en la Prisión*, *Predicación de San Félix*—, las visiones espaciales en oblicuo —*Escenas de la Vida de San Andrés*— o la concentración en un solo grupo de los per-

125. Maestro de San Félix: Crucifixión. *Gerona, Museo Provincial*

126. Maestro de San Félix:
San Félix en el martirio. *Gerona, San Félix*

127: Maestro de Ágreda:
San Miguel expulsando al demonio del sepulcro
de Moisés. *Agreda, San Miguel*

sonajes dejando un amplio espacio vacío
—*Última comunión de la Magdalena*. Este sistema de agrupación de figuras en un corto
espacio perspectivo se observa en artistas
como el Maestro de Sigena cuyo *Nacimiento*
concentra nuestra vista en un extraño y confuso revoloteo de anónimas alas de ángel
o el *Prendimiento*, atribuido al Maestro de
Egea [128], juego compositivo de dinámi-
cas horizontales, mientras que obras como
el *Martirio de Santa Úrsula* del Maestro Benito (Catedral de Palencia) han de interpretarse como un uso confuso y aperspectivo
de los amplios espacios de Juan de Borgoña.
Y en la escultura, podemos encontrar ejemplos similares de ordenación a través de
bloques y planos aperspectivos en ciertos relieves del trascoro de la catedral de Ávila.

128. Maestro de Egea: Prendimiento.
Sallent de Gállego

Con todo, y dentro de estas corrientes anticlásicas, la que podemos individualizar como una de las vías españolas hacia el manierismo es aquella que asume críticamente el lenguaje gótico y lo utiliza, no como influencia de carácter tradicional y retardatario, sino como poética disgregadora de la unidad y sentido de la monumentalidad clasicista, para insistir en unos contenidos patéticos y emocionales, claves sobre todo en la imagen religiosa. Desde este punto de vista, la escultura asume un papel decisivo, e inclusive figuras como Vigarny, Siloé, Forment y Yoly no dejarán de emplear un modo expresivo y dramático en sus imágenes religiosas.

Pero el personaje que asume la tradición gótica y la relanza con un contenido manierista, en lo que el manierismo tiene de poética anticlásica, es Juan de Valmaseda[86]. Si bien su obra se ha interpretado como «persistencia del patetismo gótico como expresión del sentimiento religioso», hemos de ver en ella más bien la temprana manifestación de un sentimiento anticlásico del cuerpo humano que también comienza a desarrollar Alonso de Berruguete y culminará en figuras como Juni y, al final del siglo XVI y comienzos del XVII, El Greco; ello es bien patente en obras como *El Calvario* de la catedral de Palencia o los *Evangelistas* [129] de la catedral de León, mientras que su *Epifanía* (capilla de San Ildefonso, catedral de Palencia) se relaciona con la obra del mismo tema realizada por Alonso Berruguete en San Benito de Valladolid. Y lo mismo podríamos decir de su *Cristo muerto sostenido por los ángeles* [130] de la Capilla burgalesa del Condestable, en donde es clara su opción por el modelo anticlásico. Gómez Moreno[87] ha puesto en relación el arte de Valmaseda con las puertas del Hospital del Rey [131] en Burgos, pero aquí nos encontramos más bien con una interpretación en clave expresionista de modelos alemanes, que vuelven a incidir en el carácter ecléctico

129. Juan de Valmaseda: San Juan Evangelista. *León, catedral*

de los repertorios formales de la España de comienzos del siglo XVI, en los que el modelo clásico de Renacimiento pronto encuentra fuertes críticas y, como sucede en el caso de la misma Italia, sólo puede considerarse como una opción más entre las muchas disponibles.

En el próximo capítulo subrayaremos la división de funciones que la presencia en España de la Corte Imperial, y su elección del manierismo clasicista como modelo estético, va a imponer a ciertos artistas. La alternativa lingüística entre la elaboración goticista de la imagen religiosa —Valmaseda, Berruguete—, y un sentido manierista de la figura y del espacio es bien clara

130. Juan de Valmaseda: Cristo muerto sostenido por los ángeles.
Burgos, Capilla del Condestable

131. Puertas del Hospital del Rey (fragmento). *Burgos*

en la España de los años 20 del siglo XVI. Un artista ligado al mundo de la corte como Pedro Machuca, arquitecto del palacio de Carlos V en Granada, es autor de pinturas que como *La Virgen de la Misericordia* —realizada en Italia— o *El Descendimiento* [132] (Museo del Prado), plantean, en fechas tempranísimas el problema del manierismo clasicista e italianizante en la pintura española. El uso de colores híbridos y desleídos y la desarticulación de la espacialidad unitaria del clasicismo caracterizan obras como la mencionada *Virgen de la Misericordia*, a la que no son ajenas las experiencias de Miguel Ángel o Beccafumi[88]. En el *Descendimiento* se abandona ya toda pretensión de orden clasicista: la composición se organiza de manera compleja, la iluminación selectiva abandona el sentido uniforme presente en los artistas quatrocentistas y las posturas adoptan retorcidas y complicadas posturas.

Similares características están presentes en sus obras para la Capilla Real de Granada o el retablo de Santa Cruz de la Catedral, planteando precozmente —esta última obra

es de 1521— la introducción en España del sentido manierista de la historia, que abandona la claridad y sencillez propia del clasicismo.

De esta manera, artistas como Valmaseda o Pedro Machuca adelantan en unos diez años el debate artístico español acerca del manierismo e incluso el segundo, junto a Alonso Berruguete, se convierte en su estancia italiana en uno de los escasos promotores de la «maniera» cuando ésta se encontraba desarrollando sus propuestas iniciales[89].

LA VALORACIÓN DE LA ANTIGÜEDAD

La adopción del modelo clásico del Renacimiento lleva pareja, como uno de sus elementos básicos, la idea del renacer de la Antigüedad. En los países europeos en que, como Francia o España, la huella de Roma había sido de gran amplitud y había logrado formular una específica cultura clásica, este renacer adquiere una doble y, sólo en apariencia contradictoria, valencia. Mientras

132. Pedro Machuca: El Descendimiento. *Madrid, Museo del Prado*

por un lado los comienzos del estudio de los motivos clásicos y de los restos arqueológicos del país asumen un valor de afirmación de una cultura nacional, el hecho de integrar elementos procedentes de la cultura y el arte antiguo en el arte del momento, constituye un factor de unificación estilística y temática.

Con respecto al caso español nos interesa resaltar el papel que la presencia de la Antigüedad juega en las artes plásticas de los primeros años del siglo. En general, podemos afirmar que este papel se limita a insertar «citas» del periodo clásico, en un contexto fundamentalmente religioso, que actúan como elementos de autoridad. Como en el caso del uso de estos elementos un siglo antes por Ghiberti, «las citas no aparecen suscritas con un estricto carácter de literalidad, pues no se trata de la reproducción de unos modelos, sino de la referencia al punto de partida del lenguaje» [90]. Y es curioso señalar cómo, en el caso de esta recuperación aislada de elementos de la Antigüedad, un pintor como Yáñez de la Almedina va a coincidir con el escultor florentino mencionado anteriormente: en su *Abrazo en la Puerta Dorada* (1507) [133], la cita clásica, como sucedía en el *Sacrificio de Isaac* de Ghiberti, es una referencia explícita a la escultura helenística *El Espinario*. De igual manera, cuando Vigarny inserta en la Puerta de Jerusalén por la que sale el cortejo que va a crucificar a Jesús (relieves del Trasaltar de la Catedral de Burgos) la escena de la lucha de Hércules contra el león de Nemea, no sólo está realizando un paralelismo tipológico entre el paradigma de varón virtuoso de la mitología antigua que era el héroe tebano [91], sino que inserta una referencia al mundo clásico en un contexto cristiano como «cita de autoridad», signo de una cultura renovada. Pues para los hombres de la generación de Yáñez y de Vigarny, tan importante como plantear una nueva idea del espacio y de la proporción, era el encontrar referencias y puntos

133. Fernando Yáñez: Abrazo en la puerta dorada (detalle). *Valencia, catedral*

de contacto con un pasado prestigioso. Y de igual manera en pintores como León Picardo la ambientación de escenas religiosas como su *Purificación* [134] (Museo del Prado) se hace a través de arquitecturas clásicas, que, por medio de su decoración escultórica a base de pequeñas figurillas mitológicas, transforma el Templo de Jerusalén en un templo a la antigua.

El paralelismo con el mundo clásico no va a ser tan frecuente en las artes plásticas como en la literatura en donde comienza a adquirir desde estos momentos caracteres masivos. Los ejemplos que hemos referido, y los que vamos a tratar son ciertamente aislados pero hemos de tener en cuenta que, además de la cantidad de obras de este tipo desaparecidas [92], la alusión a la mitología y a la historia antigua se localiza con preferencia en el mundo de la corte, cuyos caracteres analizamos en el capítulo siguiente.

Es curioso al respecto el caso del Maestro de Becerril. En una de sus *Historias de San Pelayo* [135], aquella en que el califa, sentado en su trono, señala al niño Pelayo del que se siente enamorado, aparecen en su fondo historias mitológicas que tienen como motivo el tema del amor contranatura: Leda y el Cisne o el Suicidio de Lucrecia, mientras que se inscribe el nombre de Pasifae, la amante del Toro de Creta[93].

Por su parte, Juan de Soreda en sus *Historias de Santa Librada* de la Catedral de Sigüenza no se conforma con enmarcarlas, como veremos, en un peculiar decorado clásico, sino que el mismo aparece enriquecido con multitud de referencias explícitas a la Anti-

134. León Picardo: Purificación. *Madrid, Museo del Prado*

135. Maestro de Becerril: Historia de San Pelayo. *Málaga, catedral*

güedad. Y ello, no sólo desde un punto de vista decorativo en los «putti» que sostienen festones en el *Juicio de la Santa*, sino también como apoyo significativo a la historia, desde el caballo Pegaso del *Martirio* [136], a la serie de cuatro relieves con temas de Hércules, procedentes de las esculturas de Amadeo [137]; de esta manera la Virtud y Fortaleza de la protagonista encuentran su paralelo, como el citado caso burgalés, en los esforzados trabajos del héroe griego[94].

El tema mitológico y la alusión arqueológica encuentran su mejor desarrollo en los palacios reales y en los de la nobleza y serán estudiados más adelante. Sólo mencionaremos aquí el hecho de que la aceptación de un repertorio decorativo en iglesias, portadas y retablos, de procedencia italiana, fue calificado, de manera significativa de «hechos al romano»[95]. Y por encima de cualquier otra polémica queda fuera de duda que la adopción de estos ornamentos, es muestra de una preferencia muy determinada por una alternativa formal que pronto dejará de ser y actuar como mero factor diferenciador, para asumir el papel de modelo cultural. Pues al uso, más o menos consciente, de grutescos, candelieri... en portadas y retablos, sucede la rigurosa referencia a los modelos decorativos italianos que se inspiraban en la Antigüedad: frisos como el de la iglesia del Sancti Spiritu en Salamanca, con sus menudas figurillas de ángeles, carros triunfales y pequeñas arquitecturas, o las magníficas decoraciones de tritones, nereidas y otros seres de la antigüedad fabulosa que Forment realiza en el retablo de Santo Domingo de la Calzada (1537-39) [138] son buen ejemplo de lo que venimos comentando.

Todo ello no podía por menos de chocar a las mentalidades más conservadoras y tradicionales, y ya vimos que es el gremio de plateros valenciano el que critica, por su carácter pagano, el uso de estas decoraciones en el retablo propuesto por Yáñez y el mismo Forment.

136. Juan Soreda: Martirio de Santa Librada. *Sigüenza, catedral*

137. Juan Soreda: Relieves Hércules, retablo de Santa Librada. *Sigüenza, catedral*

138. Damián Forment:
Retablo de Santo Domingo de la Calzada (detalle)

UN MARCO CLÁSICO PARA LA LEYENDA
CRISTIANA: LAS ARQUITECTURAS PINTADAS

El repertorio formal que configura las elecciones estéticas de pintores y escultores españoles durante los primeros años del siglo XVI encuentra una de sus mejores definiciones en el marco arquitectónico con que los artistas envolvieron su interpretación de los temas religiosos. El estudio, pues, del tema de las arquitecturas pintadas y esculpidas resulta de gran significación a la hora de definir temas tan decisivos para la estética del clasicismo como los de simetría, perspectiva y proporción, que definen el nuevo sistema visual que se implanta en España a principios del siglo XVI.

Diego Angulo ha insistido en los amplios juegos espaciales, conseguidos por medio de espaciosas arquitecturas características de pintores del Sur de España. Destaca, desde este punto de vista, la obra de Pedro Romana y, sobre todo, las del denominado Maestro de la Flagelación, ambos muy deudores de la sensibilidad espacial quatrocentista, de la que se alejan pintores como Alejo Fernández o Fernando Yáñez[96].

La comparación entre estos dos pintores resulta de especial interés en lo que respecta a la definición espacial por medio de la arquitectura. Mientras que en Yáñez los efectos espaciales se logran tanto mediante las figuras —de cualidad arquitectónica evidente— como por medio de las grandes masas de edificios que definen el ámbito de la escena a través de la colocación perspectiva de enormes y monumentales bloques cúbicos, el tema arquitectónico en Alejo Fernández se carga de sentido teatral, mediante un uso académico de las reglas de la perspectiva formuladas por Alberti.

Una de las obras más interesantes desde este punto de vista es *La Flagelación* [105] que, atribuida a Alejo Fernández, conserva el Museo del Prado. La concepción total de la obra deriva de la inserción de la escena en un templo ruinoso, cuya fuente gráfica es nada menos que un grabado de Bramante —el célebre grabado Prevedari[97]— que ha sido calificado por Bruschi como «il documento piú avanzato dell'architettura rinascimentale intorno al 1480»[98]. El problema de la proporción es, como hemos visto, uno de los pilares fundamentales de la estética del clasicismo, y el grabado bramantesco puede considerarse un manifiesto de la misma. En él, la arquitectura aparece perfectamente modelada y las figuras que en ella deambulan constituyen el punto de referencia exacto para darnos cuenta que nos encontramos ante una edificación cuya monumentalidad y grandiosidad no son obstáculo para mostrarnos una exacta proporción entre sus partes: pilastras, basas, entablamentos y cubriciones son sólo las partes de un sistema basado, como ha señalado Bruschi, en la idea brunelleschiana de orden más arco que es la utilizada por Bramante. La

idea de la proporción y orden arquitectónico estaba presente, como vimos, en la discusión arquitectónica en España; pero, ausentes los edificios propiamente clásicos, y olvidada la enseñanza de un Lorenzo Vázquez en el hiperdecorativismo del plateresco, apenas si se oyen voces como la de Diego de Sagredo empeñado en alguna de sus afirmaciones en una crítica al plateresco y sus excesos ornamentalistas.

De esta manera el uso del *Templo en ruinas* de Bramante por el autor de *La Flagelación* del Museo del Prado, constituye una aportación de gran significado a esta polémica antiplateresca[99] que ha de unirse al sentido vagamente bramantesco con que Alejo Fernández dota a sus arquitecturas pintadas y a la severa volumetría que Yáñez de la Almedina proporciona a estos elementos. Toda la arquitectura pintada por Alejo Fernández puede leerse en términos de proporción y medida clásica y si en casos como *La Anunciación* del Museo de Sevilla o el *Cristo atado a la Columna* del de Córdoba, todavía podemos percibir una sensibilidad quatrocentista, en otras obras, como las realizadas para la Capilla Mayor de la Catedral de Sevilla, pilastras y elementos de gran severidad clásica enmarcan austeramente a las figuras.

En Yáñez la referencia al mundo clásico a través de la arquitectura se resuelve sin embargo por medio de la rigidez estereométrica de volúmenes y líneas; figuras y arquitectura participan de este carácter y no existe contradicción, como en Alejo, entre el riguroso clasicismo de la arquitectura y la idea nerviosa, y a menudo dramática, de los personajes[100].

Las arquitecturas pintadas servían de igual manera para resolver otro de los grandes problemas del sentido espacial clasicista: la perspectiva. El autor de *La Flagelación* del Prado recurrió en este caso no sólo a Bramante, sino al cuadro del mismo tema obra de Piero della Francesca, obra que, bajo las apariencias de un asunto piadoso,

139. Juan de Borgoña: Anunciación, sala capitular de la catedral de Toledo

140. Juan de Borgoña: Nacimiento de la Virgen, sala capitular de la catedral de Toledo

esconde una profunda reflexión racionalista y matemática sobre el problema de la visión. De la obra de Piero no sólo se toma el grupo de los tres personajes que conversan y la del rey Herodes, sino algo más importante: el sentido de la racionalización y regulación del espacio a través de la arquitectura. Si en Piero y Bramante las líneas del suelo contribuyen a marcar el punto de fuga, en el cuadro que estudiamos las ruinas que aparecen en primer término se colocan estratégicamente para indicar las líneas de fuga de la composición, en la misma forma que lo hacen los peldaños de la escalera del trono en que se sitúa Herodes. Estamos cerca de la idea de Paolo Ucello que concibe al objeto como generador de espacios perspectivos y de un concepto de la arquitectura que sirva para racionalizar la percepción del espectador.

Pero, desde este punto de vista, quizá sea Juan de Borgoña el maestro que con mayor conciencia utiliza la arquitectura pintada como medio de definir los amplios espacios clasicistas que enmarcan los episodios de la historia cristiana. Casi todas sus obras, pero sobre todo en los frescos de la Sala Capitular de la catedral de Toledo, se definen por el uso de amplias arquitecturas. En Toledo, templetes y edículos —*Abrazo en la Puerta Dorada*, *Anunciación* [139], *Asunción*—, se unen a interiores —*Nacimiento de la Virgen* [140], *Purificación*, *Muerte de la Virgen*— en los que la arquitectura juega un papel primordial. Lo curioso en Juan de Borgoña es el uso ecléctico de los distintos repertorios arquitectónicos; si el sentido clasicista de la arquitectura de órdenes vitruviana se impone en casi todas las obras, a menudo con una enorme insistencia figurativa —casetones de *La Muerte de la Virgen*—, algunas de las escenas se definen por medio de interiores —*Purificación*— o portadas —*Descensión de la Virgen*— góticas. Pero la amplitud y claridad espacial es siempre similar. Por otra parte, frente a la rigidez monumentalista de Yáñez, Juan de Borgoña nos propone un sentido más decorativo y sensible del escenario, que nunca llega a los teatrales efectos de Alejo Fernández y otros pintores de Andalucía.

Este último artista, en su *Santa Cena* del Pilar de Zaragoza, como ya habían hecho en Valencia los Osona y el mismo Pedro Berruguete, utiliza objetos y arquitectura como medio para crear un espacio fuertemente perspectivo basado en sugestiones teatrales. La idea fue practicada por otros artistas, y así lo hace, con menor habilidad Pedro Gascó [101] en su *Presentación de la Virgen*. Como decimos, la idea del cuadro como escenario se extiende en estos momentos por toda España. El cordobés Pedro Romana instala sus vírgenes en tronos que cumplen el papel de escenarios teatrales —*Virgen* (Museo de Córdoba)— o en espacios teatralmente modulados por el uso riguroso de la perspectiva monofocal —*Visitación* (Nueva York). Y de igual manera en el *San Miguel* [141] (Colección Adanero, Madrid), la arquitectura se sitúa en el híbrido término medio de presentarse como elemento del decorado teatral y el de la arquitectura efímera de la fiesta.

Donde la arquitectura asume con claridad este papel teatral es en la pintura de Juan de Soreda. Si en su *Santa Librada* el rafaelesco escenario cargado, como vimos, de citas de la Antigüedad, actúa sólo como una bambalina teatral, en las otras dos escenas de la catedral de Sigüenza, los elementos de la nueva arquitectura se instalan como objetos independientes dentro de un marco ciudadano todavía dominado por las formas góticas. Ello es especialmente evidente en el escenario del *Martirio de Santa Librada* donde el templete de planta central incrustado en el tejido urbano medieval no puede esconder su origen en la arquitectura efímera de la fiesta. De igual forma, el elemento clasicista que aparece en el fondo del *Martirio de Santa Úrsula* de la catedral de Palencia procede de la práctica usual del disfraz clasicista del entramado medieval preexistente usado en la fiesta urbana renacentista [102].

141. Pedro Delgado: San Miguel.
Madrid, Colección Adanero

Pero el escenario clasicista que proponen los pintores como marco adecuado para el desarrollo de la leyenda cristiana tropieza con una dificultad. En la *Flagelación* del Museo del Prado el grupo central de figuras encuentra su origen en modelos nórdicos. Angulo resaltó [103] la inspiración en Schongauer para el verdugo de la derecha, y todo el grupo tiene un dramatismo ajeno a cualquier concepción clasicista de la figura humana. Sólo pintores como Borgoña o Yáñez armonizan un sentido clásico del escenario con una concepción en verdad monumental de la figura humana en un hecho que no resultará frecuente, pues en ocasiones, la arquitectura actúa como elemento de desarticulación espacial. Es el caso de algunos

142. Maestro de la Seo: San Joaquín y Santa Ana. *Zaragoza*

artistas catalanes como el Maestro de San Félix, mientras que otras veces la arquitectura que envuelve el escenario se carga de
un exceso de decorativismo, de origen flamenco inspirado en Gossaert o Van Orley,
que, si bien teatraliza el espacio perspectivo,
conduce a un tipo de resonancias en todo
ajenas al mundo de la simplicidad clasicista.
Es el caso del Maestro de Sigena y, sobre
todo, del Maestro de la Seo[104]. Si su *Adoración de los Reyes* contempla un uso adecuado
y correcto de la perspectiva, el empleo en
exceso decorativo de la arquitectura caracteriza su *San Joaquín y Santa Ana* [142], cuya
fastuosa arquitectura produce un efecto demasiado irreal, fantástico y recargado para
que podamos hablar de una percepción racional del espacio.

De esta manera, al igual que en los demás
elementos del clasicismo español, la pluralidad de opciones y la disparidad de modelos caracterizan el panorama. Y la contradicción, salvo en los casos citados, entre arquitecturas pintadas y las figuras constituye
un tema común, inicio de la formulación
del conflicto entre emocionalismo y clasicismo, fundamental en el debate artístico español del Cinquecento.

POLÉMICAS EN TORNO A LA NUEVA IMAGEN
DE LA MUERTE: TIPOLOGÍA Y FUNCIONES
DEL SEPULCRO.

Las polémicas en torno a la imagen religiosa, que serán frecuentes en la España
que se debate entre la influencia de los intelectuales erasmistas y la tendencia popular
a la inflación de imágenes en portadas y en
retablos, se plantea inicialmente a propósito
del tema del sepulcro. Monumento a la memoria de un difunto, la reflexión en torno
al carácter efímero de la vida humana, choca
con los deseos de perennidad y gloria que
comenzaban a ponerse de moda en la España
del Renacimiento.

143. Diego de Sagredo:
Idea de sepulcro en *Las medidas del Romano. 1526.
Toledo*

Los primeros grandes sepulcros fueron los
encargados por los reyes, grandes prelados
y señores. Artistas italianos, e incluso la importación directa de las obras[105] fueron las
características más señaladas de esta recepción, y ya han sido estudiadas en otro lugar
de este libro. Pero esta primera floración
de una nueva idea del sepulcro dio inmediatamente origen a deseos de emulación y una
gran cantidad de sepulcros, de variada tipología, se extendió por toda España.

Cuando en 1526 Diego de Sagredo publica
sus *Medidas del Romano*, la primera discusión de tipo estético que se suscita entre
los interlocutores es a propósito del tema
del sepulcro [143]. Tampeso se encuentra
realizando «una muestra de sepultura para
nuestro obispo»; se trata, como es bien sa-

bido, del obispo Fonseca a quien se dedica el libro. La familia Fonseca, como otras muchas de la nobleza, tenía entre sus principales preocupaciones artísticas, la de elevarse monumentos funerarios que pudieran perpetuar su memoria, para lo que recurrieron a los principales artistas del momento. Y don Alfonso II Fonseca encargó a Diego de Siloé su solemne sepultura existente en el Convento de las Úrsulas de Salamanca, cuya parte mejor conservada representa las estatuas de los Evangelistas, la de Santiago Matamoros, la Anunciación y el escudo cardenalicio[106]. Si en estos relieves Siloé comienza a apartarse de la serenidad de la poética clasicista, el conjunto de la obra, que continúa la idea de monumento en talud propia de Fancelli,

responde aún a una idea de la muerte en la que la serenidad y el reposo tratan de superar cualquier sentimiento de patetismo y expresividad; por otra parte, el hecho de que fuera intención de realizar la estatua del yacente en bronce es bien expresiva del sentido renovado y clasicista de la pervivencia tras la muerte y del deseo de glorificación. Este tipo de ideas culminan en el sepulcro de don Juan de Fonseca [144] en Coca, donde se abandonan los muros en talud, se esculpen sólo el emblema familiar y la inscripción conmemorativa sostenida por «putti», en medio de una gran sobriedad y sencillez, ajena a cualquier referencia decorativa y superflua[107]. Por otra parte, el sepulcro de Coca se encuadra en un arco triunfal que nos

144. Diego de Siloé: Sepulcro de Juan Fonseca. *Coca*

remite al mundo de ideas que hemos estudiado a propósito de las empresas artísticas del cardenal Mendoza.

Continuando su diálogo, Diego de Sagredo hace decir a León Picardo la siguiente frase a propósito del diseño del sepulcro: «Bien podria pasar por retablo, y aun seria mejor empleado.» Si reparamos en la figura adjunta al texto del tratado nos daremos cuenta de lo exagerado de la afirmación, pero con ello entramos en uno de los puntos claves de la discusión acerca de la tipología del sepulcro en estos inicios del Renacimiento español.

En el caso del sepulcro de Alonso II Fonseca, indicábamos que se trataba del tipo de sepulcro exento con muros en talud de origen fancelliano, mientras que en Coca estábamos ante la combinación de túmulo y arco, que proporcionaba a la imagen de la muerte un sentido triunfal acorde con la nueva mentalidad. A este segundo tipo parece responder el dibujo de Diego Sagredo y, con él, toda una larga serie de sepulcros de este momento, desde el sepulcro de los Frías en la iglesia de San Esteban de Burgos, al del Canónigo Alonso Carrillo de Albornoz, obra de Vasco de la Zarza en la catedral de Toledo, a los de los marqueses de Villena en el Parral de Segovia, o al de Juana de Valencia y Pedro Hurtado de Mendoza [145] en San Ginés de Guadalajara. En todos ellos, lo característico es el empleo del arco triunfal sobre la estatua —generalmente yacente, pero, a veces, orante—, si bien el lenguaje formal y decorativo puede ir desde el clasicismo propio de Ordóñez, al platesco de Vasco de la Zarza o a las reminiscencias góticas del de Juana de Valencia.

En general, el tipo de sepulcro que mejor parece responder a la sensibilidad clasicista es el primero de los citados que encuentra su modelo, como dijimos, en los sepulcros reales. De esta manera, Vigarny realizó los del Canónigo Díaz de Lerma y el fray Alonso de Burgos, Vasco de la Zarza el de don Íñigo

145. Sepulcro de Pedro Hurtado de Mendoza. *Guadalajara, San Ginés*

López Carrillo de Mendoza y los de la familia Dávila, realizados en las primeras décadas del siglo en el convento abulense de las Gordillas, y Siloé el del obispo Acuña.

Pero las acusaciones de retablismo planteadas por Diego de Sagredo no eran meras frases sin fundamento. Y si sólo es relativamente aplicable al diseño del tratado, sí que podemos señalar toda una corriente de sepulcros españoles en los que la confusión entre el tema funerario y el retablístico es total. En realidad se trata de un desarrollo a gran escala, provocado por el sentido ornamentalista del platesco, del tema del se-

146. Cabecera del Monasterio del Parral. *Segovia*

pulcro bajo un arco triunfal. Ello es bien claro en varios ejemplos entre los que destacaríamos la cabecera del Monasterio del Parral [146] en Segovia, en donde el límite entre los sepulcros y el profuso altar mayor no resulta del todo claro. De esta tendencia se hará eco, varios años más tarde (1554), Pedro de Medina quien afirmará en su *Libro de la Verdad*: «Y ya por mayor ambición, suben los sepulcros, se juntan con los altares, como si aquel difunto fuere más vecino del cielo, y en él'tuviere más gloria, cuyo sepulcro es más llegado al altar» [108].

La confusión sepulcro-retablo, como punto más característico de este momento, centra la discusión teórica y práctica. Los sepulcros realizados por Nicolás de Vergara son muy expresivos al respecto: mientras que el de Juan de Ortega en Santa Dorotea de Burgos es todavía un compromiso entre formas góticas y platerescas, en el de los Gumiel [147] (Burgos, San Esteban) plantea, ya con un lenguaje moderno, el problema

147. Sepulcro de los Gumiel. *Burgos, San Esteban*

148. Atribuido a Diego de Siloé:
Sepulcro del obispo Mercado en Oñate

que venimos tratando, proporcionándonos
una solución de la que sólo podemos resaltar
lo ambiguo de su carácter.

Carácter que vemos repetirse en varios
ejemplos más: si el sepulcro del obispo Mercado [148] en Oñate, atribuido a Diego de
Siloé, en su sistema decorativo, en la clara
ordenación perceptiva del conjunto y en su
significativa inscripción [109] nos remiten a una
idea clásica y claramente triunfal de la forma, el sepulcro del Tostado realizado por
Vasco de la Zarza para el trascoro de la Catedral de Ávila puede considerarse el paradigma de la ambigüedad que venimos comentando. Con respecto a este último se han
señalado las alusiones a modelos literarios y
formales clásicos —y así se ha indicado su relación con el sepulcro de Dante, obra de Pedro Lombardo [110]—, pero su profuso sentido
decorativo, la abundancia de referencias figurativas —Reyes Magos, Nacimiento,
San Jorge, Santiago, San Humberto...— y
ornamentales y su misma disposición en el
trasaltar, le coloca claramente dentro de la
indeterminación tipológica de estos momentos.

La indeterminación desaparece en ejemplos que han de adscribirse sin vacilación
a un sentido retablístico del monumento fu-
nerariol En el de don Fadrique de Portugal
[149], en la Catedral de Sigüenza, todo el
sistema visual aparece en función de la exaltación de la gloria del difunto de manera
ostentosa y eminentemente decorativa. Este
sería el tipo de sepulcros que suscitaba polémicas y hace decir a Picardo en el libro de
Sagredo: «Como si tu no supiesses quan
reprehendidas y prohibidas son las pompas

149. Sepulcro de don Fadrique de Portugal.
Sigüenza, catedral

de las sepulturas y principalmente a los eclesiasticos que saben muy bien que los principales capitanes de la Iglesia como son Sant Pedro, Sant Pablo, Sant Gregorio y Sant Jeronimo y otros muchos santos estan en roma segun cuentan los que lo han visto soterrados sin ornamento ninguno de sepultura»[111].

Pues en efecto, más que la gloria divina o el ejemplo de una vida virtuosa, es la ostentación y el prestigio lo que parece meta esencial en sepulcros como el de don Fadrique. Si la inscripción, más que inspirar «muchos suspiros», como quería Sagredo, es un himno de alabanza de las victorias de un gran señor, el sistema emblemático —dos grandes escudos en la cima y uno enorme en el centro del primer cuerpo— y el figurativo —don Fadrique orando con dos familiares—, relegan a un segundo término los elementos propiamente religiosos. Y todo ello se enfatiza por medio de un sentido decorativista, expresión de la munificencia de este obispo que costeó gran número de obras en Sigüenza, «todas costosas, bellísimas algunas, y que marcan en su conjunto una modalidad muy típica y muy interesante del primer plateresco español»[112].

De esta manera, y en el tema del sepulcro, se plantea por primera vez en España la cuestión de la existencia y valor de la imagen religiosa que, en el clasicismo, se resuelve afirmativamente tanto en las realizaciones prácticas, como en las afirmaciones teóricas. Diego de Sagredo opta por la suntuosidad del monumento funerario, justificándolo en razones históricas, al estudiar su evolución desde los egipcios y el mundo clásico y atribuyéndole, a partir de los romanos, un sentido de pervivencia y perpetuación de la fama. La última razón justificativa se encuentra sin embargo, en motivos de adoctrinamiento, «pareceme a mi —dice— que no tienen mucha razon los que dizen que es vanidad el gasto que se haze en los sepulcros; porque allende que decoran y acrecentan

el edificio del templo, despiertan mucho a los que se descuydan de la muerte y los provocan a mejorar y corregir su vida»[113].

Este equilibrio entre teoría y práctica se romperá años más tarde, y mientras la práctica española opta por un sentido decorativo, sensible y figurativo como base de expresión de las ideas religiosas, el sentido erasmista de la imagen responderá a palabras como éstas del *Libro de la Verdad* de Pedro de Medina: «No es menos vanidad a los hombres, que aparejan enterramientos ricos y muy sumptuosos para sus cuerpos, sabiendo que han de ser tierra de gusanos»[114].

LA CAPILLA DEL CONDESTABLE EN
LA CATEDRAL DE BURGOS

Uno de los conjuntos artísticos más significativos y que mejor expresan las aspiraciones de la época en que el clasicismo se extiende por España es la Capilla del Condestable de la catedral de Burgos. Levantada su arquitectura en las últimas décadas del siglo XV, su decoración fue abandonada y reemprendida a comienzos del siglo XVI.

En realidad, es a través de un documento que abarca los años 1523-1532, y dado a conocer por Villacampa[115], como podemos precisar fechas, autores y obras de la decoración de la capilla.

Se trataba de continuar la tradición gótica de capillas funerarias situadas en la cabecera de las iglesias y catedrales en un momento en que las modernas ideas tendían a concebir el templo funerario como organismo autónomo y total; pero los artistas que decoraron el conjunto, los más importantes y significativos del clasicismo castellano, dotaron a la capilla de un aire de novedad y lo convirtieron en uno de los paradigmas, junto a la Capilla Real de Granada, de las contradicciones del clasicismo español. Francisco de Colonia, León Picardo, Cristóbal de Andino, Felipe de Vigarny y Diego de Siloé

150. Vigarny, Diego de Siloé, León Picardo: Retablo de la capilla del Condestable.
Burgos, catedral

son sólo los nombres más llamativos de los artistas que allí intervinieron.

Todas las artes aparecen integradas en la capilla, lo que conduce a un resultado final de gran armonía. El exterior fue completado por Francisco de Colonia, mientras que la reja es del maestro Andino; y de igual manera, las mal llamadas «artes menores», pero que cumplían una misión esencial en la decoración y configuración final del espacio plástico, tienen una presencia importante: platos, escudillas, confiteros, «serbillas redondas», «serbillas de unas bellotas», otra «de una syerpe», una «copa de unas nubes»... se detallan con minuciosidad en los pagos del contrato, y en un inventario de 1585 se describen cruces, cálices, portapaces, ornamentos sagrados e imágenes. He aquí la descripción de un cáliz: «Un caliz de oro, rico, con escudos de armas de Velasco y de Mendoça e Solieres. El calyz con un ylo de perlas finas, gruesas que ban haciendo labor en la copa, y los otros tres con cada quince perlas gruesas y sendas piedras de valajes...»[116].

Todo lo cual había de servir de realce de ceremonias y mayor solemnidad en el culto, a la vez que ayudaba a configurar una imagen sagrada cuyos elementos plásticos capitales eran el retablo mayor y el sepulcro de los Condestables.

Esta obra se atribuye a maestre Felipe (¿Vigarny?), por la que recibió la suma de 15.000 maravedises y para la que se importaron «ciertas piedras de marmol que el haze traer de Genoba para los bultos de dicha capilla de Burgos». Pero en ella, su autor, no alcanzó a realizar un resultado feliz, ya que su corrección formal apenas oculta un frío academicismo en expresiones y ornamentación, quizá resultado del carácter excesivamente áulico del encargo.

El retablo en cambio es una de las principales piezas del clasicismo español, y fue realizado por Vigarny en colaboración con Diego de Siloé y León Picardo; frente a la habitual compartimentación en escenas cuadrangulares que el mismo Vigarny había empleado en su altar para la Capilla Real de Granada, el elemento dominante es ahora una gran abertura central donde se representa, por medio de unas clásicas y bien proporcionadas figuras, la escena de la *Presentación en el Templo* [150]. La menor proporción de las figuras de la pedrella y del cuerpo alto, así como la independencia del conjunto del Calvario de la parte superior, resaltan la unitariedad perspectiva y espacial del retablo. Este se concibe a modo de clásico escenario[117] con una escena dominante hacia donde convergen las miradas de los espectadores ubicados igualmente en un espacio centralizado y unitario. Gruesos festones y una pared posterior decorada con grutescos y columnas contribuyen a la idea de unidad y claridad perceptiva.

De esta manera, el tema del sepulcro se resuelve en Burgos por medio de una síntesis total de la artes, regida por las categorías estéticas del clasicismo como son las de solemnidad, unidad, proporción y claridad, empleadas como medio de realce de la gloria y el prestigio de los comitentes, que veían en el arte el medio más adecuado de alcanzar una gloria duradera.

CAPÍTULO 4

EL MUNDO DE LA CORTE Y LA ALTERNATIVA CLASICISTA, 1517-1558

A lo largo de anteriores capítulos hemos ido destacando el papel que la corte juega a la hora de optar por el modelo clásico e italiano como lenguaje polémico frente al gótico internacional. Pero si en la de los Reyes Católicos todavía los elementos de procedencia nórdica priman sobre los específicamente italianos, la aceptación definitiva del clasicismo va a producirse en el ambiente cultural generado en la de Carlos V y la emperatriz Isabel.

Es bien claro que en torno al Emperador lo que las artes plásticas producen es la elaboración de una imagen antes que un arte de corte. La actividad viajera y la misma índole de la política imperial impedían la creación de un arte cortesano en torno a la figura de Carlos V, tal como, por ejemplo, estaba sucediendo en la Francia de Francisco I o en la Florencia de los Medici. Pero la ausencia de España, durante largas temporadas, del Emperador no fue óbice para que sucedieran dos hechos muy importantes desde nuestro punto de vista. Por un lado, la definitiva opción clasicista que suponen las obras que se realizan en el círculo del Emperador cuando éste viene a España y, por otro, la existencia en la corte de la emperatriz Isabel y del príncipe Felipe de toda una serie de actividades artísticas que van, desde la importación de obras del resto de Europa, a la celebración de fiestas, torneos, mascaradas, etc., así como el apoyo decisivo a toda una serie de artistas que mantienen la más clara voluntad de incorporar el mundo español a la opción italianista y clásica que ya se extendía de manera definitiva por toda Europa.

Si bien no puede decirse que los problemas de la política artística estuvieron ausentes de las preocupaciones imperiales, ya que hubo un cierto interés personal por cultivar una imagen externa de carácter clasicista, lo que no puede dejar de afirmarse es la despreocupación de Carlos V por las cuestiones de política cultural. La actividad que Carlos dedica a estas cuestiones es realmente escasa si la comparamos con la de cualquier príncipe contemporáneo, y sorprende mucho más si la relacionamos con la que su hijo Felipe II va a realizar apenas llegue al poder.

Pero este punto de partida no quiere decir que Carlos V no perciba el valor simbólico de una determinada forma artística ya que las pocas elecciones concretas que realiza en este campo se encaminan siempre hacia una misma dirección: el abandono de todo resto de goticismo en las obras por él patrocinadas y la opción, como decimos, por la alternativa clasicista ofrecida por los artistas italianos como la más apta para representar y simbolizar el contenido político del poder absoluto: las elecciones del Emperador como, entre otros, señaló Swovoda[1], son de carácter clásico e italianizante, pero se trata de opciones mínimas atentas tan sólo a perfilar en un entorno clasicista determinados aspectos de su imagen, sin llegar nunca a definir una auténtica política cultural[2].

EL MUNDO DE LA CORTE Y EL NUEVO CONCEPTO DE ARTISTA

Desde este punto de vista es preciso analizar el papel que el artista jugó en torno a Carlos V y la corte española durante los primeros años del siglo XVI. Que el Emperador es consciente del valor que la imagen artística tiene como medio de propaganda es bien claro si reparamos en el hecho de que en una expedición tan importante como la de Túnez (1535) llevara consigo a pintores como Vermeyen, hecho que se convertirá en normal y repetirá su hijo Felipe II.

Con las personas que trabajan para el Emperador nos encontramos ante un tipo de artista que podríamos denominar cortesano, una de cuyas principales características será la de su versatilidad tanto formal como en la de los géneros que va a cultivar. El mejor ejemplo que de este tipo de artista se podría citar sería el italiano Julio Romano, y, centrándonos en el ámbito español, la figura de Pedro Machuca puede tomarse como paradigma de lo que venimos diciendo: si su actividad fundamental es la de arquitecto, no debemos olvidar su obra pictórica la cual, si bien breve, constituye uno de los puntales decisivos a la hora de encaminar la imagen religiosa por derroteros ajenos al patetismo habitual en este tipo de imagen y encauzarla por la vía del clasicismo.

Por otra parte, el artista cortesano ha de plegarse a las exigencias representativas y adulatorias que comportan las cortes del manierismo y del clasicismo, ya que uno de los caracteres esenciales del patrocinio cortesano de las artes durante el siglo XVI es el rechazo por parte de príncipes y monarcas de los artistas que proponían una alternativa problemática, dramática y emocional al problema de la imagen. Carlos V no había de ser una excepción y la azarosa historia de sus relaciones con Alonso Berruguete así lo demuestra. Según Gómez Moreno la vuelta a España del artista debió de producirse hacia 1517, el mismo año del primer viaje de Carlos V a España. Entró enseguida a su servicio con tratamiento de «magnífico señor», como pintor y criado, y en los años 1522 y 1523 aún se le pagó «por las velas y estandartes y vanderas y nao

real» que había pintado[3]. En 1521 se le encargaron las pinturas del retablo de la Capilla Real de Granada, pero éstas no se llegaron a realizar, «aunque el artista lo procuró con empeño»; tras un fracaso en Valladolid en 1523 vuelve a insistir en 1526 en el asunto lo que «parece dar a entender que Berruguete no lograba dominar sus aspiraciones artísticas por entonces; considerándose fracasado dejó de andar en la Corte, y el Emperador parece que no volvió a atenderlo»[4].

Merece la pena detenerse en estos proyectos de pinturas y esculturas para un centro de tan alto valor representativo de la Monarquía española como la Capilla Real de Granada destinada a panteón de la dinastía. El encargo consistía en pintar quince historias «e los campos de oro de musayco a la manera de Italia» con temas del Antiguo y Nuevo Testamento. Siguiendo la modalidad del retablo español que ya hemos estudiado se propone la mezcla de pintura y escultura, y así los dos altares que existían en la capilla mayor «an de ser dos retablos de ystorias de bulto» con temas tan importantes como la emblemática, ya que en los follajes de alrededor han de ir representaciones de las armas reales[5].

El fracaso de las aspiraciones de Berruguete en convertirse en pintor de corte ha de verse en relación con los problemas que venimos comentando: es decir, la decisión del escultor de emplear un lenguaje patético y emocional, que retomaba críticamente el del gótico en franca polémica anticlasicista, no era compartida por la corte, que no podía verse reflejada sino a través del modelo del clasicismo.

De esta opción cortesana son buen ejemplo, sin salir del ámbito de la Capilla Real, las condiciones que en 1518 se realizan con Juan de Zagala y Juan de Cuvillana para realizar la reja de dicha capilla [93]. Si bien se trata todavía de continuar la obra de los Reyes Católicos, siendo en realidad un homenaje a los fundadores del recinto, determinados aspectos de la escritura nos indican la temprana aceptación del clasicismo por el mundo de la corte: los seis pilares de la misma han de ser obra romana, así como las traviesas y el escudo «grande de las armas reales del rey, nuestro señor, que Dios guarde, con su festón romano». No sólo los motivos emblemáticos y decorativos se plantean conforme a las exigencias del nuevo lenguaje; las condiciones reflejan de igual manera una preocupación por la proporción, reveladora de un verdadero interés por el clasicismo: en la parte superior de la reja se ha de instalar un Crucifijo, una estatua de la Virgen y otra de San Juan «muy bient obrada e del tamaño, que convenga segunt el altar, donde ha de estar, para que mirandose desde el suelo de la dicha capilla este en buena proporción». Lo temprano de la fecha, 1518, en un momento en que las soluciones platerescas alcanzan en España su más amplia difusión nos muestran la preocupación de la corte por el nuevo tipo de imagen que asume el lenguaje normalizado y codificado del clasicismo con cierta anterioridad a que éste sea asimilado en clave teórica[6].

El artista que mejor ejemplifica el problema de la difusión y empleo de la imagen clásica en el mundo de la corte es Bartolomé Ordóñez[7]. Formado en Italia, y concretamente en Nápoles, adquiere un enorme valor significativo la llamada a él realizada por el cabildo barcelonés cuando en 1519 se decide terminar una obra como el coro de la Catedral para servir de marco a la primera ceremonia de investidura de caballeros de la orden del Toisón de Oro en España por el joven rey Carlos I. Es entonces cuando Ordóñez realiza los famosos relieves con las historias del Juicio y Martirio de Santa Eulalia y escenas bíblicas [151, 152], en los que se produce una de las primeras y más claras recuperaciones del lenguaje figurativo clásico, a la vez que se rechaza, en un contexto de

historias religiosas, el recurso a una imagen expresiva y patética tal como en este momento lo planteaban artistas como Alonso Berruguete[8]. En el relieve que representa el juicio de la Santa la concepción monumental de las figuras sirve para una ordenación clara y rigurosa del espacio de la composición. La influencia de los relieves clásicos que Ordóñez estudiaría en Italia, es bien clara sobre todo en ciertos perfiles, mientras que el dramatismo de la escena del martirio aparece perfectamente controlado por una rigurosa disposición de las figuras. La opción clasicista de Ordóñez en estos relieves ha de relacionarse más que en el contexto de un programa iconográfico de tipo religioso, con el deseo de lograr un ámbito ordenado y controlado por las leyes de la proporción y canon clásico propios del mundo de la incipiente corte española de Carlos I.

A ello no es ajeno el rigor con que el escultor dota al marco arquitectónico en el que encuadra a sus figuras, que entabla una clara polémica no sólo con el goticismo que impregna el resto del coro, realizado a finales del siglo XV, sino con la misma concepción de las figuras que el propio Ordóñez había desarrollado en su obra anterior en este mismo lugar: las torsiones, «contrapostos», etc., de los relieves en madera, que representan virtudes y escenas del Antiguo Testamento, se abandonan ahora ante una visión serena y majestuosa acorde con el deseo de una imagen clásica por la que se opta en el mundo de la corte.

Del éxito que en este ambiente tuvo la obra de Ordóñez son buena prueba los encargos sucesivos: el sepulcro de los reyes Felipe y Juana destinado a la Capilla Real de Granada, en el que, como ya hemos estudiado, abandona de manera definitiva los restos de pictorismo cuatrocentista de Fancelli en el frontero monumento de los Reyes Católicos, y el del cardenal Cisneros para la Magistral de Alcalá.

De esta manera, y a través de una signi-

151. Bartolomé Ordóñez: Juicio de Santa Eulalia. *Barcelona, catedral*

ficativa elección de artistas que desde los momentos iniciales realiza la corte española, se plantea en nuestro país el problema de la presencia de varios repertorios lingüísticos disponibles. En el nuevo ambiente cortesano que crea la presencia de Carlos I, la polémica deja de ser, como en los tiempos de los Reyes Católicos, una lucha entre el arte nórdico y el italiano, para centrarse entre las distintas opciones del mundo de formas del Renacimiento mediterráneo: el rechazo de Alonso Berruguete y su alternativa de un manierismo emocional y la aceptación del clasicismo de Ordóñez supone una elección de incalculables consecuencias para el desarrollo de la imagen plástica del siglo XVI español. Se relega el primero al mundo de la imagen religiosa, a los retablos y a las iglesias y se integra el segundo en el ambiente de la nobleza y la corte. Suponía también en definitiva la división de dos tipos de artistas: el cortesano, impregnado del ambiente aristocrático, culto y refinado de la corte, volcado fundamentalmente a Italia, y aquel otro tipo de artistas que, desde ahora más que nunca, se ve integrado en la vida cotidiana de las ciudades españolas que harán de un discurso iconográfico patético, expresivo y serializado el medio más apto para captar la atención y la piedad religiosa del fiel.

152. Bartolomé Ordóñez: Cabecera del coro (detalle). *Barcelona, catedral*

SOBRE LA EXISTENCIA DE UN ARTE DE CORTE EN LA ESPAÑA DE CARLOS V

Ya hemos indicado cómo no puede hablarse con propiedad de la existencia de un arte de corte cuando nos referimos a la española de Carlos V. Pero sí hemos de considerar la aportación española a la creación de la imagen imperial de Carlos V basada, como hemos dicho, en la alternativa del lenguaje del clasicismo. Ello es particularmente claro en el campo de la arquitectura, y la presencia de personas como Siloé o Machuca en el entorno real es prueba significativa de

lo que venimos diciendo: obras tan ligadas a Carlos V como la catedral de Granada y el Palacio situado junto a la Alhambra son buen ejemplo de ello y más adelante estudiaremos los programas pictóricos y escultóricos que desarrollan ambos edificios.

Pero la inexistencia de una política artística de carácter coherente en los primeros años de la corte del Emperador en España no nos ha de hacer olvidar que la celebración de determinados acontecimientos dieron lugar a manifestaciones artísticas que inciden en el campo de la imagen y no sólo en el de la arquitectura. Y años antes que el príncipe Felipe se haga cargo de la actividad constructiva regia pueden detectarse toda una serie de hechos que nos hablan del tipo de manifestaciones plásticas a las que se entregaba la corte.

Nos estamos refiriendo al mundo de la fiesta y de la entrada triunfal del que sucesivos estudios a lo largo de estos últimos años revelan cada vez como más importante y decisivo en la configuración de la imagen plástica del Cinquecento, tanto en la misma imagen mítica de la ciudad como, y esto es lo que ahora nos interesa destacar, en los modos de representar el rey, la nobleza y la misma religión [9].

De ello son buena prueba las distintas ceremonias y celebraciones que se produjeron a lo largo del primer viaje a España del futuro Emperador Carlos V. Ya hemos estudiado las implicaciones clasicistas que en el campo de las artes plásticas tuvo el capítulo de la Orden del Toisón de Oro en la catedral de Barcelona. Pero la relación que Laurent Vital nos hizo de este primer periplo español de Carlos V es rica también como testimonio del ambiente plástico que lo rodeó [10]. Veinte años posterior a la relación ya comentada de Jerónimo Münzer, la visión de España que en ella aparece difiere bastante de la del alemán. Tratándose de un viaje por la España del norte desaparece cualquier referencia a un entorno de carácter islámico, ya que delante de Carlos se despliega una Castilla cortesana que se debate formalmente entre una Edad Media colorista y nostálgica y el mundo del nuevo clasicismo.

Cuando el joven rey visita a su madre en Tordesillas, el palacio se decora con tapices de Historias Sagradas o meramente decorativos que hemos de suponer de procedencia flamenca; pero la moda italiana comenzaba ya a estar presente: «la sala donde tenía que comer estaba tapizada con una bonita tapicería de bosquecillos, y en el sitio donde tenía que comer estaba tendido un rico doselillo de terciopelo carmesí bordado con tela de oro labrada a la italiana, que realzaba mucho» [11]. Sin embargo, la cámara de la reina destacaba por su austeridad y pobreza.

La presencia de lo italiano, que ya hemos estudiado como ligada a ciertas familias nobiliarias, unida, sin embargo, a un sentido de la fiesta de procedencia medieval, es patente en el torneo celebrado en Valladolid con motivo de la presencia del monarca. La descripción de las incidencias del torneo nos retrotrae al mundo caballeresco de fines de la Edad Media que tanto arraigo había tenido en la España de fines del siglo xv y aún en la de principios del xvi, mientras que la prolija narración de Vital de los vestidos de los participantes es una mezcla del sentido emblemático tardo-medieval y del gusto decorativo a la italiana. Las bardas de los caballos del bando del señor de Beaurain tenían pintados a cada costado una mujer desnuda que llevaba un escudo en una mano y en la otra un arma, mientras que el rey, que apareció montado sobre un corcel napolitano, llevaba capa a la española, pero bordada con reales de oro labrados a la moda de Italia.

Pero antes de celebrarse estos torneos tuvo lugar la entrada triunfal en la ciudad de la que Vital sólo nos habla muy en general. Se detiene sobre todo en las modas, trajes y joyas, si bien no deja de indicar cómo «en las embocaduras y entradas de las calles, en cinco o seis sitios, por donde el Rey había de pasar, arcos de madera ligeramente hechos y adornados con personajes vestidos que representaban historias relatadas en algunos letreros en lengua castellana» [12].

A través de otras fuentes sabemos que en este mismo viaje de 1518, en la entrada triunfal de Zaragoza, le fue hecho «un muy solemne recibimiento de muchos gastos y grandes invenciones en los juegos y fiestas que le hicieron». Y al año siguiente en Burgos, ciudad que era la primera vez que entraba, según cuenta Pedro Mexía, «fuele hecho solemnísimo recibimiento de arcos triunfales y otros adornos y ornamentos muy ricos» [13].

Pero en estos primeros años, de la entrada acerca de la que poseemos mayor información iconográfica es la que realiza en Burgos en 1520, uno de los primeros documentos españoles en el que aparecen casi todos los tópicos imperiales. Desde la Bola del Mundo, aparecen alegorías a la Paz y la Justicia, la Fama, la Fortuna... así como referencias de tipo religioso como la Fe, el Infierno, el Buen Pastor; junto a ello, alusiones a héroes antiguos que aún no son los de la Antigüedad clásica, sino referidos a la tradición local: el conde Fernán González y el Cid Ruy Díaz, pero que se incluyen en un programa imperial ya que, según decía la inscripción, «sus famas los posieron junto con Emperadores» [14].

Por lo que respecta al arte de corte en la España del siglo XVI el tema del triunfo del soberano constituye un aspecto esencial y todavía hoy no lo suficientemente estudiado. Si desde el punto de vista arquitectónico supone la asunción del lenguaje formal del clasicismo, desde el de la imagen plástica, que ahora nos interesa, se trata del planteamiento de una nueva iconografía que, por medio de la inserción de un mundo de héroes antiguos en los programas triunfales, relaciona la cotidianeidad del ciudadano, alterada a través de estos episodios, con el mundo de la Antigüedad clásica.

Las fuentes literarias fueron esenciales a la hora de fijar los elementos tópicos de estos programas. Las narraciones del triunfo de Paulo Emilio por Plutarco inspiraron a poetas de la Edad Moderna como Petrarca —que inserta el triunfo de Escipión al final de su poema *África*, o a escritores como Flavio Biondo que en su *Roma Triumphans* dedica un capítulo a relatar los triunfos de los emperadores y capitanes romanos. Por su parte, en 1485, Roberto Valturio publica su *De Re Militari*, en cuyo libro XII hace un repaso de la iconografía militar y heroica de la Antigüedad y sus relaciones con los triunfos modernos [15].

Todas estas ideas eran conocidas en los círculos imperiales, pues estos temas aparecen en diversas entradas triunfales de Carlos V en las distintas ciudades de Europa. Con respecto al ambiente español, los escritos de Pedro de Mexía nos ilustran acerca del arraigo de esta temática. En su *Silva de varia lección* sigue, paso a paso, los escritos de Valturio en lo que se refiere a la iconografía bélica y triunfal. Para Mexía, «... triunfo era una manera de entrada y recebimiento que se les hacía en Roma a los capitanes generales, con la mayor pompa y solemnidad...», y más adelante se extiende acerca del significado y simbolismo triunfal de carros, figuras y estatuas, de la ovación, la palma, el laurel, etc. [16].

Pedro Mexía era un hombre del círculo imperial, lo que nos vuelve a demostrar cómo es a través de Carlos V como se va concretando en España una temática profana de carácter triunfal que constituye una de las más genuinas manifestaciones del arte de corte y cuya evolución ideológica y formal constituye uno de los mejores ejemplos del desarrollo de la mentalidad española hacia un progresivo clasicismo.

En las antes mencionadas justas y fiestas de Valladolid encontramos reunidos el espíritu caballeresco y la sublimación del ansia de aventuras en un juego estético que se expresa a través de varios aspectos plásticos fundamentales: el lenguaje figurativo de los colores y escudos, la enorme profusión decorativa oscilante entre el espíritu «borgoñón» y el «antiguo» y una idea del combate como arte. Pero, sobre todo, se hace visible una imagen del príncipe como caballero andante sólo comprensible en este contexto cultural y figurativo. El aspecto cortesano del torneo se subraya en este caso de Valladolid al final del mismo. Cuando la justa degeneró en tropel, se retiraron el rey y sus acompañantes sin esperar al final; después de la cena «empezaron las danzas, en las que hubo muy hermosa y gozosa fiesta, encontrándose en ella los mantenedores muy lujosamente vestidos». Por su parte, la entrada en Burgos en 1520 nos remite de manera clara al mundo del triunfo del Cinquecento y todavía más en una de las entradas triunfales españolas de Carlos V sobre la que poseemos mayor información: la realizada en Sevilla con motivo de la celebración de su boda el año 1526[17].

El programa consistía en siete arcos dedicados a las virtudes: Prudencia, Justicia, Fortaleza, Clemencia, Fe, Paz y un último dedicado a la Gloria. Su análisis detallado resultaría excesivamente prolijo y aquí sólo señalaremos cómo el último arco triunfal, coronación y resumen del programa, se dedica, como decimos a la Gloria. Con respecto a los anteriores, en los que la insistencia en las virtudes que deben adornar a un príncipe cristiano nos remite a ideas de tipo moral y religioso, en este último arco la inscripción reza las significativas palabras siguientes: DIVUS CAROLUS ET DIVA ELISABETA que vienen a considerar la figura de Carlos V desde un punto de vista sacralizado implícito en su dignidad imperial. Nos encontramos, en el pleno sentido de la palabra, ante un arco triunfal; la Gloria corona las estatuas del Emperador y la Emperatriz, mientras la Fama se sitúa encima del Mundo con su trompeta pregonando las victorias del César. Figuras vestidas a la romana, a la española, a la alemana, a lo moro y a lo indio, indican la pluralidad de tierras que él rije, mientras la Fortuna clava con un martillo su rueda en el momento en que la figura de Carlos alcanza su punto más alto. Si uno de los arcos pequeños que flanquean al mayor lo ocupa esta alegoría de la Rueda de la Fortuna, el otro se dedica a Himeneo, alusión al motivo de la entrada que es la celebración de las bodas imperiales. De la consideración de las virtudes cristianas hemos pasado, como consecuencia de su práctica, a la exaltación imperialista de la Gloria. En 1525 se ha producido ya en España la aceptación definitiva del repertorio iconográfico triunfal que será el tópico no sólo en el siglo XVI, sino en gran parte de las siguientes centurias.

Pero en torno a Carlos V la iconografía triunfal que se produce en estas entradas ciudadanas no se reduce únicamente al triunfo militar. La idea del príncipe como personaje virtuoso que se desarrollaba en la entrada sevillana resaltaba aspectos más amplios, pero en Valencia, y con motivo de su regreso tras el triunfo de Pavía, el programa iconográfico gira en torno a los aspectos culturales de la figura de Carlos V. Sempere en su *Carolea* cuenta cómo en uno de los arcos de esta entrada se representa la fábula de Apolo y Daphne, a cuyo significado en el círculo imperial aludiremos más adelante. Si bien la presencia del elemento apolíneo nos indica ya una preocupación cultural, el resto del programa es ya una pura referencia a elementos culturales valencianos e imperiales. Tras el árbol con trofeos que aparecía en la representación de Apolo y Daphne, se encontraba la figura de un mancebo que se leía un libro impreso en tres lenguas; a su lado tenía una espada de oro y su codo se apoyaba en un yelmo. Estamos ante el tema del guerrero que lee, prototipo de las representaciones del guerrero intelectual. Pero la figura de Valencia es más complicada: al joven guerrero le sirven unas mujeres, símbolos de las distintas ramas del Saber; son éstas, la Historia, la Filosofía Moral y Natural. Este mancebo estaba situado debajo de un olivo que, como sabemos, es el atributo de Minerva, diosa de la Sabiduría. Con este árbol se aludía a los «ingenios vivos/de quienes es Valencia muy dotada», y sobre todo a Luis Vives, el máximo intelectual valenciano del momento, ya que el personaje descrito no es otro que Honorato Juan, discípulo del estudioso erasmista. Estamos pues ante una alegoría representativa de uno de los temas que constituía motivo de polémica en la Europa del humanismo: la discusión acerca de la primacía y equilibrio entre las armas y las letras. En el momento que nos preocupa, es decir, al tiempo de la creación de una ideología mítica en torno al Emperador, la balanza está en medio. Desde este punto de vista, Carlos V es todavía un personaje clasicista, en torno al que se desarrollan ideas de equilibrio y compensación[18].

El progresivo avance de la cultura profana del Renacimiento en España aparece con claridad en el mundo de la fiesta cortesana; a los elementos culturales y bélicos se unen también los aspectos cosmológicos o lúdicos de la mitología, como se pone de manifiesto en las fiestas del nacimiento del príncipe heredero, el futuro Felipe II, el año 1527, que fueron celebradas con hechos que entran de lleno en el concepto, lindante ya con el manierismo, de la fiesta mitológica. Vasco Díaz Tanco en su *Triunfo Natalicio Hispano* la narra con su complicado lenguaje poético. La alegría producida por el nacimiento del Príncipe hace reir y removerse a las estrellas, mientras los planetas desfilan en carros con su habitual iconografía. Saturno en un carro ebúrneo «de hoces todo cercado», Júpiter Magno, «con un açote en la mano», Marte, el Sol, Venus, Mercurio, la Luna, pasean ante los ojos maravillados de su descriptor. También aparece la cabra Amaltea, así como los signos del Zodiaco que completan la alegoría cósmica y planetaria que concluye, como en el caso de los torneos, con danzas y bailes. Al término de la descripción de los signos del Zodiaco, y como fin de la fiesta, termina Díaz Tanco:

Do jugaron
los planetas y holgaron
salvo Venus que quedó
onde después que causaron
una música ordenaron
y assí la fiesta cessó[19].

PROGRAMAS RELIGIOSOS, HISTÓRICOS
Y MITOLÓGICOS EN TORNO
A CARLOS V: GRANADA

La imagen plástica más concreta de Carlos V que, en el ámbito español, ha llegado a nuestros días se centra fundamentalmente en la ciudad de Granada. Ésta, que había sido elegida ya por los Reyes Católicos como ciudad-emblema de su triunfo sobre el Islam, será dignificada por el Emperador con dos edificios que suponen, desde el doble punto de vista religioso y profano, la culminación en la entrada del lenguaje clasicista en España: la Catedral y el Palacio de la Alhambra. No siendo nuestro fin el estudio arquitectónico de ambos conjuntos, centraremos nuestra reflexión en torno a los programas escultóricos y pictóricos que albergan, y que ayudan a perfilar la imagen manierista de Carlos V.

De todas maneras, no son éstos los únicos edificios que albergan representaciones de Carlos V en España: la misma Capilla Real granadina guarda una estatuilla atribuida a Vigarny, y que representa al Emperador como Rey Mago, y en Sevilla aparece en una de las vidrieras de la Catedral —obra de Arnao de Vergara—, representado como San Sebastián, mientras que en la sillería de San Benito de Valladolid —obra de Andrés de Nájera y otros— aparece en un contexto de figuras religiosas e históricas[20].

Pero será en su Palacio de la Alhambra donde artistas italianos y españoles elaboren un programa coherente que responde a una visión global de la imagen clasicista que cultivaba el Emperador[21]. Este palacio, comenzado a construir por Pedro Machuca en 1527, constituye el edificio más representativo del contenido de las aspiraciones carolinas. La iniciativa arquitectónica de Machuca y el sentido de la historia y de la fábula pagana que desarrollan los programas plásticos señalan, a partir de fechas muy tempranas, el fin de las experiencias clasicistas en España y el inicio de lo que denominamos «manierismo clasicista». Por otro lado, la relativa coherencia del programa exaltatorio en los elementos de imagen insertos en la arquitectura, proponen una lectura de la imagen del príncipe en clave, igualmente, manierista.

El arte cortesano quema etapas rápidamente en España, y si las primeras experiencias clasicistas se localizaban muy tempranamente en su entorno, el manierismo clasicista tendrá también una de sus primeras manifestaciones cuando se trate de dar una nueva imagen del soberano que más adelante definiremos como imagen distanciada. Y junto a ello, hemos de señalar la presencia de un importante programa iconográfico destinado a explicar una determinada visión del príncipe prudente y victorioso, de acuerdo con la ideología de la corte del Emperador.

Uno de los hechos clave en la carrera militar de Carlos V —la conquista de la

153. Julio y Alejandro:
Pinturas de la Torre del Peinador en la Alhambra

ciudad de Túnez en 1535— sirve de base al ciclo de pinturas al fresco que los italianos Julio y Alejandro, artistas llamados por el secretario imperial Francisco de los Cobos para la decoración de su palacio de Valladolid[22], realizaron en la Torre del Peinador [153] de la Alhambra de Granada. El tema histórico básico se enmarca en un contexto alegórico-mitológico de enorme significación: las alegorías de la Victoria, la Fama, la Abundancia, se acompañan a una personificación de las *Virtudes*, mientras que los dioses mitológicos aluden a cualidades civilizadoras, Dionisos, de sabiduría, Minerva, de poder, Júpiter, y, sobre todo, de prudencia, aludida a través de la *Fábula de Faetón*, representada por medio de cuatro historias.

Con este programa, ligado formalmente al manierismo italiano, se unía la figura del príncipe a un sistema alegórico acorde con la mentalidad renacentista en la que la exaltación de las victorias militares se relacionaba con toda una serie de contenidos alegóricos y mitológicos de tipo heroico y virtuoso. Así lo recordaban las palabras de Erasmo en su *Enchiridion*, cuando ejemplifica el tema de la prudencia del príncipe por medio de la fábula de Faetón, que ha de aprender con placer, para advertir «que él es imagen y trasunto del propio semidiós fracasado»[23].

Pero el programa más ambicioso en el que la imagen de Carlos V aparece reflejada como la de un héroe guerrero es el existente en la fachada del Palacio de Granada. Si en el cuerpo inferior, armas y trofeos acompañan a representaciones de batallas y a unas *Alegorías de la Paz Universal* [154], en las superiores, figuras de la mitología y alegóricas, obras de Niccoló da Corte[24] y Juan del Campo en unión de talleres granadinos y del propio Machuca, completan un programa que Rosenthal ha resumido, por lo que se refiere al portal como «... symbols of the mainly excellence and morality —in a Christian sense, of course— by wich the

154. Alegoría de la Paz Universal. *Granada, Palacio de Carlos V*

Emperor Charles V attained the victoires on land and sea referred to in the various reliefs and evidently recorded by *History* and displayed by *Fame*». Todo ello se une a la insistencia en los elementos heráldicos del Emperador, de Granada y de la casa de Borgoña, con lo que el edificio se concibe como morada del héroe militar que basa su triunfo en la práctica de las virtudes; por ello, a las señaladas alegorías se unen las de la Abundancia y los dioses Hércules y Neptuno [155].

La aparición de Hércules es lógica en un contexto exaltador de la gloria imperial, ya que el héroe tebano se contemplaba como el caballero virtuoso, esforzado y laborioso; es por ello puesto en paralelo con Carlos V, además de ser el patrono y fundador de España y de la propia dinastía habsburguesa. Por su parte, la figura de Neptuno personificaba tanto el control de las aguas marinas, como la alusión a ciertas victorias navales del Emperador. En Granada, Neptuno aparece representado en dos escenas, *Neptuno y Anfitrite* y *Neptuno calmando la Tempestad*, cuya aparición, sobre un carro marino, significaba para los mitógrafos del siglo XVI la idea de «marítima victoria».

Pero el lugar donde encontramos un verdadero resumen de la imagen de Carlos V desde el punto de vista histórico mitológico, es en el Pilón de la Alhambra[25] [156]. La aparición de Alejandro, alude al Emperador como Caballero Militar, la de Hércules a la idea de caballero esforzado y virtuoso, el Vellocino de Oro, a su pertenencia a la Orden del Toisón de Oro y la de Apolo y Dafne al concepto de Carlos V como héroe civilizador, todo ello situado en el entorno naturalista que supone una fuente cuyos caños son la personificación de las Estaciones.

El problema fundamental que plantea el

155. Neptuno y Anfitrite.
Granada, Palacio de Carlos V

programa de la Alhambra en la evolución
artística de la imagen española del siglo XVI
es, por un lado, el proponer un nuevo tipo
de temas basados en una iconografía laica,
desprovista de explícitas referencias a elementos religiosos. Por otro, la imagen del
príncipe que se suministra es ya plenamente
moderna, de acuerdo con las tendencias heroicas del Renacimiento italiano.

De esta manera han de comprenderse los
programas escultóricos y de vidrieras que
adornan la Catedral de la misma ciudad de
Granada[26] en las que la insistencia en una
lógica temática religiosa no nos debe hacer
olvidar que se insertan en un conjunto arquitectónico cuyo lenguaje formal clasicista y

156. Pilón de Carlos V. *Granada*

sus referencias simbólicas se ligan al hecho de que Carlos V lo escogió como panteón de la dinastía.

Rosenthal ha indicado cómo el programa de vidrieras se centra en la Historia de la Redención, y Nieto Alcaide ha resaltado su función múltiple, ya que «contribuían sensiblemente a conseguir la idea espacial y simbólica del edificio de cuya arquitectura formaban parte inseparable y eran parte del amplio programa iconográfico pensado para el edificio y, por último, constituían un aspecto fundamental de las finalidades del culto que había de cumplir la catedral»[27].

Junto a ello, la Catedral era expresión del triunfo del Cristianismo sobre el Islam. Los elementos plásticos que, dentro del programa arquitectónico, indicaban esta función eran abundantes. Desde inscripciones en este sentido, hasta la dedicatoria de capillas a Santiago Matamoros y Nuestra Señora la Antigua, culminando con la inscripción de la Puerta del Perdón, que se enmarca en un contexto triunfal, como es la explícita referencia a los arcos de triunfo clásicos. Aquí, se acompañaba de las figuras de la Justicia y la Fe, obras de Diego de Pesquera, cuyo significado aludía al carácter cristiano y justiciero que había tenido la conquista de Granada por los Reyes Católicos, de lo que es buena prueba la presencia de los escudos imperial y real, que dotan de un carácter emblemático a la puerta y la sustraen a una liturgia propiamente religiosa[28].

El ceremonial del edificio no se ajustaba estrictamente a contenidos sagrados; a su pretendida función de panteón dinástico, había de unirse su carácter de marco ambiental de fiestas como la celebrada el 2 de enero, aniversario de la entrada de los Reyes Católicos en Granada. En este día, los símbolos de los monarcas, como la corona y la espada se paseaban por la ciudad en procesión, y por la noche todas las iglesias de la ciudad resplandecían de luz[29]. El pro-

fundo significado religioso de ciertas actividades de los Reyes aparecía así enfatizado y resaltado por unas ceremonias y unos programas artísticos a medio camino entre la exaltación de la gloria de la dinastía y la devoción de tipo religioso.

LA COLECCIÓN DEL MONARCA Y EL CONTACTO CON EL EXTERIOR

El problema del papel jugado por la Monarquía en la discusión artística española ha de juzgarse desde un doble punto de vista. Si su mecenazgo llevó a algunos artistas del interior de España a la opción clasicista y al primer manierismo, desde el exterior se importaron obras que suponían la incorporación a los tesoros del Soberano de pinturas y esculturas de los principales artistas del momento, encabezados por Tiziano y Leoni.

Estas obras, así como las importaciones de la Reina[30], han de estudiarse en el estricto ámbito cortesano para el que fueron realizadas pues apenas salieron de él y, a excepción de las esculturas de León Leoni, tuvieron escasa incidencia en el debate artístico español del siglo XVI dominado por otro tipo de problemas.

La década de los 40 es quizá el momento culminante por lo que se refiere al desarrollo del retrato cortesano en relación con el Emperador, género que evoluciona de manera definitiva hacia el retrato de aparato. El concepto de «maiestas imperial», en lo que se refiere a manifestación de estoicismo, tristeza y resignación ante el fracaso de toda una idea política, es ahora el eje en torno al que gira la construcción de su figura mítica, y son Cranach, Tiziano y León Leoni los artistas llamados a realizarla.

La última gran victoria imperial, obtenida contra los protestantes en Mülhberg produjo una gran serie de obras artísticas que suponen un enorme paso adelante en la concepción manierista del retrato y de la alegoría. La evolución plástico-cultural y el desarrollo máximo de la idea de glorificación personal concurren en este avance; el arte ennoblece al César, pero el César contribuye al prestigio del arte, en una dialéctica que aparece muy clara en el epistolario de Aretino y otros escritos del momento[31].

La interacción recíproca entre artista y comitente, de la cual ambos salen favorecidos nos explica el interés de la Corte Imperial por las obras artísticas a partir de estos momentos, que posiblemente debamos achacar más al príncipe Felipe que a su padre el Emperador. Y si Tiziano pinta ahora cuadros de cualquier género para la Corte, en lo que ésta muestra un mayor interés es en el retrato; cuando el veneciano es llamado en 1548 a Augsburgo su ocupación fundamental es la de retratista: además de a Carlos V retratará a la ya fallecida Emperatriz, al Príncipe, María de Hungría, Fernando I, Cristina de Dinamarca, Juan Federico y otros[32].

En otro lugar hemos estudiado la compleja elaboración de una imagen pacifista y majestuosa que tanto Tiziano como Leon Leoni realizan del Emperador en la serie de retratos finales de la década de los 40[33], pero ahora sólo nos interesa destacar cómo es en estos momentos en los que la Corte Imperial parece captar el valor de la imagen, y de la misma colección real, como un importante factor de propaganda que les lleva a fomentar una verdadera política cultural de carácter orgánico, que cristalizará unos años más tarde en la corte filipina de Madrid y El Escorial.

Con anterioridad, la pequeña corte organizada en Yuste en los últimos años de vida de Carlos, plantea, sin embargo, el tema de la colección real y el amor de los monarcas a rodearse de objetos bellos. Junto a pequeñas piezas de carácter religioso, su colección de relojes, etc.,las verdaderas joyas de la colección eran los cuadros de Coxcie,

Moro y, sobre todo, Tiziano. De ellos, el Emperador mandó llevar a Yuste los retratos y la pintura religiosa, entre las que destacaba la *Gloria* del pintor de Venecia, destinada al altar mayor y tumba de sus restos. De esta manera, pintura flamenca y veneciana acompañaron los últimos momentos de su vida en una significativa dualidad plástica, magnífico testimonio del grado de internacionalización a que había llegado la cultura española y que constituye una de las claves artísticas del reinado de Carlos V en perfecta conexión con su actividad política. La colección de Carlos V —a la que habría de añadirse la de tapices que pasaron a nuestro país a través de las herencias de las hermanas del César— se constituye en la base imprescindible de los grandes ciclos cortesanos que, ya con otras intenciones, realizará Felipe II en el Alcázar, el Palacio del Pardo y El Escorial, en donde la imagen del Príncipe adquiere un valor programático y sistemático, a la vez que, por medio de una colocación ordenada de las obras, se pone de manifiesto el deseo de conseguir una decoración estable que sirva de solemne marco a la presentación exterior del Monarca.

LA FIESTA, EL TRIUNFO Y LA IMAGEN
DE LA MUERTE

Ya hemos aludido a la significación de las fiestas celebradas en 1527 con ocasión del nacimiento del heredero, el príncipe Felipe.

Eran éstas una temprana manifestación del gusto por los juegos que, enraizándose en una tradición medieval y caballeresca, enlaza con el sentido de progresiva sofisticación propio del mundo manierista, y que la corte española de la Emperatriz Isabel y, sobre todo, el príncipe Felipe desarrollará al máximo. Desde este punto de vista es necesario destacar la abundancia de elementos profanos en la cultura de la corte, y la importación de la fábula mitológica dentro de este mundo.

En el torneo celebrado en Valladolid en 1544 el aspecto cortesano, el mitológico y el caballeresco aparecen mezclados íntimamente. Los carros, decorados con elementos tales como hidras, leones, ninfas o águilas —recordemos que en uno de ellos se representaba la fábula de Psiquis y Cupido y en otro la alegoría de la Fortuna, «con su bela... en la mano como se suele pintar... y en el braço yzquierdo una rueda cubierta de raso encarnado...»— culminaron con la llegada de la «ynvencion» del príncipe: ésta consistió en un camello vivo con un castillo encima asentado sobre una roca, de la que un personaje colgaba los escudos del príncipe y del duque de Alba.

Música, danza, elementos heráldicos, alegóricos, mitológicos y exóticos participan en este torneo de Valladolid, traspasando los límites de un torneo a lo medieval, para incidir de lleno en el terreno de la fiesta mitológica.

Los triunfos militares eran igualmente frecuentes en la España de mediados de siglo. A los ya mencionados con anterioridad, añadiremos ahora la entrada triunfal de Carlos V en Mallorca, estudiada por Santiago Sebastián, y que recogía los tópicos heroicos habituales en toda Europa [156 bis]. En uno de los arcos, el de la Universidad, se representaba a Hércules en el momento de arrojar la clava y la piel de león, señalando a una estatua del Emperador. Frente a él, está el Emperador Adriano, y encima de dos columnas las alegorías de Pietas y Fortitud; Carlos V deviene, una vez más, un nuevo Hércules, entroncado con los emperadores de la Antigüedad, y que se inspira en la práctica de las virtudes para sus acciones bélicas. En 1543, y con motivo del recibimiento que tributa al Príncipe Felipe y a la Princesa doña María de Portugal, se erige un arco sobre el Tormes, adornado con la estatua de Hércules, por-

156 bis. Arco triunfal para la entrada de Carlos V en Mallorca, 1541

tando a Pallas en la mano derecha y a Juno en la izquierda, en palpable muestra de lo habitual de un cierto tipo de iconografía [34].

La imagen de la muerte que se desarrolla en torno a Carlos V, incide en este mismo tipo de problemas. Felipe de Guevara es encargado del programa exaltador de su figura en el túmulo de Alcalá de Henares, donde despliega un ciclo que contiene la mayor parte de los lugares comunes de la propaganda imperial, y en Valladolid, el libro de Oliver de la Marche, *El cavallero Determinado* [157], sirve de inspiración fundamental para el desarrollo de un programa que recoge tanto el tópico caballeresco y medieval de «El caballero y la Muerte», como toda una visión heroica de la figura imperial:

sentido triunfal, heráldico, imperial, cósmico y virtuoso, se unen en estos ciclos de arquitectura efímera, en los que se nos ilustra de nuevo el concepto clave de virtud heroica, tal como aparece en uno de los cuadros del primer cuerpo del túmulo vallisoletano, por medio de una figura armada con coraza, celada y lanza, asociada a la Fama —«llena de ojos y lenguas, sonando una trompa»— y la Inmortalidad —«vestida de blanco, con unos resplandecientes rayos, que le salian de la cabeça». «Tenian la Muerte —continúa Calvete de la Estrella, el autor de la relación— debaxo de sus pies como que triumphaban de ella. Significaba que ningun tiempo, ni Muerte podra consumirlos los heroicos hechos del Emperador, y que su fama sera inmortal»[35].

157. Túmulo de Carlos V. *Valladolid*

CAPÍTULO 5

EL PROBLEMA TEÓRICO DEL MANIERISMO EN ESPAÑA,
1530-1560

La introducción y desarrollo del clasicismo en España durante las décadas centrales del siglo XVI produjo de manera definitiva la aceptación de la vía italiana a la renovación artística. Con el manierismo nos encontramos ya ante un arte internacional que supone la asimilación de la teoría de las artes italianas y la integración del modelo por ella propuesto en las distintas problemáticas culturales europeas. Se producirá así un arte extremadamente versátil, pero que va a responder a intereses culturales, sociales, políticos y religiosos muy determinados.

Uno de los rasgos que definen el manierismo no sólo en Italia, sino en todo el resto de Europa es su valoración de la teoría y lo especulativo. Si la idea italiana de Arte durante el Renacimiento reposaba sobre criterios fundamentalmente teóricos, antes que sobre comparaciones empíricas, durante el siglo XVI las discusiones y polémicas en torno al nuevo valor que se confiere a la teoría alcanzan una importancia decisiva e influyente en la propia configuración de la práctica artística. La oposición de los modelos florentino-romanos a los venecianos configura gran parte del desarrollo del siglo y sólo a fines del mismo se producen las síntesis eclécticas y académicas de Lomazzo y Zuccaro.

En el resto de Europa sucede algo parecido, si bien a mucha menor escala. Comienzan a conocerse las teorías italianas, se traducen algunos de los textos clásicos y una obra como la del boloñés Sebastiano Serlio alcanza una difusión internacional de primera categoría. España no podía quedar atrás ni al margen de estos debates y tras los iniciales, y a veces tímidos, intentos de una reflexión teórica acerca del sentido de las artes de Diego de Sagredo, Pedro de Mexía o Diego de Villalón, es ahora cuando se producen los tratados que ligan el panorama artístico español con la discusión europea e italiana. Villalpando traduce los libros III y IV de Serlio y, ya desde el punto de vista de las artes plásticas, Felipe de Guevara escribe sus *Comentarios de la Pintura* y Francisco de Holanda su *De la Pintura Antigua*, escrito en portugués en 1548 y traducido al castellano por Manuel Denis en 1563[1].

La aparición de estos tratados coincide con la creciente consciencia en ciertos artistas, sobre todo los ligados a los círculos cortesanos y aristocráticos, del valor del arte como medio de conocimiento y de interpretación de la realidad. Consecuencia de ello es la reflexión acerca de la necesidad de un bagaje teórico y erudito previo a la realización de la obra de arte y que exige un tipo de artista distinto al mero artesano o maestro de obras. Y así, Villalpando, en su introducción a los mencionados libros de Serlio —de *El intérprete al lector*—, siguiendo las enseñanzas vitruvianas acerca de los conocimientos que ha de tener el perfecto arquitecto, al referirse, sin embargo, al pintor dice: «... de todas estas sciencias (gramatica, musica, pintura, escultura, medicina, astrologia, aritmetica) le conviene participar, o a lo menos tener la mas parte que pueda... para pintar o hazer de bulto las hystorias sagradas y poeticas sin desconcierto ni dissonancia ninguna...»[2].

LA IDEA DE LA PINTURA

De esta manera, y hacia las décadas centrales del siglo, cuando Felipe de Guevara y Francisco de Holanda escriben sus tratados, se producen en España las primeras reflexiones acerca de la idea de la pintura y su inserción dentro de un determinado esquema histórico y conceptual.

Estos dos tratadistas recogen la visión histórica acerca del desarrollo de las artes que, esbozada por Alberti en la introducción a la edición italiana de su *De Pittura*, será desarrollada y fijada por Giorgio Vasari en sus *Vidas*. Francisco de Holanda comienza por reconocer la superioridad de la pintura de los griegos sobre la de los romanos, sin que ello sea óbice para reconocer el valor de esta última. Siguiendo el tópico renacentista acerca del valor de la Edad Media, Holanda indica cómo, debido a las invasiones de vándalos y godos, «se comenzaron del todo a perder las buenas artes y disciplinas y huir delante de los rudos aspectos porque no las entendían»[3]. Felipe de Guevara interpreta el fin del arte clásico de diferente manera; para él, la buena pintura «ya debía ser del todo acabada en tiempos de los godos»[4] pues desde los tiempos del César Vespasiano los romanos habían abandonado su idea de retratarse al natural. La caída del arte se interpreta e identifica en Guevara con el desprecio a uno de los dogmas centrales de la estética clasicista: la teoría de la mimesis. «Cuenta Plinio —dice— que ya en su tiempo no había nadie que quisiere verse qual era, ni que, después de él muerto supieran quál había sido»[5].

Siguiendo el mismo esquema histórico formulado por los italianos, se reconoce el valor preponderante de Italia en el renacer del Arte a fines de la Edad Media. Holanda señala a Simone Martini y a Giotto como los iniciadores de la renovación, que fueron continuados por Pordenone, «el primero que pinto al olio osadamente»[6] y Mantegna. La indeterminación en los modelos, en todo ajena al rigor de la crítica operativa vasariana, desaparece al tratar a los artistas del clasicismo. Ahora se reconoce no sólo la importancia de la tríada Rafael, Leonardo y Miguel Ángel, sino el papel promotor de la iniciativa y el mecenazgo papal: «Finalmente, en el tiempo del Papa Alexandro, Julio y Leon X, Leonardo de Vince, florentin, y Rafael d'Orbino abrieron los hermosos ojos de la pintura; limpiandole la tierra que de dentro de ellos tenia; y ultimamente, Micael Angelo, florentin, parece que le dio spiritu vital y la restituyo casi en su primero ser y antigua animosidad»[7].

Partiendo de este esquema histórico aparece clara la definición de la pintura desde el punto de vista de la mimesis o imitación. Para Felipe de Guevara la pintura, como imagen de aquello que es o puede ser, mezcla entre sí los diferentes colores con el fin de «imitar las cosas que son». Más adelante reflexionaremos acerca de la categoría manierista del pensamiento de Felipe de Guevara, pero ahora haremos notar cómo en estos párrafos, al oponer a las ideas de «gracia y deleyte de la vista», la imitación como fin esencial de la pintura, el gentilhombre de boca de Carlos V introduce en la teoría española un debate fundamental en Italia que no se resolverá hasta finales de siglo. La opción por la mimesis de Guevara le incluye en la categoría de pensadores que hicieron del clasicismo manierista su norma estética y su guía artística esencial. La imitación será de dos clases: una, efectiva, cuando las manos imitan lo que quieren —la pintura—, en la otra, es el entendimiento el sujeto de la imitación. Mientras la primera es la plasmación en imágenes de la idea, la segunda se limita a juzgar si las cosas están bien o mal pintadas. Pero para que esto sea posible hay que tener una guía y criterio seguro, que no es otro que la misma naturaleza[8].

Por su parte, Francisco de Holanda sostiene una teoría similar: «La Pintura, diría yo, que es una declaración del pensamiento en obra visible y contemplativa y segunda naturaleza... Es imaginación grande que nos pone delante de los ojos aquello que se pensó tan secretamente en la idea»[9]. De esta manera nos introduce en el meollo de la cuestión acerca de la teoría de la pintura en el manierismo, que es su relación con el concepto de «idea», base de la consideración del arte como una actividad intelectual, y que se define como imagen que ha de ver el entendimiento a través de los ojos interiores[10].

Así, en la discusión académica acerca de la primacía teórica y práctica del dibujo o del color, que estaba enfrentando en Italia a las escuelas y pensadores de Florencia y Venecia, los tratadistas españoles optan de manera decidida por el primer término de la cuestión, única manera, como decimos, de dotar a las artes de un estatuto intelectual. Para Holanda el dibujo no es otra cosa «sino aquella línea o perfil delgado que anda rodeando a la figura»[11], sin la práctica del cual se pierde «toda la discreción y el ingenio»[12]. Pero, tanto en Holanda como en Guevara, las cualidades lumínicas de la pintura no son nunca olvidadas y en multitud de ocasiones se alude a las propiedades del color, de manera que se atenúa el rigorismo y el carácter intelectual de la teoría de la idea. Para Holanda la luz, lumbre o claro «de la Pintura es mucho más noble que la sombra», pero ha de situarse, sin embargo, por debajo del «debujo y perfil», recomendando, paradójicamente, la cualidad triste y grave en los colores, antes que los alegres[13]. Por su parte, Guevara se limita a integrar la luz y la sombra como partes de la pintura poética, a la vez que las diferencia del «explendor» del que «los artistas en nuestro vulgar llaman realce, lo qual porque era medio entre la luz y la sombra lo llamaron toño»[14].

Otra de las discusiones que apasionaron a los teóricos italianos, ahora con la figura de Benedetto Varchi a la cabeza, fue la polémica acerca de la primacía de las artes. Francisco de Holanda considera a la Pintura como la soberana de las artes y madre de la escultura, ya que ésta sirve de «introito y comienzo por do el valiente pintor se ha de ejercitar y aprender para saber bien dibujar». Si la pintura es madre de la escultura debido a la superioridad teórica del dibujo, supera también a la arquitectura por una razón similar: como el dibujo era una de las consecuencias «sine qua non» para conseguir la idea de proporción, «la Arquitectura —dice— también es empresa de la Pintura y propio ornamento suyo por la proporción y correspondencias de las partes de los edificios y de sus miembros»[15].

De esta manera encuentra su acomodo en la teoría de las artes el tópico horaciano «ut pictura poesis», como último factor de ennoblecimiento de las artes desde su propia especificidad. Holanda sostiene la superioridad de la pintura incluso sobre la propia poesía, que la tradición consideraba de más alto rango, ya que es ésta y no la pintura la verdaderamente muda[16]. Por su parte, Guevara, en uno de los epígrafes finales de su tratado, sustenta unas ideas más eclécticas: la descripción de una obra de la naturaleza puede recabar el concurso de la pintura, la escultura y la poesía ya que «como la Pintura ni la Escultura pudieron exprimir ciertos meneos y espíritus, y cierta elegancia de cosas, acordó de ayudarse de la Poesía, como intérprete de cosas ocultas y mudas, que en una figura se desean»[17].

El mismo Guevara había señalado el valor que la relación de la pintura con la poesía tenía como medio de conocimiento de la realidad y como sistema de lograr una mayor expresividad en los «movimientos y variedades de los ánimos», «concebir mayores grandezas» o «más fantásticas ideas de cosas admirables»[18].

De esta manera se plantea con claridad la dialéctica manierista entre intelectualismo y emoción, característica de la práctica de la pintura y escultura del momento, y que aparece sustentada en la discusión teórica a través del tópico «ut pictura poesis», que veía en la relación con la poesía no sólo el medio de dotar de un carácter intelectual al arte, sino un estímulo para expresar las pasiones y emociones del hombre. El patetismo manierista, que en ningún lugar como España alcanzará tan amplio desarrollo encuentra en la teoría de la idea uno de sus mejores soportes; los retorcimientos de Alonso Berruguete, Juni o el Greco, no son otra cosa que expresiones conceptualizadas de una realidad leída en términos emocionalistas.

LA IDEA DEL PINTOR

Aunque la realidad práctica que se vivía en España era muy diferente, y a ella nos referiremos en un epígrafe posterior, los teóricos que venimos considerando pretendieron por todos los medios proporcionar una idea del artista que respondiera a criterios de liberalidad y a la consideración del mismo como un verdadero intelectual. En 1563, la *Regla y Establecimientos Nuevos de la Orden de Santiago*, consideraba como oficios viles y mecánicos los de «... platero o pintor que lo tengan por oficio», y los consideraba unidos a los de «bordados, canteros, taberneros, escribanos, que no sean secretarios del Rey o de cualquier persona real, procuradores públicos u otros oficios semejantes a estos o inferiores a ellos»[19], y, naturalmente, estaban inhabilitados para entrar en las Órdenes Militares como caballeros.

Frente a esta realidad social, los artistas y los tratadistas pretendieron elaborar una teoría que elevara de categoría a los primeros y los integrara en el círculo de intelectuales y de las profesiones liberales. De esta manera, Holanda sustentaba la idea del innatismo de las cualidades en el buen pintor, «porque para digno de ser pintor menester ha nascer pintor»[20], cualidades que han de ser sin embargo cultivadas y desarrolladas mediante

el ejercicio de la práctica y de la «lición de poesía y humanas letras».

Holanda especifica, en la más pura tradición vitruviana, las ciencias que han de adornar al pintor, Historia, Poesía, Música, Cosmografía, Astrología, Perspectiva, Geometría, Matemáticas, Fisonomía y Anatomía, pues el pintor perfecto ha de ser un hombre culto, un humanista, versátil en ciencias y conocimientos.

Es el propio desarrollo de la praxis artística del manierismo la que exige esta diversificación en los saberes que ha de poseer el artista. Una idea de la pintura en la que la alegoría y la historia, ya sean profanas o religiosas, se complica cada vez más, pide un tipo diferente de artista que, dominando su práctica a la perfección, sea receptivo a las nuevas ideas acerca del arte. Y de ahí, a la consideración del arte como actividad liberal e intelectual había sólo un paso.

El ejemplo de artistas italianos hizo posible un paso mayor hacia adelante. La continua remisión a las ideas y modelos de la Antigüedad, considerada como el paradigma de las virtudes, hacen a Holanda reflexionar sobre la figura del artista considerada como poseedora de fuerzas divinas. Para ello se ayuda de una interesada interpretación de ciertas ideas del Cristianismo: «Ansí —dice— tenían los antiguos por fuerza divina y divina imitación la de el hombre, pues pintaba la semejanza de el eterno Dios; y como ellos, siendo hombres, vían sus obras adornadas de otros hombres, determinaron de competir con las obras divinas y naturales»[21]. Se introduce así en la discusión cultural el tema neoplatónico del artista poseído por el furor divino y la consideración del mismo como ente iluminado por la divinidad. La idea se matiza en hombres como Guevara o, como veremos más adelante, Huarte de San Juan, quienes no dudan en tener en cuenta factores como la nacionalidad o el temperamento a la hora de explicar la psicología del artista. «Las pinturas de un melancólico saturnino —dice Guevara— ayrado y mal acondicionado» le llevarán sin duda «a pintar terribilidades y desgarros nunca imaginados, sino de él mismo»[22]. Palabras que nos traen a la mente la figura de Miguel Ángel, cuya fama era ya entonces internacional[23]; pero no olvidemos que en España artistas como Alonso Berruguete o Juan de Juni estaban planteando el tema de la «terribilitá» en el arte con toda claridad y decisión. Lo curioso en Felipe de Guevara, y ejemplo de cómo la teoría optaba por la vía clasicista antes que por el emocionalismo hacia el que se encaminaba parte de nuestra pintura y escultura religiosa, es que se muestre partidario de un tipo de artista cuya naturaleza «bien compuesta estará aparejada a caer con su imitativa imaginaria en menos errores»[24].

LA REALIDAD DEL ARTISTA

Pero el modelo teórico que proponen los tratadistas no es otra cosa que un esquema ideal sin apenas reflejo en la realidad cotidiana de la práctica artística española del siglo XVI. En estos momentos, el artista —pintor, escultor o arquitecto— apenas ha alcanzado un status social distinto al del mero artesano, y sólo unos pocos podían alcanzar el calificativo de hombre culto.

Desde este punto de vista el testimonio de los contratos, de los que existe un ingente material publicado, es revelador. Estudiando el problema desde una óptica italiana, pero que, en este caso, puede aplicarse al caso español, Alessandro Conti ha indicado el carácter eminentemente artesano de la relación establecida entre comitentes y artistas[25]. La especificación del material en que la obra se va a hacer, las medidas, la iconografía, el plazo, el precio, la presencia de tasadores y hasta indicaciones estilísticas, todo ello prolija y minuciosamente expuesto, ocupa la mayor parte de estos documentos

que establecían una relación de tipo comercial entre ambas partes. Y así, entre los cientos de ejemplos que podríamos citar, en las condiciones que Juan Ortiz y Pedro de Flandes convinieron para el púlpito de la catedral de Palencia (1541) se especifica cómo «ha de ser todo de nogal lo mejor que se pueda aver y lo mas negro», que «a de ser de seis ochabos», que el tabernáculo «tenga aquella gracia que conbenga» y que esté «muy bien labrado y ordenado», detallándose algunos pormenores iconográficos y el precio[26].

Todo ello nos remite a un mundo de fuertes pervivencias medievales y que ha hecho afirmar a A. Conti que el tipo de contrato que analizamos es más bien una «locatio operarum», es decir, la demanda de una actividad, que una «locatio operis», pues no «tanto se pone en contacto la entrega de una obra determinada dentro de un cierto término, sino más bien el empeño para una prestación a término de la propia obra no lejana, formalmente, del contrato para la ejecución del aliquod laborierum»[27]. Lo que por otra parte, explicaría la repetida exigencia de que la obra sea «buena y en perfección, acabada conforme el dicho arte requiere»[28] y que, a veces, se especifique, el carácter omnicomprensivo del compromiso del artífice a la hora de la ejecución de la obra demandada. Y así, un escultor de la categoría de Juan de Anchieta, en 1575, en el concierto para el retablo de la capilla de doña María de Idiaquez en Azcoitia diga: «Yo Joan de Anchieta... esculptor e maestro de retablos e imagenes, me obligo con mi persona e todos mis vienes muebles y raizes, avidos e por haber y derechos y actiones, que hare y fabricare un rretablo en la capilla de la ilustre Señora D.ª Maria de Idiaquez...»[29]

La dependencia del artista con respecto al comitente era total y, fuera del mundo de la corte y de algunos círculos muy restringidos de la aristocracia, la figura del artista áulico es desconocida en la España del siglo XVI; en realidad, sólo con Felipe II podemos hablar de un círculo de artistas cortesanos.

Es cierto que los grandes artistas del momento, Alonso Berruguete, Juan de Juni y, algo más tarde, Juan de Anchieta, fueron por su calidad, los más solicitados y los que exigían una mayor cantidad económica por su trabajo, pero, en definitiva, el tipo de relación establecida no sobrepasa la meramente contractual. La presentación de una traza previa, que era firmada por las dos partes, era un requisito indispensable; la misma doble firma es otra manifestación de la antes mencionada dependencia, pues nos indica cómo la traza, además de actuar como «idea» primigenia de las intenciones del artista, tenía un fin jurídico de garantía para el comitente y el artífice. Todo lo cual se corrobora con el posterior requisito del examen por parte de peritos, una de las últimas fases en la entrega de la obra terminada.

Como decimos, por encima de las exigencias meramente teóricas de los tratadistas, el artesano, ya sea platero, entallador o alarife no era una persona caracterizada por su cultura. Sin embargo, en algunos de los inventarios realizados a la muerte de algunos de ellos aparecen libros, colecciones de estampas o tratados artísticos. Así, sabemos que el pintor Santos Pedril, fallecido en 1589, poseía las obras de Serlio, Daniele Barbaro, una «geometria practica y especulativa», los libros del Arcipreste de Talavera, los *Remedios contra prospera y adversa fortuna* de Petrarca, la *Geometría* de Euclides, las *Metamorfosis*, libros de carácter piadoso y una colección de estampas, biblioteca parecida a la del escultor Jerónimo Hernández y a la de Andrés de Ocampo donde se encontraban las obras de Vignola, Serlio, Palladio, Durero, Euclides, Barbaro, Labacco, Appiano, Besson... . Pero junto a ello, no debe resultar extraño, sino más bien al contrario, que un escultor como Gaspar de Tordesillas «re-

petía tranquilamente, una y otra vez, que no sabía escribir».

La figura del artista aislado era prácticamente desconocida en España y si Alonso de Berruguete alcanzó el título de «magnífico señor», lo habitual era su encuadramiento en organizaciones gremiales de tipo medieval. De esta manera no debe resultar extraño que en las *Ordenanzas de Sevilla*, publicadas en 1632 pero que fueron hechas a instancias de los Reyes Católicos, la regulación de los pintores esté precedida por la de los pescadores y continuada por la de los sastres, en riguroso orden alfabético. Según estas ordenanzas, los pintores se dividían en imagineros, doradores, pintores de madera y fresco y sargueros, y siguiendo la típica organización gremial, que encontraba su base en el taller, hubieran de sufrir un riguroso examen para alcanzar la oficialía [34].

Martín González ha estudiado cumplidamente esta organización y ha indicado cómo, una vez examinado, el maestro podía ejercer su oficio en todos los reinos de España, «poner tienda publica y tener oficiales y aprendizes»; y sólo él podía contratar obras. Las citadas ordenanzas sevillanas lo especifican con claridad: «Otrosi, ordenamos y mandamos, que los oficiales imagineros que quisieren poner tienda... o tomar obra por si, que no las puede poner, sin que primeramente sea examinado por los Alcaldes veedores, y otros dos oficiales del dicho oficio.»

Los saberes que se exigían era sobre todo de tipo técnico, fundamentalmente para los doradores, dibujo, colores, aparejo de piezas, desnudo, «trapo y pliegues», «imagineria de lexos» y «verduras» para los imagineros, y sólo para los pintores al fresco se les pedían «de lo Romano follaje, y de lo Romano cosas al vivo» muy bien proporcionadas, siendo «menester que se le entienda de geometria y prespetiva para los alizares y cosas que al tal oficio pertenescen». Por su parte, el entallador, que en las ordenanzas que estudiamos se concibe como un subgrupo de los carpinteros «ha de ser buen debuxador, y sabra bien elegir, y labrar bien por sus manos retablos de grande arte, pilares revestidos y esmortidos con sus tabernaculos...»; todo lo cual, y a pesar de este último tipo de prescripciones se encuentra muy alejado del modelo de artista intelectual propuesto por los teóricos.

CAPÍTULO 6

FORMULACIÓN NOBILIARIA DEL CLASICISMO MANIERISTA, 1530-1560

A lo largo de varios de los capítulos que preceden se ha ido destacando el papel fundamental que en la introducción de las formas renacentistas italianas tuvo la nobleza. Un deseo de distinguirse con respecto al resto de la población y en relación a épocas anteriores, unido a intenciones emulatorias con respecto a la corona, sirven de inicio de explicación sociológica a las empresas artísticas de determinadas familias nobles españolas. Se ha dicho que la nobleza es un mundo que no cesa de diferenciarse «y en el que, paradójicamente, el dinero representa la diferencia» [1], pero, dentro de la mentalidad económica del Antiguo Régimen, no hay que olvidar que una de las principales inversiones era la realizada en los elementos suntuarios y de ostentación —el traje, la casa, el jardín, las fiestas...— y que ello constituye otra de las pautas explicativas de determinados comportamientos estéticos.

Es a partir de la tercera y cuarta década del siglo XVI, cuando las soluciones formales del clasicismo italiano se extienden definitivamente por España. Ya no son sólo algunas familias de la alta nobleza las que patrocinan obras artísticas provistas del nuevo lenguaje, sino que, prácticamente la generalidad de cuantos nobles y señores que decidan levantarse una casa, adoptarán para ello los medios del clasicismo.

Los estudios de Domínguez Ortiz acerca de la nobleza española [2] señalan la importancia capital de la misma dentro de la sociedad estamental. Este autor ha indicado el papel de control que el estamento había adquirido allí donde su presencia era significativa. A lo largo del siglo XVI, cuando se desarrolla la etapa de formación del Estado Moderno sobre la base de la sociedad estamental, el pueblo había perdido el derecho a elegir a sus representantes; y de esta manera, se contemplaba como un hecho natural que el poder radicase en las familias más ricas y de mayor prestigio [3].

El palacio era la expresión externa del control ciudadano por parte de la nobleza. El mismo Domínguez Ortiz ha indicado cómo el estamento nobiliario español, a diferencia del francés o del inglés, se caracterizó en seguida por sus deseos de vida urbana. Será entonces en la ciudad el lugar donde la manifestación externa de este poderío alcance su más clara muestra, a lo que habría que unir sus estrechos vínculos con el estamento eclesiástico, a través de la fundación de capillas, iglesias y obras piadosas. Las obras de los nobles, y a menudo sus efigies, se introducían de esta manera en el interior de las iglesias, manifestando así su omnipresencia controladora de cualquier aspecto de la vida española. En 1584, una familia, los Barrantes, expresaban de esta significativa manera el alcance plástico de su poderío: «... teniendo caballos y escuderos hijosdalgo, esclavos y criados, tapicería y servicios de plata, cuyos vasos y fuentes tenian sus armas esculpidas, asi como en sus reposteros y puertas de sus casas y en sus sepulcros de la iglesia mayor, al lado de los maestres de Alcantara» [4]. De esta manera, y sin entrar en el análisis de las tipologías específicamente arquitectónicas, el palacio cumplía una misión figurativa de excepcional importancia en la imagen de la ciudad española del siglo XVI. Junto a la iglesia, definía el espacio ciudadano de calles y plazas; y a medida que se iba despojando de las galas platerescas, el clasicismo manierista constituyó el lenguaje favorito de esta importante clase social.

LA UTOPÍA LITERARIA DEL PALACIO RENACENTISTA: EL PAPEL DE LA DECORACIÓN

En un mundo como el del clasicismo renacentista y manierista, caracterizado por una compleja relación entre aspiraciones y realidades, el marco de la vida cotidiana de una clase que se sentía por encima de los mortales, no tardó en adquirir perfiles utópicos, que se expresaron fundamentalmente por medio de la literatura. Y, como en el caso del Emperador Carlos V, el mundo caballeresco, cuya imagen había definido la cultura del final de la Edad Media, nos proporciona imágenes y ejemplos de gran belleza. Pierre Chaunu, cuando nos habla de los privilegios de la nobleza, se refiere explícitamente a este pasado. «Cuando la Corte —dice— se instaló... alrededor del Príncipe Felipe, el rango de la grandeza se afirmó en un conjunto complejo de refinamiento que trasmitían y prolongaban las costumbres de la Corte Borgoñona»[5].

Desde este punto de vista, el torneo era una de las más típicas manifestaciones de la fiesta cortesana a fines de la Edad Media. En él, se subliman, ética y estéticamente, las ansias bélicas de los cortesanos, a la vez que constituía una manifestación cultural y plástica en la que todas las artes participaban para lograr la brillantez del efecto deseado. Fuente literaria de estos torneos, la novela de caballería suministra información suficiente de los elementos artísticos que concurrían en estas celebraciones.

Si bien la referencia a una obra como *Tirant lo Blanc*, de J. Martorell, nos obliga a retrotraernos varias décadas con respecto a la época que estamos estudiando, su consideración parece obligada a la hora de remontarnos a las fuentes de un tipo determinado de mentalidad. La novela, cuando

narra «las grandes fiestas, solemnidades y magnificencias» realizadas en las bodas de los Reyes de Inglaterra, nos describe una de las típicas decoraciones efímeras tan queridas del mundo de la nobleza. Tras el capítulo de armas celebrado en la ciudad «salimos de allí y fuimos cerca de la ciudad a una gran pradera muy arbolada que hay, por donde pasa un gran río... en medio de (cual)... encontramos una gran roca hecha de madera con sutil artificio, toda cerrada, y sobre la roca se mostraba un grande y alto castillo guarnecido de muy bella muralla»[6].

De esta manera hace su entrada el tema del palacio literario, como lugar favorito de la imaginación y la fantasía que, como en el mundo real, encontraba su prolongación lógica en el jardín, que, desde este punto de vista utópico se concibe como paraíso terrenal. La aparición de una fuente delante del palacio es uno de los topicos en las descripciones de palacios literarios. Ya en la *Fábula de Psiquis y Cupido* se describe «una fuente muy clara y apacible; en medio de aquella floresta, cerca de la fuente, estaba una casa real». En los *Siete Libros de la Diana*, de Jorge de Montemayor, en medio de la plaza situada delante del palacio, «había una fuente de mármol jaspeado, sobre cuatro muy grandes leones de bronce. En medio de la fuente estaba una columna de jaspe, sobre la cual cuatro ninfas de mármol blanco tenían sus cimientos», y en la *Diana enamorada*, de Gaspar Gil Polo, los protagonistas escuchaban música «en torno de una clara fuente sobre la menuda hierba». La escena se sitúa en un espacio cuadrado: «Había en él (el bosque) un espacio casi que cuadrado, que tuviera hasta cuarenta pasos por cada parte, rodeado de muchedumbre de espesísimos árboles, tanto que a la manera de un cercado castillo, a los que allá iban a recrearse no se les concedía entrada sino por una sola parte», y, como decimos, en medio del cuadrado estaba la fuente. «Eran las orillas desta fuente —continúa— de una piedra blanca tan igual, que no creyera nadie que con artificiosa mano no estuviere fabricada, sino desengañaran la vista las naturales piedras allí nascidas, y tan fijas en el suelo, como en los ásperos montes las fragosas peñas y densísimos pedernales»[7].

La fuente en el jardín es tema habitual del jardín renacentista y manierista y se completa con el de la estatua. En el *Amadís* se describe una de estas estatuas: «vio un monumento en piedra mármol, y en la cobertura de suso ser una imagen de rey con corona en la cabeza, y de paños reales vestido, y tenía la corona hendida hasta la cabeza»[8].

A menudo, el palacio literario renacentista se concibe como Palacio del Amor. En el palacio que Cristóbal de Villalón describe en *El Crótalon*, el tema iconográfico dominante son precisamente los enamorados de la Antigüedad, que se representan en los típicos medallones, tan habituales en las enjutas de los arcos de los patios renacentistas españoles. «Eran —dice su autor— las imágenes de Píramo y Tisbe, de Filis y Demofón, de Cleopatra y Marco Antonio. Y ansí, todas las demás de los enamorados de la Antigüedad... Por el friso de los arcos del patio iba gruesa cadena dorada que salía relevada en la cantería, y una letra que decía "Cuantos van en derredor son prisioneros de amor»[9]. Y de esta manera, el palacio se concibe como lugar idílico, paradisiaco, escenario de una vida placentera, morada, como decimos, del amor.

El palacio y su decoración, tal como aparecen en la novela pastoril, constituyen una de las más perfectas manifestaciones del mito naturalista del Renacimiento y el manierismo. Y así en la *Diana* de Montemayor se describe como morada de las ninfas. En su *Libro Cuarto*, cuando los protagonistas llegan al palacio, «vieron salir de el muchas ninfas de singular hermosura, que sería impensable podello decir, todas vestidas de telillas blancas muy delicadas tejidas con plata y oro

sutilísimamente: sus guirnaldas de flores sobre dorados cabellos que sueltos traían»[10].

Como decimos, nos encontramos en la morada de las ninfas, y sus estatuas aparecían por doquier en el jardín, y así, en una fuente de mármol jaspeado, sobre cuatro leones de bronce, se esculpían cuatro ninfas de mármol blanco; en la puerta había otras dos ninfas de plata, y en el jardín posterior cuatro ninfas de alabastro sostenían un sepulcro de jaspe.

Todo ello, dice Montemayor, «más pareció obra de naturaleza que de arte, ni aun de industria humana», introduciendo con esta afirmación la discusión entre naturaleza y artificio, tema habitual en la teoría renacentista del jardín y la naturaleza. Ahora, el artificio domina la naturaleza, y junto a otra estatua en oro de una ninfa, aparece la del dios pacífico y civilizador Orfeo; la descripción de este lugar paradisiaco alcanza entonces bellas resonancias: «A una parte de la cuadra estaban cuatro laureles de oro esmaltados en verde, tan naturales que los del campo no lo eran más, y junto a ellos una pequeña fuente toda de fina plata, en medio de la cual estaba una ninfa de oro, que por los hermosos pechos un agua muy clara echaba; y junto a la fuente estaba el celebrado Orfeo encantado, de la edad que era al tiempo que su Eurídice fue del importuno Aristeo requerida... En llegando a él las ninfas comenzó a tañer un arpa muy dulcemente que en las manos tenía...»[11].

Volviendo al género caballeresco, nos referiremos ahora a un no muy conocido poema, *El Caballero de la Estrella*, de Andrés de Losa. El interés del poema reside, desde nuestro punto de vista, en encontrarnos ante una utopía figurativa por medio de la cual el palacio renacentista se convierte en alegoría espiritual y moral. El «camino de la virtud», al que se alude en el poema, constituye el tema fundamental de la obra. Para llegar a esta virtud y al premio final, el caballero ha de sortear todos y cada uno de los vicios y pecados capitales, escenificados en distintos y sucesivos palacios, que se extienden desde la «tienda de la razón», hasta el «campo de la verdad». El primero de los elementos se hallaba coronado por la figura de un hombre con una cartela alusiva al gobierno de la razón y se decoraba con:

Mil fieras salvajinas (que) allí estavan
bordadas, y un furioso y grande toro
y otras muchas maneras de animales
y de flores, y árboles frutales.

Se trata sin duda del esquema iconográfico, común durante todo el siglo XVI, de la razón dominando a las bestias.

En el palacio de la envidia vuelven a aparecer animales y hombres monstruosos:

Allí avía entalladas, muy diversas
figuras de hombres flacos, denegridos
horrendas son sus caras, y perversas
los dientes hazia fuera, muy salidos

las lenguas fuera de boca y tersas
los dedos descarnados y mordidos
los unos a los otros se miravan
con bravas cataduras quespantavan.

De piedras negras tristes, muy escuras
el otro arco es con su portada
de sierpes y culebras ay figuras
qualquiera dellas, fiera y enroscada.

Estamos, como explica el mismo Andrés de Losa, ante la personificación de la enemistad y menosprecio del mundo, y no muy lejanos a la decoración escultórica de determinados palacios —Casa de la Salina [158] — o claustros —Convento de las Dueñas en Salamanca— del Renacimiento español.

El palacio de la Ira se corona por un gran gigante, hecho de alambre, que giraba y se movía hacia todos los vientos. La significación de la estatua nos la proporciona en prosa el mismo autor: «Se coloca en alto el gigante —dice— para indicar que la ira habita en lo mas alto del hombre que es la

158. Patio de la Casa de la Salina. *Salamanca*

memoria.» El de la lujuria repite el tema de *El Crótalon*, esto es, el de las penas del amor. En las puertas, labradas en oro y marfil, aparecen las figuras de caballeros ilustres y damas afamadas, que sufrían a causa del amor, todo lo cual para «darnos a entender, que hemos de huyr de cosas que nos pueden acarrear, y traer a la memoria pensamientos lujuriosos».

Se trata, como vamos viendo, de una concepción del palacio y sus decoraciones en clave moral, no muy alejada de la importancia que, en el contexto de la España de mediados del siglo XVI, iban adquiriendo los problemas religiosos, que tan gran influjo habían de adquirir en la imagen sagrada y que desbordan el marco habitual de iglesias, capillas y retablos, para hacer su aparición en lugares profanos.

Las decoraciones del palacio literario alcanzan uno de sus terrenos más cultivados en el tema del palacio del Héroe. A los ejemplos reales que ya hemos estudiado —palacio de Carlos V en Granada— o estudiaremos, Zaporta en Zaragoza, Viso del Marqués en Ciudad Real, Marqués del Arco en Segovia, de la Dueñas en Medina del Campo, han de añadirse los que aparecen en la literatura.

El palacio del Guerrero, del Héroe, difícilmente es separable del tema del palacio de la Fama, del del Amor —pensemos en la fábula de Venus y Marte—, de la idea de la Fortuna o de la concepción de la vida como lucha. Desde este punto de vista, el palacio de la *Diana* de Montemayor, constituye un ejemplo típico de lo que venimos diciendo. En él aparecen la mayor parte de los tópicos de la utopía literaria del palacio renacentista, y la alusión a los hechos guerreros y a los paralelos tipológicos entre Edad Antigua, Media y Moderna son constantes. El programa se coloca bajo el signo de Marte: «En medio del patio habia un padrón adornado de bronce, tan alto como diez codos, encima del cual estaba armado

de todas armas a la manera antigua el fiero Marte a quien los gentiles llamaban el dios de las batallas»[12]. En este padrón se representan las distintas alusiones guerreras y heroicas: Escipión el Africano, «ejemplo de virtud y esfuerzo», Marco Furio Camilo, Horacio, Mucio Escévola, Marco Varrón, César, Pompeyo y Alejandro Magno.

Como es preceptivo en la formulación del ideal heroico del Renacimiento, éste se realiza a través del paralelismo tipológico. Si Marte es la fuente primaria como Dios de la guerra, la idea de su valor se extiende, en primer lugar, a los héroes de la Antigüedad, de los que pasa a los guerreros medievales en los que Castilla basaba su grandeza y su misma existencia: el Cid, Fernán González y Bernardo del Carpio, y de allí, a los del Renacimiento: el Gran Capitán, Fonseca y don Luis de Vilanova.

De esta manera, y a la luz de los ejemplos literarios que acabamos de mencionar, se nos ilumina el tema de las decoraciones reales en los palacios españoles del Renacimiento, cuyos escasos restos apenas nos dejan atisbar lo que fue, en el siglo XVI, todo un mundo de riqueza, lujo y colorido.

DEFINICIÓN PLÁSTICA DEL PALACIO ESPAÑOL DEL RENACIMIENTO

Aunque en nuestro estudio nos vamos a centrar en las realizaciones de los años centrales del siglo, es necesario remontarnos a los inicios de la centuria, ya que es en este momento cuando, como sucedía con el tema de las descripciones literarias, se propone la iconografía y el sustrato ideológico que nos define la imagen plástica del palacio español del Renacimiento.

El pintoresquismo teñido de brotes humanistas que definía el mundo cultural borgoñón, y cuyo modelo de vida ya hemos indicado como fundamental para la aristocracia española, está en la base de algunos de los programas decorativos que vamos a tratar. A ello, habría de añadirse el gusto por lo exótico que, si se podría ligar en un primer momento a ciertas pervivencias del pasado islámico, pronto será uno de los factores de definición del manierismo en cuanto lenguaje cortesano y sofisticado.

Tenemos noticia de un entorno plástico modernizado por lo que se refiere a la nobleza desde los mismos inicios de la introducción del humanismo en España. Lalaing en el *Viaje de Felipe I por España* describe el palacio y jardín del conde de Benavente en Benavente como un lugar de delicias, acorde con el concepto de villa renacentista. Su palacio estaba rodeado de «bellísimos parques», llenos de animales, en los cuales se insertaban edificios como el que contenía «dos galerías y otras cuatro habitaciones, cuyos artesonados están muy bien tallados y dorados, y llenos de pinturas muy agradables»[13]. De ello, nada ha quedado, por lo que resulta muy difícil conjeturar acerca del estilo y forma de estas pinturas. Siguiendo la moda del coleccionismo exótico de temas naturalistas, aparecían este tipo de decoraciones, normales en un palacio rodeado de leones, leopardos, liebres, camellos..., y cuya puerta de la sala principal se sostenía por colmillos de elefantes[14].

Al decir de Lalaing era este uno de los palacios más exquisitos de España. Pero el gusto por las decoraciones lujosas y las fuentes y estatuas en el jardín estaba muy extendido por nuestro país. Así sucedía en Guadalajara, donde uno de los palacios de los Mendoza repite el esquema decorativo y ornamental que hemos visto en el caso del conde de Benavente: «En la ciudad —dice Lalaing— hay una casa que hizo construir el cardenal Mendoza... y es muy hermosa en pintura y dorados. El jardín, todo él pavimentado, está rodeado de galerías, una de las cuales está llena de pájaros, en medio del cual brota una hermosa fuente»[15].

En estos primeros momentos, las diversiones, cuyo aspecto plástico y figurativo estudiaremos en conexión con los elementos ornamentales del palacio, están todavía muy ligadas al persistente influjo de la cultura islámica. El mismo Lalaing narra unas fiestas caballerescas en Toledo en las que el duque de Béjar cabalgó con 400 jinetes, mientras que los caballeros portaban grandes cimitarras, capas rojas y turbantes[16]. En medio de este ambiente teñido de exotismo aparecen las decoraciones efímeras: el Rey y algunos de sus acompañantes se retiraron bajo un árbol donde «se había puesto un catafalco y al pie de este una enramada, sobre aquel catafalco habían hecho cuatro fuentes, dos de las cuales por diversos caños echaban vino, y las otras dos agua»[17].

La decoración del jardín por medio de este tipo de fuentes era normal a principios del siglo XVI, y a los ejemplos citados habría que añadir el que Laurent Vital describe en ocasión de la primera visita de Carlos V a Valladolid el año 1517 con motivo de la fiesta realizada en el palacio de un prelado, cuyo sistema decorativo a base de tapices, aparadores con vajillas y algunas pinturas, va a ser habitual en la España del Renacimiento, como ya lo era en diversos lugares de Europa. El palacio era trasunto del paraíso terrenal y Laurent Vital así lo reconoce: «Mientras el Rey comía —dice— aquello parecía un paraíso de delicias, por la armonía y dulce resonancia, tanto de los diversos instrumentos como de las buenas voces y suaves acordes que entonces allí tocaban y cantaban, cada uno en su turno.»[18]

Como hemos dicho al principio, el modelo cultural que se aspiraba imitar, no era tanto el lujo de las cortes quatrocentistas italianas, como el más influyente de la corte de Borgoña. Repetidas veces se ha señalado cómo los héroes antiguos fueron trasmutados en personajes de la fábula caballeresca, y las Historias de Alejandro o la Guerra de Troya, se convirtieron en motivo de reflexión estética y literaria. Y si novelas como *Tirant lo*

Blanc y obras como el *Recueil des Histories de Troye* pusieron al alcance del público culto e ilustrado todo un repertorio figurativo ejemplar, ciertas decoraciones de palacios comenzaron a hacerse eco de esta pasión por una antigüedad heroica, caballeresca y pintoresca.

Es el caso de la granadina Casa de los Tiros, cuya fachada, asociada aún tipológicamente al modelo de torreón fortaleza, recibe a principios del siglo XVI un programa escultórico cuyo significado alude a la temática esbozada en el párrafo anterior. Allí aparecen los héroes troyanos Teseo, Jasón y Héctor, junto a los dioses Hércules y Mercurio[19] [159], pues, en realidad, nos encontramos ante un tratamiento medieval del tema: las imágenes propuestas no corresponden con las proporcionadas por la Antigüedad, y el divorcio entre descripción literaria e imagen plástica es manifiesto en el hecho, por ejemplo, de que Mercurio se nos presente en traje de heraldo y que algunas de las estatuas se recubran de armaduras medievales. Sin embargo, una mentalidad más moderna, y acorde con las prescripciones de la imagen histórica del humanismo, aparece en la decoración de la cubierta de la llamada *Cuarta Dorada* [160] del mismo edificio, donde los casetones, de no elevada calidad escultórica, resumen la historia heroica de España desde la Antigüedad —Trajano— al presente —Gran Capitán, Garcilaso de la Vega, Carlos V, Isabel de Portugal, Antonio Fonseca. De esta manera, el comendador de Montiel, Gil Vázquez de Rengifo, promotor del programa, quien compró un conjunto de casas en el solar que remodeló y construyó hasta 1540[20], planteó su palacio como recordatorio de hazañas guerreras, fabulosas en el exterior, históricas en el interior, remitiéndose a un concepto de palacio no como lugar de delicias, sino como morada del héroe. La serie de la *Cuarta Dorada* incluye su propia figura en cuya inscripción se dice: «... español, entre otras muchas hazañas que

159. Hércules, Casa de los Tiros. *Granada*

hizo peleó un día contra los moros en el arenal de Málaga, que notifficaron al rey que habían visto a Santiago y por las señas que le dieron se halló el Rey ser Rengifo», y se completa con una alusión a las mujeres fuertes de la Biblia y la Antigüedad, Pantasilea, Lucrecia, Semíramis y Judith, con lo que se culmina el tono heroico del programa.

Este tipo de decoraciones debió ser relativamente abundante en la España que caminaba de la Edad Media al clasicismo. Angulo describió minuciosamente los restos de decoraciones de otra casa granadina donde aparecen figuras, como aquella con los instrumentos matemáticos del compás y la esfera armilar, copiada de la estampa de Pitágoras de Ugo da Carpi, si bien con significativas variantes[21], junto a otras de más

160. Cuarta Dorada: Casa de los Tiros. *Granada*

difícil identificación. Quizá algunas de ellas representara a la Sabiduría, mientras que en otros recuadros figuraba un Genio Alado que señala el camino, la alegoría del Tiempo, Apolo, Vertumno y Pomona, Acis y Galatea y Proserpina y Plutón. El estado de las pinturas, y la ausencia de documentación impiden cualquier juicio sobre el sentido de la obra o acerca de la existencia de un programa concreto, que no sea la mera constatación de la presencia de una mentalidad humanista abierta a las novedades iconográficas en toda su plenitud.

En ello abundan los datos recogidos por Gestoso, y recordados recientemente por Vicente Lleó[22]. En 1511, el caballero Veinticuatro de Sevilla Juan de Torres encargó al pintor Francisco Ximenes una decoración para sus casas a base de frisos de grutescos decorados con triunfos militares; en 1533

Melchor de Corrieles contrata con Sebastián de Hojeda y Alonso de Salas la decoración «al romano» de su casa por medio de arcos, entablamentos y pilastras de este estilo, a los que habrían de añadirse grutescos y medallones; en 1514, el bachiller Juan Rodríguez Madrigal había encargado al pintor Alonso Rodrigues Cebadero cinco sargas con la Historia de Ulises. Decoraciones que culminan con las que, para la Casa de Fadriquez Enríquez de Ribera, marqués de Tarifa, fueron realizadas por Alonso Hernández Jurado y Diego Rodríguez Benamad, en la Sala de las Vidrieras. El tema elegido fue el de las Cuatro Estaciones del Año [161], a través de la alegoría de los Triunfos de Pomona, Jano, Ceres y Flora; el sistema de «trionfi» derivaba, naturalmente, de Petrarca, mientras que las alegorías se explican con inscripciones de las *Metamorfosis* de Ovidio. Y si a ello unimos que las representaciones se basan en grabados del flamenco Pieter Coecke van Aelst (1537), nos daremos cuenta no sólo del admirable estar al día, que señaló Lleó, sino cómo, en 1539, la cultura internacional había penetrado con plenitud en amplias capas de la nobleza española. Si el paralelismo tipológico entre distintas ramas culturales era uno de los caracteres de las decoraciones de este palacio sevillano, éste se convierte en un ejemplo inmejorable de ello. La relación Arte-Naturaleza-Antigüedad, se ejemplificaba en los triunfos mencionados, mientras que el paralelismo Arte-Cultura-Historia se realizaba en la serie de «uomini illustri» de la Galería Superior, donde hoy todavía podemos distinguir a Cicerón, Creso, Tito Livio, Horacio, Cornelio Nepote y Quinto Curcio[23] [162].

Pero como ha señalado el mismo Lleó, quizá el elemento clave del programa fuera la perdida representación —cuyo recuerdo nos ha llegado a través de Argote de Molina— de la misma genealogía de los Ribera. La familia se entroncaba así con la Antigüedad, concebida, y esto es lo realmente

161. Triunfo de Ceres. Grabado de Cock inspirador de los frescos de la casa de Pilatos. *Sevilla*

162. Galería de Hombres ilustres, casa de Pilatos. *Sevilla*

nuevo, no sólo como mundo de héroes militares, sino como toda una sucesión de filósofos, historiadores y poetas, reunidos en el contexto naturalista de un «locus amoenus». La cultura se concibe como elemento de esparcimiento y, a la vez, como modo de ostentación, diferenciación y, en definitiva, dominio.

LA CONCRECIÓN DE UNA TIPOLOGÍA:
LA DECORACIÓN DEL PALACIO

La inicial aceptación de un repertorio decorativo de carácter humanista, cuyos principales hitos hemos indicado en el epígrafe anterior, llevó a la creación definitiva del palacio español del Renacimiento, cuyos problemas de tipología arquitectónica no han de ser tratados en este volumen.

163. Palacio de Polentinos. *Ávila*

Pero no por ello vamos a olvidar que el palacio constituía el soporte de programas decorativos hoy en día perdidos en su mayor parte, destinados a mostrar el prestigio y el poder de sus posesores. A mediados de siglo, la en un principio desordenada y un tanto caótica recepción de formas, motivos iconográficos y decorativos de la Antigüedad comienza a regularse, a la vez que se carga de contenidos teóricos y significativos. Los tratados se hacen eco del problema y Felipe de Guevara, remontándose en su exposición del sentido heroico al diletantismo romano y a su culto a los antepasados[24], explica con claridad la manera de cómo estos representaban su gloria: «ponían —dice— fuera de las puertas, insignias de sus hechos para que las vieren los que pasaren... estos eran los despojos y premios que en las guerras por su virtud habían ganado... El invento fue colgar allí los Escudos que sus mayores habían traído en las batallas, figurados los gestos de cada uno en su propio escudo»[25].

La idea, expresada en sede teórica por Felipe de Guevara, es clave para comprender la evolución decorativa de la portada del palacio español del Renacimiento, a la que, a la temática heráldica de tradición bajomedieval, pronto se añadió el tema del grutesco militar, cuya significación heroica aparece clara a través de las palabras de Guevara. Portadas como la del Palacio de Polentinos [163] en Ávila o la del Palacio de Mendoza en Guadalajara, sólo pueden entenderse desde este punto de vista, e inician una tendencia que sobrevive a los avatares estilísticos y a las distintas alternativas formales del siglo, de manera que, ya en 1594, Marcos de Isaba en su *Cuerpo enfermo de la Milicia Española*, podía seguir burlándose de aquellos que ostentaban en sus casas «... escudos de armas tan grandes que dos gigantes no pueden abarcar el cerco... tapicería guarnecida de trofeos y banderas... (y)... edifican palacios, torres, iglesias y sepulturas, epitafios y letreros, y a la redonda de sus escudos

164. Hércules y Sansón, relieves de un palacio. *Úbeda*

tanta guarnición de grevas, quixotes, yelmos, espadas y montantes, dando principio a casas y linajes que vemos en esta edad»[26].

La portada se concebía así en términos significativos, figurativos y emblemáticos, antes que en los estrictamente funcionales y se cubría de una decoración abundante, con variaciones tipológicas adscribibles a escuelas locales, bien delimitadas por la historiografía formalista. A los trofeos y grutescos pronto se añadieron esculturas y relieves significativos: el tema de Hércules fue uno de los más socorridos y su aparición es perceptible en los más diversos lugares. El palacio vitoriano, hoy Escuelas Aguirre, construido entre 1530 y 1540, termina sus volutas decorativas con representaciones de los trabajos de Hércules, lo mismo sucede en el palacio episcopal de Segovia y una casa de Úbeda, presenta, en las enjutas del arco de entrada, dos medallones con los temas de Hércules y Sansón afrontados[27] [164]. El tema del escudo deja de tener relevancia, para desaparecer en ocasiones, y portadas como la del Palacio del conde Morata [165] en Zaragoza recibe un significativo programa de tema mitológico expresado a través de las esculturas de Hércules, Teseo y Helios y un friso de triunfos inspirado en las pinturas de Mantegna[28], mientras que edificios públicos como el Ayuntamiento de Tarazona [166], decora sus fachadas con las historias de Hércu-

les y Caco y su friso con imágenes del triunfo imperial de la coronación de Carlos V en Bolonia[29].

El segundo elemento fundamental de la tipología del palacio renacentista español es el patio del que resaltaremos su carácter de soporte de programas decorativos expresados por medio de relieves y medallones. Al adoptar definitivamente el sistema de órdenes vitruvianos, los capiteles abandonaron su carácter de soporte de sistemas iconográficos y figurativos y éstos pasaron a situarse en las enjutas de los arcos, donde los medallones pronto fueron uno de los elementos característicos de los patios y claustros españoles. Si el tema religioso fue el predominante en estos últimos, en los patios

165. Palacio del conde Morata. *Zaragoza*

166. Cabalgata de Carlos V. *Ayuntamiento de Tarazona*

167. La Casa Blanca. *Medina del Campo*

palaciegos, el tema clásico del medallón les prestaba el carácter laico y heroico que necesitaban. Representaciones de guerreros de la Antigüedad, de dioses de la mitología y de héroes y reyes de la Edad Media y Moderna, pronto fueron habituales, y la aparición de cartelas e inscripciones significativas ayuda, con relativa frecuencia, a precisar el contenido del programa.

Es el caso del palacio que el banquero Rodrigo de Dueñas y su hijo Francisco construyeron en Medina del Campo, en el que los medallones de las enjutas representan una serie de reyes y personajes históricos españoles. Similares programas aparecen con relativa frecuencia por toda España. La Casa Blanca [167] de Medina del Campo recibe en su interior un interesante conjunto escultórico de tema mitológico[30]; la Casa del marqués del Arco en Segovia decora su patio con medallones de tema histórico, y determinados palacios aragoneses desarrollan amplios programas de exaltación imperial en sus patios y portadas: es el caso del patio del Palacio de Zaporta [168] en el que la decoración gira en torno al tema de Hércules, del que se representan varios trabajos, y de alegorías como la de las Tres Gracias, la del Amor o la Ocasión: todo ello con el fin de resaltar la unión entre el banquero Zaporta y el Emperador Carlos V, ya que es en torno a su figura como se agrupa el programa escultórico[31].

Es curioso señalar que el palacio español del Renacimiento, concebido como morada del héroe, tiende a relacionarse de alguna manera con la figura del Emperador, ya sea a través de su efigie, ya por medio del tema mitológico de Hércules. A los ejemplos mencionados podríamos añadir algunos más

168. Palacio de Zaporta. *Zaragoza*

169. Colegio de San Matías. *Tortosa*

ya fuera del estricto tema de la decoración de palacios. Se trata de dos establecimientos universitarios que de alguna manera se relacionaron con Carlos V.

Fundado por éste en 1544, el Colegio de San Matías [169] de Tortosa ha sido calificado por Santiago Sebastián, de Templo de la Sabiduría Cristiana: su patio y su portada albergan un programa iconográfico en el que las alusiones al saber se mezclan con la importante serie de los reyes de España, ya que es la Monarquía la patronizadora de la obra[32].

Pero quizá de mayor significación sea la fundación del obispo Mercado en su villa natal de Oñate. Comportándose como un verdadero prelado renacentista concibe esta ciudad no sólo como sede de su tumba —a cuya significación ya hemos aludido— sino como una verdadera urbe renacentista centrada en torno al edificio de la Universidad. La construcción recibió un importante programa escultórico en el que el obispo tendió a exaltarse a sí mismo por medio de su relación con el Emperador —cuyo busto y el de su mujer aparece en uno de los tondos del patio— y con la figura de Hércules, cuyos relieves aparecen en las basas del sistema decorativo de la portada, completado por medio de un importante programa de tipo religioso [170]. El poder, la fortaleza y la sabiduría —ejemplificados en la figura del héroe tebano— sirven de base a una portada que destaca por lo diferenciador de su lenguaje renacentista en un medio que, como el vasco, apenas recibió de forma plena este arte[33].

La transformación de la imagen de la ciudad por medio de la inserción de edificios renacentistas se intensifica en la etapa final del siglo. Si la Universidad de Oñate es de los años 40, años más tarde, en 1575, se levanta el edificio del Cabildo Antiguo [171] en Jerez de la Frontera. Con independencia de lo maduro de su clasicismo arquitectónico destacaremos únicamente lo preciso de sus

170. Relieve de Hércules, fachada de la Universidad de Oñate (detalle)

referencias a la Antigüedad, de carácter arqueológico netamente erudito; a las figuras de las virtudes coronan las de Julio César a la romana y una reproducción del Hércules Farnese.

No es de extrañar pues que los cronistas locales se exaltaran ante las nuevas realizaciones que, poco a poco, cambiaban la imagen medieval de la ciudad por otra de mayor modernidad. Lo que a nosotros nos interesa destacar sobre todo es el problema figurativo que esta operación lleva implícito, antes que la cuestión urbanística. Ambos aspectos fueron recogidos por Dámaso de Frías en su *Alabanza de Valladolid*, cuando dice: «Valladolid esta todo el a una nuevo edificado de casas y edificios magnificos, espaciosos, adosados de huertas hermosisimas, de muy curiosos jardines...»[34].

171. Fachada del Cabildo Antiguo. *Jerez de la Frontera*

LOS PROGRAMAS DEL JARDÍN Y EL TEMA DE LA
FIESTA. LOS INTERIORES Y LA COLECCIÓN

Pero el palacio español del Renacimiento
y sus programas decorativos no expresaban
únicamente la cualidad heroica y guerrera
de sus poseedores. Junto a ellas se pretendió
dar igualmente la imagen de una sociedad
en la que el placer y la diversión tenían un
perfecto acomodo.

Todavía ligado al aspecto heroico se encuentra el tema de la armería, parte esencial
en la decoración de los palacios de los grandes señores; ésta era un elemento importante
en la idea de prestigio y diferenciación que,
como hemos señalado, era un componente
esencial en la configuración tipológica y decorativa del palacio. En 1570, una noble
familia de Jerez de la Frontera, la de Pedro
Riquelme, basaba su nobleza en dos hechos
«no salir a los alardes que hacian los caballeros de premia y hombres llanos... y en
que tenian casas de las antiguas y principales, muy apartadas y aderezadas, con mucho
trabajo de gente y en una sala della tantas
lanzas, adargas, alabardas, partesanas y escudos, que podian armarse veinte hombres...»[35].

Pero si este tipo de decoraciones encontraban su expresión plástica a través del
lenguaje del clasicismo manierista que en
estos momentos se extendía por toda Europa,
no debemos olvidar que el juego manierista
de lo extraño, lo raro y la licencia pronto
fue patrimonio de gran parte de las manifestaciones artísticas de la nobleza española.
El contraste puede observarse si comparamos las expresiones usadas por el cronista
Andrés Muñoz al relatarnos el viaje de Felipe II a Inglaterra en 1554; cuando entra
en Benavente las calles se decoran para la
recepción, y la casa de Pedro Hernández,
criado y vasallo del conde de Benavente,
se adornó con «retratos a manera de medallas» de Carlos V, Felipe II y el Infante
don Carlos, situadas «en lo más alto de

todas polidamente acabadas de muy graciosas colores el ropaje dellas, demas de tener
gran cantidad de oro y plata a manera de
dorado»[36]. Por su parte el resto de medallas
—que representaban a miembros de la nobleza— «estavan... estrañamente de bien
retratados, y de muy bravosos atavios».
Cuando más adelante se celebran fiestas y
torneos o se describe el interior de aposentos
destinados al placer, la palabra «extraño»
adquiere la connotación de raro, bizarro y
maravilloso y el paso de la cualidad de «pa-
lideza» o «braboso» a la de «maravilla» nos
indica la doble alternativa lingüística que
en el mundo del arte aristocrático y cortesano desarrolla el manierismo.

En España hay que añadir igualmente el
fuerte influjo que la cultura islámica había
dejado en lo que concierne a la decoración
de interiores. Y si normalmente estos eran
pobres, no dejaban de abundar los guadamecíes, las sillas de cuero, los escritorios,
taburetes y credencias. Benasar, en su estudio acerca del Valladolid del siglo XVI,
indica, sin embargo, cómo había casas abiertas a las modas extranjeras amuebladas con
sillas francesas y de Flandes, copas y escritorios de Alemania, etc. De esta manera
el inquisidor doctor Juan Díaz de Morales
poseía 19 guadamecíes dorados e historiados
con las historias de San José y la Verónica.
Pero eran los tapices uno de los elementos
que denotaban la riqueza y el poder del
poseedor de la casa; en el mismo Valladolid
Benasar ha señalado cómo el conde de Agui-
lar poseía series con la historia de Paris y la
de Salomón, el tripero Nicolás Paz, otras
con historias de las Indias y representaciones de elefantes, y el regidor Juan Fernández
de Salazar, otras con escenas de caza flamencas[37].

La relación antes mencionada es particularmente rica en detalles desde este punto
de vista pues nos describe pormenorizadamente la manera de vivir del conde de Benavente en la ciudad de su posesión. El

aposento en que se alojó el príncipe de España, Felipe, «estaba aderezado de unos ricos paños de brocado extrañamente hermosos, con una cama de terciopelo carmesí bordada de unos cordones de oro»[38], mientras que la cámara donde cenó el Infante estaba «colgada de verano, de unos guadamaciles dorados con unas agraciadas medallas a los cabos, y en la frontera d'esta antecámara un muy rico dosel de brocado»[39]. Otra habitación portaba igualmente guadamacíes dorados con labores grutescas, signo de la adaptación de elementos tradicionales a la moda antigua.

El palacio del duque de Benavente era uno de los más suntuosos de España y en él, junto a pinturas al fresco que narraban los hechos de Hércules[40], los comedores bajos del gran patio exhibían representaciones de «muchos reyes y grandes señores y otras antiguallas pintadas»[41]; pero igualmente el sentido manierista del lujo y la ostentación de lo sofisticado tenían lugar: un aparador tenía fuentes, copas, sobrecopas, cántaros... de «grandes y extrañas maneras de diferentias...» y «otras mil delicadezas de piezas de oro y plata al brutesco y romano labradas»[42]. Pues la orfebrería era uno de las principales motivos de adorno y lujo, Benasar indica su gran abundancia en Valladolid, donde eran famosas las de don Antonio de la Cerda y la del auditor Francisco de Barrionuevo; sin olvidar por ello que ya entonces existían coleccionistas de cerámica de Talavera como Pedro de Salazar o Pedro Enríquez[43], y que nobles como el marqués de Villena encargaban a un tal Maestre Jorge, vidriero, la decoración de su casa en 1539 con vidrieras de «buen debuxo e de buena mano e matizes e de perfetas colores» representando escenas de montería «en que aya una yistoria de la misma casa del monte... al pie de unas montañas en que aya muchos arboles e castaños e avellanos e rrobles e pinos e toda manera de caça de venados e puercos e aves e monteros...

e algunas danças... el monesterio de Guisando e la benta de los toros e los arroyos e lugarejos que estan alrededor de la casa...»[44].

Junto a la decoración de la casa el tema de la colección de pinturas —todavía conocido muy insuficientemente— completa nuestra visión del problema de la imagen interior de la casa a mediados del siglo XVI. En general puede decirse que el predominio de la pintura de tema religioso es aplastante. Así sucede en Valladolid donde de 384 inventarios consultados por Benasar, sólo 29 tienen lienzos y sólo cuando se trata de una verdadera colección aparecen temas profanos, lo cual nos indica el relativo interés de la burguesía y aristocracia castellana por una apreciación en clave estética, y no meramente devocional, de la obra de arte. Entre los 50 cuadros del profesor Pedro Enríquez hay varios de tema profano y uno de Rafael, Antonio de la Cerda posee 22 cuadros entre ellos dos del Bosco, y entre las colecciones del auditor Barrionuevo, Pedro Lasso de Castilla o Bartolomé Herrera destacan, entre las obras religiosas, retratos de familia, de los reyes, ninfas, mujeres o paisajes de Indias. Pero la mejor colección era la de Claudio Gilli en la que desnudos, mitologías de Marte y Venus, vistas de ciudades italianas... se unían a retratos, escenas de caballería, de caza y de fiestas flamencas[45].

Estos palacios eran escenario de fiestas, juegos y torneos, que por sí solos constituyen un aspecto esencial de la cultura visual del Renacimiento español. Son el jardín y el patio los lugares concretos de su celebración; cobran entonces, desde este punto de vista, gran importancia los programas del jardín cuyas fuentes, estatuas, grutas y boscajes esculpidos, constituyen el verdadero entorno del ambiente lúdico que allí se desarrolla. Buenos ejemplos de ello, además de los que mencionaremos en posterior epígrafe, son los jardines del palacete de campo de la Saldañuela en Burgos, donde se conserva una fuente con la representación de las Tres

Gracias [172], enmarcadas entre dos hermes-
estípites de claro sabor manierista, o el jardín
que Bartolomé Villalba en su *Peregrino Curioso*
narra que poseía don Fabián de Monroy en
la Vera de Plasencia que «tenía un cenador
de azulejos y estanque, cuya ninfa de mármol echaba agua por todas partes y otra
dama con serpiente, Cupido y víbora. Halló
un círculo ladrillado con azulejos de Talavera y otra fuente cuya reina, también de
rodillas, esparcía agua...».

En el jardín del conde de Benavente existía, al menos en 1544, una pieza que era
«de las extrañas y maravillosas que hay en
Castilla» y el mismo jardín poseía «una calle
toda de la una parte y de la otra poblada
de los mas poderosos y altos álamos que
se han visto»[46]. Otras veces la naturaleza
servía de adorno a las mismas casas, como
sucedió en esta misma ocasión con las de
Pedro Hernández, «las cuales tenia muy en-
tapizadas y enramadas de mucha funcia y
cañas y otras maneras de verduras, gran
cantidad de claveles, albahacas y otras flores
olorosas»[47]. Recordemos, para terminar, que
Dámaso de Frías, en su *Alabanza de Valladolid*,
relaciona algunas de las villas que la nobleza
poseía en las cercanías de la ciudad[48].

Por otra parte, los años 40 constituyen
uno de los momentos de apogeo de un cierto
tipo de fiestas en que lo exótico y lo maravilloso es puesto al servicio del mundo de la
aristocracia. Y a ello no debe ser ajeno el
personal gusto del príncipe Felipe, que muchas veces aparece mezclado en ellas no
sólo en España, sino también en algunos de
sus viajes al extranjero.

En las bodas del duque y la duquesa de
Sesa, hechas en 1541, las máscaras son el
elemento fundamental de la fiesta. Ya ocho
días antes de su celebración Francisco Márquez, «mantuvo un cartel de sortija delante
de la posada del Comendador Mayor de
León»[49] para lo que colocó un aparador
repleto de piezas de oro y plata, un arca
con plumas y chapines «para que el aven-

172. Fuente de las Tres Gracias.
Saldañuela, Burgos

turero que viniere corriere con él la joya
que de aquel aparador señalara a cuatro
carreras». La relación de los festejos insiste
sobre todo en los trajes y las máscaras: el
mismo mantenedor vistió una casaca turca
de terciopelo morado, con un copelete alba-
nés de terciopelo amarillo y «una medalla
con un camafeo harto grande y rico». Su
máscara era tudesca, aunque, en el trans-
curso de la fiesta se la quitó. Máscaras pas-
toriles, otras a lo antiguo español... comple-
taron la fiesta que alcanza su punto culminante el día de la boda. Ese día la casa se
aderezó al modo habitual con tapicerías,
doseles de brocado y aparadores de oro y
plata y entre las máscaras el sentido de lo
exótico —predominaron las máscaras a la
turca— se unía al recuerdo de lo clásico
y así salieron doce caballeros imitando estatuas romanas, «Fue —dice el escrito— muy

vistosa y agradable máscara por tener tanto resabio de lo antiguo, por manera que casi estaban como los colosos, o figuras antiguas, a caballo»⁵⁰.

De igual manera las joyas eran uno de los adornos más habituales y apreciados por la nobleza y donde el lenguaje manierista podía llegar a alcanzar caracteres tan propios como la sofisticación, lo sutilmente complejo, y el refinamiento. Buen testimonio de ello son los denominados *Llibres de Passanties*, que se conservan en número de siete y contienen dibujos de joyas con destino a la formación de orfebres y joyeros; los dos primeros se extienden desde 1518 a 1618, y son un buen ejemplo de la evolución del gusto en este campo de las artes decorativas españolas⁵¹. De la importancia que el adorno de joyas había adquirido en la España del manierismo es la descripción de una daga «de maravillosa hechura la vaina toda de oro... y el puño de perlas gruesas i algunos diamantes i rubíes...» que Felipe II regaló al duque de Pastrana, junto a una cadena de oro de trescientos escudos, buena muestra del sentido social que el arte de la joyería había adquirido entre las clases aristocráticas.

Volviendo a las fiestas del duque de Benavente, que contaron con la presencia del príncipe Felipe, podemos encontrarnos con una de las más claras manifestaciones de lo maravilloso manierista. El patio del palacio se adornó con un tablado aderezado de tapices, paños de terciopelo, sillas y almohadas «extrañamente ricas». Pero el elemento de sorpresa jugó un papel especial; el sonido de las músicas se unía al ruido de «muchas y hermosas invenciones de extraños y terribles fuegos muy acertados», que sirvieron de marco a la aparición de los distintos carros: un «poderoso elefante», un castillo grande, «cuajado de cohetes, con unos monos grandes por bases de los pilares», otro castillo portado por salvajes, otro con tres grifos, una invención a manera de tabernáculo y un

carro que portaba una doncella que se quejaba del dios de Amor, «el cual venía encima de un caballo blanco muy galán»⁵², completaba el programa, perfecta expresión de la idea de manierismo como arte lúdico al servicio de las mentalidades cortesanas y aristocráticas, que traspasaban al mundo de la fiesta, los contenidos mitológicos habituales en la literatura y no tan frecuentes en el ámbito del arte perdurable.

DOS GRANDES SEÑORES: FRANCISCO DE LOS COBOS Y EL DUQUE DE ALBA

La protección a las artes y el sentido del arte como elemento de prestigio y diferenciación que venimos atribuyendo a la nobleza española, alcanza sus manifestaciones más altas en personas como Francisco de los Cobos o la del duque de Alba.

En el primero de los casos nos encontramos ante un hecho extraordinario dentro de la cultura artística española pues Francisco de los Cobos, secretario del Emperador Carlos V, va a definir toda una ciudad, Úbeda, como la más cabal expresión de su poderío político; de esta manera, las intervenciones artísticas alcanzan un sentido emblemático y se concretan en aspectos urbanos, de los que únicamente nos interesa destacar ahora sus aspectos plásticos.

Con Francisco de los Cobos nos encontramos ante un caso similar al de Carlos V. Su preocupación fundamental fue el acrecentamiento de su poder político y económico por medio de una carrera basada fundamentalmente en la creación y el control de la burocracia imperial⁵³. Desde este punto de vista no puede decirse que las preocupaciones culturales y artísticas ocuparan un lugar importante en el horizonte de sus preocupaciones; pero, y en esto nos basamos para compararlo con Carlos V, sí se dio cuenta del valor de prestigio que tenía la protección de la actividad artística y el de un cierto mecenazgo cultural, así como el papel diferenciador que un determinado lenguaje artístico, el del clasicismo renacentista, podía tener con respecto al resto de los cortesanos menos cultos y que no habían viajado con tanta asiduidad a Italia.

De ahí su preocupación por construir palacios tan suntuosos como el que Luis Vega le trazó en Valladolid, con ayuda del entallador Esteban Jamete, obra en la que aparecen igualmente Julio y Alejandro, pintores italianos que, llegados a España por mandato suyo, pronto trabajaron, como vimos, para Carlos V en las torres del Peinador de la Alhambra.

Las elecciones artísticas de Francisco de los Cobos, son, como las de Carlos V, claramente significativas. Si con respecto a la arquitectura encarga la realización de sus obras a maestros del clasicismo manierista —Luis Vega, Alonso de Vandelvira—, los objetos con que se rodea son una buena muestra de su interés por crear un entorno bello muy volcado hacia las realizaciones del manierismo italiano. De entre las piezas más famosas de su colección habría que citar la estatua de *San Juanito*, obra de Miguel Ángel, la impresionante *Piedad* de Sebastiano del Piombo, una de las grandes obras del manierismo italiano[54] o el *Retrato del duque de Ferrara*, de Tiziano, que éste mismo le regaló[55].

Lo mismo podríamos decir de los muebles y joyas que poseía, y que conocemos por los inventarios. Hayward Keniston ha estudiado el documento de 1541 por el que se estableció su mayorazgo, y en él aparecen objetos tales como una «cama de estado», ocho tapices «de tela de oro», un dosel de brocado, tres alfombras que habían pertenecido a Barbarroja y cinco tapices que representaban los *Trionfi* de Petrarca. Igualmente sabemos que su palacio de Úbeda se adornaba con una fuente de procedencia italiana y que en 1531 se le anunciaba la llegada de un busto de Apolo. A ello habría que añadir las joyas

de las que su mujer doña María poseía una buena colección y que conocemos a través de algunas descripciones: el año 1542 lució en Valencia un buen número de ellas entre las que habría que destacar piezas como «un collar de piedras y perlas, que son quatro diamantes, dos tablas... onze perlas... una flor de lis de diamantes... en ella tres pynjantes de seys perlas... a manera de calabacicas...»[56].

Todos estos objetos y obras de arte, a los que habría que añadir sus retratos, los regalos del Emperador y los libros que le fueron dedicados, nos ayudan a reconstruir la imagen de un gran señor del Renacimiento, y ha de comprenderse en el entorno urbano de Úbeda, que ahora alcanza su configuración de carácter renacentista. Más adelante nos referiremos al carácter religioso del programa de la iglesia del Salvador de esta ciudad, en el que el sentido humanístico está tan presente por medio de citas históricas y mitológicas. De esta manera se nos aparece clara la intención de Francisco de los Cobos: su interés por el arte es el interés por la configuración de una imagen de poderío externo y de lujo y sofisticación en su vida privada; el lenguaje artístico alcanza así un valor de clara connotación social y de modo de control y el clasicismo manierista se convierte en el modo de expresarse de una élite que, a la moda del Renacimiento, entiende el arte y la cultura como factor de elevación por encima de sus contemporáneos.

Similares consideraciones podríamos hacer con otra de las grandes familias que también alcanzaron su poderío merced a los servicios a la Casa Real; nos referimos a los duques de Alba que, si pronto extendieron sus posesiones por gran parte de la Península, en un principio se centraban en la zona oeste de España, en torno a su villa ducal de Alba de Tormes.

Allí poseían un palacio del que aún hoy día se conservan importantes restos pictóricos, obra del pintor italiano Cristoforo

173. Cristóforo Passini:
La batalla de Mühlberg.
Pinturas de Alba de Tormes

Passini[58]. Se trata de un amplio ciclo con las escenas de la Batalla de Mühlberg [173], representaciones de las Ciencias [173 bis] y las Virtudes y una escena mitológica: Vulcano fabrica las armas al duque. Estamos, como ya hemos señalado más ampliamente en otro lugar[57], ante uno de los mayores intentos de glorificación personal de un guerrero en el contexto de la España renacentista. Las pinturas de Alba convierten el edificio en un ejemplo típico de lo que hemos llamado «palacio del héroe» en el que la glorificación del personaje se consigue tanto por la práctica de las Virtudes y las Ciencias (Lógica, Astronomía) —de no excesiva importancia en el programa—, como por su participación, junto al Emperador, en destacados hechos militares, todo ello conseguido gracias a la protección y ayuda de Vulcano.

El contenido humanístico del programa queda así suficientemente explicado en el nivel iconográfico; a ello habría que añadir el tono narrativo, directo, escaso de figuraciones alegóricas que adquiere el ciclo, relacionándolo así con el tono que estaban adquiriendo estos mismos programas en la Italia del manierismo clasicista.

173 bis. Cristóforo Passini: La Astronomía. *Pinturas de Alba de Tormes*

Pero no todo había de ser furor bélico y sentido heroico en la exaltación del gran duque de Alba y su familia. Al igual que en la *Égloga II* de Garcilaso, los sentimientos amorosos y bucólicos contrastan con la glosa de los hechos guerreros de Fernando Álvarez de Toledo.

Cobran gran importancia a este respecto algunas referencias al entorno artístico de los duques que aparecen en un diálogo de carácter tan netamente humanista como *El Escolástico* de Diego de Villalón. El comienzo del segundo libro se desarrolla en una finca de recreo del duque de Alba que «era una huerta en ribera de Tormes muy fertil y abundante de muchas frutas y arboledas»[59] en medio de cuyo jardín había una hermosa fuente cuyas piedras estaban labradas «por arte maravillosa». La descripción de la misma se efectúa con prolijidad, ya que en ella se esculpían los principales episodios de la vida de Eneas y la fábula de Píramo y Tisbe. La clave del sentido de la fuente en el contexto de un diálogo humanista nos la da la siguiente frase: «Admirados todos de la perfecion de la fuente dixo el Maestro Oliva; por dios señores de las perfectas obras es esta que he visto en mi vida; que en verla se me representa aquella fuente que leemos de Tantalo; la qual hazia philosophos a los que della bevian»[60]. Así el tema de la fuente como lugar de salud y sabiduría introduce la cuestión del saber y las letras, equilibrando el sentido heroico de la vida que proponían los frescos de Alba de Tormes.

No sabemos si esta fuente llegó a existir en realidad o si tan sólo es una ficción del autor de *El Escolástico;* lo mismo podríamos decir de las pinturas que la misma obra describe con anterioridad. En efecto, en los comedores que dan sobre el jardín de palacio, realizado por hábiles artífices «... a los quales (por traerlos de estrañas tierras) premió con dinero y joyas de mucho valor»[61] se desarrolla un programa pictórico de carácter bíblico en el que Abraham, Isaac,

Jacob, José... son sus protagonistas y que se describe igualmente con primoroso detenimiento, a la vez que Villalón, siguiendo con los tópicos del momento, compara a sus autores con Protógenes, Apeles, Zeuxis o Parrasio.

El entorno de la casa de Alba adquiría por tanto las connotaciones típicas del Renacimiento clásico: hechos guerreros, alusiones humanísticas y bíblicas en un contexto de elevado carácter cultural cantado por las poesías de Garcilaso de la Vega, ellas mismas salpicadas de alusiones artísticas; pues si la *Égloga II* narra la gloriosa campaña del Danubio de don Fernando de Toledo, en la III aparece toda una reflexión acerca del valor artificioso de la pintura y del valor estético de la luz y el color. El poema narra cómo las ninfas se entretienen en tejer unas escenas:

Tanto artificio muestra en lo que pinta
y teje cada ninfa en su labrado
cuanto mostraron en sus tablas antes
el celebrado Apeles y Timantes
. . .
las cuales con colores matizadas
claras las luces de las sombras vanas
mostraban a los ojos reveladas
las cosas y figuras que eran llanas.

Este ambiente cultural, poético y artístico culmina con la construcción en Abadía, provincia de Cáceres, de uno de los más suntuosos jardines del manierismo en España y que fue cantado por Lope de Vega.

Poco es lo que actualmente queda del jardín, pero todavía en el siglo XVIII Antonio Ponz acertó a atisbar con cierta amplitud sus restos que minuciosamente describió en su *Viaje de España*[62]. Sin entrar en el análisis arquitectónico del lugar, destacaremos la presencia en él de numerosas esculturas, estucos, relieves y fuentes. En el llamado jardín alto, junto a bustos de emperadores romanos, había una fuente con dos pedestales y dos estatuas «antiguas», al decir de Ponz;

174. Andrómeda: Jardines de Abadía. *Cáceres*

175. Pegaso: Jardines de Abadía. *Cáceres*

junto a ella existía otra con un caballo de mármol. El jardín se dividía en dos espacios, uno menor en forma de plaza cerrado por los lados, y el mayor donde se desarrolla la gran superficie del jardín. Esta plaza es la que mejor se conserva en la actualidad: la pared con tres nichos alberga hoy día el escudo de los Alba y una estatua de Andrómeda [174] y en medio de ella estaba una gran fuente octogonal [175]. Ponz, la describe así: «Los balaustres y pedestales que la cercan, hacen figura octógona: tienen cuatro entradas para subir por las gradas a otro plano; y cada subida tiene asimismo su adorno de pedestales y balaustres. Encima de los pedestales hay figuras de mármol, que entre todas son quince... Cada figura tiene delante de sí una concha, y todas ellas forman otras tantas fuentes particulares»; si esta era la base, sobre ellas se elevaban hasta cuatro tazas, coronadas por la figura de Baco.

Todavía existían varias fuentes más, esculturas antiguas y modernas, portadillas con estucos y decoraciones grutescas [176] y un cenador con juegos de espejos deformantes en su interior. El autor de varias de las fuentes fue Francisco Camilani, dato de excepcional interés pues, a través de otras obras suyas, principalmente la Fuente Pretoria (realizada para el jardín florentino de don Luis de Toledo, y hoy en Messina) podemos hacernos idea de lo que fue el prodigioso conjunto escultórico y jardinístico de Abadía.

El mismo Ponz vio la fecha de 1555 en una de las estatuas: estamos pues ante una de las obras principales del manierismo italiano en su época de madurez, que fueron importadas a España por Fernando Álvarez de Toledo y que muestra de manera clara cómo en nuestro país se conocían y se apreciaban las últimas novedades artísticas italianas. La imagen manierista de la naturaleza, el sentido lúdico de la actividad artística, la sofisticación y el misterio, los mitos naturalistas y la imagen del poder, aparecen en este lugar apartado que de creer los versos de Lope de Vega fue utilizado como retiro espiritual y academia literaria [63]. Con ello la aristocracia española se incorporaba totalmente al mundo espiritual de la modernidad.

FUNCIÓN DEL LENGUAJE ARTÍSTICO: ENTRE EL MANIERISMO CLASICISTA Y LA SOFISTICACIÓN CORTESANA

En otro lugar, y refiriéndonos a la utilización de distintos lenguajes como medio de exaltación de la figura de Carlos V [64], hemos resaltado cómo, si el clasicismo es el medio por el que el poder político trasmite hacia el pueblo su imagen exterior, es, al contrario, un arte de la preciosidad y la sofisticación el que predomina en la vida interior estrictamente cortesana.

Esta dualidad lingüística, que explica una dualidad de vidas, es servida a la perfección por el arte manierista en lo que tiene de heterodoxia y versatilidad; sólo un arte basado en la excepción y en el juego con la norma podía servir de medio unificador de tan diversas solicitaciones.

176. Mascarón: Jardines de Abadía. *Cáceres*

Y este dualismo aparece igualmente presente en el arte cortesano y de la nobleza en la España de los años centrales del siglo. Acabamos de señalar algunas de las principales realizaciones del entorno aristocrático y, una vez más, la oposición entre una imagen clasicista, presente sobre todo en la arquitectura y en algunos conjuntos pictóricos o en los retratos de los protagonistas —recordemos, a estos efectos, el *Retrato de un Caballero de Santiago* de Juan de Juanes— contrasta con el mundo interior del jardín, de la fiesta o del adorno personal en joyas y trajes. Aquí es el sentido placentero y lúdico del arte lo que prima frente al sentido del aparato y la representación. La aristocracia española había comprendido muy bien la función del lenguaje artístico: ya no se trataba tan sólo de una finalidad legitimadora y ennoblecedora de un determinado «status», sino también la de proporcionar un esparcimiento al espíritu y un solaz al cuerpo. El sentido de lo útil se unía a la diversión —el *diletto*, de los tratadistas italianos—, factores que pronto iban a convertirse en las funciones primordiales del arte al decir de los teóricos; pero con anterioridad, la propia praxis artística había diferenciado con cierta claridad estos dos tipos de lenguajes.

CAPÍTULO 7

LA IMAGEN RELIGIOSA EN LA ÉPOCA DEL MANIERISMO,

1530-1560

Desde un punto de vista general y europeo, la imagen religiosa del manierismo constituye una de las referencias esenciales en la discusión plástica del siglo XVI. Mientras que el mundo del Norte, a través, en primer lugar, de los escritos de Erasmo, y, de inmediato, de los reformistas Lutero y Calvino..., se muestra cada vez más crítico y reticente con respecto a la misma existencia de la imagen religiosa, los países mediterráneos, sobre todo España e Italia, optan de manera decidida por la imagen religiosa como medio de persuasión, propaganda y adoctrinamiento.

Con todo, la oposición no puede esquematizarse demasiado: los manieristas de Amberes, a principios del siglo, y las corrientes clasicistas y manieristas flamencas (Gossaert, Patinir, Pourbus...) desarrollan un peculiar sentido de la imagen religiosa que, en el caso de España, adquiere especial relevancia por la cantidad y calidad de maestros flamencos que vienen a nuestro país y constituyen un factor esencial en la introducción del manierismo.

CLASICISMO Y EMOCIONALISMO EN LA IMAGEN RELIGIOSA DEL MANIERISMO ESPAÑOL

Como repetidas veces se ha señalado, durante el siglo XVI, una vez aceptado en el mundo católico el valor de la imagen como algo positivo, la polémica con respecto a la imagen religiosa se escindió entre los partidarios de las corrientes emocionalistas y patéticas y los que pretendían dotar de un contenido clasicista a la misma.

Así sucedió en Italia, donde la discusión parece ordenarse en un primer momento con respecto a las disciplinas —la arquitectura religiosa se carga normalmente de espíritu clasicista, mientras que la pintura y la escultura desarrollan con más frecuencia contenidos expresivos y emocionales; de parecida manera sucederá en España.

Las décadas centrales del siglo (1530-1560) se caracterizan por el amplio desarrollo del tema de la imagen religiosa, y por la formulación de la mencionada polémica, que derivará, en la época de fines de siglo, en una mayor diversidad y diferencia de alternativas: frente a la figura de El Greco, la imagen sagrada se carga de contenidos clasicistas y puristas. En realidad, la polémica que plantea un edificio y una mentalidad plástica como la que se desarrolla en El Escorial —y que encuentra en el rechazo de El Greco su más espectacular demostración—, se incuba en los años centrales del siglo XVI.

Es ahora cuando el dilema entre un sentido armónico, clásico y proporcionado de la imagen religiosa se atribuye a Italia, a la vez que se opone a un modelo nórdico caracterizado por el patetismo y la emoción. Y, desde este punto de vista, ciertas afirmaciones de Francisco de Holanda, resultan muy significativas. En su *Diálogo I*, mientras la marquesa viuda de Pescara interroga a Miguel Ángel acerca de qué cosa sea pintar en Flandes, ya que la pintura flamenca es más devota que la italiana, éste le responde: «La pintura de Flandes satisfará señora generalmente a cualquier devoto más que ninguna de Italia, la qual no le hará llorar una sola lágrima, y la de Flandes, muchas.» Se trata de una pintura, continúa Holanda,

177. Vicente Masip: Piedad, retablo mayor. *Segorbe, catedral*

para frailes, monjas y mujeres y, desde un punto de vista artístico, sin arte, ni simetría, ni proporción, ni advertencia en el escoger y sin desembarazo... que, y esto es lo fundamental, induce propiamente a «engañar la vista exterior»[1].

El párrafo de Francisco de Holanda nos pone sobre aviso de tres hechos fundamentales por lo que respecta a la difusión de la imagen religiosa en España: por un lado, el claro carácter de alternativa que en nuestro país tiene Flandes con respecto a Italia, y que muchas veces se resuelve por medio de la aceptación del modelo flamenco (P. del Campo, Sturmio, los vidrieros, el francés Juan de Juni...); en segundo lugar, el sentido emocionalista, que debido al carácter específico de la religión tal como se practicaba en España, habría de adquirir la imagen persuasiva; y un tercer punto, quizá el más interesante: este sentido emocionalista de la imagen va a entrar más por los ojos que por el intelecto. Se tratará entonces de potenciar los medios de percepción sensorial a través de imágenes patéticas insertas en discursos iconográficos muy codificados por la costumbre, como retablos, pasos procesionales, custodias, portadas... verdadero contexto plástico de una imagen religiosa, cuyos programas no se desarrollan sólo en el interior de capillas e iglesias, sino que, como decimos, invaden las ciudades en las procesiones y en las portadas de los edificios sagrados.

Pero en el caso de España la tendencia al emocionalismo adquiere caracteres más relevantes que en el resto de los países europeos, y aun los pintores y escultores que adoptaron el modelo formal italiano desarrollaron sus aspectos plásticos que más tendían a los contenidos emocionalistas.

Ello es claro en pintores como Macip o Juan de Juanes[2], cuyo rafaelismo se despoja de cualquier reflexión intelectual para incidir en el sentido suave, blando y sentimental de la pintura del Maestro de Urbino, y en escultores como Alonso Berruguete. En éste,

la inspiración miguelangelesca en pinturas, dibujos y esculturas, sirve de vehículo para expresar profundos sentimientos religiosos, ajenos a cualquier sentimiento intelectual o estético en contra de la ortodoxia católica.

Insistiendo en Vicente Macip, y aunque sobre él la influencia de Rafael resulta decisiva, destacaremos, como recientemente se ha hecho[3] otros puntos de inspiración: la escuela de Ferrara, Sebastiano del Piombo, Perugino, Ghirlandaio... Una obra como la *Piedad* [177] es muy deudora de la pintura del mismo tema realizada por Sebastiano del Piombo en Viterbo, mientras que su *Caída de Saulo* [178], realizada en colaboración con Juan de Juanes, desarrolla con amplitud un conjunto en el que el color desabrido, el movimiento y su esquema organizativo a base de líneas diagonales, inicia la desarticulación de un espacio, que aún se mantenía simetrizado en obras como el *Calvario* de Segorbe. Y lo mismo podríamos decir de su *Última Cena* [179], donde se inicia el desmontaje del sentido compositivo clasicista que Juan de Juanes había dado al mismo tema.

El recurso a las alternativas anticlásicas del Quatrocento italiano y el sentido organizador del último Rafael, es expresivo de los avances del manierismo en España inclusive en pintores que como Macip, mantenían fuertes vínculos con la tradición clasicista tan fuerte en la región levantina.

De esta manera, la imagen religiosa española del periodo del clasicismo manierista contempla una enorme pluralidad de alternativas plásticas con gran cantidad, sin embargo, de factores aglutinantes; un sentido unitario, a pesar de las excepciones, de la imagen y de la concepción espacial de la obra, abandono de los convencionalismos y del sentido teatral y perspectivo que se consigue por medio de la inserción de arquitecturas propias de la etapa anterior y una estética que prima los valores de devoción

178. Vicente Masip, Juan de Juanes: Caída de Saulo. *Valencia, catedral*

179. Vicente Masip: Última Cena. *Valencia, museo*

y persuasivos, son los caracteres más destacados.

El sentido unificador de que hablamos es bien patente en los grandes artistas del período que estudiamos: de él hace gala Juan de Juanes en la mayor parte de sus obras. Su *Santa Cena* del Museo del Prado, inspirada en la célebre de Leonardo a través de una estampa de Marcantonio[4], estiliza tanto la arquitectura como los propios gestos de los personajes, como factores de unidad y sencillez, para hacer que todo gire en torno a la figura de Jesucristo. Lo mismo podríamos decir de *Los desposorios del venerable Agne-sio* [180], composición apaisada que se organiza a través de un juego de triángulos, de su *Ángel Custodio* [181] (Valencia) o de las escenas de la *Vida de San Esteban* (Museo del Prado), donde su aceptación de los modelos del manierismo es más clara. Si en el *Ángel* podemos hablar de elegancia manierista, en las escenas del Museo del Prado, las actitudes y los gestos de los personajes proceden en su mayor parte de Rafael, reflejándose un patetismo de signo manierista, que no impide sin embargo la clarificación y sencillez expositiva de la historia, como sucede en algunas escenas del retablo del Gremio de

180. Juan de Juanes: Desposorios del venerable Agnesio. *Valencia, museo*

181. Juan de Juanes: Ángel Custodio.
Valencia, museo de la catedral

pelaires. Si en las tablas que narran los episodios de la Creación el monumentalismo rafaelesco se une a claras referencias del manierismo nórdico, en la *Caída de los Angeles* [182], el movimiento y la visión dramática de la lucha, no le impide desarrollar una sabia y clara organización del conjunto.

Si ante Macip y Juan de Juanes nos encontramos con la prolongación manierista del clasicismo valenciano de Cabanyes, Osona y Yáñez, el caso de Francisco Comontes y el de Juan Correa del Vivar plantea la interpretación, según las nuevas exigencias devocionales, del decorativismo y sentido compositivo de Juan de Borgoña. Ello es bien claro en su *Adoración de los Reyes* [183] de Meco —que adquiere un interés iconográfico adicional al insertar un retrato del Emperador Carlos V—, o su *Circuncisión*. En esta última, la escena se organiza a la manera clásica de Borgoña dentro de un templo circular, pero las figuras se conciben ya con un cierto «patos» y melancolía manierista, que se acentúa en la *Estigmatización de San Francisco*, donde el paisaje adquiere una cualidad de protagonista, con un sentido de mayor movimiento y viveza que los de su predecesor; ahora, la naturaleza participa activamente y no como un bello decorado de las vicisitudes de la historia[5].

Lo mismo podríamos decir de su *San Jerónimo Penitente* (Orense, Instituto Nacional Mixto «Otero Pedrayo», Dep. Prado). Pero el aspecto más significativo en Juan Correa del Vivar es el desarrollo en un sentido manierista de las propuestas de Juan de Borgoña; al sentido riguroso y elegante de este último, Juan Correa añade una delicadeza y sentido estilizado de la forma que corres-

ponden ya a la evolución de la «maniera» en España. Si la *Virgen* del Museo de Oviedo es deudora de modelos leonardescos, la *Anunciación* del Prado, las figuras de la predella del retablo del Calvario [184] en la iglesia del Salvador de Toledo o el retablo de Almonacid de Zorita [270] constituyen un elegante desarrollo de las propuestas rafaelescas, tamizadas por la influencia ghirlandaiesca de su maestro Juan de Borgoña.

Juanes o Correa del Vivar optaron por el modelo rafaelesco, pero otros artistas, como Pedro de Campaña o los vidrieros flamencos, plantearon al debate artístico espa-

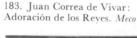

182. Juan de Juanes: Caída de los Ángeles. *Valencia, San Nicolás*

183. Juan Correa de Vivar: Adoración de los Reyes. *Meco*

184. Juan Correa de Vivar: Retablo del Calvario. *Toledo, iglesia de San Salvador*

185. Pedro de Campaña: Descendimiento. *Sevilla, catedral*

ñol de las décadas centrales del siglo XVI
el problema de la presencia de flamencos
en España. Se trata de un tema paradójico
y cargado de contradicciones pues, si bien
es cierta la tendencia a la emoción y el sentimiento de los flamencos —tal como lo ex-
ponía Francisco de Holanda— no lo es menos que los artistas de Flandes que visitaron
España fueron los que propusieron la imagen
devota de mayor rigor y monumentalidad
que se dio en estos momentos.

Tenemos el caso de Pedro de Campaña,
nacido en Bruselas en 1503. Su experiencia
flamenca aparece pronto templada por el
aprendizaje italiano, pues sabemos de su
estancia en Bolonia en 1529 colaborando
en alguno de los arcos de triunfo erigidos
en la coronación de Carlos V y que en
Venecia fue el pintor del cardenal Grimani.
Pacheco en su *Libro de retratos* nos da la
imagen del pintor como hombre culto y
erudito que «contrahizo todas las antigüedades dentro i fuera de Roma» y que poseía
todo tipo de saberes. En contraste con la
mayoría de los artífices que trabajaban en
España, Campaña, como Gaspar Becerra,
plantea el tema del artista intelectual: esculpió varias anatomías en bajo relieve y «fue
grande astrologo, fundado Aritmético, Geómetra, Arquitetto, Prospetivo...»[6]. Su estan-

186. Pedro de Campaña:
La despedida de San Joaquín.
Sevilla, Santa Ana

187. Pedro de Campaña: Alegoría de la Caridad.
Sevilla, Santa Ana

cia en Sevilla de 1547 a 1563 está marcada por una serie de obras fundamentales en las que su hondo patetismo se encuentra siempre templado por un clasicismo ordenador de la historia que en ocasiones llega a la solemnidad. En sus versiones del *Descendimiento* [185] (Sevilla, Catedral, Montpellier, Museo Fabre, Valencia, Tapiz en el Colegio del Patriarca) el dramatismo domina aún sobre la monumentalidad clasicista[7]. Pero tanto el retablo de Santa Ana en la iglesia de Santa Ana de Triana, como su *Purificación* de la catedral de Sevilla muestran a un Campaña clasicista, al que no es ajena en absoluto la experiencia de la estatuaria y el relieve clásicos. La acentuación de las líneas verticales produce incluso un cierto geometrismo en su idea de la figura —no ajeno a los conceptos manieristas— como es patente en ciertos personajes del retablo de la *Purificación*, o en su tratamiento del tema de *La despedida de Joaquín* [186] (iglesia de Santa Ana), en el que la caída del velo de la santa se encuentra prolongada en el segundo plano merced a la figura de la sirvienta; rasgos que se repiten hasta el hieratismo en su versión de la *Alegoría de la Caridad*[8] [187].

Pero en la introducción de la imagen religiosa del manierismo en España, los ciclos de vidrieras de algunas catedrales españolas jugaron un papel esencial, tanto por lo temprano de las fechas, como por la cantidad y la calidad de las obras. Víctor Nieto ha indicado cómo es sobre todo la segunda oleada de vidrieros flamencos que llega a España en la década de los años 40, la que constituye el factor capital en este tipo de problemas[9]. Gualter de Ronch, Pierres de Holanda, Pierres de Chiberri, Enrique Broecq, Teodoro de Holanda [188], Carlos de Brujas y Vicente Menardo son los artistas que decoraron los programas de Segovia, Salamanca, Granada y Sevilla, planteando un

188. Teodoro de Holanda:
Matanza de inocentes. *Granada, catedral*

sentido manierista a la imagen religiosa basado en una técnica más libre y suelta, y que el mismo Nieto ha relacionado con la presencia en Sevilla de flamencos como Pedro de Campaña o Sturmio, de los que no existen obras documentadas anteriores a las vidrieras de Arnao de Flandes.

En estos vidrieros podemos observar la misma tendencia al patetismo contenido que contrasta con la viveza de ciertas realizaciones de la escultura contemporánea. En España la dicotomía clasicismo-emocionalismo que venimos considerando se plantea no tanto como un problema de modelos extranjerizantes —como podían dar a entender las palabras de Francisco de Holanda—, sino como una oposición de géneros; mientras en la pintura el patetismo raras veces llega a desbordarse, la falta de contenimiento parece ser el tema capital de la escultura.

Es aquí donde el panorama adquiere una riqueza inusitada, pues una de las mayores aportaciones de España al Renacimiento se encuentra en los ciclos escultóricos que adornan las capillas de las catedrales, los retablos mayores, las portadas y sepulcros. Se inicia ahora la tendencia que denominaremos «inflación de la imagen», terreno donde se producirán las mayores controversias y polémicas. La falta de relevancia del modelo para cargar de contenido patético la imagen sagrada aparece bien clara si comparamos la obra de los dos artistas principales de este momento: Juan de Juni y Alonso Berruguete. Pues si el primero tiene su origen en tierras del norte, la formación de Alonso, el hijo del pintor Pedro Berruguete, ha de localizarse en Italia, concretamente en la Florencia post-donatelliana, que comenzaba a ser dominada por el genio de Miguel Ángel. Es este artista, junto a Ghiberti y Donatello, el de mayor influjo en su obra, que puede contemplarse como uno de los puntos esenciales, a un nivel europeo, en la formulación de un concepto manierista de la figura con fines devocionales[10].

189. Alonso Berruguete: Ecce-Homo. *Valladolid, Museo Nacional de Escultura*

Su interés por una idea patética de la Historia Sagrada, está en el origen de sus problemas en la corte española de Carlos V a fines de los años 10, y motivaron su apartamiento de la misma. No obstante, el contenido clásico es patente en obras de este momento, como el relieve de *La Resurrección* de la catedral de Valencia o, posiblemente, en el destruido sepulcro del cardenal Selvagio en la iglesia de Santa Engracia de Zaragoza. Pero pronto su evolución formal le lleva a plantear una imagen basada en el patetismo y el drama.

La actitud ante la forma de Berruguete propone a la cultura artística española los mayores problemas estéticos. Alonso continúa y desarrolla hasta el máximo la tendencia goticista y el expresivismo de Juan de Valmaseda y hace afirmar a los tasadores del retablo de San Benito que se trata de una obra «muy falta y muy defectuosa»[11]. Estamos ante una concepción de la figura que unía las enseñanzas del gótico final al manierismo de Miguel Ángel aprendido en Italia y al impacto del *Laocoonte*, y que asumía el lenguaje medieval en clave manierista, como factor esencial en la polémica anticlasicista que conllevaba la «maniera»[12]. De la conciencia de estas elecciones y aun de las queridas deformaciones, en absoluto «defectuosas» del sentido de la imagen en Berruguete es buena prueba su cuidado por el sistema de proporciones, que pretendió sustituir al de Vigarny por otro más estilizado y alargado[13], que culmina en las figuras del mencionado retablo de San Benito o en el *Ecce-Homo* [189] del retablo de San Juan de Olmedo, «maravillosamente feo» en opinión de Azcárate[14], en el que la apelación al lenguaje gótico hasta los límites de la fealdad, supera incluso las intencionalidades devocionales, ya que en esta obra, como en el *San Jerónimo* [190] del retablo de San Benito, «el escultor tiene presente primordialmente las exigencias religiosas y reales, sin pretender hacer unas imágenes de religión»[15].

En Juan de Juni, de quien se piensa pueda haber nacido en Joigny —ciudad situada entre Borgoña y Campaña— encontramos otra versión, ahora de origen francés, pero también tamizada por Italia, de este sentimiento patético de la figura. Martín González ha recordado a Claus Sluter como uno de los puntos de referencia en la formación

190. Alonso Berruguete: San Jerónimo (detalle). *Valladolid, Museo Nacional de Escultura*

de Juni y ha tratado de reconstruir un itinerario italiano del escultor rastreando los lugares donde aparecen grupos escultóricos similares a sus famosos *Santos Entierros* de Valladolid [191] o Segovia: Fonduti, Begarelli, Mazzoni, Bolonia..., a la vez que señala cómo, si bien la influencia de escultores como Rustici es clara, en el caso de Miguel Ángel han de iniciarse más bien paralelismos que influjos[16].

El resto de los escultores participan de parecidas características. Francisco Giralte plantea un sentido del retablo opuesto al de Juni, como tendremos ocasión de examinar, pero su sentido emocional se basa en similares ideas religiosas, y lo mismo podría decirse a los retablistas a los que más adelante nos referiremos.

Pero, y en paralelo a la corriente que definen Berruguete y Juni, una escultura más desapasionada, «correcta» y, en cierta medida, clásica, comienza a desarrollarse hacia los años centrales del siglo, para acabar imponiéndose en sus postrimerías. Desde este punto de vista cobra excepcional importancia la figura de Gaspar Becerra, hombre polifacético, cuya aportación al debate artístico tiene el valor de señalar una vía de salida clasicista al problema de la imagen religiosa de la Contrarreforma[17]. Ante las obras de Becerra entramos en el problema del miguel-angelismo, del que, al contrario que Berruguete, realiza una lectura clasicista. Ciñéndonos al campo de la escultura religiosa, obras como el retablo mayor de la catedral de Astorga [192], suponen el inicio de un concepto de la imagen que, si bien se basa aún grandemente en el patetismo y la emoción, aparece ya controlado y regido por un orden y una mesura ajenas a Berruguete y Juni. Pero las vacilaciones de un debate planteado en términos tan duros son ostensibles en la carrera de Becerra: si el *Cristo de las Injurias* de la catedral de Zamora inicia una vía majestuosa en el tratamiento del tema —que culminaría, a principios

191. Juan de Juni: Santo Entierro. *Valladolid, Museo Nacional de Escultura*

del siglo XVII con las obras de Montañés—, el *Cristo Yacente* [193] de las Descalzas Reales de Madrid es una imagen patética en la que se enfatizan las laceraciones del martirio. Por otra parte, y si reparamos en ciertas obras pictóricas de Gaspar Becerra o alguno de sus seguidores, encontramos un mismo sentido grandioso de la figura y la forma, como es especialmente claro en su *Flagelación* [194] (Madrid, Prado) procedente de las colecciones reales.

Luis de Vargas —«Luz de la pintura, y padre dignísimo della en esta patria suya Sevilla»—, como le llama Pacheco, «... fue el primero —continúa el tratadista— que traxo a esta ciudad la manera italiana i

nueva de pintar al fresco...» [18]. Este artista aporta el contenido manierista de Perino del Vaga y, en ocasiones, el sentido de la forma vasariano, como sucede en la *Generación temporal de Cristo* (la famosa «Gamba» de la Catedral de Sevilla [195]), al que añade una cierta elegancia y sofisticación, patentes en su *Purificación* o su *Virgen con Niño y Santos* (1566), en la que Angulo ha indicado derivaciones de Salviati [19].

Pero este sentido de la sofisticación y el refinamiento tiene sus mejores representaciones en el campo de la escultura. Aquí, las derivaciones del plateresco son todavía patentes, pero ciertas obras abandonan toda idea de ostentación para desarrollar las de

192. Gaspar Becerra: Retablo mayor. *Astorga, catedral*

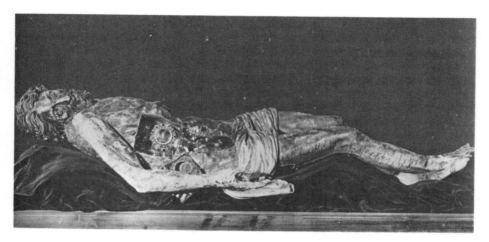

193. Gaspar Becerra: Cristo Yacente. *Madrid, Descalzas Reales*

minuciosidad, cuidado decorativo y elaboración. Así sucede en la obra de Donzel y Angers en el Trascoro de la catedral de León, pero sobre todo en la de los Corral Villalpando, que estudiaremos al tratar el problema del retablo. La exquisitez y la inserción de tipologías decorativas de estirpe manierista se desarrollan sobre todo en ciertas piezas de la catedral de Toledo. Tanto los atriles de bronce del coro, obra de Nicolás de Vergara *el Joven*[20] y *el Viejo*, como los armarios de la Antesala Capitular, de Gregorio Pardo, señalan una superación del clasicismo manierista no por la vía emotiva, sino por la de refinamiento, indicadoras de un tipo de mentalidad casi cortesana en un mundo no muy lejano a ella como era el cabildo de Toledo.

De esta manera, la discusión en torno a los modelos se revela enormemente compleja y la polémica Norte-Sur nos aparece demasiado esquemática. El sentimiento religioso no era vivido de una forma unívoca por la sociedad española del siglo XVI y las imágenes que lo servían adquieren una gran cantidad de alternativas que indican los múltiples sentidos de esta religiosidad, en la que convivían el patetismo de Berruguete, el monumentalismo de Campaña o Becerra, la sofisticación decorativa de Nicolás de Vergara y el misticismo de Luis de Morales.

Este último constituye uno de los casos más curiosos en el problema que venimos tratando, ya que es él, en las décadas centrales del siglo, quien enlaza su concepto de la imagen con la alternativa visionaria y contrarreformista de El Greco[21]. En realidad, ante Luis de Morales nos encontramos con una de las manifestaciones más plenas de un concepto de imagen influido por la Contrarreforma. Se han señalado como fuentes inspiradoras de su arte a Leonardo, Durero, Schongauer..., y a pintores manieristas como Beccafumi o Goltzius[22], pero su acti-

194. Gaspar Becerra: Flagelación. *Madrid, Museo del Prado*

195. Luis de Vargas:
Generación Temporal de Cristo.
Sevilla, catedral

196. Luis de Morales: Virgen del Pajarito

vidad ha de adscribirse a las poéticas típicamente contrarreformistas que, superando la dicotomía entre clasicismo y emocionalismo, sitúan el acontecimiento religioso en un mundo conceptual, fuera del tiempo o «sin tiempo». Se trata de representar el lugar inexistente del milagro y la visión y si en obras como *La Virgen del Pajarito* [196] (1546), el tema se inserta aún en un contexto naturalista, en pinturas del mismo tema, como la existente en Roncesvalles, el paisaje ha desaparecido y la disposición de los personajes —véase el San José— no obedece ya a ningún tipo de mirada racionalista.

Lo mismo podríamos decir de su *Ecce-Homo* (Madrid, Academia) o del *Cristo Varón de Dolores* [197] de Nueva York, en los que ha desaparecido el dramatismo y la gesticu-

lación para insistir en los aspectos visionarios, irracionalistas e incluso surreales.

Con ello Morales se adscribe a la tendencia misticista en la imagen religiosa que, planteada por artistas florentinos como Rosso o Pontormo, culminará en las propuestas contrarreformistas de Scipione da Gaeta a fines del siglo xvi y que en España conoce aportaciones de interés no suficientemente conocidas. No nos referimos sólo a los dibujos de Alonso Berruguete, sino a las efigies de la *Pasión de Cristo* [198] de Antón Pérez, con sus Cristos solitarios, o a los juegos lumínicos de Cristóbal de Herrera [199], a los que quizá habría que añadir la sencillez dramática del *Tríptico de la Crucifixión* atribuido a Vicente Masip [23].

De esta manera, y años antes de los mo-

197. Luis de Morales:
Cristo Varón de Dolores. *Nueva York*

198. Antón Pérez: La Pasión.
Iglesia de Balbuena del Duero

199. Cristóbal de Herrera: La Resurrección.
Tordehumos, Santa María la Sagrada

mentos más dramáticos de la crisis contrarreformista, se plantea en España la existencia de un arte intemporal casi abstracto,
que preludia las realizaciones del padre Valeriano[24] y no es de extrañar que, al final
de sus días, Luis de Morales trabajara en
Valencia al servicio del beato Ribera en su
fundación del Colegio del Patriarca. Para él
pintó un *Juicio del alma del beato Ribera* (1567)
y sobre todo un magnífico retrato [200]
(Prado), en el que el ascetismo del personaje
se capta con una pureza y sencillez de medios impresionante, al igual que sucede en
el tríptico en el que el beato acompaña a
la Virgen y San Juan en la contemplación
de un *Ecce-Homo*.

Hay que plantearse de esta manera la
verdadera cuestión de la imagen religiosa
del manierismo en España. Aunque trata-

distas y teóricos insistan en el valor pedagógico del arte para justificar la existencia
de las mismas, los mayores artistas del Renacimiento plantearon el tema desde otro punto de vista. Azcárate ha insistido en el valor
de imagen mental e intelectual de las figuras
de Berruguete, tan patente en los dibujos
conservados en la Academia de San Fernando [201]. Por su parte, la obra de Morales
profundiza en estos aspectos cuando sitúa
las historias sagradas en contextos aespacia-
les y atemporales. Obras como la *Virgen* de
la Colección Adanero así lo avalan: el sentido grácil, elegante y hasta sofisticado de la
figura adquiere un sentido que no es otro
que la cualidad de pura imagen mental que
tiene la pintura.

200. Luis de Morales:
Retrato del Beato Juan de Ribera.
Madrid, Museo del Prado

POLÉMICAS EN TORNO A LA IMAGEN:
DE LA SELECCIÓN TEÓRICA
A LA AFIRMACIÓN PRÁCTICA

La variedad de alternativas lingüísticas
que adquiría el arte religioso del manierismo
en España no dejaba de tener sus contradic-
tores y de provocar una serie de polémicas
de gran interés.

La discusión del siglo en torno a la validez
o no de las imágenes como vehículos del
sentimiento religioso encontraba en España
un planteamiento curioso, pues mientras algunos círculos intelectuales —vinculados sobre todo al entorno erasmista de la corte
de Carlos V— pronunciaban severas palabras contra la inflación del culto a las imágenes, los eclesiásticos, los cabildos y los mismos nobles optaban en la práctica por un
lenguaje expresivo y abundante. No deja
de ser significativa al respecto la contradicción de personajes tan característicos como
Antonio de Guevara, el obispo de Mondoñedo, que, si en sus obras literarias alaba
la sencillez y elabora una teoría de la vida
retirada, proponiendo que los reyes vivan
en cabañas en vez de palacios, encarga, con

destino a su capilla funeraria una de las
obras maestras del expresivismo de la imaginería castellana del siglo XVI: el *Santo Entierro* [202] de Juan de Juni.

La teoría erasmista de la imagen religiosa
tuvo en España especial repercusión y ha
de verse relacionada con los escritos de propaganda imperial. Alfonso de Valdés en su
Diálogo de las Cosas sucedidas en Roma, critica
el concepto de iglesia suntuosa, para reivin-
dicar la idea del mundo como templo y la
de templo interior y espiritual: «Mirad, Hermano —dice—, pues Dios es invisible, con
cosas invisibles se quiere principalmente
honrar. No se paga mucho ni se contenta
Dios con oro ni plata, ni tiene necesidad de
cosas semejantes, pues es Señor de todo» [25].

201. Alonso Berruguete: Dibujo. *Madrid, Academia de San Fernando*

La frase se incluye dentro del sentimiento cristiano de desprecio de las riquezas y despliega un verdadero ataque a los elementos clave de la iconografía religiosa del catolicismo: retablos, reliquias, ornamentos, imágenes e inserción de elementos profanos en las fiestas religiosas. Por componer un altar, dice Valdés, no ha de dejar de socorrerse a un pobre, o por realizar una imagen «dexemos desnudos los pobres, que son imágenes vivas de Jesucristo», a la vez que manifiesta que los santos «se holgarían que les quitassen aquel oro y plata para socorrer gente necessitada».

El punto clave de la polémica era el del valor y licitud de la imagen sagrada. Años más tarde que Alfonso de Valdés, Francisco de Holanda se plantea el tema para dar una respuesta afirmativa basada en la doctrina de la Iglesia que, según él, tuvo por santo el que se pintaran no sólo los temas sagrados «mas las mesmas fabulas y trasformaciones de los gentiles» y «todo —continúa— para nuestra enseñanza o para ejemplo o declaración de la verdad y de la mentira»[26]. La justificación de la imagen se encuentra pues en su valor moral y pedagógico y Francisco de Holanda repite el viejo tópico al respecto: «Es la pintura (como dice el Decreto) viva escriptura y doctrina para los indoctos; mas a los contemplativos e letrados acrecentamiento es de saber»[27].

Estas son, en definitiva, las ideas que dominaron el panorama plástico del siglo XVI en España, en el que resultaron baldías las afirmaciones de Alfonso de Valdés y los erasmistas cuando planteaban el problema de los modos de visión espirituales frente a los sensoriales. Para Valdés el vulgo andaba embebecido en imágenes y cosas visibles, sin cuidar en absoluto «de las invisibles, ni aun del Sanctíssimo Sacramento», con el consiguiente peligro de idolatría. Incluso se denuncia el provecho económico que resulta del tráfico y culto de las imágenes: «¿Para qué pensáis vos que da ell otro a entender que

202. Juan de Juni: Santo Entierro (detalle). *Valladolid, Museo Nacional de Escultura*

una imagen de madera va a sacar cautivos y que cuando buelba buelbe toda sudando, sino para atraer al simple vulgo a que offrescan a aquella imagen cosas de que él despues puede aprovechar?»[28]. Ideas que no se comparten por Francisco de Holanda quien distingue entre la imagen y la idea que representa, como base de su justificación ya que «una cosa es adorar la pintura, y otra cosa es aprender a adorar por la historia de la pintura»[29].

De esta manera queda abierto el tema de la iconografía religiosa a la que Holanda dedica varios capítulos de su tratado, pero que encuentra su desarrollo más positivo en la propia y abundante práctica artística del momento. Los temas del Antiguo y Nuevo Testamento, las imágenes de los santos son la base iconográfica de retablos, sillerías de coro, estatuas exentas y portadas de iglesias. Martín González[30] ha resumido los contenidos generales del retablo español del Renacimiento: en él, prevalece significativamente el lado del Evangelio sobre el de la Epístola, y entre las calles que lo forman, la central adquiere mayor relieve que las laterales. En ella, el impulso ascensional se logra de las más diversas maneras: el Sagrario, la simbología eucarística, la estatua del santo o el tema de la Asunción de la Virgen, son los que prevalecen en este lugar de honor, que se corona con la efigie del Calvario y la del busto de Dios Padre.

El tema sobre el que en realidad gira la iconografía religiosa en la España del manierismo es el de la visualización del Misterio de la Redención. Los santos, las figuras alegóricas de las Virtudes y aun las de los donantes, son sólo un acompañamiento, a veces de gran importancia, a los temas de la Historia Sagrada que narraban el Hecho Salvador, y que culminaba en el drama del Calvario, coronación habitual de la mayor parte de los retablos.

De igual manera el retablo sirve para subrayar el papel de la Virgen María como mediadora de la Redención. Los temas marianos adquieren una relevancia especial en la iconografía religiosa española, como sucede, por ejemplo, en retablos como los de la Colegiata de Belmonte [203] en cuya Capilla de los Gómez de León (1546) se despliegan los episodios centrales de la vida de la Virgen, o con la importancia que comienza a tener el tema de la Inmaculada Concepción. Si Pedro de Villegas representa a la Virgen en el momento de su *Asunción* a los cielos, en un tema desarrollado hasta la saciedad en las esculturas de Juan de Juni y sus seguidores, otros pintores, entre los que destacaríamos por la abundancia de sus versiones a Juan de Juanes, plantearon un modelo iconográfico de singular fortuna hasta el siglo XVII: el de la Virgen triunfante en el cielo, rodeada de ángeles y de sus símbolos característicos.

Otras veces el tema mariano se carga de

203. Retablo de la colegiata de Belmonte

204. Luis de Vargas: Piedad.
Sevilla, Santa María la Blanca

contenido alegórico —*Generación temporal de Cristo* de Luis de Vargas, *Purificación* de Pedro de Campaña, cuya imagen monumentalista sirve de vehículo a la personificación de las Virtudes—, patético —*Piedad* (1564) [204] de Luis de Vargas— majestuoso —*Purificación*, del mismo pintor— o dulce y místico en las repetidas versiones que del tema de la Madonna nos ofrece Luis de Morales.

También el tema del santo comienza a adquirir importancia progresiva; la cultura de la Contrarreforma, a cuyos inicios estamos asistiendo, había convertido al santo en nuevo héroe. Pintores como Nicolás Borrás, de la orden jerónima, plantean una imagen de la santidad piadosa y sentimental —*San Francisco, San Bartolomé y San Antonio Abad*—, clasicista y monumental —*San Bartolomé* (1559) de Francisco Comontes [205], *Santas Justa y Rufina* de Pedro Sturmio [206]— sencilla, directa y agradable en las series de santos de Juan de Juanes, o elegante y refinada en Correa del Vivar —*San Lorenzo* y *San Esteban* del Monasterio de Guisando.

205. Francisco Comontes: San Bartolomé (destruido)

206. Fernando Sturmio: Santas Justa y Rufina. *Sevilla, catedral*

Todos ellos tienen en común la presentación clara y sencilla, no exenta, claro está, del monumentalismo propio del tema heroico, ligado ahora a la santidad de la que la imagen dramática del martirio nos muestra su momento culminante. Si el *Martirio de San Pelagio* del Maestro Olivares es un estudio de un cuerpo bello y su desarticulación[31], el de *Santa Ágata* de Gaspar de Palencia, acentúa los elementos dramáticos y de crueldad a través del tenebrismo y de un desmontaje manierista del espacio[32], mientras que la *Degollación de San Pablo* [207] de Fernando Sturmio contra su patetismo en el juego de diagonales que se cruzan en la cabeza del santo, convertida así en eje de la composición, y el retablo del *Martirio de San Esteban* de Juan de Juni enfatiza el aspecto heroico del tormento al insertarlo en el solemne marco de un arco de medio punto.

Desde un punto de vista iconográfico es posible igualmente resaltar la pluralidad lingüística que caracteriza estos momentos. El tema de la Redención se interpreta a la manera naturalista, preludiando tendencias posteriores, en ciertas obras de Luis de Vargas, mientras que el de los Evangelistas, propagadores de la buena nueva, adquiere tono heroico en el retablo de Sturmio existente en la catedral de Sevilla y dramático en las imágenes de Berruguete para el retablo de *San Benito*. Si este último realiza una lectura en clave «goticista» del tema de los profetas miguel-angelescos, Sturmio enfatiza de Miguel Ángel su monumentalismo y rotundidez heroica, desarrollando así dos versiones contrapuestas de un mismo problema, que en Berruguete adquiere incluso connotaciones tenebristas en las pinturas de este retablo, una de las mejores expresiones españolas del tema de la Salvación del Mundo en clave dramática.

El paralelismo entre el Antiguo y el Nuevo Testamento, viejo asunto de raigambre escolástica, adquiere ahora singular fortuna. Si en los retablos se ejemplifica con la inserción de dos figuras, una de un joven con una cruz —la Nueva Iglesia— y otra de un anciano con las tablas —la Vieja Ley—, en algunos conjuntos el tema adquiere caracteres de protagonismo.

Así sucede en el conjunto de vidrieras de la catedral de Segovia [208] que despliega el asunto de la «concordatio» insertando las vidrieras en conjuntos de tres vanos, del que el de mayor tamaño escenifica un episodio del Nuevo Testamento y los dos laterales su prefiguración en el Antiguo[33]. Y en la portada de la iglesia del Salvador de Úbeda, temas como la *Adoración de la Serpiente de Bronce* o la *Caída del Maná*, prefiguran escenas capitales del ciclo de la Redención como son el Calvario y la Institución de la Eucaristía. Volviendo al mundo del retablo, re-

207. Fernando Sturmio:
Degollación de San Pablo. *Arcos de la Frontera*

208. Pierres de Holanda y Pierres de Chiverri: Vidrieras. *Segovia, catedral*

cordemos que la frecuencia de las imágenes de Adán y Eva, sirven para rememorar el episodio del Pecado Original —que hizo necesaria la presencia de Cristo en la tierra para proceder a nuestra salvación— y que la alegoría del árbol de Jessé no es otra cosa que una reflexión sobre el origen del Salvador.

Nieto Alcaide ha recordado el origen escolástico y medieval de este sistema iconográfico prefigurativo, cuyas fuentes literarias se basaban en la *Biblia Pauperum* o en el *Speculum Humanae Salvationis;* el tema se renueva en el siglo XVI por la corriente erasmista y el mismo autor recuerda el siguiente texto del *Diálogo de la Doctrina Cristiana* (1529) escrito por Juan de Valdés, enfatizando el carácter central que en la vida del cristia-

no adquiere el tema de la Salvación: «... se incita al alma a confesar su propia nada y a poner toda su fe en una intervención sobrenatural que, de esta nada, hará una plenitud... Es la buena nueva de la Redención, la seguridad de que el auxilio divino no faltará a quien lo invoque desde el fondo de su alma».

De ello sería buen ejemplo un retablo realizado por Domingo de Amberes en el altar mayor de Pampliega (1552-1558) [209]; en él, la idea de la Redención culmina en la escena del Calvario y se desarrolla a través de escenas de la infancia y vida de Cristo, a la vez que se resaltaban toda una serie de elementos dogmáticos que tendían a subrayar la eficacia de la Virgen como mediadora y la del Magisterio de la Iglesia como

209. Domingo de Amberes: Altar mayor de Pampliega

lo demuestra no sólo la monumental estatua de San Pedro que centra la composición, sino la presencia en la base del retablo de los Cuatro Padres de la Iglesia latina.

Desde el punto de vista iconográfico bajo el que examinamos el problema de la imagen religiosa de la España del manierismo, cobra gran importancia significativa el pleito inquisitorial contra el entallador Esteban Jamete —autor de obras tan significativas como ciertas partes de la decoración de *El Salvador* de Úbeda— en el que las tendencias erasmistas e incluso luteranas acerca de la imagen entran en conflicto con el decidido apoyo que la Iglesia y la sociedad española confirieron a las imágenes como portadoras de la visión exterior del dogma católico[34].

Si Alfonso de Valdés criticaba, como vimos, el abuso de las imágenes sagradas, los acusadores de Jamete recuerdan afirmaciones del mismo como las que sostenían «que a solo Dios se avia de rezar e no a los santos porque los santos no eran quien para dar nada o para alcanzar nada», lo que, según el entallador había de tener consecuencias decisivas para la iconografía de los retablos. Ysaque Juni afirma en el pleito: «... que se acuerda aver oído dezir al dicho Esteban Jamete tratando de retablos e obras de arte entre el y este testigo que no ha bien poner santos en los retablos, que antes era mejor adornar los retablos de otras tallas o fantasías que no imaginarias de santos e sus ystorias porque la gente embebecía tanto en rezar a aquellas ymágenes que muchas vezes a los santos que no avía para que sino a solo el Santisimo Sacramento, y que era necedad rezar a los santos...», a lo que Jamete responde que su idea era la de colocar la menos cantidad de estatuas posibles y sustituirlas por pinturas, ya que los retablos eran «nidos de ratones».

Recordemos también cómo en un proceso inquisitorial que tuvo lugar en Valladolid, recogido por Benasar[34 bis] maestre Hans, un orfebre alemán afirmaba que el verda-

dero templo de Dios era el corazón del hombre y que las imágenes no eran necesarias. Si los santos hacían penitencia era sólo porque creían en Dios; Hans afirmaba que en España se colocaban en las iglesias simples troncos de madera para adornarlos.

El proceso pone de manifiesto de manera muy clara la contradicción entre los deseos de los erasmistas y las realidades de una Iglesia dispuesta a manifestar exteriormente sus dogmas, su historia y sus héroes, de manera que el bufón Francesillo de Zúñiga podía afirmar en su *Crónica Escandalosa*, que Alonso de Aragón, arzobispo de Zaragoza parecía «... labrador espantado en fiestas de caballeros o mirando retablo de iglesia catedral»[35]; con ello no hacía sino reflejar la verdad de la cuestión: por encima de razones devocionales, eran las de sorpresa, excitación y propaganda las que movieron a la Iglesia a proteger y fomentar el culto a la imagen sagrada.

IMAGEN SAGRADA Y ESPACIO ARQUITECTÓNICO

Como hemos dicho, la inflación de las imágenes religiosas constituye uno de los factores clave del arte español del Renacimiento. Si las fachadas platerescas habían modificado la percepción y el sentido de los recorridos urbanos desde comienzos de siglo, prolongando de esta manera ciertas tendencias del gótico final, ahora será el interior de las iglesias el que se modifique en gran medida a causa de la inserción en el mismo de episodios plásticos tan relevantes como el altar mayor y su retablo, la sobreabundancia de pequeños altares laterales, los sepulcros y el coro en la nave central.

Este último elemento constituye un factor decisivo a la hora de configurar visualmente el interior de las iglesias y catedrales. Colocado con cierta frecuencia en la nave central, es testigo de importantes programas escultóricos. Los más grandes artistas del momento intervienen en su realización, como sucede en el de la catedral de Toledo que, iniciado por Vigarny y terminado por la magnífica serie de figuras bíblicas de Alonso Berruguete[36] [210], constituye una de las obras esenciales del manierismo hispánico. En 1541 Berruguete había terminado las partes en madera, y en 1548 las realizadas en alabastro a las que más adelante nos referiremos, de manera que cuando los escultores Jerónimo Quijano y Juan de Juni realizan la revisión pudieron afirmar refiriéndose al trascoro «... a hecho el dicho alonso de berruguete de más allende de lo que estava obligado a hazer por la dicha obligación»[37]. Orueta indicó al referirse a las estatuas de madera cómo abundaban las influencias clásicas, sin

210. Alonso Berruguete: Job, coro.
Toledo, catedral

olvidar nunca otras lecciones de mayor contenido expresivo: el *Laocoonte*, Miguel Ángel o Jacopo della Quercia. Todo ello formaba parte de un conjunto, presidido por las imágenes de la Transfiguración, que insertaba en un espacio como la catedral de Toledo un episodio figurativo que no sólo transformaba el espacio total del conjunto, haciéndole perder claridad y transparencia, sino que implicaba al espectador y a los mismos canónigos en un mundo de tensiones dramáticas reforzadas por la gran cantidad de figuras y el dramatismo de sus actitudes.

Lo mismo podríamos decir de la sillería realizada por Juan de Juni para el convento de San Marcos de León[38] [211] en la que se despliega ahora una iconografía de santos y en la que Juni comienza a superar el lenguaje decorativista y superficial del plateresco, para proponer unas decoraciones cuyo recurso al lenguaje de los monstruos del gótico se realiza desde la óptica del manierismo. El dramatismo de las figuras se consigue ahora no tanto por un concepto de la figura en tensión, sino por su inserción en un programa arquitectónico y decorativo de fuerte contenido expresivo.

Junto a los coros, el altar mayor y su retablo es otro de los factores plásticos que ayuda a modificar la percepción espacial. El acoplamiento de estos grandes retablos produjo problemas en el interior de las iglesias y dio lugar a pleitos de gran significación. De entre ellos, el más importante fue sin duda el que Juan de Juni sostuvo con Giralte acerca del retablo de la iglesia de Santa María la Antigua [212] de Valladolid y que más adelante estudiaremos. Sólo indicaremos ahora cómo los retablos se constituían en espacios autónomos y episodios visuales que conducían la devoción del fiel a través de un mundo de narraciones evangélicas, bíblicas, figuras de santos, escenas de martirio o de triunfo, que convertían la lectura de la iglesia no en algo abstracto donde hubiera que reflexionar acerca de un cierto sentido

211. Juan de Juni: Sillería del convento de San Marcos. *León*

de la armonía y la proporción, sino en un libro abierto con las figuraciones concretas del dogma católico y la vida de la iglesia. Y ello, no sólo en los grandes retablos mayores, sino también en cualquier rincón de la iglesia susceptible de ser portador de una imagen: púlpitos, como los existentes en la catedral de Sigüenza [213], obra de Martín de Valdoma (1572), en el que las escenas de la Pasión se enmarcan por manieristas telamones, facistoles, como los ya comentados de Toledo, puertas de sacristía, como las de la misma Sigüenza, obra de Maese Pierres en 1561 o las anónimas de la Capilla del Obispo en Madrid, e incluso los pequeños retablos que sólo desarrollan una escena principal, como el ya citado de San Sebastián, obra de Juni o el de *San Segundo* [214], que tallan entre 1547-48 Isidro de Villoldo

y Juan de Frías para la catedral de Ávila. Todos ellos convierten las iglesias en espacios de lectura fragmentaria y a menudo trabajosa, de impacto seguro sobre el cristiano devoto.

A ello contribuye igualmente, y como ya sucedía en la etapa del plateresco, el arte de la rejería. Las rejas, concebidas muchas de ellas como verdaderos retablos, contribuyen, dado su espesor y prolijidad decorativa, a una enorme compartimentación espacial, ya que son factores esenciales a la hora de concebir las capillas laterales de las iglesias, y, en algunos casos, incluso las mayores, como espacios separados y autónomos con respecto al conjunto de la iglesia [39].

Así sucede con la que ha de considerarse obra maestra del arte de la rejería en el Renacimiento español, que es a la vez una

212. Juan de Juni: Retablo de Santa María la Antigua. *Valladolid, catedral*

213. Martín de Valdoma:
Púlpito de la catedral de Sigüenza

214. Isidro de Villoldo, Juan de Frías:
Altar de San Segundo. *Ávila, catedral*

de las muestras más claras del repertorio decorativo y formal del manierismo en nuestro país. Nos referimos a la reja que Francisco Villalpando realiza entre 1540 y 1548 para la Capilla Mayor de la Catedral de Toledo[40] [215]. Coronada por una enorme Cruz, el Escudo Imperial culmina toda la obra, de la que se elimina cualquier referencia a repertorios goticistas, arcaizantes y aun a cualquier sentido plateresco o pictoricista de la decoración. Hermes, telamones, cariátides, labor de bandas, mascarones..., son un buen repertorio de la cultura internacional de Villalpando, que no en vano había traducido al español los *Libros III y IV* del *Tratado* de Serlio en 1552. Un sentido nuevo y majestuoso de la proporción, acentuado por la sobriedad de los balaustres, se

215. Villalpando: Reja de la capilla mayor (detalle). *Toledo, catedral*

une a un estudio de temas decorativos a los que no son ajenas influencias nórdicas, dotan a esta reja de un sentido clasicista, que vuelve a plantear una vez más la polémica lingüística entre clasicismo y emoción tan importante en el manierismo español.

En Villalpando hay que destacar igualmente lo cuidadoso de la técnica que le acerca más a la mentalidad de orfebre, que a la de maestro rejero. Ello es patente, incluso en mayor manera, en la obra de los Vergara, cuyo punto culminante es la reja del sepulcro del Cardenal Cisneros en la iglesia Magistral de Alcalá, en la que, además del programa iconográfico que comentaremos más adelante, hay que destacar el doble carácter de sencillez compositiva y delicadeza en el detalle, que nos hace situarnos, en realidad, en otra época. Y así, esta obra y, sobre todo, la reja de Villalpando, así

como las obras palentinas de Gaspar Rodríguez o las de Cuenca de Hernando de Arenas, instalan en España la dialéctica entre concepción monumental de la miniatura e idea miniaturista del monumento, tan común en Benvenuto Cellini y en los orfebres del manierismo italiano[41]. Y de igual modo sucede en obras posteriores, como la verja clasicista de la Capilla de San Miguel [216] en la Seo de Zaragoza, obra de Guillermo Trujarón en 1580.

FORMAS DE VISUALIZACIÓN DE LA IMAGEN RELIGIOSA

La polémica entre emocionalismo y clasicismo y la formulación en muchas ocasiones de un concepto mental e intelectual de la imagen sagrada no resuelve los problemas formales que suscita el problema de hacer visible al fiel los contenidos dogmáticos y de la historia sagrada que desarrollan los programas religiosos.

Caro Baroja ha llamado la atención sobre la «voluntad de ver milagros» que invadía a la sociedad española de los siglos XVI y XVII[42]. Ello explicaría el auge de las devociones, el nuevo sentido interventor que se aplica a los santos, cuyas vidas se relatan una y otra vez, y la conciencia de un mundo en el que la religión se encontraba presente por doquier. De esta manera no ha de extrañar que la imagen religiosa, única forma de hacer presente, visible y actual el tema del milagro, adquiriera el enorme desarrollo del que venimos ocupándonos.

Todos los medios eran lícitos para hacer llegar al fiel el contenido de la manera más directa posible y ahora, iniciando una tendencia que culminará en la imagen contrarreformista de finales de siglo, el valor de claridad será uno de los factores esenciales que expliquen el sentido formal que alcanza esta visualización del dogma y el milagro.

Como es obvio, la misma tendencia al

216. Guillermo Trujarón: Reja de la capilla de San Miguel

clasicismo actúa como importante acicate para conseguir la claridad y perfecta legibilidad en las escenas e historias. Ello se resuelve con el recurso a formas simples y ordenadas que es patente en las obras pictóricas y escultóricas españolas de las décadas centrales del siglo XVI. La influencia y el modelo de artistas como Ghirlandaio, Jacopino dal Conte o el Rafael de los cartones para tapices y las Estancias, en obras de Macip como el citado *Nacimiento* de la catedral de Segorbe o los tondos con las historias de *Santa Inés* [217] del Museo del Prado, adquiere este sentido y valor, como sucede en las innumerables sagradas familias de Juan de Juanes y sobre todo en la ya comentada organización de sus *Desposorios místicos del venerable Agnesio* del Museo de Valencia.

Si bien algunas obras, como las pinturas de Berruguete para el retablo de San Benito, resisten su inserción en esquemas geométricos, otras veces, éstos adquieren un valor protagonista. Así sucede en el *Descendimiento* [218] de J. F. Rodríguez en la catedral

217. Vicente Masip: Historias de Santa Inés. *Madrid, Museo del Prado*

de Tarazona (1537) en el que las figuras se pliegan obsesivamente a las líneas fuerza de la composición y en las obras del mismo tema de Pedro de Campaña, en las que la emoción en rostros y actitudes se regula a través de su inserción en un conjunto basado en figuras triangulares.

Es ahora cuando se inicia en la cultura artística española una muy fuerte crítica contra el plateresco que enseguida afecta al concepto de la imagen religiosa. El decorativismo del plateresco había sumergido a las imágenes en entramados perceptivos de difícil lectura que afectaban, como dijimos, al concepto clasicista de la figura, enturbiando en muchos casos el sentido de claridad de la misma, por lo que no es extraño que en las décadas medias del siglo XVI se produzca una llamada al orden, la sencillez y la economía. Así, en 1541, en el contrato para el retablo de la iglesia de San Antonio Abad de Valladolid, fundación de doña Francisca de Taxis, concertado por Pedro de la Hinestrosa, se dice: «... a de aver debaxo... de estas columnas grandes unos pilastrones grandes con sus basas y capiteles... labrados de talla... no viciosa ni muy costosa syno conforme a la hordenanza de la obra». Otras veces, como en el caso de las condiciones del retablo que hizo Alonso de Berruguete en Cáceres, los requisitos parecen ser los contrarios: en él, las decoraciones de la custodia exigen que sea «muy ornada, labrada y errequecida», pero, en general, la tendencia es hacia una concentración de los aún abundantes elementos decorativos. El tratadista espiritual Diego de Cabranes criticaba en 1554 a los entalladores que «... dan causa a sus curiosidades incitativas a los hombres a consumir de sus bienes en gastos superfluos» y a los que recargaban una obra con tal exceso de materiales que llegaban a provocar su caída. Y así, centra sus críticas en aquellos artífices más susceptibles de incurrir en exceso de decorativismo, como los herreros que pueden usar «... la cerrajería

218. Juan Fernández Rodríguez: Descendimiento. *Tarazona, catedral*

haziendo rexas y obras inútiles donde si incluyen todas las lavores de invenciones y
maneras de labrar el hierro las quales si
son en modo curioso que incitan a gastos
demasiado superfluos es culpable el exercicio, aunque cuando se usan las sotilezas para
que aya mejor labor en la cerrajeria no se
dira curiosidad»[43].

Pero la razón económica no constituye
el punto central de la discusión, que se funda-
mentaba en el problema de la posibilidad
de legibilidad y comunicabilidad de la imagen. El contrato del retablo de la Capilla de
San Ildefonso de Palencia, uno entre tantos,
fechado en 1561, insiste en que todas las
historias de la obra, realizada por Juan del
Corral, se hagan al natural, «como si fueran
bibas»[44], y el retablo ya citado de Alonso
Berruguete en Cáceres inserta la siguiente
y significativa cláusula: «yten que en lo que
toca a la ymaginería y bultos fuera todos
sean del mayor tamaño y rrelieve que ser
pueda y puedan caber en proporción adonde
ovieran de estar puestos y todo ello se a de
hazer que este en rrazón y en arte y bien acabado»[45], que liga la idea de proporción a
la cualidad de claridad en el desarrollo de
historia e imágenes.

La polémica iba a estallar de manera espectacular e iba a enfrentar a dos de los
mayores imagineros del momento: Francisco Giralte y Juan de Juni a propósito del
importante retablo de la iglesia vallisoletana
de Santa María la Antigua [212]. Si las razones inmediatas de la discusión son de escaso
relieve estético —la posibilidad de insertar el
retablo en un espacio determinado— y las
reales entran en el terreno de los conflictos
personales[46], las que se adujeron por parte
de los testigos adquieren desde nuestro punto
de vista la mayor significación.

Giralte, ya lo sabemos, es autor de importantes obras, entre ellas el retablo de la Capilla del Obispo [219] de Madrid, de estructura
y decoración esencialmente platerasca. Giralte se encontraba vinculado a este tipo

de estética y el proyecto alternativo que presenta al retablo de Juni es calificado de «des-
proporcionado» y acusado de que su traza
«no tyene en cuenta ny Razón ni arte de
architectura ny escultura... ni esta proporcionada para se hazer en el sitio y lugar
donde a de estar...». Diego de Castro, otro
testigo, repite parecidas ideas y afirma que
la arquitectura del proyecto tiene muchos
elementos «sin proporcion, ni arte y otros
defetos», Gaspar de Tordesillas indica la no
correspondencia entre las figuras y su marco
y Gregorio Pardo da con la mejor fórmula
para definir un retablo plateresco: «la traza
del dho. pergamino (el presentado por Giralte) esta mas bien debuxada aunque le
parece a este testigo que es muy grand labo-
rintio tanta obra para un retablo», continuando con la siguiente afirmación: «si se
objese de hacer toda la obra e Repartimiento
de arquititura y escultura seria obra muy
menuda y muy enfoscada».

En realidad, lo que planteaba el retablo
de Juan de Juni, hoy situado en el altar
mayor de la Catedral de Valladolid, es el
problema de una nueva tipología de este
género que superaba la prolijidad decorativa y la abundancia de historias de los retablos anteriores y proponía un nuevo sistema de presentación de la imagen en que el
énfasis en la claridad, la separación de las
historias y la importancia en los elementos
arquitectónicos eran los factores decisivos de
la composición. Así lo vio el licenciado Bal-
boa, otro de los testigos del pleito, cuando
afirmaba que «la traza del dho. Juan de
Juny hera de mucho arte... como una dama
muy graciosa... e que la otra hera un asno
cargado de oro que no tenya arte ny proporcion consigo...»; e inclusive otras respues-
tas más conciliadoras no dejan de carecer
de significación, y así Maestre Xácome dice:
«... la traza de Juny es buena y de buen
oficio pero que le aventaxa... la de Giralte
en los brutescos y figuras mas no en el arquititura».

219. Francisco Giralte: Retablo de la capilla del Obispo. *Madrid*

220. Juan de Juni: Retablo mayor. *Burgo de Osma, catedral*

Nos hemos detenido en este pleito pues expresa a la perfección el estado de la polémica antidecorativa y antiplateresca de este momento en España y por referirse a una de las mayores obras del Renacimiento español, que marca un hito en la evolución tipológica del retablo; el proyectado por Juni para Santa María la Antigua [212], ya no es un laberinto en que perderse, ni un asno cargado de oro, pues en él la historia de la Redención y el papel de la Virgen como mediadora aparece perfectamente legible y a él se subordinan las historias y las figuras de los santos que se enmarcan por medio de sobrias columnas corintias desprovistas de follaje plateresco. El tipo de retablo, que abandona la monótona repartición por calles de igual anchura, estableciendo una jerarquía entre los diferentes nichos, adquiere así una gran novedad, y esto es lo que quizá desconcertó a sus contemporáneos a la vez que marcó uno de los momentos de mayor importancia en la evolución de la escultura española del siglo XVI.

221. Retablo de Genevilla

Martín González[47] ha hablado de él como retablo manierista y anticlásico. Y esto es en definitiva, ya que su organización formal intentaba instaurar un nuevo tipo de relaciones visuales entre la imagen y el fiel, que se repetirán en otras obras como el retablo mayor [220] de Burgo de Osma, obra de Juan Picardo y el propio Juni, en el que la escena del cuerpo bajo —la *Dormición de la Virgen*— se enmarca en una clasicista serliana que se concibe como el elemento ordenador de esta parte del retablo, advirtiéndose una mayor tendencia a la geometrización del espacio en el tardío retablo de la Capilla Ávila Monroy de la iglesia de El Salvador de Arévalo, terminada por el hijo de Juan, Isaac de Juni.

Si se compara el retablo de Burgo de Osma con el que Juan Picardo, esta vez en colaboración con Pedro Andrés, realizó para la colegiata de Medina del Campo, nos daremos cuenta de lo que supone la aportación de Juan de Juni. Este último, como el ya citado de Giralte en Madrid, son típicos ejemplos de retablos plateresco, cuya desaparición no se realiza sin resistencias. Multitud de retablos navarros (Sangüesa, Indurain, Orcayar, Mendiava, Genevilla...) [221], el ya citado retablo de Pampliega obra de Domingo de Amberes o el de San Martín, en Villanueva del Campo, obra de Jacques Bernal en 1542, todavía resuelven su organización por medio de balaustres plateresco y se coronan con templetes de fuertes reminiscencias góticas.

Pero, como decimos, un nuevo sentido del orden comienza a imponerse en la plástica española y pronto comenzarán a sentarse las bases del clasicismo —el denominado romanismo— cuyos hitos, como ha precisado Martín González podrían ser Santa Clara de Briviesca, el retablo de la Catedral de Astorga [192] y el de las Descalzas Reales [222] de Madrid (hoy destruido), obras estas dos últimas de Gaspar Becerra[48].

Ya hemos indicado como este artista es uno de los introductores de la monumentalidad miguelangelesca en España, lo cual se hace patente en el retablo de la catedral de Astorga [184], cuya arquitectura y tipología suponen la aceptación en España del lenguaje del manierismo clasicista como forma de visualizar, ordenada y majestuosamente, el Misterio de la Redención. La alternancia de frontones triangulares y circulares

222. Gaspar Becerra: Dibujo del retablo de las Descalzas Reales de Madrid

procede del ambiente miguelangelesco que Becerra había frecuentado en Roma[49] y el desarrollo que ofrecen algunos motivos decorativos, como los triglifos y gotas del cuerpo superior, nos hablan, en su abstracta geometría y sentido heterodoxo de un manierismo bien asimilado. Aspecto que también debía ofrecer el desaparecido retablo madrileño de las Descalzás Reales [222], descrito así en 1569 por López de Hoyos: «El altar mayor tiene un retablo labrado de sculptura y pintura de mas de cinquenta pies de alto, sentado sobre dos escudos de armas de la Serenissima Princessa y Rey de Portugal, son de marmol de Genova, toda su guarnicion y ornato de lo mismo labrado costossissimamente, ay en el retablo diez quadros de marmol negro, en los quales hay muchas historias sagradas pintadas de mano de Gaspar Bezerra Español, maestro de las obras del Rey don Philippe N. S...»[50].

De esta manera, y a pesar de la insistencia en nuestro país en un concepto de la imagen sagrada patético y emocionalista, es posible señalar hacia las décadas centrales del siglo esa «tendencia hacia la unidad» en la forma de la que ha hablado Battisti[51]. Citando a Weise, este autor recuerda cómo en España la reducción de motivos ornamentales se acompaña de la exclusión de todo motivo que no sea religioso. Autores del momento, como Diego de Cabranes[52] recuerdan cómo «son mucho de aborrecer y reprehender los que pintan ymagines que como sepan poco del arte ponen tan mala proporcion y hazen gastos sin razon y tan fuera de honestidad eclesiastica que mas son inventores de murmuraciones y burlas que no mostradores como se han de levantar los pensamientos christianos a devocion», en sorprendente paralelismo con palabras, sólo cuatro años posteriores, a otras del veneciano Paolo Pino de crítica a las figuras desordenadas y confusas[53].

Y lo mismo podría decirse en lo que respecta al dorado y la policromía de los retablos. Este estímulo visual, situado en abierta polémica con el sentido monocromo de la escultura clásica, fue empleado en España como factor esencial a la hora de proponer al fiel una imagen emocional y patética. Por medio de los colores y los dorados, se prolongaba en el discurso iconográfico del retablo la idea de un espacio coloreado y místico de procedencia medieval[54] y por ello comenzó a ser criticado durante la segunda mitad del siglo XVI. Luis de Zapata en su *Miscelánea. Silva de Curiosos Casos*, dice lo siguiente: «Por lo que a mi me parece que en las repúblicas no se había de consentir dorar otra cosa sino las imágenes y retablos, aceptando, como las Personas Reales en las premáticas, la Real y Divina Persona, que todo lo cria y da; y que tan comúnmente no consumiesse dorados la gente baja, y a la rica sería más útil tener una espada de oro, que quedase para sus herederos, que haber gastado cincuenta doradas, que como "flos que eraditur et conteritur se cae", y lo que se había de gastar en dorados y plateados, que fuese con chapería de oro y plata que no se gasta, donde para siempre permanece y se esta»[55]. El texto, que destaca el valor del dorado para las imágenes y retablos, inicia, sin embargo, una corriente crítica hacia su empleo superficial y meramente decorativo; es pues una llamada al clasicismo, escrita ya en tiempos de Felipe II, muy significativa de la tendencia a la sencillez que venimos comentando.

Desde otro punto de vista, el sentido directo, de claridad y fácil legibilidad de la imagen religiosa se consigue mediante la insistencia en ciertas *imágenes-tipo* que, debido a su continua repetición, configuran el fenómeno de las series, de tanta importancia en la posterior España del Barroco.

Ya hemos mencionado el carácter orgánico que adquieren los programas de vidrieras ordenadores del espacio visual de ciertas iglesias y catedrales. En la de Segovia se conserva un manuscrito *(Orden de las ystorias*

que se han de poner en las vidrieras de la yglesia mayor de Segovia) sobre el que parece que se ordenó el programa iconográfico colocado de izquierda a derecha, «siguiendo el orden del leer, pues desto sirven las ymagines para los que no lo saben»[56]. El criterio unificador de las vidrieras de Segovia, como ha señalado Nieto Alcaide, parte del versículo del Evangelio de San Juan («Salí del Padre y vine al mundo; de nuevo dejo el mundo y me voy al Padre») y los aplica de la siguiente manera, basándose en esta misma fuente literaria: Exivi a patre, «cuando en el vientre original entró»; Veni in mundum «cuando en su humanidad nació, vivió y padesció»; Relinquo mundum «cuando murió»; vado ad patrem, «quando salió al cielo resucitado». El mismo autor ha señalado cómo el programa fue redactado a instancias del fabriquero Juan Rodríguez, como lo declaró en una memoria de 1562[57]. De esta manera una base literaria de todos conocida y repetida en la liturgia cuando se leía el Evangelio de San Juan facilitaba la inmediata comprensión del conjunto.

Pero el caso de las vidrieras es diferente a lo que hemos denominado imágenes tipo. Con ellas se trata de repetir con pocas variantes determinados tipos iconográficos, cuya seriación permite al fiel su más fácil lectura. El artista que más claramente muestra esta tendencia es Luis de Morales en el que se repiten hasta la saciedad el tema de la *Virgen con el Niño*, el *Ecce-Homo*, la *Piedad* o el *Cristo con la Cruz a cuestas* [223, 224], iniciando así una tendencia más tarde prolongada por el Greco. Se trata de tipos iconográficos muy sencillos, muy dramatizados y cuya repetición ha de actuar sobre los mecanismos de la memoria del fiel, llegando hasta casi la obsesión y eliminando en lo posible el factor sorpresa a la hora de contemplar cualquier imagen en cualquier lugar habitual. Temas como *La Virgen con el Niño* se repiten también hasta la saciedad por Juan de Juanes, mientras que el escultor Juan de

224. Luis de Morales: Cristo con la cruz a cuestas. *Madrid, col. particular*

223. Luis de Morales: Piedad. *Barcelona, col. Balanzó*

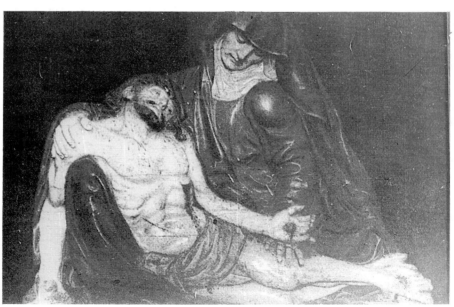

225. Juan de Juni: La Piedad. *Medina del Campo, colegiata*

226. Juan de Juni: La Virgen Dolorosa.
Valladolid, iglesia de las Angustias

227. Juan de Juni: Cristo crucificado.
Valladolid, convento de Santa Teresa

Juni elabora un sin fin de variantes sobre el tema de *La Piedad* [225], la *Virgen Dolorosa* [226] o *Cristo Crucificado* [227].

Ya hemos indicado cómo este mismo tema coronaba la inmensa mayoría de los retablos españoles del siglo XVI; con todo, Juan de Juni realiza varios Crucifijos y Calvarios al margen de los retablos: es el caso del de la capilla de don Antonio del Águila en el convento de San Francisco en Ciudad Rodrigo o el existente en la catedral de León. De igual manera el tema de la Piedad recibe multitud de tratamientos, desde el clasicista y copia literal de la Piedad vaticana de Miguel Ángel que realiza Bautista Vázquez *el Viejo* en la catedral de Ávila [228] (en el

que la única diferencia con el miguelangelesco es la no insistencia en el sistema triangular de composición, para enfatizar la cualidad de bloque de la estatua), o los ya plenamente expresivos de Juan de Juni, como el relieve existente en el Museo Diocesano de Valladolid, el del Museo de San Marcos de León, la estatua del Museo Marés, el relieve del sepulcro del Arcediano Gutierre de Castro en la catedral de Salamanca o la Piedad de la Colegiata de Medina del Campo.

Esta sensibilidad emocionalista encontraba infinidad de medios para su expresión. Uno de ellos era el específicamente perspectivo y teatral, pues el uso de artificios pers-

228. Juan Bautista Vázquez, *el Viejo*: La Piedad. *Ávila, catedral*

pectivos servía igualmente como medio adecuado de alcanzar una más directa legibilidad por parte del espectador. La vidriera manierista está llena de estos juegos perspectivos, pero será la escultura quien con mayor constancia emplee estos métodos. Dos ejemplos son una buena prueba de ello.

Alonso Berruguete utilizó un esquema esencialmente teatral en una de sus obras más logradas como es *La Transfiguración* [229] que corona la sillería del coro de la catedral de Toledo; la escena se enmarca en una arquitectura transparente que dibuja en el espacio la forma de una serliana. De igual manera la arquitectura y, en mayor medida, la rápida perspectiva fugada sirve de ordenación visual a Juan de Juni en el relieve que, en San Marcos de León, escenifica el misterio del *Nacimiento de Cristo* [230]. En él,

la arquitectura y la perspectiva, que se inspira muy directamente en el grabado de Serlio para la escena trágica, adquiere ahora el carácter de protagonista, tal como más adelante ocurrirá en ciertos cuadros de El Greco muy deudores de su aprendizaje con Tintoretto.

El comentado relieve de León insertaba en su clásica imagen arquitectónica las figuras de Perseo y la Medusa. Con ello se trataba de resaltar, desde el punto de vista de la mitología clásica, la idea de triunfo sobre las fuerzas del mal que adquiría la Redención de Cristo; un sentido optimista y triunfal embarga esta inflación de imágenes religiosas, y constituye una de las aportaciones capitales del Renacimiento en España. Caro Baroja ha indicado cómo, frente a determinadas concepciones pesimistas [58], se desarrolla en la España del siglo XVI toda una visión optimista y alegre del mundo [58]. El mismo autor resalta, desde este punto de vista, la figura de Fray Luis de Granada, cuya *Introducción al Símbolo de la Fe* es un panegírico de las excelencias de la Creación, al que no faltan alusiones y comparaciones al mundo del arte. «¿Quién diría —se pregunta— que un retablo muy grande y de muchos y muy excelentes colores y figuras, se hizo acaso con un borrón de tinta que acertó a caer sobre una tabla?» Las citas de Fray Luis podrían multiplicarse y efectivamente relacionarse con este mundo de imágenes, a la vez patéticas y exultantes, de las pinturas y retablos españoles del Renacimiento. La ya comentada opción por la imagen es una de las características fundamentales de un momento de optimismo y sentido triunfal de la religión. El mundo se concibe como un reflejo de la hermosura de Dios —«¿Qué es, Señor, todo este mundo visible, sino un espejo que pusisteis delante de nuestros ojos, para que en él contemplásemos vuestra hermosura?» [59]— que implica a la vez una valoración positiva no sólo de la naturaleza, sino también del artificio y de la actividad artís-

229. Alonso Berruguete: La Transfiguración, coro. *Toledo, catedral*

230. Juan de Juni: Nacimiento de Cristo. *León, San Marcos*

tica —«Todo lo que te deleita en el arte, predica el alabanza del artificio»[60]— y una exaltación de los sentidos, sobre todo el de la vista —«Todo nuestro conocimiento nace de nuestros sentidos, que son las puertas por donde las imágenes de las cosas entran a nuestras ánimas, mediante las cuales las conoscemos...»[61]—; ya que en Fray Luis de Granada la valoración de la naturaleza va pareja a la estima por su representación artificial por medio de la imagen —«Pues ¿qué cosa más admirable, que viendo nosotros cómo un pintor gasta muchos días en acabar una imagen, que cada una de estas cosas visibles sean poderosas para producir, sin pincel, y sin tinta, y sin espacio de tiempo, tanta infinidad de imágenes en todos los cuerpos transparentes, como son el aire y el cielo?»[62].

Así, las distintas maneras de hacer visible la imagen religiosa que acabamos de estudiar se encaminan, como en las técnicas retóricas de los sermones de los predicadores, a mostrarnos un determinado tipo de imagen que no es otro que el de una Iglesia triunfante y para la que el arte es uno de los medios de expresión privilegiados, una vez rechazadas aquellas teorías que pretendían terminar con el culto exterior.

EL VALOR SOCIAL DE LA IMAGEN RELIGIOSA

En 1579, Miguel Giginta en su *Tratado en defensa de los pobres*, escribía: «Y si veemos que cuando se comiença algun monasterio o capilla, de nuevo ayudan luego muchas personas ricas notablemente, y aun ay a vezes competencias para ganar el entierro principal, el segundo y el tercero; han de faltar personas generosas que ayuden notablemente a esto? que ha de ser casa de oración, hospital, collegio y remedio de tantos pobres próximos, que tienen extrema necessidad de ello»[63].

En efecto, a lo largo del siglo XVI, pero especialmente a partir de los años 30 y 40 de la centuria, una verdadera fiebre constructora invade a ciertas capas de la sociedad española. Ya hemos visto cómo el arte en torno a los nobles constituye uno de los capítulos más importantes del manierismo en España; pero éste quedaría definitivamente incompleto si no tenemos en cuenta que gran parte de los retablos de las capillas, los sepulcros y otras manifestaciones plásticas eran debidas a la munificencia y el deseo de ostentación y pervivencia que, como hombres del Renacimiento, sentían los nobles españoles. Hay que tener en cuenta el hecho, con frecuencia olvidado, de que una parte considerable de la imaginería española no se concibió como medio persuasivo y provocador de efectos emocionales sobre el fiel, sino más bien como expresión de un determinado tipo de devoción de los nobles y como muestra de su sentido ostentatorio. Así sucede, como ya hemos visto, en el caso de una de las más célebres obras de Juan de Juni, el *Santo Entierro* [202], realizada para la capilla funeraria de don Antonio de Guevara, el obispo de Mondoñedo, cuyo sentido patético y emocional entra además en contradicción con el deseo erasmista de sencillez, tantas veces expresado en los escritos del mencionado cortesano.

El deseo de perpetuarse tras la muerte encuentra su mejor expresión en el tema de la capilla funeraria. La mayoría de las veces integrada en el espacio de la Iglesia adquiere en ocasiones considerable desarrollo e incluso autonomía constructiva y urbanística. Es el caso de la Capilla del Salvador en Úbeda, cuya tendencia a la centralidad —inspi-

rada, sin duda, en el ejemplo de la catedral granadina— sirve como foco fundamental a la Plaza Mayor de dicha ciudad y de soporte a un importante programa escultórico debido en parte al entallador Esteban Jamete, y al que más tarde nos referiremos.

Otra de las grandes capillas funerarias españolas, la que mandó construir don Álvaro de Benavente y alberga los restos de Juan de Benavente, Diego de Palacios, Juan González Palacios y sus respectivas mujeres, situada en Medina de Rioseco, alberga un programa de similar complejidad al de la Capilla ubetense. En él se unen las alusiones religiosas —retablo de la Inmaculada, con la imagen de Juan de Juni, retablo de estuco de Cristo Rey, representación del Juicio Final y escenas del Génesis y otras colocadas sobre los sepulcros y pintadas por Antonio de Salamanca, con representaciones de escenas bíblicas referentes a la Resurrección— a las propiamente mitológicas, las cuales se centran en la bóveda de la Capilla cuyo interesante programa mezcla elementos del Antiguo Testamento —Job, Daniel, Jonás, Moisés, Isaías, Salomón, David— con alusiones a ciertas virtudes —Templanza, Justicia, Fortaleza, Bondad, Fe, Esperanza, Caridad—, dioses paganos —Jupiter, Saturno, Marte, Mercurio— y alegorías del Sol y la Luna[64] [231].

La alegoría planetaria, mezclada con el programa dogmático centrado en el retablo de la Inmaculada, y el religioso en torno a las referencias a la Resurrección, propias de una capilla funeraria, constituye un perfecto resumen de las variadas tendencias del Renacimiento español. La recepción durante los siglos XV y XVI de la cultura mitológica elaborada sobre todo por los italianos, hubo de encontrar acomodo con la importancia que la religión tenía en España y de adaptarse a las tendencias dogmáticas de la misma. Por otra parte, el lenguaje profuso de los retablos y estuco de la Capilla de los Benavente, obra de los Corral Villalpando, se in-

231. Corral Villalpando: El planeta Venus (detalle), bóveda de la capilla Benavente. *Medina de Rioseco*

232. Juan de Juni: Martirio de San Sebastián. *Medina del Campo, iglesia de San Francisco*

sertaba en el gusto español por la inflación de imágenes que tantas veces hemos ya señalado y se unía, en este caso concreto, a la aparición de elementos decorativos manieristas como estípites y cariátides, cuyo empleo se extiende en los años centrales del siglo con cierta frecuencia por España.

El lenguaje decorativo y escultórico de la Capilla del Salvador de Úbeda es de mayor sencillez, aunque el uso de cariátides aparece igualmente en ciertas zonas del conjunto, que, como veremos, narra en un tono humanista, la idea renacentista del triunfo sobre la muerte.

Ésta, como decimos, se concebía ya como un triunfo, y el sentido optimista que hemos señalado como explicación y característico de gran parte de los retablos del manierismo español ha de traslucirse de igual manera en el tema del sepulcro y la capilla funeraria que se resuelve, como en el caso de Úbeda, en alusiones a la Transfiguración y en Benavente, a la Creación o a la presencia de un ciclo astrológico que seguía ideas tan queridas por ciertos italianos como el banquero Agostino Chigui, cuya capilla funeraria fue decorada en Roma por Rafael con estos temas.

Sin comprender el sentido expansivo, tanto social como culturalmente hablando, de la nobleza española de mediados del siglo XVI no podremos entender tanto estos programas funerarios, como la mayoría de los encargos que habían trasformado el interior de las iglesias. En 1537, el almirante de Castilla, don Fadrique Enríquez, encarga a Juan de Juni los grupos del *Martirio de San Sebastián* [232] y *San Jerónimo* para la iglesia de San Francisco de Medina del Campo, en 1550 inician Juni y Juan Picardo el retablo mayor de la Catedral de Burgo de Osma, por encargo del obispo don Pedro Álvarez de Acosta; doña Catalina de Pimentel, condesa de Lemos, le encarga hacia la segunda mitad de la década central del siglo, el grupo de *La Virgen, San Juanito y el Niño Jesús* existente

233. Juan de Juni: San Segundo.
Ávila, iglesia de San Segundo

en la iglesia de Santa Marina de León, y hacia 1570 termina el retablo de don Pedro González de Alderete en la iglesia de San Antolín de Tordesillas. Por fin, y para terminar este recorrido entre los comitentes de la obra de Juan de Juni pertenecientes a las altas capas de la nobleza castellana, señalemos como la magnífica estatua en alabastro de *San Segundo* [233], realizada para la ermita de este mismo santo en Ávila, fue encargada por doña Mencía de Mendoza[65].

De esta manera se nos aparece con mayor claridad el sentido de la imaginería española del Renacimiento; su soporte social es fundamentalmente la nobleza y las capas enriquecidas de la sociedad española que la consideraban como elemento de prestigio, a la

234. Alonso Berruguete: Sepulcro del cardenal Tavera. *Toledo, hospital de Tavera*

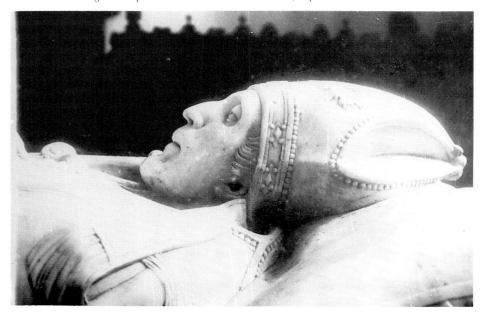

235. Alonso de Berruguete: Sepulcro del cardenal Tavera (detalle)

236. Alonso de Berruguete: Sepulcro del cardenal Tavera (detalle)

vez que servían de elemento tranquilizador de sus conciencias. Por otra parte, los eclesiásticos comprendieron pronto no sólo el valor pedagógico de la imagen religiosa, sino incluso los mencionados valores de prestigio y los propiamente estéticos. No cabe duda que estos últimos fueron elementos decisivos a la hora de la preferencia por los artistas de mayor calidad, como Juan de Juni o Alonso Berruguete.

Este es sin duda el caso del cardenal Tavera cuando eligió a este último como el escultor destinado a finalizar la obra del coro de la catedral de Toledo, decisión de la que no estuvo ausente don Diego López de Ayala —canónigo obrero de la primada entre 1518 y 1557— y del que resaltan sus dotes de intelectual en el entorno del secretario Francisco de los Cobos[66]. El mismo Berruguete fue el autor del sepulcro del cardenal[234], instalado en la iglesia del hospi-

tal de su fundación; se trata de una obra que resume la anterior tradición renacentista española de sepulcros tumulares, pero servido ya con los medios expresivos del manierismo. Realizado entre 1554 y 1561, la iconografía se basa en la presencia de las Virtudes y en escenas de la vida de San Juan, Santiago y otros apóstoles, sobre las que destaca el prodigioso retrato-mascarilla del cuerpo del cardenal[235], a través del cual se comienza a superar la idea triunfalista de la muerte a la que anteriormente nos hemos referido, para plantear el tema de una manera dramática y emocional, a lo que ayuda igualmente el sentido manierista y contorsionado de las figuras y relieves[236]. Considerada la obra final de Alonso Berruguete, en ella, la idea de simplificación y sencillez por la vía de la insistencia en los rasgos faciales del personaje y del abandono de cualquier sentido decorativista, hacen de

237. Alonso Berruguete: Relieve Cátedra episcopal, coro. *Toledo, catedral*

este sepulcro una de las obras claves del manierismo español. Por otra parte, los temas del túmulo y las mencionadas figuras de las Virtudes, no sólo aluden a la biografía del personaje, sino que plantean el problema

238. Pedro de Campaña: La Visitación (detalle: familia del mariscal don Diego Caballero). *Sevilla, catedral*

de la imagen del manierismo como pura visión mental, ajena a todo descriptivismo, paisajismo o sentido perspectivo, situando las escenas en una ambientación abstracta, como igualmente sucedía en los relieves para la silla Episcopal del coro de la catedral de Toledo [237] y en algunos de sus dibujos.

El valor social de la imagen religiosa se manifiesta en la pintura a través de un interés renovado por el retrato. En algunos casos, sin duda los más interesantes, el personaje que costea el retrato deja ya de aparecer como donante y adquiere autonomía representativa como sucede en obras como *La Generación Temporal de Cristo* de Luis de Vargas en la catedral de Sevilla, en cuyo banco aparece retratado el Chantre Medina y, sobre todo, los retratos del Mariscal don Diego Caballero y su familia que Pedro de Campaña pintó en su retablo de *La Visitación* [238] de la misma catedral de Sevilla. De esta manera, los cuadros religiosos adqui-

239. Juan Bautista Vázquez, *el Viejo*: Sepulcro del licenciado Corro. *San Vicente de la Barquera*

rían un nuevo valor y, además de ser una ofrenda de tipo devoto, se constituían en imágenes visibles de la munificencia del donante que se verá retratado en ellos con carácter, como decimos, autónomo; por otra parte, y aunque poseemos noticias de que los pintores españoles de esta fase del manierismo realizaban importantes encargos retratísticos, estas imágenes, incorporadas al asunto religioso constituyen las casi únicas muestras del retrato pictórico en la España del manierismo.

Desde este punto de vista, el mencionado tema del sepulcro adquiere gran importancia pues constituye un punto de confluencia entre una valoración profana de la individualidad y una referencia trascendente acerca del sentido de la muerte, unido, todo ello, a unas claras ideas de prestigio y ostentación.

El tema del retrato adquiere así particular relevancia y, en ocasiones, es la justificación última del sepulcro. Así sucede en el magnífico retrato del licenciado Corro [239] en la iglesia de San Vicente de la Barquera (Santander) realizado en 1564 por Juan Bautista Vázquez *el Viejo*, cuya imagen yacente, ligera y despreocupada, contrasta con el impresionante retrato del cardenal Tavera obra de Berruguete.

Frente a la visión esencializada y dramática de la muerte de este último retrato, el tema que realmente plantea el sepulcro de los años centrales del siglo es el del triunfo y la gloria del difunto. El monumento de don Gutierre Carvajal [240], obra de Francisco Giralte en la Capilla del Obispo de Madrid, enmarca la figura orante del difunto en un grandioso arco triunfal; en esta obra,

240. Francisco Giralte:
Monumento a don Gutierre Carvajal.
Madrid, Capilla del Obispo

además de los acompañantes del difunto, ángeles músicos y cantores sirven de marco a una idea especialmente ostentosa de la muerte, que se prolonga en el sepulcro de los marqueses de Poza, del mismo Giralte, en el que el tema del sepulcro como arco de triunfo se prolonga al ser concebido ya como un verdadero retablo.

En estos sepulcros, la renovación lingüística que había supuesto el manierismo en lo que respecta a los temas decorativos y el uso del sistema de los órdenes, resulta especialmente significativo. Ello es evidente en tumbas como la del comendador Alderete, obra de Gaspar de Tordesillas, que centra una verdadera capilla funeraria presidida por un retablo de Juan de Juni. Los temas decorativos del túmulo son ya de procedencia manierista, al igual que lo es el empleo

241. Juan Vallejo: Tumba del abad San Quirce.
Burgos, catedral

de los hermes en la Capilla de los Benavente en Medina de Rioseco o en la tumba del abad Sán Quirce [241], obra de Juan de Vallejo en la catedral de Burgos. Ahora, el decorativismo y la profusión del plateresco se ha abandonado para plantear el tema del arco triunfal enmarcado por dos figuras de hermes, que sirven como elemento de resalte al sarcófago y a la inscripción, que adquiere un enorme desarrollo.

Otras veces, sin embargo, el sepulcro abandona la representación retratística del difunto e insiste únicamente en una iconografía de tipo religioso. Así sucede en el del *Arcediano Gutierre de Castro*, en la catedral de Salamanca, para el que Juni esculpió el mencionado relieve del Descendimiento; pero no es este el caso más frecuente ya que, en resumen, hay que señalar cómo es con respecto al tema de la muerte, cómo se consigue el necesario equilibrio entre imagen profana y religiosa, a la vez que se alcanza la justificación de los deseos de pervivencia a través del arte de toda una sociedad impregnada de un sentido religioso cada vez más fuerte, y que la Contrarreforma no haría otra cosa que exasperar.

LA CIUDAD Y LA IMAGEN RELIGIOSA

Del interior de las capillas al exterior de las fachadas y, de allí, al tema de la procesión, la imagen religiosa del manierismo español recorre un camino desde el sentido íntimo de las capillas y oratorios privados al plenamente móvil y urbanístico de la procesión.

En efecto, ya las portadas de las iglesias, como hemos indicado en anterior epígrafe, constituían uno de los factores clave a la hora de dotar de una nueva imagen a la ciudad renacentista española. Desde el punto de vista religioso eran uno de los aspectos de primer orden para mantener presente en la mente del fiel los contenidos sagrados e integrarlos de esta manera en la cotidia-

nidad del deambular urbano. De esta manera, el tema de la fachada retablo, que ya se despoja del prolijo sentido decorativista del plateresco para acoger tipologías formales manieristas, continúa presente en la discusión artística de los años centrales del siglo.

Es ahora, como señala Chueca[66], cuando la decoración de portadas concede una mayor importancia a la escultura. En efecto, el discurso iconográfico se convierte en estos momentos en algo más claro y la escultura se desarrolla no sólo en retablos e imágenes, sino también en multitud de portadas de iglesias que instalan en el espacio urbano el tema sagrado de manera permanente.

Los ejemplos podrían prolongarse casi hasta el infinito por lo que nos centraremos en los casos más significativos y en las portadas donde la importancia de la escultura alcanza una mayor significación. Es el caso de la gran fachada exterior del *Convento de San Marcos* en León que ostenta una abundante decoración plateresca, ordenada ya con ciertos criterios clasicistas y, sobre todo, una colección de medallones en los que, además de notarse la presencia de Guillermo Doncel, Juan de Angés, Esteban Jamete y Juan de Badajoz, se ha señalado la de Juan de Juni[67].

El programa es en realidad una exaltación de la Orden de Santiago, ya que aparecen esculpidos los Maestres de esta institución y se completa con alusiones al mundo heroico del clasicismo —Príamo, Paris, Hector, Alejandro Magno, Julio César, Trajano, Lucrecia—, de la Biblia —David, Judith, Judas Macabeo— o de la historia medieval y moderna —Carlomagno, El Cid, Fernán González, Bernardo del Carpio..., Carlos V, la Emperatriz Isabel... Volvemos a encontrarnos, ahora en un contexto religioso, con la apelación típicamente renacentista al mundo heroico de la Antigüedad y de la historia nacional, como precedentes y justificadores de la actividad guerrera de una orden militar. El conjunto se completa con el relieve del *Descendimiento* [242], a uno de los lados de la iglesia, también atribuido a Juni y cuyo contenido patético no necesita ser resaltado; de ordenada composición por medio de las escaleras y del eje de la Cruz, viene a resultar como un «paso» procesional permanente y que recuerda a quienes entran en la iglesia uno de los momentos de mayor intensidad en la Pasión de Cristo.

La interpretación humanista que de la actividad de la Orden de Santiago hemos resaltado en la fachada del convento leonés de San Marcos, la volvemos a encontrar en uno de los edificios que mejor definen a través de su programa arquitectónico y escultórico la mentalidad renacentista que comenzaba a extenderse por toda España. Nos referimos a la iglesia de El Salvador que

242. Juan de Juni: Descendimiento.
León, San Marcos

en Úbeda mandó construir don Francisco de los Cobos, comendador mayor de León y, como sabemos, secretario del Emperador Carlos V.

Prescindiendo en este análisis de sus aspectos urbanísticos y arquitectónicos, que en este caso adquieren enorme relevancia, las fachadas presentan un programa iconográfico que tiende a resaltar ciertas actividades de Francisco de los Cobos y, sobre todo, el sentido funerario del edificio.

El mundo militar y el tono heroico que se pretende evocar, se centra en la Portada de Santiago, alusión a la pertenencia del fundador a la orden militar jacobea, y el sentido aristocrático y señorial se concreta en la importancia concedida a los escudos de Cobos y su mujer que enmarcan, en forma grandiosa, el conjunto de la fachada; por otra parte, la presencia en la misma de medallones con las figuras de Julio César o Carlos V nos remite, desde el plano histórico, al mismo mundo heroico al que nos estamos refiriendo, alusión que se concreta en forma espectacular con la presencia de los relieves encastrados en las pilastras con dos de los trabajos de Hércules [243].

La presencia de este tema en un contexto religioso como el del Salvador puede encontrar explicación en las siguientes palabras de Erasmo: «Leyendo los trabajos de Hércules, enséñante a ti aquellos cómo por honestos exercicios y diligente industria, nunca cansando de obrar bien, se gana después el cielo» [68]. Nada pues más adecuado que la referencia al héroe de Tebas en la portada de un templo funerario cuyo programa se coronaba con el relieve de la Transfiguración, alusión a la vida gloriosa, y se completaba con alusiones al mundo de la mitología y al del Antiguo y Nuevo Testamento. Los relieves del intradós del arco principal desarrollan un programa mitológico que se ha querido ver inspirado en la *Divina Comedia* de Dante y que, sin duda, es una reflexión de origen neoplatónico acerca del Cosmos;

243. Trabajo de Hércules. *Úbeda, iglesia de El Salvador*

si los cuatro relieves inferiores —Eolo, Anteo, Vulcano, Neptuno— representan el mundo inferior y material de los Cuatro Elementos (aire, tierra, fuego y agua), los dioses superiores —Marte, Mercurio, Diana, Júpiter, Febo, Venus y Saturno— que aparecen cada uno de ellos, a excepción de Saturno, acompañados de una estrella, simbolizan el resto de esferas y componentes del Cosmos, que sirven de dintel de entrada a la Casa del Señor, trasunto de la morada celestial [244].

El programa cosmológico, el mitológico y el histórico se completan con el religioso en el que destacan dos hechos del Antiguo Testamento: la recogida del maná, que para Erasmo[69] es símbolo de la Divina Sabiduría y la adoración de la serpiente, prefigura de la Crucifixión, en cuya glosa, el mismo Erasmo exclamaba: «El ojo del hombre es la fe»[70].

La influencia de la doctrina erasmista puede explicar determinados aspectos de esta portada; la época en que fue realizada es la del mayor auge del pensamiento erasmista en España; su promotor, Francisco de los Cobos, se movía en el entorno, también erasmista, del Emperador Carlos V y su entallador, Esteban Jamete, fue procesado a causa de sus ideas heterodoxas con respecto a la imagen religiosa. La mezcla de elementos doxo, y las portadas de las iglesias, al igual que los retablos en su interior, contenían discursos iconográficos de un claro sentido católico, cada vez más centrado en los dogmas de la Contrarreforma.

Con todo, el contenido de la imagen religiosa ciudadana no se reducía al mundo estático de las portadas; cada vez con mayor frecuencia las fuentes literarias y documentales se refieren al mundo de las procesiones, que alcanzará su culminación en la época del Barroco; a través de ellas, la imagen del Santo, sus reliquias o la Custodia Eucarística se hará presente en la ciudad que se verá transformada mediante las habituales arquitecturas efímeras, estatuas y pinturas.

Desde este punto de vista, no se ha hecho hincapié en la importancia —también efímera y circunstancial— de la pintura de sargas que se empleaban, al modo de colgaduras, en estas ocasiones. Antonio de Arfián pintor sevillano que, al decir de Ceán, «fue el primero que en aquella ciudad añadió perspectivas a las figuras y otras cosas a los baxo relieves quando los estofaba» se especializó al comienzo de su carrera en este tipo de pinturas. El mismo Ceán nos explica en qué consistía esta modalidad «que era una especie de pintura al temple, muy usada en su tiempo, para el adorno de casas, y con la que se hacía un gran tráfico para la América»[72]. Ceán continúa diciendo cómo los pintores solían aprender y ejercitarse practicando la pintura de sargas, y por las *Ordenanzas de Sevilla* sabemos que debía ser habitual el repetir en una misma pieza sucesivas escenas, hecho que es controlado y vigilado[73]. Todo ello nos indica que nos encontramos ante un género menor del que, a causa de su uso fugaz, apenas nos han llegado restos, pero que debía ser importante a la hora de plantear el tema de la transformación plástica de la ciudad.

244. Saturno. *Úbeda, iglesia de El Salvador*

profanos y sagrados y la explicación de unos por los otros era uno de los puntos más desarrollados por Erasmo en sus escritos[71].

La sacristía de la iglesia de El Salvador ostenta un interesante programa de Sibilas y Profetas, que abona la importancia de los esquemas profanos mezclados con los religiosos para explicar los misterios de la Religión. Pero, en realidad, el contexto habitual español continuaba siendo católico y orto-

CAPÍTULO 8

LA IDEA DEL ARTE ENTRE EL MANIERISMO
Y LA CONTRARREFORMA, 1560-1600

Las décadas finales del siglo XVI contemplan en España el asentamiento definitivo del modelo clasicista, desarrollado ahora en su vertiente manierista, al que acompañan toda una serie de discusiones y propuestas teóricas que desarrollan los temas formulados en Italia durante la época del Renacimiento[1].

Como hemos estudiado, ya desde los años centrales del siglo, el tema del clasicismo se había experimentado en España como problemático a través de la obra de Guevara, Holanda o Villalpando, pero será a finales de la centuria cuando las discusiones alcancen un carácter orgánico a través de instituciones que, como la Academia de Sevilla o los círculos eruditos de El Escorial, relanzan el problema de la imagen artística hacia la época del Barroco.

La misma imagen alcanza en estos momentos un carácter normalizado y codificado. La adopción por parte de algunos artistas del lenguaje de un clasicismo riguroso, alentado, por otra parte, por las realizaciones de la corte, se acompaña del auge de ciertos géneros que, como los emblemas y las empresas, tendían a una codificación de ciertos aspectos del lenguaje formal del humanismo. No hemos de olvidar que estamos ahora en los momentos cumbre del periodo contrarreformista, y que desde distintos centros se aspira a un control lo más riguroso posible de la imagen y que cualquier medio lingüístico o teórico que sirva para ello será siempre bien acogido.

EL ARTE: HISTORIA, DEFINICIÓN, NOBLEZA

El modelo de aproximación histórica al devenir artístico que había proporcionado G. Vasari en sus *Vidas de artistas*, es decir, la idea de la decadencia del arte en la Edad Media y su resurrección —debido, entre otras razones, a la inspiración en el modelo de la Antigüedad— en el siglo XV y su culminación en Miguel Ángel, que ya había sido adoptada por tratadistas como Holanda o Guevara, se lleva a su perfección por los escritores de arte españoles de fines del siglo XVI.

Juan de Arfe en su *De Varia conmesuración*, cuya primera edición completa apareció en 1587 en Sevilla[2], centra la discusión en el campo de la orfebrería, en polémica con la época medieval, en la que el arte, debido a la guerra y la invasión de los godos, practicó lo que llama «la manera bárbara», «llamada —dice— Maçoneria, o cresteria, o, según otros, obra moderna»[3]; la actividad artística sólo ha venido a salvarse en nuestra época debido a la actividad de hombres como Bramante, Peruzzi o León Battista Alberti, y en España a través de personajes como Alonso Covarrubias o Diego de Siloé. Pero Arfe, que escribe en un momento de rigorismo formal extremo, no deja de señalar las ambigüedades de la introducción del clasicismo en España en las primeras décadas del siglo XVI y, de estos dos artistas, dice: «que estos començaron esta obra en partes muchas, donde fabricaron, aunque siempre con alguna mezcla de la obra moderna, que nunca la pudieron olvidar del todo»[4].

Por su parte, y en el filo del siglo (1600), Gaspar Gutiérrez de los Ríos expone este mismo concepto de historia, en relación con su interés de justificar la liberalidad de las artes. Una de las causas por la que éstas son liberales es la fama enorme de escultores y pintores antiguos que menciona y comenta largamente. De entre los modernos, cita a Miguel Ángel, Baccio Bandinelli, Rafael de Urbino, Alberto Durero y Leonardo da Vinci y, entre los españoles, a Rincón, Berruguete, Becerra y Navarrete *el Mudo*, «nuestro Apeles español, excelētisimo sobre quantos pintores ha avido, y otros muchos, cuyos nōbres huviera eternizado mas la fama, si huviere en España tā curiosas plumas como de los Estranjeros»[5].

Guillermo de Céspedes inserta en su *Poema de la Pintura* un esquema de parecidas características por lo que no insistiremos en ello[6]. Sólo indicaremos, para terminar, cómo, en la teoría española, la culminación de las artes se sitúa, no en un artista, sino en una obra y en un personaje histórico, que no son otros que el Monasterio de El Escorial y el rey Felipe II. Así lo vio Juan de Arfe para quien Juan Bautista de Toledo «acabo de poner a punto el arte de Arquitectura»[7], y, sobre todo, el padre Sigüenza quien, en su descripción del Monasterio, atribuye a la actividad de Felipe II un papel protagonista en la definitiva aceptación del clasicismo en España. Con ello se reconocía el papel relevante que la Monarquía había tenido a la hora de la introducción del Renacimiento en nuestro país, idea que, por otra parte, venía a servir de justificación a la dignidad y nobleza de las artes, en un tema de polémica que, como veremos, será dominante en los años finales de siglo.

La valoración de los elementos intelectuales de la actividad artística influye de manera determinante en la definición del arte por parte de nuestros teóricos. Ya desde las primeras páginas de su tratado, Juan de Arfe, liga la idea de la valoración teórica del arte con la importancia del estudio de la proporción, cuyos fundamentos matemáticos sólo pueden adquirirse tras estudios y reflexiones de carácter intelectual. Si en el prólogo realiza una ardorosa defensa de la pintura y la escultura, a la que une una

lógica reivindicación de los plateros, inserta ya una relación de las ciencias necesarias al escultor, repitiendo los tópicos del modelo vitruviano de artista, a la vez que declara palmariamente que sólo fue su intento escribir de aquello que es arte y proporción[8]. La Geometría es para Arfe la ciencia primera y principal, puerta y entrada de todas las demás. Con estas declaraciones abre su *Libro I*, remitiéndose a la autoridad de Euclides: «No se trata en profundidad el problema de los cuerpos regulares, pues se sigue sólo a Euclides, y de ello no tratan Durero ni Daniele Barbaro»[9].

El modelo euclidiano comenzaba a ser conocido ahora en España de manera directa. El afán de purismo y geometrización que invade la vida artística de estos momentos nos explica las razones de este auge, que se fomentaba desde las más altas instancias. En 1585, es decir, el mismo año en que aparece la primera edición de los libros I y II de Arfe, Pedro Ambrosio de Ondériz, traduce, por orden de Felipe II, y con destino a la *Academia de Matemáticas* por él fundada y dirigida por Juan de Herrera, *La Especularia de Euclides*, con el fin, declarado en el prólogo, de aportar elementos de racionalización de la visión en clave científica[10]. Si bien Ondériz no cita la importancia que el estudio de la perspectiva tiene para los artistas, años antes, Rodrigo Zamorano, en el prólogo a su traducción de la *Geometría* de Euclides (Sevilla, 1576), tras valorar la importancia que tiene para los arquitectos, dice: «La pintura y escultura en sus diseños y dibujos (como parece por Alberto Durero en los de pittura) tienen tanta necesidad de ella, que lo principal de su arte esta puesto, y cōsiste en el buen conocimiento de la Geometría, sin la qual a ninguna cosa de las que hazen se le puede dar buena proporción y medida»[11].

Son las mismas ideas que, de manera obsesiva, introduce Arfe en el debate artístico español de fines de siglo, no sólo en el dominio de la arquitectura[12], sino en el campo de la escultura en el que, basándose en las ideas de los griegos y en la de tratadistas como Pomponius Gauricus, Alberto Durero y artistas como Pollaioulo, Bandinello, Rafael, Mantegna, Donatello y Miguel Ángel y, en España, Alonso Berruguete, Borgoña y Gaspar Becerra, concibe la figura del hombre como medida de todas las cosas. Para él, el principio de la escultura es la proporción del hombre y el modelo inicial es el rostro, «como parte mas principal, y contiene un todo su alto diez tamaños de su rostro»[13].

La valoración de la simetría y proporción como elemento fundamental de la estética del manierismo clasicista, se extiende en toda clase de escritos, ya que pertenece al dominio general de la mentalidad de estos años, que veía en la regla y en la norma la base de toda especulación. Y así, Lucas Gracián Dantisco, que en *Galateo Español*[14] ejemplifica la idea del valor de reglas y normas en la historia de la escultura clásica, para demostrar cómo la imitación del natural es necesaria para que «se le opongan y salgan al encuentro con buenas reglas y ejemplos».

Esta insistencia en los aspectos reguladores y racionalizados del arte explica el concepto común que tanto del arte en general, como de la pintura en particular, nos proporcionan los tratadistas finiseculares. Gutiérrez de los Ríos, tras proponer las definiciones de Clenates y Aristóteles, define así la actividad artística: «Una recopilación, y consagrado de preceptos, y reglas, esperimentadas, que ordenadamente y con cierta razón, y estudio nos encaminan a algun fin bueno»[15], y pasa a explicarla según criterios eminentemente académicos y racionalistas: recopilación de preceptos, normas ciertas y experimentadas, buena disposición y orden recto, fundamento en la razón, etc.

De esta manera no es de extrañar que sea en el dibujo donde la tratadística vaya a encontrar los fundamentos de la práctica artística y que, continuando con las ideas

ya formuladas por hombres como Guevara y Holanda, el mismo Gutiérrez de los Ríos diga: «Primero se han de echar las líneas y el dibuxo, y traçar la obra en borron, y despues se ha de usar los colores verdaderos»[16], y que Fernando de Herrera, en un comentario a la *Egloga III* de Garcilaso de la Vega, si bien comienza teorizando sobre las propiedades de los colores y la luz, al definir la pintura en términos de mimesis, no dude en concluir afirmando como «el verdadero medio para conseguir este efeto, despues de la practica del diseño, es la prospetiva»[17].

Pero la riqueza del debate artístico es muy grande en España y no puede reducirse a estas reflexiones académicas. Ya hemos visto cómo un personaje vinculado a la Academia Sevillana como el poeta Fernando de Herrera daba entrada a los problemas del color en sus breves reflexiones acerca de la pintura; por otra parte, preceptistas literarios como López Pinciano, al hablar del sentido de la vista, afirma que «el principal objeto de la vista es el color» y que «la luz es la perfección que al objeto y a la potencia visiva pone en acto»[18]. Pero será la propia praxis artística, es decir, la importación de obras de la escuela veneciana, y la influencia de esta escuela en pintores españoles como Fernández de Navarrete, la que introducirá una valoración positiva de la manera de pintar a «lo valiente», y que encontrará expresión teórica en los escritos del padre Sigüenza acerca de la colección de cuadros venecianos existentes en el monasterio de El Escorial[19].

Es, sin embargo, el contenido intelectual y racional que teóricos y tratadistas pretenden conferir a la actividad artística, lo que sirve de soporte al tema más recurrente de estos momentos, es decir, la cuestión acerca de la liberalidad de las artes. Para Gutiérrez de los Ríos, que centra su *Discurso* en torno a este problema, es precisamente la dependencia que la perspectiva, la arquitectura, la escultura, la pintura y las demás artes del dibujo tienen de la geometría y la aritmética, lo que las hace liberales[20], nombre que se justifica ya que en la Antigüedad sólo se permitía su práctica a los hombres libres y porque con ellas se ejercita el entendimiento[21].

Otras veces, como en el caso de López Pinciano, la división entre artes viles y nobles, se hace con criterios morales, dando entrada en la discusión a parámetros contrarreformistas[22]. De todas maneras son argumentos de tipo estético los empleados. Gutiérrez de los Ríos aduce largamente las opiniones de filósofos y alegatos jurídicos, señalando en estos últimos la verdadera clave de la cuestión[23]: surge ahora el problema de los tributos y de su exención por parte de los artistas, como ya sucedía en Roma y que, como ha estudiado Julián Gállego, constituye el craso soporte material de la discusión teórica[24].

LOS FINES DE LA ACTIVIDAD ARTÍSTICA

Frente a la exaltación de los valores de oscuridad, complicación y sofisticación, propios del lenguaje manierista, la teoría y gran parte de la práctica artística de la España contrarreformista va a volver los ojos a una idea del arte en la que la valoración de la claridad, sencillez, monumentalidad y verosimilitud, encuentra su base en la poética aristotélica, de tan amplia difusión en la Europa del manierismo[25].

Desde este punto de vista, la definición que de arte proporciona en 1599 López Pinciano —«Arte es... un habito de hazer las cosas con razon»[26]—, y toda su teoría poética, aparecen basadas en las ideas aristotélicas. Aunque su obra, *Philosophia Antigua Poetica* es en realidad una preceptiva literaria, las continuas alusiones a la actividad plástica, la hacen ser uno de los mejores exponentes de las ideas estéticas de fin de siglo.

Como decimos, es Aristóteles el punto de referencia fundamental. Para López Pinciano, la poesía tiene como fin esencial la «mimesis» o imitación de la naturaleza, y el pintor no debe hacer otra cosa que basarse en la misma para realizar su actividad[27]. La idea de atenerse a la naturaleza, basándose en lo verosímil con el fin de mover y conmover al lector o espectador, es la base de la *Poética* de Aristóteles, y Pedro de Medina, miembro de la Academia de Sevilla, cuyas opiniones artísticas han llegado a nosotros por medio del tratado de Pacheco, definía así la pintura: «Pintura —dice— es arte que con variedad de líneas y colores representa perfectamente a la vista lo que ella puede percibir de los cuerpos»[28].

Para Medina, los cuerpos que la vista observa son naturales, artificiales o imaginativos. Son estos últimos, como no existentes en la realidad, los que mayor problema planteaban a la teoría aristotélica del arte; y teóricos y artistas, que habían encontrado en la idea de la imitación de la realidad una contradicción con lo que quizá era el más claro atributo de la actividad artística, es decir, el desarrollo de las potencias imaginativas, comenzaron a plantearse el problema de la libertad de la creación.

El tema se centró en la discusión acerca de un género artístico de gran auge en el Manierismo, el grutesco, y en las ideas que acerca del problema sustentaba Horacio[29]. López Pinciano realiza una moderada defensa de la imaginación[30], y en la epístola quinta reivindica, en base a este autor latino, la libertad del artista: «Horacio... en su Arte, no pone límite alguno, mas antes dice que los pintores y los poetas tienen facultad de atreverse a quanto quieran finjir y maquinar»[31]. Pero esta libertad del artista, reivindicada en la teoría, sufre numerosas correcciones; Pedro de Medina critica entre las obras de la imaginación los sueños, las fantasías de los pintores y los devaneos de los grutescos[32], y López Pinciano, al referirse a estos últimos, los justifica por su contenido moral, alegórico y significativo que los hace ser no fabulosos, sino históricos y verdaderos, ya que los pintores no pueden salirse de los términos de la verosimilitud [33]. De esta manera, el razonamiento de López Pinciano, al reconducir las obras de la fantasía al camino de lo verosímil por medio del uso de la alegoría, se convierte en un claro paradigma de lo que la Contrarreforma supuso en cuanto control de la imagen.

Para la mentalidad contrarreformista, el arte había de adquirir una finalidad concreta en donde encontrar su justificación. Ya estudiaremos más adelante el sentido de la imagen religiosa de fines devocionales, y el de la imagen de la corte, justificada por sus fines propagandísticos o lúdicos; pero desde un punto de vista más general, la discusión en torno a la finalidad del arte se centra en torno a la prevalencia o no de su sentido pedagógico y moral sobre el puramente estético o deleitoso. En Italia, Comanini, escribió un tratado sobre el particular —Il Figino—, donde llegaba a una solución de compromiso [34], y en España las alusiones al problema son relativamente frecuentes.

Gutiérrez de los Ríos sostenía que el arte tiene relación con la Filosofía, porque el primero encaminaba a los hombres a la virtud y ponía los siguientes ejemplos: al ver la imagen triste de un Crucifijo y la lacrimosa de la Virgen se nos mueve a «sentimiento y devoción», cuando contemplamos el Juicio Final de Miguel Ángel, sentimos una sensación de temor que nos persuade a apartarnos de los vicios, mientras que la visión de la Gloria Celestial, nos induce a «ser buenos y virtuosos» [35]. Todo lo cual no es más que reconocer un fin pedagógico y persuasivo de la imagen que el barroco no hará sino exagerar.

La discusión se propone en términos académicos por López Pinciano, llegando a una solución ecléctica. Para este preceptista, el fin del poema es «enseñar y deleytar» [36], y,

más adelante, al distinguir escolásticamente entre dos deleites —el de la imitación en lenguaje, medio para la doctrina, y el del fin de la doctrina misma, en cuya contemplación se sitúa la felicidad—, preconiza con claridad la consabida doctrina de compromiso: «Dotrina y deleyte —dice— conviene tenga mezclado el que tiene el poema; que el que tiene mucha dotrina, no es bien recibido, ni leydo, y el que tiene solo deleyte, no es razon que lo sea.» [37]

Si el grutesco es el género que se contempla más críticamente en la polémica, los jeroglíficos y emblemas, adquieren justificación precisamente por su sentido didáctico y moralizador. Alejado por su propia condición de la idea de la mimesis directa de la naturaleza, el género emblemático, se enraiza naturalmente en el mundo de la imaginación. Ello fue visto con claridad por Pedro de Medina quien distinguía dos clases en esta facultad. Es el primero, como ya sabemos, el grutesco, al que critica acerbadamente, pero , al contrario, según este autor, el entendimiento fabrica con sabia consideración «angeles, virtudes, potencias, empresas, jeroglíficos, emblemas; a este último género se reducen las visiones imaginarias e intelectuales que percibieron y revelaron los Profetas y suelen los pintores representarlos con su arte» [38].

No es de extrañar pues, que un género puesto de moda en Europa durante el siglo XVI a través de la traducción del libro de Horapollo y la publicación del de Alciato, sea pronto bien recibido en España. Ya en 1549, Bernardino Daza Pinciano traducía a Alciato al español, mientras que en fecha posterior, Juan de Mal Lara lo comentaría, al igual que en 1573, lo hizo Sánchez de las Brozas [39]. El género pronto fue practicado en España, y sólo en el siglo XVI podemos señalar los siguientes autores: Francisco Guzmán (1565), Juan de Borja (1581), Juan de Horozco Covarrubias (1591) y Hernando de Soto (1599) [40].

El binomio utilidad-deleite es una de las bases del auge de este género y así lo reconoce Bernardino Daza a la hora de justificar su traducción, ya que «todo loor mereció el que mezcló lo provechoso con lo dulce», mientras Juan de Horozco afirma haber redactado su obra por el deleite que produce la variedad y a causa del aprovechamiento que se sigue de la lectura de su libro. De todas maneras, el fin esencial de este género, a medio camino entre la pintura y la poesía, es la enseñanza de tipo moral. Para López Pinciano, los emblemas son epigramas didascálicos, «porque enseñan doctrina moral casi siempre, y podría natural, o lo que mas quisiere su dueño» [41]. La misma idea aparece en el libro de Juan de Borja para quien el emblema tiene como fin, «aprovechar en algo a los que lo leyeren, por ser lo que se trata materia de buenas costumbres que es lo que nos importa» [42], siendo ésta una reflexión que pronto se convierte en tópica en el resto de los autores [43].

López Pinciano diferencia entre jeroglífico —que sólo proporciona una imagen—, emblema, donde a éste se une la palabra, y empresa que, con la misma técnica, mira a los casos particulares [44]; parecida idea nos da Horozco cuando define el emblema como «pintura que significa aviso debaxo de alguna o muchas figuras», diferenciando, según el mismo criterio, empresa de emblema [45].

De esta manera, y para concluir, señalaremos cómo la influencia de la literatura emblemática fue muy importante en el arte; ceremonias y celebraciones de todo tipo, tanto de carácter religioso, como profano, encontraban en estos libros una fuente de inspiración para los cuadros y estatuas de sus programas iconográficos, y pronto las propias realizaciones de arte estable se vieron influidas por ellos. Por otra parte, y como acabamos de ver, el género emblemático daba cita a los principales problemas teóricos del debate artístico: el fin didáctico del arte, la discusión enseñanza-deleite, y, como veremos de inmediato, la cuestión de las relaciones entre pintura y poesía.

EL TÓPICO «UT PICTURA POESIS» Y LA VISIÓN TEÓRICA DEL ARTISTA

Paolo Giovio, en su *Diálogo de las Empresas Militares y Amorosas*, indicaba cómo una de las condiciones de la perfecta empresa es el adecuado equilibrio entre el alma y el cuerpo [46], mientras que Scipione Ammirato en su diálogo *Il Rota*, liga el problema con toda claridad al tópico humanístico del *Ut pictura poesis*.

El parangón entre poesía y pintura, que encontraba su justificación en una célebre cita de Horacio, pronto fue adoptado en sede teórica por nuestros tratadistas. López Pinciano lo emplea, citando casi literalmente al autor latino [47], y los tratadistas de arte utilizan el parangón como uno de los medios que justifican la liberalidad del arte. Así lo hace Gaspar Gutiérrez de los Ríos, quien además, une al tópico el tema del sentido proporcional, geométrico y aritmético del arte, como argumento adicional que justifique su carácter intelectual, «... la Poesía —dice— ya se sabe que es hermana de la Pintura. Si el fin del poeta, es imitar las cosas al natural, el del pintor es el mismo. El pintor lo imita con colores, el poeta con palabras. Si el poeta guarda en sus versos la proporción de los números y las sílabas, «el pintor y los demás profesores del dibuxo guardan assi mismo sus proporciones geometricas y arithmeticas» [48].

El tópico *Ut pictura poesis* resume igualmente algunos de los temas típicos de la discusión contrarreformista: insistía tanto en el valor didáctico de la imagen, como en la idea de la mimesis; pero también planteaba la cuestión de la cualidad del artista.

La idea de la liberalidad del artista es frecuente en los tratadistas de arte de estos momentos. Arfe sostenía que era importantísimo que el artista fuera consciente de su actividad, es decir, que fuera capaz de una autorreflexión teórica[49], y parecidas ideas sostenía Gaspar Gutiérrez de los Ríos. Por su parte, Gracián Dantisco recoge el tópico del intelectual y artista melancólico[50], y Huarte de San Juan aplica sus teorías psicológicas y sobre la influencia de los ambientes a la figura del artista, indicando, como más propicios los climas calientes que los del Septentrión[51].

Es dentro de la teoría literaria donde hemos de detectar las distintas corrientes que nos expliquen las alternativas diferentes, que veían en el artista un verdadero intelectual. Y si Fray Luis de León, dentro de su concepción platónica de la realidad, veía en el artista aquél que insuflaba la vida o la idea a sus producciones[52], López Pinciano, desde su perspectiva aristotélica, critica la idea del artista como ser furioso y, si acepta la idea del furor poético como justificativa del quehacer literario, «es de advertir —dice— que conviene que estos furores sean con moderación»[53].

De igual manera las ciudades comenzaban a contar a los artistas locales entre sus glorias más imperecederas y a tenerlos como orgullo y signo de distinción. Así sucede en el caso de Valladolid: Dámaso de Frías en su ya mencionada *Alabanza*, exalta la figura de Juan de Arfe, «el mejor entre todos los de su arte», a la vez que afirma: «ay scultores dos o tres por cierto valientes hombres en su arte como dizen los italianos; y tales que haviendo faltado Berruguete natural también desta villa, y que dexo por su arte un hijo señor de vasallos el primero que mostro la buena scultura y pintura en España, y haviendo despues del faltado Bezerra famoso discipulo de Michael Angelo, pueden certeramente un Juan de Juni, un Jordan, llamarse justamente sucessores y herederos de sus ingenios y artes de aquellos»[54].

En general, y como ya hemos visto, podemos decir que si bien la evidencia de los contratos de pintores y retablistas insisten en la consideración del artista como un artesano, la actividad de ciertas individualidades, la de algunos de los artistas que trabajan para la corte, las polémicas jurídicas y teóricas sobre la licitud o no del cobro de las alcabalas, consolidan una corriente que tiende, en las fechas finales del siglo XVI, a generalizar el concepto de artista como intelectual. Bonet Correa, al llamar la atención sobre el *Autorretrato* de Arfe que encabeza su *De Varia Conmesuración*, nos proporciona un ejemplo inmejorable de lo que venimos comentando[55].

CAPÍTULO 9

LA IMAGEN RELIGIOSA DE LA CONTRARREFORMA, 1560-1600

En 1556 el cardenal Silíceo, personaje clave por lo que respecta a la introducción de las ideas contrarreformistas en España, recibe el capelo cardenalicio en la Catedral de Toledo. Con motivo del acontecimiento se celebraron en esta ciudad fiestas en las que, junto a elementos claramente contrarreformistas, aparecen referencias a la cultura humanista que había dominado en España desde comienzos de siglo. El arco triunfal levantado al respecto portaba las representaciones de virtudes tales como la Justicia, Fe, Fortaleza, Esperanza y Caridad. «Esta virtud —dice el autor de la relación que describe el acontecimiento— era de mano de un gran pintor», y es en la imagen de la Fe, donde encontramos los elementos contrarreformistas, ya que aparecía, «con un calix en la mano, y debaxo de los pies tenia al Maldito de Mahoma, enemigo de nuestra Sancta Fe». Lo mismo sucedía con la Caridad, en cuya iconografía se resaltaba el aspecto violento que iba a adquirir la defensa de la Religión en la cultura de la Contrarreforma: «Tenia la Charidad debaxo de sus pies al impio Sardanapalo, en quien jamás se hallo charidad, sino enemistad y odio, al qual estavan muchos mancebos muy hermosos, y graciosos, dando de coces, y puñadas como a hombre indigno de piedad, pues vivio sin ella»[1]. Junto a estas alegorías, y en el zócalo de dicho arco como base del mismo, aparecían los Cuatro Doctores de la Iglesia.

Pero junto a esta iconografía, en la que la idea triunfal se relacionaba con las nuevas realidades eclesiásticas, las referencias a la cultura humanística son todavía grandes. El mismo arco de triunfo se adornaba con la alegoría de la *Riqueza Material y Agrícola* de Toledo, personificada en la figura de Ceres y del río Tajo y, ya dentro de la Catedral, se levantó entre los dos coros un tablado donde se representó un entremés, cuyos personajes fueron un pastor que representaba al cardenal y las Siete Artes Liberales. Estos últimos personajes eran los mismos que, con anterioridad, habían representado a las Musas en la escenificación del monte Parnaso, en la que, tocando música, aparecían Apolo, Mercurio, Orpheo y Anphion. La fiesta terminó con una danza de salvajes y la danza de los seises[2].

Varias décadas más tarde, el padre Mariana en su tratado *Contra los juegos públicos* ataca duramente, en nombre de la ortodoxia católica, este tipo de actividades. Para Mariana, no sólo deben prohibirse las representaciones y escenificaciones profanas, sino también, y aún más, las religiosas. «Porque, ¿cómo puede ser conveniente que hombres torpes representen las obras y vidas de los santos, y se vistan de la persona de San Francisco, Sancto Domingo, la Magdalena, los Apostoles y del mismo Cristo?» Ante estas escenificaciones nos encontramos con una falta grave de decoro, ya que con ello se mezclan el cielo con la tierra —«o, por mejor decir, con el cieno»—, y las cosas sagradas con las profanas[3]. El mismo autor clama contra las representaciones en los templos, como una de las más nefastas actividades religiosas que puedan realizarse[4], extendiéndose con prolijidad en su contenido pecaminoso y excitador de los sentidos.

Las representaciones teatrales de asuntos sacros serán, sin embargo, frecuentes y estarán presentes en centros de estricto ceremonial, como El Escorial de Felipe II, pero las duras palabras de Mariana, en contraste con el sentido religioso-pagano de las fiestas del cardenal Silíceo, nos pueden ayudar a comprender el mundo, pleno de tensión y debates, sobre el que va a imponerse la imagen religiosa característica de finales del siglo XVI en España. Y por ello, no es de extrañar que en las *Constituciones Sinodales*, promulgadas en 1591 en Pamplona por don Bernardo Sandoval y Rojas, se haga explícita referencia a la necesidad de control por parte de la autoridad eclesiástica, no sólo de las representaciones en el interior de los templos, sino también de «las comedias, o representaciones que traen los farsantes ordinarios, para que en todas ellas aya la decencia, y honestidad, que conviene»[5].

Desde cierto punto de vista, los cambios con respecto a los años centrales del siglo no parecen ser excesivos —continúa floreciendo el género del retablo, y un cierto patetismo se une a la inflación y proliferación de las imágenes...— pero un análisis más detallado nos pone de manifiesto los rasgos diferenciales del momento contrarreformista: una iconografía más ligada al dogma católico, un renovado culto a las reliquias y a los santos, un nuevo valor de la procesión, pero, sobre todo, una mayor tensión formal de acuerdo con una vivencia más dramática de la religión. Las últimas décadas del siglo XVI contemplan la actividad pictórica de Dominico Greco, el sentido purista y racional del arte religioso de la corte, y la nueva monumentalidad y concepto heroico de la imagen, producidos por la generación de los denominados «romanistas». En realidad, se trataba de llevar al máximo el grado de exasperación, el sentido versátil y multidireccional del arte manierista. Pero lo que hasta estos momentos podía interpretarse en términos de debate artístico y estético, alcanza ahora, y debido a la presión ideológica de un ambiente en que la ortodoxia religiosa era un factor fundamental, la categoría de discusión dogmática y de fuerte debate que determina exclusiones radicales, e incluso exilios, como el que El Greco realizará en Toledo.

EL LENGUAJE DE LA IMAGEN RELIGIOSA

En anteriores capítulos hemos ido destacando la pluralidad de alternativas que configuraban el debate artístico español a lo largo del siglo XVI, que en ningún momento puede reducirse a una esquemática oposición emocionalismo-clasicismo. Pero en los últimos años del siglo, y como ya adelantamos, la aceptación definitiva del lenguaje internacional propuesto por Italia, produce un cada vez más generalizado rechazo de las corrientes subjetivistas del manierismo, y la presencia en el arte religioso de un sentido monumentalista y heroico, incluso fuera de las esferas del arte de corte[6].

Este retorno al clasicismo ha de ligarse a fenómenos históricos, culturales y filosóficos. El reinado de Felipe II contempla, como veremos, la asunción por parte de la corte de un arte basado en el rigor, la simplicidad y la majestad, corriente a la que no se podrán sustraer ni siquiera los artistas que nunca habían sido llamados a colaborar en los proyectos reales. Por otra parte hay que señalar el caso de artistas que como Juan de Arfe o Gaspar Becerra, se encuentran a medio camino entre los mecenas religiosos y eclesiásticos y los específicamente aúlicos. La diferencia entre artista cortesano, y artista ligado a las ciudades y cabildos tiende en cierta manera a diluirse, y hombres ligados a la corte, como el pintor italiano R. Cincinato, realizará programas de tipo religioso, en su frío lenguaje del manierismo academicista italianizante para centros como la Capilla del doctor Lucena [245], en Guadalajara, alejados del ambiente real.

Al influjo del mundo cortesano, que se

245. Rómulo Cincinato: Sibilas, capilla del doctor Lucena. *Guadalajara*

extiende desde Madrid, El Pardo o El Escorial, sobre todo a la zona central del país, hay que añadir la presencia del fenómeno religioso cultural de la Contrarreforma, que pretendía dotar de un mayor sentido de solemnidad, majestuosidad y distanciamiento a la imagen religiosa. Con ello, no se hacía otra cosa, que continuar la tendencia a la claridad, ya presente en los años centrales del siglo.

Por fin, el ya estudiado sentido aristotélico de la imagen, que encuentra su base en preceptistas como López Pinciano y teóricos como Juan de Arfe, es otro de los factores a tener en cuenta en el momento del estudio de las distintas corrientes lingüísticas entre las que ahora se debate la imagen religiosa.

La discusión en torno a la claridad de las imágenes, inaugurada con el pleito acerca del retablo de Santa María la Antigua de Valladolid, obra de Juan de Juni, y continuada con el retablo de la catedral de Astorga, de Gaspar Becerra, culmina con los existentes en la iglesia de Santa Clara [246] de Briviesca. En realidad, y con respecto a las dos últimas obras mencionadas, se trata de dos términos de la misma cuestión, pues estamos ante obras paralelas en el tiempo. Si el altar mayor de la catedral de Astorga fue comenzado en 1558 y terminado en 1560, el de Santa Clara de Briviesca [246] lo fue siete años antes (1551), pero su culminación no tuvo lugar hasta 1569 y sus consecuencias, sobre todo debido a la participación en el mismo de

246. Pedro López de Gámiz: Retablo de Santa Clara. *Briviesca*

247. Juan de Anchieta: Retablo de la Trinidad. *Jaca, catedral*

Juan de Anchieta, se extenderán durante los últimos años del siglo en todo el Norte de España. Weise ha señalado la independencia de esta obra fundamental con respecto al retablo de la Antigua de Juni (h. 1550)[7], y cómo, por primera vez, nos encontramos con una vuelta a las formas clásicas del Alto Renacimiento y al influjo de Miguel Ángel. Su autor, Pedro López de Gámiz, debió visitar Italia y relacionarse allí con el florentino[8]; la concepción heroica, ideal, clásica, monumental y reposada se extiende no sólo a la composición del mismo, sino a las propias figuras, y el mismo Weise ha señalado la dependencia de la representación de la Virgen y los ángeles de la Asunción central, así como de los tipos de las restantes figuras, con respecto al idealismo clásico y al arte italiano del Alto Renacimiento[9]. Y lo mismo podría decirse del altar frontero de Santa Casilda.

En realidad, uno de los hechos fundamentales de estas décadas finales del siglo es la presencia del influjo de la figura de Miguel Ángel en las artes plásticas españolas. Si Alonso Berruguete había realizado una lectura en clave gótica y patético-expresiva de la obra del artista italiano, toda una serie de españoles, desde Gaspar Becerra, a López de Gámiz y Juan de Anchieta, abandonando de igual manera el formalismo miguelangelesco de los pintores italianos de El Escorial, interpretan al florentino en clave heroica, monumental e idealista. Ningún ejemplo mejor de lo que venimos diciendo que el retablo de la Trinidad [247] en la Catedral de Jaca, obra de Anchieta, en el que el eco del *Moisés* de Miguel Ángel es patente en la figura del Dios Padre[10] y en la misma coronación de la obra, con la representación de la Piedad, terminada en 1578.

Ya en el altar de la iglesia de Zumaya

248. Juan de Anchieta: Altar de la iglesia de Zumaya

249. Lope de Larrea: Evangelistas, retablo de Santa María de Salvatierra

[248], Juan de Anchieta había desarrollado el clasicismo del de Santa Casilda en Briviesca, en un sentido de mayor convencionalidad[11]. El mismo Weise ha indicado la dependencia de los relieves con escenas de la Pasión del retablo de Jaca con respecto de la predella del altar burgalés, así como la de la *Asunción*, del altar mayor de la catedral de Burgos, obra también de Anchieta, con la de Pedro López de Gámiz en Briviesca[12].

El sentido miguelangelesco de la forma, que se extiende en estos momentos por toda España, alcanza en la región navarra y aragonesa, sus mejores manifestaciones. El escultor Lope de Larrea es el autor del retablo mayor de la parroquia de Santa María de Salvatierra [249], en el que realiza una lectura en clave heroica y monumental de ciertas figuras miguelangelescas de la Capilla Sixtina, en una idea en que lo monumental no

aparece exento de un grado de patetismo[13]. Y parecidas ideas podrían desarrollarse en torno a los demás discípulos de Juan de Anchieta como Pedro González de San Pedro, Ambrosio de Bengoechea, Bernal de Gabai o Nicolás de Berastegui, que configuran el impresionante ciclo del «romanismo» en el norte de España[14].

Pero la idea de lo monumental y el concepto de lo heroico de la figura, de acuerdo con el pensamiento contrarreformista, no se reduce al grupo de escultores que venimos considerando. El pintor Juan Fernández de Navarrete, de cuya obra escurialense nos haremos eco más adelante, tantea la manera miguelangelesca en su primera obra conocida, el *Bautismo de Cristo* [250] del Museo del Prado, planteando la escena en términos monumentalistas, mientras que Juan de Sariñena en su *Cristo atado a la columna* (1587)

250. Juan Fernández de Navarrete:
Bautismo de Cristo. *Madrid, Museo del Prado*

251. Juan de Sariñena: Cristo atado a la columna.
Valencia, Colegio del Patriarca

se inspira en el de la Minerva de Miguel Ángel. Y por otra parte, pintores como Blas de Prado, Miguel Barroso, Alonso Sánchez Coello, Pablo Céspedes, Roland de Mois o Alonso Vázquez, desarrollan un concepto de la imagen religiosa en todo dependiente de las formas del manierismo italiano.

Blas de Prado, alguno de cuyos dibujos[15] se inspira en los modelos italianos de carro triunfal, parte para su *Virgen de Alonso Villegas* (Prado, 1589) [252] de un grabado de A. de Muziano[16], pero la composición es deudora, tanto de Rafael, como de sus discípulos manieristas. La *Santa Cena* [253] de Pablo Céspedes (catedral de Córdoba, 1595) muestra una lectura directa de modelos compositivos italianos, mientras que la *Asunción* [254] de Roland de Mois o el *Martirio de San Hermenegildo* de Alonso Vázquez pueden considerarse características representaciones de una manera de hacer presente, asequible y palpable el tema del milagro, que preludia

252. Blas de Prado: Virgen de Alonso de Villegas.
Madrid, Museo del Prado

253. Pablo de Céspedes: La Santa Cena. *Córdoba, catedral*

254. Roland de Mois: Asunción. *Tafalla, convento de las Recoletas*

255. Bartolomé de Matarana: Martirio de San Andrés. *Valencia, Colegio del Patriarca*

a ciertas corrientes del Barroco. En estos pintores, la idea de claridad y el sentido monumental de las figuras, se utiliza, al modo que exigían las preceptivas artísticas, para hacer verosímil una cierta idea de la religión y del mismo milagro, que, sin embargo, combinaba una fácil comprensión del hecho representado con una presentación distanciada y monumental. Desde este punto de vista, un conjunto como los frescos de la Capilla del Corpus Christi [255] en el valenciano Colegio del Patriarca, realizados entre 1597 y 1605 por Bartolomé Matarana, sobre cuya significación iconográfica nos extenderemos más adelante, constituyen una apor-

tación fundamental: en ellos, el monumentalismo miguelangelista se pone al servicio de la Historia Sagrada y de la representación de la vida, hechos y martirios de los santos, y la misma técnica —pintura al fresco, que recubre las paredes de la Capilla— crea un conjunto envolvente de enorme efectividad, de la que están carentes otros ejemplos de miguelangelismo más convencional como el *Juicio Final de Capillas* (Palencia) [256], obra de los Bolduque[17]. Por el contrario, la congelación y geometrización de la imagen, derivación más tardía de este sentido monumental introduce, muy a fines del siglo XVI, y principios del XVII, un arte «sin tiempo», cercano a los círculos áulicos —véanse ciertas obras de Pantoja de la Cruz como su *Nacimiento de la Virgen* (1603) [257] o eruditos —*Muerte de San Sebastián* o las *Inmaculadas* de Pacheco[18].

Con todo, las diferentes alternativas de este nuevo sentido monumental de la imagen no se agotan con las apuntadas hasta el momento. La imaginería del Sur de España, no ligada de una manera tan expresa como los seguidores castellanos de Juan de Juni y Alonso Berruguete a la poética de Miguel Ángel, desarrolla una plástica monumental basada en el refinamiento y en la elegancia, como medios más idóneos para captar la atención del fiel[19]. De ello son buen ejemplo la obra de Bautista Vázquez en el retablo mayor de San Mateo de Lucena, desnudos como el del relieve de la *Flagelación* [258] de Jerónimo Hernández en la iglesia de San Leandro de Sevilla o sus estatuas exentas, tales como el *Jesús Resucitado* o el *Niño Jesús* de la parroquia de María Magdalena. Los ejemplos podrían multiplicarse en este sentido si analizamos los relieves de Gaspar Núñez Delgado en la iglesia de San Clemente [259] de Sevilla y, sobre todo, en los de la Sala y Antesala Capitular de la catedral hispalense, en los que intervinieron los principales escultores del clasicismo sevillano y en donde la geo-

256. Bolduque: Juicio Final de Capillas. *Palencia*

257. Pantoja de la Cruz: Nacimiento de la Virgen. *Madrid, Museo del Prado*

258. Jerónimo Hernández: Flagelación. *Sevilla, San Leandro*

259. Gaspar Núñez Delgado: Visitación. *Sevilla, San Clemente*

metrización y claridad de la figura y volúmenes alcanza grados de enorme simplicidad[20].

Pero a pesar de la renovada importancia que adquiere el sentido heroico de la imagen religiosa, los fines retóricos y persuasivos, sobre los que más adelante nos extenderemos, inciden de manera clara en una lectura en clave emocional de la mayor parte de las mismas. Ello es especialmente patente en el resto de las alternativas que configuran el panorama finisecular.

La obra de Juan Fernández de Navarrete desarrolla, bajo el influjo de la pintura vene-

ciana, una poética en ciertos momentos naturalista, que, como veremos, no dejará de criticarse en los medios cortesanos de El Escorial. Y en la geometrizada composición de *La Sagrada Familia* [260] se incluye, en el primer plano, una naturalista lucha entre un perro y un gato. El incipiente interés por los elementos naturalistas se ve acompañado por una nueva preocupación por los efectos luminosos. Éstos eran muy apreciados por algunos de los pintores de El Escorial, como Lucca Cambiaso, Tibaldi, y el mismo Zuccaro, pero será Navarrete quien lo emplee con particular delectación en obras como la *Ado-*

ración de los Pastores (1575) de El Escorial, en una tendencia que será continuada treinta años más tarde en la *Resurrección* de Juan Pantoja de la Cruz para el Hospital de Valladolid[21]. De igual manera, un pintor que será uno de los definidores de las nuevas poéticas barrocas, el levantino Francisco de Ribalta, ligado a los ambientes del Colegio del Patriarca, empleará en su primera obra conocida, la *Crucifixión* del Ermitage. (1582) [261], una similar gama de recursos, dentro todavía de un sentido de la forma y la composición plenamente manierista.

La riqueza del debate no termina con el análisis de las diferentes alternativas monumentalistas y su contraste con el incipiente naturalismo y claroscurismo de finales de siglo. El sentido de la claridad en la forma

y la composición encuentra su prolongación en la obra de orfebres y plateros como Juan de Arfe o Nicolás Vergara *el Joven* que despojan a sus obras de toda superfluidad ornamental que no sea la del lenguaje de los órdenes arquitectónicos, el de sus figuras y el de los jeroglíficos y alegorías.

Sin embargo, por encima de los artistas que hemos venido considerando hasta el momento, planea, como punto de referencia indiscutible, la obra de El Greco. Situado, en realidad, al margen del debate, cuando pretende entrar en él, es decir, cuando intenta su inserción en el mundo de la corte, escurialense, es rechazado por el rey. Y así, realizará su ingente producción pictórica en Toledo, aislado, pero no desconocido en absoluto del mundo artístico español. Su ca-

260. Juan Fernández de Navarrete: Sagrada Familia. *Monasterio del Escorial*

261. Ribalta: Crucifixión, Ermitage. *Leningrado*

rrera se prolonga hasta bien entrado el siglo XVII, ya que muere en 1614; pero su personal concepto de imagen religiosa, le hace pertenecer al mundo del manierismo cinquecentesco. De ello es buena prueba su prestigio entre los intelectuales toledanos e incluso de otras ciudades: de 1611 es la famosa visita de Pacheco a El Greco, pero el erudito sevillano no comprenderá en absoluto su manera de pintar, sobre todo la de la última parte de su vida, a la que calificó de «crueles borrones, por afectar valentía».

Desde un punto de vista formal, el arte de El Greco se sitúa en España como una extraña prolongación de una de las alternativas más dramáticas —quizá, con la de Miguel Ángel la mayor—, del arte religioso italiano del Manierismo. Nos referimos, claro está a Tintoretto. Ante El Greco nos encontramos ante su mejor discípulo que, sin embargo, y a pesar de esta dependencia con la pintura de Venecia, puede contemplarse como uno de los pocos —quizá el único— pintores que en España, supo traducir a imágenes una idea de la religión dramáticamente vivida. Pero, junto al enorme sentido dramático y pasional, sin duda de ascendencia tintorettesca, El Greco añade una idea de la imagen religiosa como imagen mental, que sólo puede encontrar paralelo en alguna de las últimas obras de Tiziano —recordemos *La Piedad* que realizó con destino a su tumba—, o en ciclos de Tintoretto, como el de la Scuola di San Rocco en Venecia.

El concepto de la imagen religiosa como imagen mental se sirve, como decimos, con los medios técnicos de la escuela veneciana, es decir, con el empleo, ahora como en Tintoretto, fantasmagórico, del color. Es ello lo que le aleja de Miguel Ángel[22] y, aunque por testimonios de G. Mancini o Francisco Pacheco nos ha llegado la idea de un cierto desprecio de la pintura del florentino por parte de El Greco, es obvio que le admiraba. Lo que diferencia a ambos maestros es el hecho de que El Greco no podía aceptar que

la visión religiosa alcanzara el grado de intelectualismo, y, a veces, incluso de frialdad que había proporcionado el manierismo florentino y su empleo del dibujo a la pintura. Para El Greco, la imagen mental de una religión visionaria, había de basarse en el estudio del color, rechazando así, como decimos, el intelectualismo miguelangelesco; X. de Salas ha estudiado con precisión algunos de estos hechos y ha indicado cómo, sin embargo, «el Greco admiró también la proporción alargada de sus figuras (las de Miguel Ángel) y admiró también su dibujo, no sólo cuando éste lo realizó en obras cuidadas cuyo fin estaba en sí mismas, sino en el dibujo, en los escorzos, la silueta, la composición trabada»[23]. El Greco realiza así una lectura de Miguel Ángel en cierta manera opuesta a la de los romanistas y más en conexión con la realizada con anterioridad por Alonso Berruguete. Y si no olvida el aspecto heroico de las figuras del italiano —recordemos las obras iniciales de El Greco en España, como las pinturas del retablo de Santo Domingo el Antiguo [262]— de él aprecia lo contorsionado de sus figuras, el alargamiento de las mismas, en esencia, su antinaturalismo.

De esta manera, y a la luz de los escasos testimonios literarios que nos quedan de mano de El Greco, se ha visto su obra como un intento de superación de la dicotomía dibujo-color, que era uno de los caballos de batalla en la teoría italiana de la pintura. Al optar por la manera venecianista basada fundamentalmente en el predominio del colorido, sin que ello suponga el olvido del sentido de la figura miguelangelesca, El Greco pretendía realizar una síntesis pictórica, tal como estaban proponiendo ciertos tratadistas venecianos como Paolo Pino o Ludovico Dolce.

Es a este respecto sumamente significativo que en uno de los mejores cuadros de su etapa italiana —*La Purificación del Templo*— inserte, junto a las figuras de Julio Clovio y la de un personaje desconocido, las de Tiziano y Miguel Ángel, claro homenaje a los dos genios de la pintura que constituían los dos polos de la discusión a la que nos venimos refiriendo. De lo complejo de sus relaciones con Miguel Ángel, mezcla de atracción y repulsión, nos da idea la importancia que el pintor concedió, en sus anotaciones a Vasari, a la cita en que éste se refiere a la exagerada proporción de las figuras del pintor florentino; de igual manera, en las anotaciones de El Greco a Vitruvio, retoma la misma idea, ahora ya con sus propias palabras [24].

262. El Greco: La Trinidad.
Madrid, Museo del Prado

Así, la carrera española de Domenikos Theotocopulos, al insertarse de lleno en las corrientes pictóricas y teóricas del manierismo italiano, se constituye en el contrapunto necesario para un estudio de la imagen contrarreformista en España, a la que aportó unos contenidos de abstracción y sentido intelectual hasta el momento desconocidos en nuestro país.

EL ESPACIO DE LA VISIÓN RELIGIOSA

Nada cambia sustancialmente por lo que se refiere a los lugares donde se desarrolla la visión religiosa con respecto a las décadas anteriores. Sólo la propuesta de un espacio antinatural en las obras de El Greco y el radical despojamiento de figuras que sufren las fachadas de las iglesias pueden señalarse como novedades, ya que el discurso iconográfico y pedagógico continúa realizándose en los retablos que prolongan su espectacular desarrollo, que seguirá en los siglos del barroco.

El retablo, como principal soporte plástico de la lección religiosa de la Contrarreforma, desarrolla un lenguaje y una retórica que puede relacionarse con otro género que a partir de estos momentos conoce un auge similar. Nos referimos al Sermón, tema que pronto alcanzará un importante soporte teórico al surgir los tratados de la denominada *Retórica Cristiana*, cuyas reglas tratan de adaptar los preceptos ciceronianos y aristotélicos a un contenido específicamente católico. Sermones y retablos se van a convertir en los medios favoritos de adoctrinamiento del fiel, y será fácil observar paralelismos entre ambos géneros, subordinados a las categorías de la poética aristotélica, basada, como sabemos, en la mimesis, la verosimilitud y la conmoción del espectador.

A finales de siglo, el predicador de la corte Francisco Terrones del Caño recogía, en un sermón acerca de la parábola evangélica de la Vid y los Sarmientos, la teoría de Aristóteles acerca del conocimiento por medio de los sentidos: «Para los discretos —dice— las criaturas son el camino que lleva a Dios, las lenguas pregoneras de su divinidad, las escaleras por donde subimos a su conocimiento», porque sólo los necios se entretienen «en los azulejos y artesones de las escaleras, y nunca llegan al conocimiento de Dios» [25].

Puede decirse que esta es la idea general de la ortodoxia católica, es decir, un reconocimiento positivo del valor de la imagen como vehículo para llegar a Dios; y así, no es de extrañar que cuando el padre Sigüenza comente la llegada del estandarte del turco, arrebatado en la Batalla de Lepanto, al referirse al aniconismo islámico, diga que su decoración estaba llena «de círculos, cuadrados y triángulos que, entre otros errores de aquella perniciosa y maldita secta que tanto ha fatigado a la Iglesia, es que no admiten figuras ni imágenes vivas» [26]. El reconocimiento positivo a que nos referimos se extiende, si bien con un carácter diferente, al mismo terreno de la literatura como es el caso, que más adelante estudiaremos, de San Juan de la Cruz.

De esta forma, la Iglesia opta de manera decidida por los métodos persuasivos del sermón y el retablo, y es tras los años centrales del siglo cuando, tras las huellas de los maestros Berruguete, Juni y Gaspar Becerra, toda una pléyade de pintores y escultores pueblen las iglesias españolas de una colección de retablos e imágenes, algunas veces verdaderas obras maestras, que constituyen lo más característico de la aportación española al debate formal e iconográfico de la Contrarreforma europea.

Desde un punto de vista formal, la principal característica que se exigía a estos retablos era el orden y la claridad. Ello se trasluce a menudo en los contratos, en los que aparece como condición fundamental a la hora de su realización. Así sucede, por ejemplo, en las condiciones del retablo de la iglesia de San Juan Bautista de Santoyo, realizado por Esteban Álvarez, tasado por Esteban Jordán e instalado en 1570. La cuarta condición, que se refiere a la talla de los Evangelistas del sotabanco especifica que «sean coloridos y estofados rricamente y con obra a punta de pincel de manera que no causen confusión»; las dos condiciones siguientes se refieren a la restricción al máximo de los elementos decorativos y superfluos. Así, las figuras han de hacerse «conforme lo que se requiere particularmente cada cosa della y no brutescos ni cosas ympropias a la ystoria...» y al referirse a las figuras y escenas del segundo cuerpo se vuelve a especificar que «sean las ystorias y figuras muy bien coloridas a punta de pincel de manera que imiten a las verdaderas y no brutescos ni cosas que parezcan manchas sobre las figuras, sino que parezcan telas rricas y brocados y damascos y brocateles» [27].

Si del examen de los contratos pasamos al de algunos de los retablos de mayor significación, confirmaremos estas ideas.

Ya hemos indicado cómo el inicio de la renovación del sentido del retablo aparece en el de Astorga, obra de Gaspar Becerra, y se continúa por Pedro López de Gámiz en Briviesca. Con todo, los ejemplos en pro de una mayor claridad y sentido ordenado del retablo que pueden aducirse en las décadas finales del siglo XVI son muchos. Pero antes de analizar algunos de ellos, conviene que insistamos sobre algunos de los párrafos de las ya mencionadas constituciones sinodales de Pamplona, similares a las que en este momento promulgaron gran parte de las diócesis españolas. En ellas, cuando se habla de las obras realizadas por los plateros, vuelve a insistirse en la eliminación de superfluidades y adornos variados, por lo que «mandamos que de aquí adelante las obras de plata sean llanas y lisas, y cuando sea menester alguna figura, o remate, o otra labor, se ponga en la escriptura», y parecidas ideas se repiten en torno a las obras de bordados[28].

En 1571, convino Esteban Jordán, escultor que continúa en la región vallisoletana la estela de Juan de Juni y Gaspar Becerra, la realización de dos importantes retablos. El primero de ellos, para la iglesia de la Magdalena de Medina del Campo, es de reducidas dimensiones, pero su único arco cobija una monumental Crucifixión. Este sentido unitario es aún más claro en otro de mayores proporciones para la iglesia de la Magdalena [263] de Valladolid, cuyo contrato se firmó el 23 de octubre de 1571. De escaso relieve las distintas escenas se aprecian con inusitada claridad, a lo que coadyuba tanto el abandono de las compartimentaciones profusas

263. Esteban Jordán:
Retablo de la iglesia de la Magdalena.
Valladolid

a base de grutescos, sustituidas ahora por el lenguaje de los órdenes clásicos, como el mismo sentido monumental de las figuras, especialmente perceptible en las parejas de santos del cuerpo inferior, que se destacan por encima de monumentales perspectivas[29]; parecidas ideas podríamos destacar del retablo mayor de Santa María [264] en Medina de Rioseco.

Martín González ha narrado las peripecias de la construcción de esta importante obra iniciada por Juni, al que se le impusieron como condiciones el seguir las trazas del de Becerra en Astorga. Muerto el maestro antes de su terminación, ésta, fue llevada a cabo por Jordán. En Medina de Rioseco las escenas destacan sobre una decoración arquitectónica en la que el predominio del manierismo italiano es patente: columnas semiencastradas, frontones curvos partidos y los estípites del cuerpo alto, nos ponen en relación con el mundo de Miguel Ángel, ahora desde una perspectiva arquitectónica[30].

Los ejemplos en este sentido podrían multiplicarse. De entre los retablos que mejor mostrarían esta vuelta a la claridad y a la sencillez compositiva están los de la iglesia de los jesuitas de Medina del Campo, atribuido al taller de Adrián Álvarez y, sobre todo, el retablo mayor de la Colegiata de Villagarcía de Campos (1579-1582) [265], obra de Juan de Torrecilla, con trazas de Juan de Herrera. Realizado en alabastro, nos encontramos ante él con una de las mejores muestras de la congelación de las formas y del «arte sin tiempo», propio de la Contrarreforma, en el que la grandiosa trama arquitectónica en nada interfiere la sencillez y sentido mayestático de las escenas.

Se trata de un concepto de retablo que abandona el sentido de la retórica en la exageración y el teatralismo y que fundamenta su fin pedagógico en una belleza armónica y reposada. El dominico fray Juan de Segovia expresa estas ideas con claridad

264. Estebán Jordán: Retablo mayor. *Medina de Rioseco, Santa María*

265. Juan de Herrera y Juan de Torrecilla:
Retablo de la colegiata de Villagarcía de Campos

al referirse a la retórica de los sermones. Para este fraile, el fin del arte no debe ser otro que el de la imitación de la naturaleza y expresamente señala cómo el predicador no ha de representar las cosas como en el teatro. Frente a la gesticulación y el sentido patético de la imagen religiosa que había propuesto Alonso Berruguete y proponía ahora El Greco, fray Juan de Segovia afirma que «los ojos descansan mirando un madero bien pintado y con el gusto que experimentan dilátanse como si quisieran atraerlo hacia sí. Si, por el contrario, la imagen es fea o está mal pintada, instintivamente se cierran o se vuelven a otra parte»[31].

La retórica católica, tal como la desarrollan los preceptistas de este momento, encuentra su base, como decimos, en la *Poética* de Aristóteles. Fray Diego de Estrella, publica en 1586 su *Modus condicionandi*, en cuyo capítulo XIX recomienda iniciar el sermón «con alguna máxima de Aristóteles». Con anterioridad, y de modo explícito, recomienda esa claridad necesaria que hemos visto solicitar en algún contrato y es norma casi general en las artes plásticas y en especial en los retablos «... algunos predicadores —afirma— dicen lo que quieren enseñar tan vizcaínamente que no les entiende la gente común, ni aun los extraordinarios. Tanta falta es esta como el otro extremo de los que son·verbosos, confusos y palabreros, que ni se entienden ni son entendidos»[32].

Pero esta claridad del discurso acústico y visual ha de ir necesariamente acompañada de la suficiente capacidad de catarsis y emoción que impresione vivamente los sentidos del fiel. Es ésta una cualidad igualmente ligada a las poéticas aristotélicas y que se extiende al espacio de la visión sagrada localizado en el templo y en la iglesia. Como es bien sabido, la arquitectura de la segunda mitad del siglo XVI evoluciona en toda Europa, y naturalmente en España, hacia un progresivo sentido clasicista y mayestático.

Lo mismo sucede en el campo de las artes plásticas y ya hemos visto cómo el desarrollo del retablo se orienta hacia una progresiva importancia de su sentido arquitectónico. Los fieles se sienten estimulados más que por el patetismo y la expresividad, por grandiosas imágenes de cuño clasicista. Esto, que venía sucediendo en Italia casi desde las décadas iniciales del siglo, se hace patente en España, sobre todo en las fases finales de la centuria. A esta tendencia no eran ajenos algunos de los pintores italianos que trabajaron en El Escorial, como el ya citado ciclo de Rómulo Cincinato en Guadalajara, realizado al fresco en una moda que comienza ahora a extenderse en los ámbitos eclesiásticos. Es el caso de las pinturas de la Capilla de San Gabriel en la Seo de Zaragoza, fundada por el banquero Zaporta, atribuidas por Angulo a Micer Pietro senés o Pietro Morone[33] en cuya *Presentación en el templo* [266] o en la vecina *Adoración de los Reyes*, son patentes los ecos de los grandes ciclos del manierismo centro-italiano. Y lo mismo podríamos decir de historias como el *Martirio de San Lorenzo*, obra de Bartolomé de Matarana, en el ya mencionado Colegio del Patriarca.

La grandeza y solemnidad del discurso es también exigida por los preceptistas de la *Retórica Christiana*. «A los que entran en un templo —dice en 1589 el jesuita Juan Bonifacio— a oir a un gran predicador les parece que entran como en un teatro de todo el universo»[34]. Aunque la metáfora teatral es, como hemos visto, rechazada a menudo por este tipo de retórica, no podemos olvidar el efecto que estos sermones debían causar en el público. A ello ayudaba la continua solicitud visual de estatuas, pinturas y retablos. «En este teatro —continúa— no es la suave voz del predicador, ni su lenguaje florido lo que cautiva al auditorio, sino la grandeza y hermosura de las cosas que dice y aquel maravilloso poder de su palabra con que pone ante los ojos una

266. Pietro Morone: Presentación en el Templo.
Zaragoza, Seo, capilla de San Gabriel

representación viva de todo el mundo, y hace, como nota San Cipriano, que los oídos instruyan y los ojos apacienten nuevamente el espíritu»[35].

Esta hermosura y grandeza de la imagen sagrada, es la que permite al templo convertirse en teatro del universo. Y a los ejemplos citados anteriormente podrían añadirse otros muchos presentes en la geografía española. El retablo de la iglesia de Santa María la Mayor [267] de Tudela de Duero, perteneciente al círculo de Adrián Álvarez, destaca sobre todo por el desarrollo que adquieren las estatuas de santos y profetas entre los intercolumnios, que enfatizan los referidos contenidos de grandiosidad.

267. Escuela de Adrián Álvarez:
Retablo de Santa María la Mayor.
Tudela de Duero

El problema de la teatralidad es especialmente evidente en un retablo como el existente en la Capilla de la Natividad [268], de la Catedral de Burgos, obra de Martín de la Haya. Esta obra, una de las más importantes del manierismo clasicista en Castilla, se define arquitectónicamente a través de la idea de encastrar la zona de los relieves dentro de un arco cobijo, flanqueado por un doble orden corintio. El retablo propiamente dicho, con escenas dedicadas a la vida de la Virgen, enfatiza al máximo el juego manierista en lo que respecta al uso y despiece de los frontones, culminando en la inserción de un grueso festón de frutas que proporciona a la obra su sentido plástico y teatral. En el retablo, en el que el sentido tectónico predomina sobre el significativo, la visualización de la historia sagrada cumple a la perfección los requisitos de verosimilitud, presencia clara y directa, a la vez que sentido de conmoción a través de la majestuosidad, y se constituye en perfecto ejemplo de lo que venimos denominando «retórica cristiana». Recordemos que Francisco Terrones del Caño, basándose en citas de San Gregorio y del libro de Job comparaba la potencia del predicador con la del caballo, «animal hermosísimo, que en tocando las cejas y las trompetas, arremete y se entra por mitad de las pieças»[36], y que fray Diego Pérez de Valdivia, en su *De Sacra ratione condicionandi* (1588) indicaba cómo «los hombres graves conviene que hablen con gravedad y mesura»[37].

En realidad lo que, tanto los retóricos católicos, como las imágenes sagradas venían a condenar era la exagerada gesticulación, la palabrería que ahora se concebía como vana y sin sentido. Y si de los ejemplos hasta ahora citados, situados geográficamente en la zona norte de España, estudiamos algunos de los más importantes retablos del sur, nos encontraremos con características similares.

En Andalucía la huella plateresca parece

268. Martín de la Haya:
Retablo de la capilla de la Natividad.
Burgos, catedral

eliminarse más tardíamente. No hubo en Andalucía personalidades tan poderosas como Gaspar Becerra, Pedro López de Gámiz o Juan de Anchieta, y el retablo de Santa María de Carmona [269], obra de Bautista Vázquez presenta un discurso claro y distante, pero al que las columnas abalaustradas, dotan de un sentido minucioso aún plateresco. No hemos de olvidar que Juan Bautista Vázquez, nacido en Ávila, había trabajado en Castilla por los años centrales del siglo junto al pintor Juan Correa del Vivar —retablo de los Concepcionistas de Almonacid de Zorita [270]— y junto a Alonso de Covarrubias o Juan de Vergara —parroquial de Mondéjar, retablo de Santa María La Blanca de Toledo. Parecidas características estilísticas podemos señalar en el retablo de la iglesia de Santa María de Medina Sidonia, cuya imaginería fue concertada por Bautista Vázquez en 1575.

Pero, siguiendo los análisis de Angulo y Hernández Díaz[38], el clasicismo se introduce en el sur de manos de Isidro de Villoldo y del citado Juan Bautista Vázquez; la imaginería de este último se encuentra cada vez más en contradicción con los marcos retablísticos en los que se inserta, todavía ligados a la tradición plateresca. Será más adelante, con la obra de Jerónimo Hernández y Andrés de Ocampo, en Arcos de la Frontera (Cádiz), y la de Juan de Oviedo

269. Bautista Vázquez:
Retablo de Santa María de Carmona

y de la Bandera, en Cazalla de la Sierra, cuando el retablo andaluz desarrolle en su plenitud el lenguaje formal del manierismo clasicista. Pero con ello, nos encontramos en fechas muy avanzadas, pues el destruido retablo de Cazalla, comenzado en 1592, no fue terminado hasta 1620[39].

EL ESPACIO DEL MILAGRO Y LA VISIÓN: EL GRECO

El tema del retablo, cuyas distintas alternativas y problemática formal acabamos de estudiar, configura de manera esencial el espacio sagrado de capillas e iglesias, dotándolas de un contenido de majestuosidad que culminará en el grandioso ejemplo de la Basílica de El Escorial.

Pero un sentimiento religioso tan intenso como el que la crisis de la Reforma y la Contrarreforma produjo en la sociedad del siglo XVI, no podía manifestarse de manera plástica sólo a través del recurso a las poéticas aristotélicas y racionalizadoras de la visión y el sentimiento. De esta manera, aparecen movimientos marginales —caso de los alumbrados— y artistas fuera de los circuitos oficiales, que proponen otra manera de interpretar el sentimiento religioso, basada fundamentalmente en un estudio del espacio aperspectivo, irracional o descoyuntado, como lugar más a propósito para la aparición de la visión y el milagro.

En realidad, uno de los puntos de partida de estos artistas, entre los que destacaríamos al veneciano J. Robusti, El Tintoretto y, en España, la figura de El Greco, es el mismo que hemos señalado para las preceptivas aristotélicas que están en la base del sentido contrarreformista de la imagen; se trata de una valoración positiva de la imagen como medio de transmitir emociones de tipo religioso. Pero la coincidencia inicial se detiene ahí, ya que, una vez reconocido este valor, la imagen se somete a un proceso de deforma-

270. Juan Correa de Vivar: Retablo de los Concepcionistas. *Almonacid de Zorita*

ción, que en el caso de El Greco es cada vez más intenso, en un sentido de desmaterialización e irracionalidad que, abandonando la categoría de la mimesis, trata de confrontar la imagen material, no con la realidad terrena y tangible, sino con el mundo de la idea religiosa.

A este respecto, las ideas expuestas por el místico español San Juan de la Cruz en su *Subida al Monte Carmelo* nos van a servir de contrapunto literario al intenso sentido religioso del arte de El Greco.

Siguiendo la doctrina tradicional de la Iglesia, San Juan de la Cruz valora positivamente la imagen religiosa y aunque en las imágenes y retratos «puede haber mucha vanidad y gozo vano», pueden resultar útiles y necesarias «para reverenciar a los santos en ellas, y para mover la voluntad y despertar la devoción por ellas a ellos»[40].

Pero, de esta valoración positiva, pronto se pasa a los correctivos y a las matizaciones. La imagen, para San Juan de la Cruz, ha de prescribirse cuando su fin se reduce al ornato y curiosidad exterior y, entrando en la polémica acerca del fin de la imagen, sobre la que más adelante nos extenderemos, cuando sólo procura un agrado y deleite del sentido. Y en consonancia con los preceptos de las constituciones sinodales, critica la costumbre de vestir a las imágenes con vestidos del momento. Pero lo que en las primeras es una mera disposición en nombre de la teoría del decoro —«por que en algunas Iglesias con poca consideración ponen a las imágenes de nuestra señora sancta Maria, y de otras sanctas vestidos, y tocados, y rizos, los quales nunca usaron tales sanctas, y no ayudan a la devocion...»[41]— es en el místico verdadero horror ante la idolatría que supone el abandono del culto a la imagen interior —«Esto se verá bien por el uso abominable que en estos nuestros tiempos usan algunas personas que no teniendo ellas aborrecido el traje que la gente vana por tiempo va inventando para el cumplimiento de sus

pasatiempos y vanidades... Y de esta manera, la honesta y grave devoción del alma... ya se les queda un poco más que en ornato de muñecas, no sirviéndose algunos de las imágenes mas que de unos ídolos en que tienen puesto su gozo...»[42].

La polémica en torno a las imágenes continuaba, pues, viva en España durante el periodo de la Contrarreforma, si bien las alternativas que se perfilan son distintas a las presentes en los tiempos del erasmismo. Frente a la crítica reformista de Erasmo, la Iglesia oficial aspira a una imagen controlada basada en las categorías de la retórica católica, mientras que el fuerte sentido irracional propugna una imagen concebida como forma mental y en absoluto basada en la realidad.

San Juan de la Cruz habla repetidas veces de la búsqueda dentro de sí mismo de la viva imagen de la divinidad. Y ésta es, en realidad, la alternativa que va a ofrecer El Greco a la religiosidad española de fines del siglo XVI y comienzos del XVII.

Ya desde sus primeras obras, aquellas que estaban impregnadas en mayor medida del formalismo manierista de los italianos nos ofrece El Greco un concepto de la imagen ajeno a cualquier confrontación con la realidad. Nos referimos a las realizadas entre 1577 y 1580 para el retablo de Santo Domingo el Antiguo de Toledo. Si en la *Asunción de la Virgen* sigue en alguna manera la famosa obra de Tiziano en la iglesia veneciana de *I Frari*, y en *La Trinidad* se inspira en un grabado de Durero y en el sentido heroico de los desnudos miguelangelescos, en la *Adoración de los Pastores* realiza una transformación en el camino de un progresivo irracionalismo e indeterminación espacial y ambiental, del sentido lumínico de la escuela de Venecia. Wethey ha indicado cómo se trata del cuadro más veneciano del conjunto, deudor de las pinturas de Jacopo Bassano[43]. El mismo autor lo ha descrito con palabras precisas: «La plateada iluminación lunar, centelleante en la noche y sin fondo arquitectónico o referencia visible de un establo, crea un ambiente encantado de temor y asombro»[44]. Parecidas palabras podríamos decir de *La Resurrección*, en la que la apolínea figura de Cristo contrasta con la extrañísima zona inferior donde se debaten las figuras de los soldados en atrevidas posturas y escorzos que, en su irracionalidad y exageración, nos permiten observar el rápido desarrollo que realiza El Greco del ideal miguelangelesco de la figura humana.

El abandono de cualquier referencia perspectiva, que tan del agrado habían sido de El Greco en su etapa veneciana, se consuma en *El Expolio* [271], para la sacristía de la Catedral Primada. La inusitada novedad en el tratamiento del tema, llevará al Cabildo a entablar un largo pleito de pretextos iconográficos. Si bien no es éste nuestro interés actual, señalaremos ahora cómo, según la interpretación de Azcárate[45], la presencia de las Tres Marías —uno de los puntos en la discusión del Cabildo— se basa en *Las Meditaciones de la Pasión*, de San Buenaventura, como ya había sucedido en las versiones de Lorenzo Monaco y de la escuela de Francesco del Giorgio. Lo importante para nosotros ahora es confirmar cómo El Greco se inspiraba para sus obras en textos de carácter religioso, en los que además de precisiones iconográficas, encontraba un mundo visionario en el que la racionalidad parece proscribirse. La composición del *Expolio* se refiere a modelos bizantinos por lo que supone de intelectualización de un espacio que gira en torno de Cristo y, más aún, en torno al fogonazo de color de su túnica; y la única referencia a un mundo real es el exiguo trozo de tierra donde Cristo coloca el pie.

Esta indeterminación espacial del lugar donde ocurre el milagro continúa en *El Entierro del Señor de Orgaz* (1586-88) [272]: ausencia total de perspectiva, falta de precisión del lugar donde se desarrolla la escena y relación sin solución de continuidad entre cielo y tierra son algunas de las características más señaladas de esta obra, en la que la parte inferior se resuelve con la plenitud de un friso, y la superior se ordena a través de una composición geometrizada del mundo del más allá.

Pero en estas obras las figuras aún adquieren una cierta materialidad, consistencia y, en algunas ocasiones, como en *La Trinidad* o el escurialense *Martirio de San Mauricio*, sentido heroico. Conforme El Greco avance en su carrera acomete con mayor precisión el problema que llevaba implícito su formación venecianista. En los primeros momentos, el uso de la luz y el color se emplea como medio imprescindible de dramatización de la escena; a partir, sobre todo, de la década de los 90, la luz va a utilizarse como método de desmaterialización no sólo del espacio, sino también de la figura. Obras como las realizadas entre 1596-1600 para el colegio madrileño de doña María de Aragón [273], inician unos estudios cromáticos y luminosos que inciden ya en una exagerada deformación de las figuras, que se consuma totalmente en los tondos para el Hospital de la Caridad de Illescas. En ellos se aprovecha el formato del cuadro para concebir la obra casi como si estuviera pintada en una esfera, en un efecto óptico al que sólo un sentido del color como el veneciano podía conducir al éxito.

Pero ya con anterioridad, en una obra fechada hacia 1580 —*La Piedad* [274] (Colección Stavros Niarchos)—, había dado con ciertas claves del proceso de interiorización e intelectualización a que estaba sometido su imagen religiosa; las cuatro figuras ocupan, de manera agobiante, la totalidad de la superficie del cuadro, aunque para ello tengan que adoptar posturas absurdas: es el caso del San José de Arimatea, pero también del de la parte inferior del cuerpo de la Virgen —del cual sólo se destaca aquello que interesa para la composición, el rostro— y que culmina en el cuerpo de Cristo, que

271. El Greco: El Expolio. *Toledo, catedral*

272. El Greco: Entierro del Señor de Orgaz. *Toledo, iglesia de Santo Tomé*

273. El Greco: El Nacimiento.
Madrid, Museo del Prado

posee una distinta proporción para la zona del torso que para la de las piernas.

El proceso de desmaterialización e irrealidad culmina en obras como *La Oración en el Huerto* (1605-10), *La Visitación* (1607-14) [275], *El Quinto Sello del Apocalipsis* (1608-14) [276] o la *Adoración de los Pastores* (1612-14), exasperadas visiones de un mundo en que las figuras carecen de otra consistencia que no sea la de su cualidad pictórica. Ello es particularmente evidente en las deformaciones de *El Quinto Sello*, donde las figuras

parecen reducirse a estado de larva, en la *Visitación* donde se rehúye la representación de rostros y manos que quedaron sin terminar, para centrarse en la pura abstracción luminosa de los mantos y en la *Oración en el Huerto* donde se retoma y exaspera el tema tintorettesco de la pluralidad aperspectiva de espacios unidos paratácticamente[46]. Y lo mismo podríamos decir de la citada *Adoración de los Pastores* que, como otras muchas obras de El Greco, ejemplifica toda una peculiar metafísica de la luz, muy acorde con los textos de los místicos. Recordemos que para San Juan de la Cruz, el día y la luz no es otra cosa que Dios en la Bienaventuranza, y la noche «la fe en la iglesia militante», de manera que la fe es «noche oscura» que da luz al alma, «porque se venga a verificar lo que también dice David... La noche será mi iluminación y mi deleite»[47].

Con estas obras nos encontramos ante uno de los momentos más altos de la poética del manierismo como arte que expresa una visión religiosa. En una época en que las formas del barroco y del clasicismo comenzaban a imponerse en toda Europa, la obra de El Greco prolonga y culmina un tema tan querido del manierismo como es el de la alienación del individuo. Los espacios misteriosos, indeterminados e irracionales de la visión de El Greco, son, no sólo el contrapunto necesario del discurso iconográfico y dogmático de los retablos y procesiones, sino, y sobre todo, la propuesta más clara a que podía llevar una interpretación del sentimiento religioso basada en la imagen mental y en el contacto directo del fiel con Dios. Se trata de la negación de la idea de la imagen con fines estrictamente devocionales —como captó Felipe II en el asunto del *San Mauricio*—, y de la concepción de la figura como mera referencia abstracta, perdida y enajenada en medio de la luz y del color. Algunos años antes, así lo había visto San Juan de la Cruz cuando sostenía que «Ha, pues, el espiritual de negar todas las

274. El Greco: La Piedad. *Colección Niarchos*

aprensiones con los deleites temporales que caen en los sentidos exteriores», ya que «claro está que estas visiones y aprensiones sensitivas no pueden ser medio para la unión, pues ninguna proporción tienen con Dios» [48].

Desde este punto de vista podemos matizar las afirmaciones de Brown acerca del carácter intelectual de la pintura de El Greco. Si, como ya dijimos, El Greco trae a España discusiones teóricas —como la de la primacía del color sobre el dibujo y viceversa— que hasta el momento habían estado ausentes del debate artístico real en nuestro país, y, como indica el mismo Brown, en el origen de sus continuos pleitos está su consideración como artista liberal en una España en que

esta idea era considerada poco menos que una entelequia, no podemos por ello negar la importancia que las preocupaciones religiosas tienen en su pintura. Al margen de las cuestiones iconográficas, sobre las que más adelante nos extenderemos, hemos de señalar que el sentido espacial de los cuadros de El Greco, su idea de la deformación de la figura, ha de encontrar explicación en un doble parámetro: si ello es debido al interés puramente estético por practicar un arte basado en los cánones del manierismo italiano, no hemos de olvidar que estos se encontraban entre los más adecuados para dotar de imagen a un sentimiento exacerbado y crítico de la religión como era el de la Contra-

275. El Greco: La Visitación. *Washington, Dumbarton Oaks*

276. El Greco: El Quinto Sello del Apocalipsis (detalle).
Nueva York, Metropolitan Museum

rreforma. Es a estos efectos ejemplar la contraposición, realizada por el mismo Brown, entre obras del mismo tema como *La Resurrección* para Santo Domingo el Antiguo (1577-1579) y la existente en el Museo del Prado (1600-1605). Mientras en la primera las figuras todavía alcanzan una corporeidad y monumentalismo miguelangelesco, la segunda, llevando a cabo el proceso estético a que antes nos hemos referido, incide en los máximos contenidos de abstracción y desmaterialización del espacio y la figura, en una evolución estilística y estética que no puede ser ajena a preocupaciones de tipo religioso [48 bis].

LOS FINES DE LA IMAGEN RELIGIOSA

Ya hemos visto cómo una de las discusiones generales que más preocuparon a la teoría artística de la época de la Contrarreforma era la del fin del arte. Los términos de la discusión, desarrollados magistralmente en *Il Figino* de Comanini no eran otros de si el arte había de ser el deleite o la satisfacción; recordemos que similares propuestas había desarrollado un preceptista literario como López Pinciano.

Cuando nos enfrentamos con el análisis de la producción artística española de contenido religioso nos vamos a encontrar con parecidos problemas. El discurso sagrado que se realiza en pinturas y retablos está claramente determinado a la enseñanza y adoctrinamiento del fiel, a proponerle una retórica de la persuasión y a provocar sentimientos de tipo devocional.

Son estos los fines que, en realidad, justifican la prodigiosa inflación de imágenes religiosas que se produce en España durante el último tercio del siglo XVI, y las que arrinconan en el Olimpo de las discusiones teóricas el debate crítico que continúa desarrollándose en torno a la licitud de la imagen religiosa.

Con todo, la enorme cantidad de retablos, pinturas y estatuas de tema religioso no nos puede hacer olvidar este tipo de polémicas. Para el ya citado San Juan de la Cruz, el fin de la visión mística es «levantar a una alma de su bajeza a su divina unión», para lo que son necesarias las imágenes ya que, «el orden que tiene el alma de conocer sea por las formas e imágenes de las cosas criadas y el modo de su conocer por los sentidos... Por lo cual —continúa— la lleva primero instruyendo por formas, imágenes y vías sensibles a su modo de entender, ahora naturales, ahora sobrenaturales, y por discursos a ese sumo espíritu de Dios» [49].

Este fundamento de un conocimiento de la naturaleza divina a través de una contemplación provocada por las criaturas es, sin duda, la base de la idea de la imagen del Greco. En su concepto de la imagen, no encontramos ni la valoración positiva de unos fines devotos, que pronto llevará, como veremos, a una codificación extremada de actitudes y de iconografía, ni tampoco la negación del valor positivo de la imagen, como pretendían los protestantes, y a que se vio abocado el mismo Miguel Ángel en sus postreras etapas.

Wittkower ha desarrollado la sugestiva hipótesis de que los tres desnudos de la parte izquierda de la *Resurrección* [277] de El Greco representan tres etapas del reconocimiento de la Divinidad; mientras el durmiente del suelo tapa su vista ante la cegadora luz divina, el siguiente comienza a elevarse y a destapar su vista, mientras que el tercero se encuentra ya en plena visión estática. El contraste entre la claroscurista zona inferior y la iluminación plena del cuerpo de Cristo, abona esta interpretación de la obra, ya que, como hemos señalado, el tema del parangón Dios-Luz, y, más aún, Dios Resucitado, procede de la mentalidad visionaria desarrollada por la literatura mística [50].

El valor de atracción irresistible que tiene la divinidad, concepto básico de raíz neoplatónica, se utiliza por El Greco en multitud de ocasiones. Quizá ninguna más significativa que la tardía representación de la *Inmaculada Concepción* (1608-13) [278] de la iglesia de San Vicente de Toledo (hoy en el Museo de Santa Cruz de esta ciudad) en la que todos los personajes sufren las más exageradas deformaciones producidas por la atracción hacia lo alto materializada en paloma —símbolo del Espíritu Santo— irradiante de luz. El efecto no incide sólo en la concepción de la figura, sino también en la misma idea del espacio que, casi vacío y hueco en la parte inferior o terrenal, adquiere una enor-

277. El Greco: Resurrección.
Madrid, Museo del Prado

277 bis. El Greco: Resurrección (detalle).
Madrid, Museo del Prado

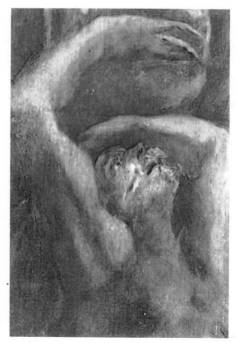

278. El Greco: La Inmaculada Concepción.
Toledo, Museo de Santa Cruz

me concentración en la superior que aparece como succionada por una fuerza espiritual.

En una obra más convencional, como *Cristo despidiéndose de su Madre* (h. 1585-1590), el fondo abstracto, únicamente definido por la luz, eleva la escena a un carácter visionario; si bien, el desarrollo de una iconografía contrarreformista, aparece, en El Greco, además de en sus composiciones, en sus numesas representaciones de santos.

Ya en una obra como *La Verónica* (Madrid, Colección María Luisa Caturla, h. 1577-78, Toledo, Museo de Santa Cruz, h. 1580), al concebir la imagen de Cristo como verdadero «cuadro dentro del cuadro», se demuestra, en su ostentación, la valoración positiva que de la imagen realiza El Greco, como estímulo del sentimiento religioso.

El *San Ildefonso* del Hospital de la Caridad de Illescas encuentra su inspiración en la imagen de la Virgen que preside su celda. Los distintos *Santo Domingo orantes* (Toledo, Catedral, h. 1600-1605, Museo de Boston h. 1605-10) realizan su devoto ejercicio ante un Crucifijo, y lo mismo sucede con la amplísima serie de *San Francisco*. Algunos como el de El Escorial y el de Baltimore (h. 1585-90) entrevén la figura del Crucificado en medio de resplandores en un proceso de progresiva desmaterialización al que más adelante nos referiremos, otros (Col. Blanco Soler, 1595-1600, Col. Fernández Araoz, h. 1605-10) apoyan la figura de Cristo sobre una calavera. La tipología franciscana de El Greco es inmensa y no podemos en este momento detenernos en ella con atención. Entre los más impresionantes está, sin duda, la *Visión de San Francisco* [279] del Hospital de Nuestra Señora del Carmen de Cádiz; en ella casi han desaparecido las leves indicaciones al ambiente rocoso y de gruta existentes en otras obras del mismo tema, así como la Cruz y la calavera, y el santo eleva su mirada como queriendo ascender hacia los imprecisos rayos de luz, mientras que su compañero ha caído provocado por la visión inma-

279. El Greco: Visión de San Francisco.
Cádiz, hospital de Nuestra Señora del Carmen

280. El Greco: San Sebastián.
Madrid, Museo del Prado

terial. Estos lugares de meditación recuerdan ciertas recomendaciones de San Juan de la Cruz, cuando aconsejaba, como lugar ideal para recogerse, aquel que no fuera «ameno y deleitable al sentido... por eso es bueno lugar solitario y aun áspero, para que el espíritu sólida y derechamente suba a Dios, no impedido ni detenido en las cosas visibles» [51].

Otras veces, el estímulo para el éxtasis viene dado por la propia aparición de la Virgen (*San Jacinto*, Museo de Rochester, h. 1605-1610, *San Lorenzo*, Monforte, Padres Escolapios, h. 1578-1580), pero el proceso de desmaterialización culmina tanto en sus últimas composiciones a las que anteriormente hemos hecho referencia, como en las series de santos, cuya mirada hacia lo alto

se pierde sin encontrar ninguna realidad tangible o visible a los ojos del espectador. Si el *San Jerónimo* de la Colección Silvela (h. 1600-1605) o el de la Galería de Edimburgo (1595-1600), aún registran una acumulación de objetos —tintero, Biblia, reloj de arena, calavera, Crucifijo—, el de la National Gallery de Londres, fija ya su mirada estática en la luz, como lo hacen el *San Sebastián* del Prado (1610-14) [280] y el *San Pedro* del Hospital de Afuera de Toledo (h. 1605-10), o las distintas versiones de *La Magdalena* que desarrolla una tipología paralela, desde las que contemplan un Cristo o una calavera, a las que reciben su inspiración a través de la iluminación directa del rayo divino (Museo de Budapest, h. 1578-80).

Como vamos viendo a lo largo de estas

páginas, la estética de El Greco se coloca en los antípodas del sentido monumental de los llamados romanistas, para los que la imagen tenía unos fines en esencia piadosos y devotos. Los tratadistas de retórica, con los que en epígrafes anteriores les hemos puesto en paralelo, insistían en el gesto mesurado y no exagerado que debía observarse en el púlpito. El dominico fray Tomás Trujillo en su *Thesauri concionatorum libri Septem* (1579) afirmaba que «los hombres graves conviene que hablen con gravedad y mesura» y critica a «los que no hacen más que recoger las mangas de la sobrepelliz, los que tienden en la barandilla del pulpito un pañuelo para limpiar el sudor..., los que tremolan como banderas los extremos de la capa o la hechan enteramente a la espalda...»

Sin que en ningún momento podamos afirmar que El Greco practicase una pintura que recuerde este criticado ampuloso sentido oratorio, sí que es posible señalar cómo en la exageración de actitudes se aparta del clasicismo que imperaba tanto en los círculos cortesanos de Pompeo Leoni, como en algunos retablistas como Juan de Anchieta o Juan Bautista Vázquez. El pintor de Toledo parece acercarse, sin embargo, a una alternativa intermedia como la propugnada por fray Luis de Granada; sin encontrarnos en el campo de la mística, fray Luis propugna otro tipo de retórica que permite el adorno, la exageración y el lenguaje gestual.

De esta manera señala cómo «el predicador añade sobre el orador los afectos y la acomodación o descenso a cada cosa de por sí»[52]. La llamada de atención sobre el tema de los afectos, que creeríamos algo propio del barroco, es algo constante en fray Luis de Granada. Para él, los afectos se provocan en parte por medio de la grandeza de las cosas y «parte con ponerlas delante de los ojos»[53]. Esta llamada a la sensibilidad, sobre la que más adelante nos extenderemos, es algo común a la concepción retórica y se utiliza como medio de conmoción de los

oyentes[54]. El recurso a la sensibilidad visual produce un énfasis en los elementos perceptivos, que le lleva a teorizar acerca de lo que él denomina las visiones «por las cuales, de tal suerte se representan al ánimo las imágenes de las cosas ausentes, que parece que las miramos con los ojos, y que realmente las tenemos presentes...»[55].

Al contrario que la generalidad de los tratadistas de retórica eclesiástica, fray Luis de Granada acepta el lenguaje persuasivo, y aun exagerado, del cuerpo. Y si en la cita anteriormente propuesta el sentido intenso de la visión nos lleva al mundo de El Greco, cuando habla del sentido del gesto y del movimiento de las manos, el paralelismo no puede ser más sorprendente. Citando a Fabio nos indica cómo «las manos, sin las cuales sería la acción manca y débil, apenas pueda decirse cuántos movimientos tengan, como sea cierto que casi igualan la copia misma de palabras». La cita continúa con un parangón entre el lenguaje del gesto y el de las palabras —«porque las demás partes ayudan al que habla, estoy casi por decir que ellas mismas hablan»— que podemos extender a la mayoría de los cuadros de El Greco, en los que el lenguaje gestual alcanza tanta importancia[56]. Obras, como *El Entierro del Señor de Orgaz* o el *Martirio de San Mauricio*, suministran un muestrario y una tipología del gesto, paralela a la que relaciona fray Luis de Granada: «En efecto, ¿no pedimos con ellas, prometemos, llamamos, despedimos, amenazamos, suplicamos, abominamos, tememos, preguntamos, negamos, descubrimos gozo, tristeza, duda, confusión, arrepentimiento, modo, copia, número y tiempo? Estas mismas, no incitan, ruegan, inhiben, otorgan, admiran, se avergüenzan...»[57]. E inclusive, en casos concretos, como la postura de la mano en *El Expolio*, la *Magdalena* [281], *El Caballero de la mano en el pecho*, nos vuelve a recordar alguna cita de Fray Luis[58].

De esta manera, la situación de El Greco

dentro del problema del fin de la imagen se nos aparece, en medio de su complejidad, ya clara. Sin rechazar por completo los medios de la retórica persuasiva, su idea se inclina, sin embargo a un concepto visionario de la imagen, más atento a expresar un concepto —fundamentalmente el de unión del alma con la divinidad— que a provocar un impulso devocional. Se trata de una imagen inserta en un progresivo concepto de abstractización pero que acepta el valor positivo de la misma y la eficacia de su utilización, en un momento en que desde distintas posturas se comenzaba a negar su valor.

Es el caso de Cipriano de Valera, autor de dos tratados sobre el Papa y la Misa [59], aparecidos anónimamente en 1588 y que, en realidad, exponen, a veces de manera violenta, las posturas protestantes acerca del valor de las imágenes. El primer escrito comienza con una fuerte diatriba contra las mismas y contra aquellos que «de tal manera fixan sus ojos, y ponen todo su entendimiento en honrrar y adorar estas visibles imagines, que quitan la honra, que a solo Dios se deve, y le dan a una imagen de palo hecha por mano de hombres...» [60].

En su polémica, Cipriano de Valera se remonta al Concilio de Nicea para mostrar las contradicciones de los que él llama «romanistas» (seguidores de la doctrina de Roma), ya que, por un lado manifiestan no adorar las imágenes, mientras que por otro mandan en su concilio general que las adoren, y cita en su apoyo textos de Abacuc y Jeremías. Éste último afirmaba «averguencese de su vasiadizo todo fundidor. Porque mentira es su obra de fundición, ni ay espiritu en ellos: vanidad son, obra de escarnio» [61], y Epiphanio, obispo de Cypro, recusaba el conocimiento de la divinidad a través de medios sensualistas ya que «no es lícito al christiano estar suspenso por los ojos, sino por la ocupación del entendimiento» [62].

La acusación de Cipriano de Valera toca

281. El Greco: La Magdalena. *Budapest, Museo de Bellas Artes*

todos los puntos de la propaganda protestante y anticatólica; las imágenes son ocasión de enriquecimiento de clérigos y frailes [63] y de ceremonias idolátricas [64]; sin embargo, la recusación del oficio de escultor y de la actividad de imaginero no se extiende a los temas profanos ya que, una vez suprimido el fin supersticioso e idolátrico, las imágenes son lícitas y buenas [65].

La Iglesia Católica optó, sin ninguna vacilación, por la imagen sagrada de fines devocionales. El retórico fray Juan de Segovia afirmaba que el predicador debe enseñar, deleitar y mover, y estos fines de las preceptivas aristotélicas, pueden igualmente aplicarse a la imagen devocional de la Contrarreforma española. El mismo autor indica cómo el sermón ha de ser recibido con gusto por los oyentes, y Trujillo, por su parte, repite la misma tríada de enseñanza, deleite y conmoción: «Enseñar popularmente —dice— no como en las cátedras de Teología y de Escritura; deleitar con la misma doctrina del Evangelio...»

En realidad, es éste el programa que se había impuesto la escultura española por medio de sus retablos e imágenes. Para ello contaba con el apoyo de la Iglesia, cuyos obispos habían visto reforzada su autoridad en el control de la iconografía y el sentido de la imagen, tras el famoso decreto tridentino *De sacris imaginibus*. Es a él al que continuamente se refieren las distintas constituciones sinodales de las diócesis españolas, como la ya citada de Pamplona en 1591, promulgada con el fin de evitar en las iglesias del Obispado, «las cosas, que causan y pueden causar indecencia y indevocion en el pintar imagenes, y retablos de las iglesias, y otros lugares pios, y de devocion». La preocupación porque «las gentes no caygan en algun error», nos indica el carácter de control, ligado al concepto de que la «enseñanza popular» había de dejarse en manos del Ordinario. Se trata, la católica, de una imagen dirigida, ya que el Decreto determina que no se pinten imágenes ni historias, «sin que primero se haga relación a Nos, o a nuestro Vicario general, para que veamos, examinemos y proveamos, como conviene que se haga, la pintura de las tales imagenes, o historias»[66].

El fin pedagógico de esta imagen controlada aparece con claridad en el curioso tratado de retórica eclesiástica publicado por fray

282. Grabado de *Rhetorica Cristiana*, de fray Diego de Valades

283. Grabado de *Rhetorica Cristiana*, de fray Diego de Valades

Diego de Valades, que, dirigido a la predicación en las tierras del Nuevo Mundo, encierra para nosotros el interés de insertar una serie de láminas y grabados que resumen didácticamente una idea contrarreformista de la religión[67] [282, 283].

La progresiva preocupación eclesiástica por las imágenes sagradas explica en parte la monotonía iconográfica de gran parte del arte español de fines del siglo XVI. Más adelante nos referiremos a la iconografía de santos y apostolados y a su tendencia a la repetición. Centrándonos ahora en los temas extraídos del Evangelio y sus derivaciones podemos decir que son ellos los que acaparan gran parte de la atención de imagineros y pintores. Hernández Díaz ha podido estudiar la iconografía sevillana de la Virgen[68] y ha indicado ejemplos tan característicos como los de Jerónimo Hernández, Miguel Adán, Gaspar del Águila, Lorenzo Meléndez o H. de Uceda; y, sin salir de la misma escuela andaluza, podrían indicarse imágenes de *Santa Ana, la Virgen y el Niño* [284] en Diego de Pesquera o Gaspar del Águila, *Crucificados* «pre-montañesinos» como los de este último escultor, Marcos de Cabrera o Andrés de Ocampo y *Resucitados* [285] tan apolíneos como el de Jerónimo Hernández en la parroquia de Santa María Magdalena de Sevilla.

Es, sin embargo, en los retablos el lugar donde el discurso iconográfico se hace, a la vez que grandioso y espectacular, popular y devoto. A los retablos se refiere expresamente Gutiérrez de los Ríos cuando, tras estudiar toda una tipología del sentimiento en torno a las imágenes del Crucifijo, el *Juicio Final* de Miguel Ángel y la gloria celestial, a la que ya nos hemos referido, continúa diciendo: «Notorio es el mucho fruto que hazen en la yglesia de Dios, los retablos, y las imagines divinas de los santos, hechas por mano de los artífices destas artes», para apoyar su razonamiento, estrictamente opuesto al de Cipriano de Valera, cita unas

284. Diego de Pesquera o Gaspar del Águila: Santa Ana, la Virgen y el Niño

palabras de Beda el Venerable, verdadero resumen de lo que la Contrarreforma pretendía protegiendo y estimulando la imaginería religiosa: «La vista de las imágines suele dar muchas vezes gran compunción y devoción a los que las miran, y aquellos asší mismo que no saben leer, y ser como licion divina de la historia del Señor[69].»

De esta manera, la iconografía del retablo español de la plena Contrarreforma no cambia demasiado con respecto a la de la época anterior. Quizá uno de los rasgos más señalados sea la continua repetición del tema de la *Asunción de la Virgen* que centra la composición de gran parte de los retablos caste-

285. Jerónimo Hernández: Cristo Resucitado. *Sevilla, Santa Magdalena*

llanos, tras su utilización por figuras de la talla de Juni, Becerra o López de Gámiz. Conocemos el contrato que en 1591 firma el escultor Adrián Álvarez para realizar una imagen de la Asunción para el Colegio de la Compañía de Jesús de Santiago de Compostela; lo comentamos ya que se trata de un buen ejemplo de la precisión iconográfica que se exigía en algunos contrastes, y que preludia las recomendaciones minuciosas del tratado de Pacheco. Se determina la posición de las manos («a de tener las manos puestas

pero de tal manera que no lleguen la palma de la mano a la otra sino solamente los dedos unos con otros por las puntas para que las manos queden con mas perfeccion y se descubra más el arte»), el vestido o el rostro, a través de unas consideraciones cuya minuciosidad iconográfica no impide precisiones de tipo estético pues no se excluyen palabras tales como «perfección», «arte» y «hermosura» [70].

En el retablo de Santa María de Alaejos [286], Esteban Jordán, centra el tema mariano de la *Asunción* con escenas de la vida de Cristo y la Virgen, presididos por los habituales Dios Padre y la escena del Calvario. Los temas son similares en una obra tan importante como la que en la Capilla Mayor de la Catedral de Burgos inició Rodrigo de la Haya (1562-1567), con la colaboración de Domingo de Bérriz y Martín de la Haya. En él, Juan de Anchieta colaboró con las escenas de la Asunción y la Coronación de la Virgen, que han sido señaladas por Weise como una de las pruebas más claras de la nueva dirección estilística hacia la monumentalidad clásica y heroica típica de una de las alternativas de la Contrarreforma [71]. Los ejemplos podrían multiplicarse «ad infinitum» (Retablo Mayor de la Colegiata de San Pedro en Soria de Francisco del Río, Retablo de Tafalla, de Anchieta y Pedro González de San Pedro [1580-91], Retablo de Valtierra, obra, entre otros, de Martínez de Salamanca, Arbizu, Juan de Cambray y Lope de Larrea... [72]), pero aquí sólo nos interesa constatar el fenómeno que hemos denominado inflación de la imagen y la tendencia a la repetición de los mismos temas iconográficos.

De entre los temas de la vida de Jesús, la iconografía retablística siente especial predilección por los de la Pasión, más aptos para conmover los sentimientos del fiel [73]. De entre ellos, destacamos el tema del *Santo Entierro* y el de *La Piedad*, que nos permite una interesante confrontación estilística en-

286. Esteban Jordán:
Retablo de Santa María. *Alaejos*

287. Pedro González de San Pedro: Piedad.
Pamplona, catedral

tre los distintos artistas y regiones de este momento.

La tradición de Juni aparece a menudo en el tratamiento del tema de la Piedad, como sucede en el retablo de la iglesia de El Salvador de Simancas, obra de Francisco de la Maza (1571), al que no es ajeno tampoco el sentido de la forma de Gaspar Becerra[74]; y similares consideraciones podríamos hacer del *Santo Entierro* de Sobrado de los Montes y del existente en la Catedral de Orense de 1566[75].

Como decimos, el tema de la Piedad contempla sucesivas alternativas en su tratamiento, desde la clasicista y ya mencionada de Juan Bautista Vázquez *el Viejo* de la Catedral de Ávila, obra temprana y directamente influido por la versión miguelangelesca del Vaticano, a la leonesa de San Salvador de Nido, obra de Bautista Vázquez[76] en la que la posición del Cristo denota un

mayor sentimiento dramático. Pero el más significativo contraste aparece si comparamos *La Piedad* [287] del retablo de la Catedral de Pamplona obra de Pedro González de San Pedro[77] —de clara referencia al sentido heroico y herculeo de la figura de Miguel Ángel, y que quizá encuentre su fuente iconográfica en grabado dureriano de la *Santísima Trinidad*— con la que Andrés de Ocampo realiza en 1603 en la iglesia de San Vicente [288] de Sevilla, en la que el artista propone una de las más bellas imágenes del arte de la Contrarreforma en España: perfecto equilibrio, simetría rigurosa y monumentalismo, sirven de riguroso medio de control de la emoción y el patetismo[78].

Y así, entre una idea del arte y de la imagen como medio de consolación y tranquilización de las conciencias, propiciado por la Iglesia Oficial y sometido a las leyes de la retórica y la poética de Aristóteles, y otra que, como en el caso de El Greco, ve el fin del arte en la plasmación plástica de un exorcismo visionario, el arte de la Contrarreforma española se desliza hacia el momento de su mayor esplendor que tendrá lugar durante el siglo XVII, cuando la realidad de la *Ecclessia Triumphans* del barroco no deje lugar a experiencias tan críticas como la protagonizada por el pintor cretense.

EL CULTO A LOS SANTOS Y A LAS RELIQUIAS. LA PROCESIÓN

Las últimas décadas del siglo XVI, y como preludio a lo que va a ser la gran inflación de imágenes del siguiente, contemplan un prodigioso auge de la iconografía de santos que ya desde entonces, y como Weisbach señaló para referirse a la época del barroco, comienzan a ser considerados como los nue-

288. Andrés de Ocampo: Piedad.
Sevilla, iglesia de San Vicente

vos héroes. En un momento, como veremos más adelante, en que el Rey adopta una actitud cada vez más retraída en su laberíntico palacio escurialense, los santos, sus imágenes y procesiones comenzaban a invadir la ciudad en una presencia que cada vez alcanza mayores grados de cotidianidad.

Uno de los mayores acontecimientos religiosos de los primeros años que estudiamos lo constituyó la solemne entrada y triunfo del cuerpo y las reliquias de San Eugenio en Toledo. Horozco Covarrubias nos describe las modificaciones urbanísticas a que se sometió la ciudad en tal ocasión, ya que «para la entrada del cuerpo sancto se limpiaron todas las calles y empedraron y allanaron aquellas por donde la procession abia de pasar»; y no sólo esto, la misma plaza de Zocodover fue limpiada de tiendas para mayor amplitud y desembarazo, aderezándose el camino por donde la procesión había de pasar[79].

Aparte del fenómeno de la procesión, la inflación de imágenes religiosas se reserva ahora al interior de las iglesias. Las realizaciones arquitectónicas revelan, una tendencia cada vez mayor a la congelación decorativa, lo que va en detrimento del discurso figurativo exterior de la portada que tanta importancia había tenido en años anteriores. Este replegarse del lenguaje arquitectónico sobre sí mismo, hace que ejemplos como la portada de la iglesia de Vistabella (Castellón), atribuida a Juan de Anglés, sean cada vez menos frecuentes. La iglesia castellonense plantea su portada como un retablo, pero sometido ya a las ideas de orden, claridad y legibilidad, que hemos indicado como características de este momento artístico. El conflicto entre la abstracción de las leyes arquitectónicas y la referencia figurativa de la escultura resulta clara en la Iglesia navarresa de Viana, en la que los juegos espaciales del enorme nicho, y el sentido de la modulación de los órdenes entra en pugna con la inserción un tanto forzada de un programa iconográfico de carácter religioso. El problema se resuelve a fines de siglo con la progresiva desaparición de estos programas, y la portada del monasterio de El Escorial ostenta una única figura de santo, la de San Lorenzo, inserta en un juego puramente intelectual de órdenes y volúmenes arquitectónicos.

De esta manera, la modificación visual de la ciudad que ejerce la imagen religiosa se va a centrar, por lo que al lenguaje figurativo se refiere, en el mundo de la procesión y de las arquitecturas efímeras. Como veremos en posterior epígrafe, la época de la Contrarreforma contempla la definición cada vez más clara de una iconografía dogmática, ligada a un control eclesiástico progresivo. Pero ello no nos debe hacer olvidar que el humanismo renacentista había calado profundamente en las capas directivas de la sociedad española y que las ideas de «concordatio» entre cultura clásica y religión cristiana continuaban siendo operantes incluso en estos momentos de la Contrarreforma.

Ello es evidente en las fiestas que tuvieron lugar en Toledo con motivo de la traslación de las reliquias de San Eugenio, ya que entre las estatuas que entonces se levantaron estaba la del «hombre a cavallo», «retrato de una antigualla que esta en Roma al presente en campidolio»[80], y que era, naturalmente, la reproducción del Marco Aurelio, y la del héroe clásico Hércules, representado desnudo con una maza en la mano. Situado en la plaza del Ayuntamiento, sirvió para que bajo ella se representara cada noche, mientras duraron las fiestas, uno de sus trabajos, uniendo de esta manera la alegoría moral cristiana con el simbolismo y formas paganas.

Si la fiesta de Toledo corresponde todavía al momento de transición entre el clasicismo manierista y la época contrarreformista, la procesión del traslado del cuerpo de San Segundo en Ávila (1595), nos sitúa ya en una fecha de indudable auge de las corrientes ortodoxas. En ella, uno de los elementos decorativos fundamentales fueron los tapices que las distintas casas de la nobleza exhibieron en esta ocasión: el duque del Infantado sacó, entre otras, la historia moral de los *Trionfi* de Petrarca, el conde de Oropesa, la de los hechos de Alejandro Magno, la de los trabajos de Hércules «y otras pinturas poéticas», el duque del Infantado, la de la conquista por el rey de Portugal don Alonso V de las ciudades de Arcilla y Tánger, el de Alba la de la conquista de Túnez y don Pedro de Medici la de los hechos de Sansón[81]. Se trata de una buena prueba del sentido de ostentación con que la nobleza concebía todavía cualquier celebración aunque fuera religiosa, y que se confirma por la presencia masiva de sus escudos y blasones en el principal adorno de la fiesta: el dosel para el altar levantado en la plaza del Mercado Chico, que se decoraba con las armas de los Villena, Pachecos, Acuñas, Toledos y Enríquez, marco de un bordado con el nombre de Jesús, sobre el que había un gran cuadro del Salvador[82].

Pero este tipo de procesiones giraban naturalmente en torno a las reliquias de los santos. Hemos de contemplar en estos restos una de las más frecuentes fuentes de inspiración de los artistas españoles de fines del siglo XVI. Ya se resaltará su importancia en lo que se refiere a los ciclos religiosos de El Escorial: ahora sólo indicaremos cómo un artista de la importancia de Juan de Arfe, que desde 1596 a 1603 —año de su muerte— trabaja para la corte, realiza nada menos que 64 bustos relicarios en chapa de bronce y que representaban cabezas de vírgenes y mártires; la obra, pintada por F. Castello y hoy perdida, fue realizada entre 1597 y 1598.

Este género del busto-relicario se extendió por toda España, y se utilizaba con profusión en procesiones y celebraciones religiosas. La ya citada descripción de las fiestas para la traslación del cuerpo de San Segundo en Ávila abundaban en este tipo de objetos, que eran los de aparición más frecuente en el recorrido. Dentro del mencionado toldo recamado de escudos aparecían «siete relicarios y ocho figuras de santos tambien relicarios», en un altar lateral se instalaron también reliquias, que culminaban en un arca con forma de nave («Delante del altar mayor estava hecha una nave en su misma forma, dorada, y plateada, y muy pintada, con sus garcias y gallardetes, y en ella algunas reliquias de santos, de las muchas que tienen los padres de la compañia» [83]). Y otras veces, estas arcas se convertían en obras estables, como sucede con la que contiene los restos de Santa Leocadia en Toledo; el triunfo de esta santa contó con la participación del Greco en el diseño de los arcos [84] y Francisco Merino realizó entre 1592-93, la magnífica

Arca de Santa Leocadia [289], conservada hoy en el Ochavo de la Catedral, buen exponente del refinamiento y sentido de la grandiosidad a que había llegado el repertorio decorativo y formal del manierismo, especialmente visible en las obras de orfebrería a que más adelante nos referiremos [85].

El desmesurado culto a las reliquias nos revela una de las más destacadas características que la imagen católica y contrarreformista comienza a adquirir en estos momentos y que transmitirá al barroco. Frente a la cautela de hombres como San Juan de la Cruz y a la radical negación de protestantes como Cipriano de Valera, la ortodoxia católica alcanza en I. de Prades uno de sus exponentes más claros. Para él, la reverencia y adoración de las santas imágenes que los cristianos han tenido siempre en sus templos, no sólo se justifica por su valor pedagó-

289. Francisco Merino: Arca de Santa Leocadia. *Toledo, catedral*

290. Nicolás de Buáztegui y Juan de Beruete: Coro de la catedral de Huesca

gico, sino a causa de «la manifestación sobrenatural y aparición milagrosa de las imágenes»[86]. La reliquia participaba de un carácter intermedio entre la sobrenaturalidad de las imágenes aparecidas y la artificiosidad de las imágenes realizadas por pintores y escultores, que sólo adquirían un carácter sagrado tras su consagración e introducción en la Iglesia. Y es en éstas donde se realiza el discurso iconográfico ejemplar que propone la Iglesia a la consideración de los fieles.

Si en los retablos las figuras de santos sirven sobre todo de marco imprescindible a las historias de la Redención, centradas en la vida de la Virgen y en los Evangelios, es en los coros de las iglesias y catedrales, donde se despliegan con mayor amplitud programas iconográficos agrupados en las imágenes de los santos. A este momento per-

tenecen conjuntos tan importantes como el de la catedral de Huesca [290], comenzado en 1587 por Nicolás de Buáztegui, y continuado a partir del año siguiente, y hasta 1594, por Juan de Beruete[87], y el de la catedral de Tortosa, obra paralela en el tiempo (1588-1593), y realizada por Cristóbal de Salamanca[88]. En la descripción del de Huesca, Weise enfatiza los elementos de clasicismo heroico, de fuerza plástica de los relieves y de reducción de las decoraciones al grutesco, que ligan esta obra, así como la de Tortosa, a las corrientes formales estudiadas al comienzo de este capítulo[89], y que nos acercan ahora la iconografía del santo a los ideales de la Contrarreforma.

Éstos se expresan con claridad por el mencionado Prades, cuando exige, junto al sentimiento patético en la manifestación de los

291. Juan de Ancheta: San Miguel. *Zaragoza, Seo*

afectos, la expresión en las imágenes de las virtudes y valores de la ortodoxia: «Sean las pinturas —dice— quales fueron sus dechados quando vivian en esta vida mortal: simples, humildes, honestisimos y que denoten los afetos que agradan tanto a Dios en aquellas personas a quien representan; de suerte que nos inciten a devocion, para que procuremos un espiritu qual ellas tuvieron.» Para ello recurre a las típicas fuentes eclesiásticas ya que, al igual que las constituciones sinodales, cita al Concilio de Trento en lo referente al decreto de las imágenes: «Y asi ordeno y mando que se hiziesse, el Concilio Tridentino. Y es cosa cierta, que teniendo de otra manera imagenes de santos, saldremos de la regla de la vida... y nos apartemos de la autoridad de Dios y de su Iglesia...»[90].

La aplicación de la teoría de los afectos al campo de la imaginería religiosa de santos, es, pues, la consecuencia lógica de un sentimiento religioso renovado y que busca una expresión de lo patético a través de un riguroso control de las emociones. Como en el caso de los retablos nos encontramos ya muy lejos del discurso de Berruguete y de Juni. La figura del santo se hace ahora patética y grandiosa; casos como el *San Andrés* del retablo del mismo nombre de Pedro Arbulo de Marguvete, o el *San Miguel* [291] de Juan de Anchieta en La Seo de Zaragoza, pueden servirnos de ejemplo de lo que venimos comentando. Las citas podrían multiplicarse al infinito, si reparamos en las estatuas de santos de los retablos. La tipología en la presentación del santo es inmensa, desde las consideraciones heroicas y grandiosas —*San Pablo* [292], en la iglesia de San Martín de Sevilla, obra de Andrés de Ocampo— a la patética de Gaspar Núñez Delgado —relieve central del retablo de San Juan Bautista en la iglesia del Convento de San Clemente en Sevilla, *Cabeza del Bautista*— o las visiones más dulces de Diego de Pesquera —*Santas Justa y Rufina* [293] de la

292. Andrés de Ocampo: San Pablo.
Sevilla, iglesia de San Martín

Capilla Real de Sevilla. Todos, sin embargo, presentan como principal carácter su insistencia en el heroísmo y la grandiosidad en una tendencia que culminará, en el campo de la pintura, en la serie de parejas de santos de los altares menores de El Escorial, o en ciertas esculturas de Pompeo Leoni para el retablo de este mismo centro[91]. Pero, en general, puede afirmarse que, con las excepciones de Navarrete y, sobre todo, El Greco, la pintura no alcanza el grado de intensidad de la escultura, de lo que son buena prueba

293. Diego de Pesquera: Santa Justa.
Sevilla, catedral

294. Sánchez Coello: San Sebastián.
Madrid, Museo del Prado

ciertas obras —*San Sebastián, San Onofre*— de Vasco de Pereira. Con todo, obras como el grandioso *San Sebastián* [294] de Sánchez Coello en el Museo del Prado (1582) propone una manera de contemplar el martirio en clave de visión mística, que relanza al barroco español uno de los modos favoritos del renacimiento clásico italiano. Y años antes —1569— Navarrete *el Mudo*, en sus obras para Estela o en el *San Miguel* de la parroquia de Briones, plantea la figura del santo como la de un nuevo héroe, sin rehuir las pretensiones colosalistas [92].

Frente a estas concepciones más o menos convencionales, destaca la idea de la imagen del santo en un pintor como El Greco. Junto a caracteres típicos de la Contrarreforma, como la inflación de santos penitentes, o su organización en grandes series, varios son los temas que el artista aporta como novedad. El sentido anticonvencional en la representación del martirio es bien patente en el escurialense *San Mauricio* [295], donde abandona el sentido dramático que conlleva toda acción de tortura y convierte la escena en una «Sacra conversazione», cuyas principales características serían, siguiendo a Palomino, «lo descoyuntado del dibujo y lo desabrido del color». Superando cualquier valoración negativa implícita en la cita del trata-

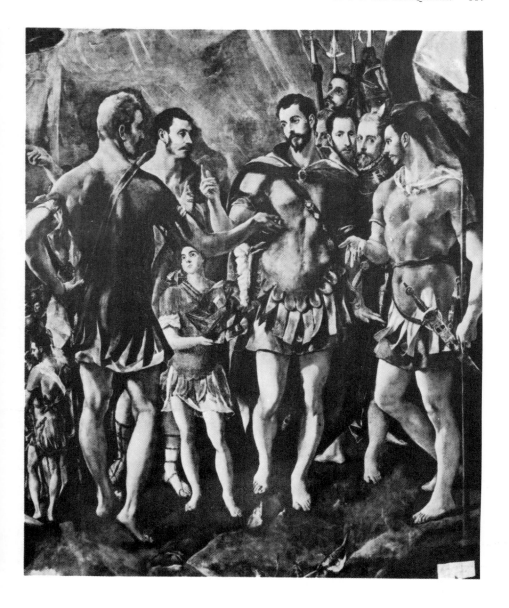

295. El Greco: Martirio de San Mauricio. *Monasterio del Escorial*

dista dieciochesco, su afirmación nos sirve para situarnos en el lugar elegido por El Greco para la representación de sus santos: el de una visión interior e intelectual de fuertes ribetes patéticos. El *San Mauricio* es aún deudor de ciertas formas del manierismo italiano, y Antal ha podido señalar su relación con ciertas obras de Pontormo[93]. Sea ello cierto o no, lo que sí podemos afirmar es el carácter intelectual que, desde el principio, asume la imagen del santo en El Greco, y que pronto se transformará en visión está-

296. El Greco: San Martín.
Washington, National Gallery

tica y mística. Ello es visible en sus series de San Franciscos, Magdalenas, Lágrimas de San Pedro y Martirios de San Sebastián, e incluso en sus figuras de santos de cuerpo entero. Si en alguna ocasión —*San Martín y el mendigo* [296], Washington, National Gallery— se sigue una idea contrarreformista, como es la del santo caritativo, son escasas las veces en que la monumentalidad de la figura se impone sobre la idea de ascetismo. Figuras monumentales son los *San Pedro* y *San Eugenio* (1610-14) de El Escorial, que, sobre todo el primero, adquieren una ligereza ajena a la pintura contemporánea. Con todo, la monumentalidad y la solemnidad desaparecen en la mayor parte de sus figuras de santos: *San Juan Bautista* (1600) [297], (Young Memorial Museum), *San Bernardino* (1603) (Museo, Casa de El Greco, Toledo), e incluso cuando cultiva una composición tan a la moda como los santos emparejados. El *San Juan Bautista y San Juan Evangelista* del Museo de Santa Cruz en Toledo es un buen ejemplo de lo que venimos diciendo. En esta obra, de 1605-1610, se supera —aun empleándola— la estricta iconografía contrarreformista por la vía de intelectualizar la imagen de la santidad.

Si la concepción estética y la idea de la religión que ofrece la pintura de El Greco hunden sus raíces en pensamientos de tipo neoplatónico e idealista, no por ello hemos de dejar de ver en él un artista de la Contrarreforma. Sus mecenas toledanos eran típicos hombres de este movimiento religioso y, como se ha señalado recientemente, su repertorio figurativo y la interpretación de ciertos temas sólo puede explicarse desde este punto de vista. Su insistencia en la importancia del Sacramento de la Penitencia (San Pedro, La Magdalena, San Francisco), en el papel de la Virgen María y en el Dogma de la Inmaculada Concepción... se une a conjuntos como el realizado para *Santo Domingo el Antiguo* (1577-1579) que se ha interpretado como una conmemoración de la fundadora del convento, doña María de Silva, a la Salvación a través de Cristo y la Virgen. El programa repite el ciclo de la Redención, sobre cuya importancia en otros ámbitos ya hemos insistido, para culminar en las escenas de la *Inmaculada Concepción* [278] y la *Trinidad*, temas a los que El Greco dotó de un carácter sacramental, al evocar, con la insistencia en la presencia del cuerpo real de Cristo, el misterio de la Eucaristía. Y lo mismo señala Brown, de donde proceden estas interpretaciones, se podría decir de un cuadro como *El Entierro del Señor de Orgaz* [272] en el que destacan temas tan contrarreformistas como la glorificación de los santos como intercesores y, sobre todo, una reflexión acerca del valor y premio de las buenas obras ya que la intervención milagrosa de los dos santos que acuden a enterrar al Señor de Orgaz, es debida, como explica en el epitafio, a las buenas obras del protagonista. El mismo Brown resume así el contenido de la obra: «la caridad triunfa sobre la muerte y lleva a la salvación»[94].

Pero, en la España de la Contrarreforma, y a pesar de la carga de emocionalismo que suponía la aplicación a la imagen religiosa de la teoría de los afectos, otro tipo de intelectualización está igualmente presente. Nos referimos al auge y la moda de los emblemas, empresas y jeroglíficos, a los que ya nos hemos referido con anterioridad, e indicado el carácter predominantemente religioso y moral que alcanzaron los tratados de este tipo en España[95].

Algunas veces, más que ante un emblema o jeroglífico, nos encontramos ante verdaderas personificaciones alegóricas. Es el caso de la representación de la Idolatría que en un arco triunfal, «al modo de los con que los romanos entravan en Roma triunfando», se erigió en la fiesta ya citada en honor del cuerpo de San Segundo en Ávila. El cabo de artillería de Su Majestad Vicencio Tabormino, de origen siciliano, diseñó esta estatua en forma de fuego artificial; la figura que

297. El Greco: San Juan Bautista. *Young Memorial Museum*

«estava como triunfando» representaba, como decimos «geroglífica y metafóricamente la idolatría, que tan triunfante estava en Ávila a la sazón que el bienaventurado San Segundo entró en esta ciudad...» y fue quemada en medio del regocijo popular quedando, tras el prendimiento de su hermoso rostro y su lucido vestido, «hecha un demonio»[96].

Otras veces, la exaltación de los santos se rodeaba de figuras alegóricas de virtudes o propiedades positivas. Así la Puerta del Perdón de Toledo fue adornada, con motivo de la llegada de las reliquias de San Eugenio, no sólo con las estatuas de Santa Leocadia,

Santa Casilda y los Santos Justo y Pastor, sino con las figuras de la Verdad y la Fecundidad; y en otro de los arcos, junto a una «historja (de) como era llevado el cuerpo del glorioso Sancto eugenjo» aparecían la Honra y la Fidelidad[97].

Pero el ejemplo en que quizá podamos observar con más claridad el empleo de verdaderos jeroglíficos alusivos a las virtudes, hechos y martirio de los santos, sea la entrada triunfal en Alcalá de Henares de los cuerpos de los Santos Justo y Pastor, que nos ha llegado por medio de la descripción de Ambrosio de Morales[98].

En el triunfo de estas reliquias nada falta, desde la representación del martirio con un dramatismo de fines devocionales en la Puerta de los Mártires[99] a imágenes de los santos locales como San Félix, o de la diócesis, como San Ildefonso, San Justo hablando con San Eugenio y San Pastor con Santa Leocadia[100]. Pero lo más interesante de la entrada, acorde además con el espíritu erudito propio de una ciudad universitaria, es la abundante presencia de jeroglíficos, invención de Francisco Sánchez, catedrático de Filosofía Moral, y de Luis de Montalvo. De esta manera, aparecían dos columnas coronadas y quebradas por la zona de los capiteles, para simbolizar la quiebra de la vida de los mártires, dos pedernales heridos por un eslabón, para significar el divino amor, o «una muerte que le salen flores por los ojos, y dos abejas que cuidan sobre ellas cogiendo miel», con la inscripción:

Niños divinas abejas
Pues de la muerte cruel
Sacastes tan dulce miel[101]...

Una última característica que adquiere la imagen del santo en la época de la Contrarreforma es la de repetición o seriación. Ya hemos hablado de ella en la época del primer manierismo, pero es ahora cuando alcanza caracteres masivos y, como tantos otros hechos, pasará a la época posterior.

No nos referimos ya a las series de santos de los coros de iglesias y catedrales, cuyo sentido serial viene dado por la misma configuración estructural del soporte, sino más bien a la repetición de unas ciertas configuraciones iconográficas hasta límites obsesivos. El tipo de «santos emparejados» aparece en algunos retablos del Norte, en El Greco y en El Escorial, donde forman ya una verdadera serie. Es, sin embargo, en el pintor cretense donde la idea parece haber alcanzado mayor predicamento. Sus tipos iconográficos, que incluso en las composiciones presentan esta idea de serialidad, alcanzan en los San Franciscos, Santos Domingos, San Jerónimo, San Sebastián... muy escasas variaciones. Indicadores del éxito de la fórmula, no tardarán en imitarse y copiarse durante toda esta época.

La idea de repetición, de la que no está exenta la misma monotonía iconográfica de los retablos, no deja de ser una técnica más de la retórica católica, y así la recomienda Francisco Terrones del Caño, cuando afirma que no debe asustar a un predicador la repetición de un lugar de la Sagrada Escritura porque lo haya traído otra vez ante el mismo auditorio, ya que puede adquirir «muchos sentidos y consideraciones literales o espirituales» y «se pueden traer muchas veces y en diferentes sentidos... y aun con el mismo sentido, como haya pasado algún tiempo, se puede traer el lugar otra vez»[102].

En el campo de la pintura, es en El Greco como decimos, donde estas ideas alcanzan su mejor plasmación. A las series de santos ya mencionadas, habría que añadir, sobre todo, sus *Apostolados* [298], de los que conservamos íntegras dos series (Sacristía de la catedral de Toledo y Museo de la Casa de El Greco, Toledo), y numerosas piezas dispersas. El tema del Apostolado no había sido frecuente en el Renacimiento, que pre-

298. El Greco: San Mateo.
Toledo, catedral

298 bis. El Greco: San Simón.
Toledo, catedral

fería representar a los Apóstoles en la Última Cena, y, en España, comenzará a practicarse a partir de la obra de El Greco, que, en esto, como en tantas otras cosas, se nos revela como el gran artista de la Contrarreforma española: la insistencia en el tema de los Apóstoles, no es otra cosa que una reflexión acerca de la labor predicadora, divulgadora y «apostólica», reivindicada, ahora más que nunca, por la Iglesia. Pero lo que en otros artistas era gesticulación o monumentalidad, se convierte en El Greco en estatismo[103], aun conservando las convenciones iconográficas habituales, y agrupando las series según un orden preestablecido que las configuran como verdaderos programas[104].

ICONOGRAFÍA DOGMÁTICA Y EL CULTO A LA EUCARISTÍA

La progresiva importancia que adquiere la Iglesia en la vida española de finales del siglo XVI se manifiesta no sólo en los intentos de un mayor control de los contenidos y formas de la imagen religiosa, sino también en el fomento de un nuevo tipo de iconografía que tendía a resaltar tanto su participación en este mundo, como a la exaltación de los dogmas definidos por su doctrina.

Uno de los mejores ejemplos de formulación de una iconografía dogmática en la que se mezclan los temas evangélicos y bíblicos con los teológicos, aparece en los relieves de la Antesala y Sala Capitular de la catedral de Sevilla, donde intervinieron los principales escultores sevillanos del momento: Diego Velasco, Bautista Vázquez, Diego de Pesquera y Marcos de Cabrera[105]. En ellos, el clasicismo compositivo, acentuado por el empleo del mármol sin policromar, enfatiza los contenidos de claridad en el mensaje y sirven como medio idóneo para control de la imagen. En pocos lugares como estos dos ambientes —cuya arquitectura es, además, uno de los más sorprendentes espacios del manierismo español— nos damos cuenta cómo el lenguaje de un clasicismo depurado, resulta el vehículo idóneo para la trasmisión de unos contenidos dogmáticos y simbólicos que tienden a resaltar el papel de la Iglesia y de Jesucristo como redentores, y la importancia de las visiones del Apocalipsis como anuncios, a la vez, de muerte y salvación.

El clasicismo se acentúa en las obras de Diego de Pesquera en la Antesala Capitular, donde destacan ocho figuras de las Virtudes «fiel remedo de representaciones romanas»[106], y relieves de contenido tan contrarreformista como *La Justicia expulsando a los vicios* [299], el *Concilio de los vicios presididos por una cabeza de asno* o *La Sabiduría con el séquito de las Ciencias y las Artes.*

Un tema muy ligado a la sensibilidad contrarreformista, es el de la representación alegórica de las virtudes. Acabamos de indicar el alto grado de clasicismo que alcanzan en la obra de Diego de Pesquera, carácter que se repite en los relieves que Bautista Vázquez realizó para la portada del Hospital de la Sangre [300] en Sevilla. Es ésta una de las fachadas más interesantes del purismo manierista en España, en la que la presencia de los relieves de La Fe, La Esperanza y el tondo de La Caridad, apenas molestan al puro lenguaje de los órdenes arquitectónicos. Ahora el deseo de sencillez se exacerba al máximo y el discurso iconográfico se reduce a breves e inequívocas referencias. Lo mismo se podría decir de la intervención de Juan Bautista Monegro en la parte superior del frontón del retablo de Santa María la Antigua (1577) [301], sin olvidar que en fechas anteriores (1569) trabajaba en la catedral de Toledo en las estatuas de la Fe y la Caridad de la Puerta de la Presentación, cuya actitud, ropaje y sentido anatómico muestran, según Azcárate, «su clara ascendencia italiana»[107].

Las órdenes religiosas que comienzan ahora a adquirir un auge que se prolongará durante el siglo siguiente, sienten la necesidad de expresarse y significarse por medio

299. Diego de Pesquera:
La Justicia expulsando a los Vicios,
antesala capitular. *Sevilla, catedral*

300. Bautista Vázquez:
Relieve del Hospital de la Sangre. *Sevilla*

de emblemas y jeroglíficos. En las fiestas del Corpus de Sevilla, sobre cuyo significado nos extenderemos de inmediato, se instalaron siete tarjas con símbolos de encomiendas españolas y extranjeras, encima de las cuales «se anteponían siete escudos con siete hordenes religiosas diferentes...»[108], y El Greco realiza en 1597 una *Alegoría de la Orden de los Camadulenses* [302], en la que San Benito y San Romualdo flanquean un paisaje de la Orden de Camaldoli cercano a Florencia, el mismo que, a escala reducida, sostiene el segundo santo en la mano[109].

De igual manera, comienzan a glorificarse personajes clave de épocas anteriores; es el caso del cardenal Cisneros, cuya tumba de Bartolomé Ordóñez, no sólo se glosa por Diego de Villalta como uno de los más característicos monumentos en que se ensalza a un héroe español[110], sino que recibe un

301. Juan Bautista Monegro: Retablo de Santa María la Antigua (fragmento). *Toledo*

302. El Greco:
Alegoría de la Orden de los Camaldulenses.
Madrid, Instituto Valencia de Don Juan

303. Nicolás de Vergara:
Reja del sepulcro de Cisneros (detalle)

nuevo adorno: la reja ya mencionada de Nicolás de Vergara, hoy destruida, pero de la que poseemos excelentes documentos fotográficos[111]. No insistiremos ahora en el enorme grado de clasicismo formal que alcanza la obra, sino, sobre todo, en la lectura iconográfica que los relieves realizan de la vida de Cisneros. Se trata de una visión del Cardenal en clave manierista, basada en el empleo de jeroglíficos, y que glosa fundamentalmente los hechos de Cisneros desde un punto de vista contrarreformista: la restauración del rito mozárabe se ejemplifica con un templo de planta central, la renovación de la religión es una mujer acompañada por un elefante, en la escena de su elevación al cargo de primado de España, aparece la alegoría de la Iglesia... con lo que nos encontramos ante uno de los mejores ejemplos en el que el lenguaje del jeroglífico se pone al servicio de la exaltación de un personaje del pasado, desde las necesidades formales e ideológicas del presente [303].

De todas maneras, la verdadera definición de una iconografía dogmática va a venir desde el campo del culto a la Eucaristía. Si bien las celebraciones del Corpus Christi se remontan a la Edad Media[112], a fines del siglo XVI se experimenta un nuevo auge de la fiesta, explicable por la unión establecida entre cultos populares y control del Dogma, por parte de la Iglesia.

Es el momento en que la dinastía de los Arfe alcanza su plenitud y culminación en Juan de Arfe, teórico, artífice y artista de primera línea. Autor de las Custodias de Ávila, Valladolid y, sobre todo, de Sevilla, él mismo traza en su *De Varia Conmesuración*, el desarrollo de la profesión de la platería y la de sus formas artísticas durante el siglo XVI. Si Enrique de Arfe, su abuelo, está ligado aún a formas góticas, Juan Álvarez de Salamanca, Alonso Becerril, Juan de Osma, Juan Ruiz de Córdoba y Antonio de Arfe, su padre: «comenzaron a la forma razonable a las piezas que se hazen de plata y oro para servicio del culto divino... siguiendo sus tamaños en proporción, segun la comparacion que ay de unas a otras...»[113] [304].

Pero no se trata sólo de una evolución de las formas hacia contenidos de mayor clasicismo y control de la proporción. Las custodias de este momento, con la sevillana de Juan de Arfe a la cabeza, adquieren un valor procesional, público y ciudadano, que las convertía en soporte de programas dogmáticos de gran eficacia pedagógica. Las *Actas del Concilio de Trento* eran muy explícitas al respecto, al indicar cómo «este sublime y venerable Sacramento..., conducido en procesiones... por las calles y lugares públicos..., en que todos los cristianos testifiquen con singulares y exquisitas demostraciones de gratitud..., al Redentor... en que se representan sus triunfos, y la victoria que alcanzó sobre la muerte», ha de servir de signo patente del triunfo de la Verdad sobre la mentira y la herejía, de tal manera que los enemigos de ésta, «a vista de tanto esplendor, testigos del gran regocijo de la Iglesia Universal, o debilitados y quebrantados, se consuman de envidia, o avergonzados y confundidos vuelvan alguna vez sobre sí»[114].

La importancia concedida por la Iglesia a esta iconografía explica cómo el programa de la Custodia de Sevilla [305] fuera propuesto a Arfe por el cabildo catedralicio en la persona del canónigo Francisco Pa-

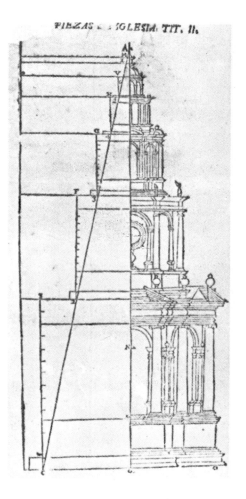

304. Juan de Arfe: *De Varia Conmesuración...*, custodia. 1585. *Sevilla*

305. Juan de Arfe:
Custodia de la catedral de Sevilla

checo[115] y que se centrara en la explicación de ciertos dogmas de la religión: en el primer cuerpo, la figura central de la Fe, que porta, entre otras cosas, al dragón de la Herejía, se une a la Sabiduría y el Entendimiento humanos y a San Pedro y San Pablo, que son los pilares de la Iglesia. Como ha indicado Sanz Serrano, este grupo inicial supone el arranque de la Iglesia militante y su triunfo sobre la Herejía. A él se añaden los Cuatro Doctores de la Iglesia, que suponen la continuación de la Doctrina predicada por Pedro y Pablo. Más arriba, se escenifican los Sacramentos y 36 escenas que realizan un paralelo tipológico entre el Viejo y el Nuevo Testamento, así como claras referencias al comer y al beber como signo de salvación, tal como sucede en la Eucaristía [306]. Todavía aparecen jeroglíficos en este primer cuerpo, mientras el programa se desarrolla a lo largo de los restantes cuerpos, segundo —centrado en temas eucarísticos y en los sacrificios y ofrendas del Antiguo Testamento—, tercero —la Iglesia triunfante— y cuarto —Santísima Trinidad[116].

Programas parecidos podemos encontrar en otras custodias españolas de este momento. La relación sería muy larga, pero quizá merezca la pena destacar la existente en Sigüenza, obra de Juan Rodríguez de Babia, donde se repiten los temas del Antiguo Testamento que como «La caída del Maná», «La peña de Horeb», «El sacrificio de Melchisedech»..., prefiguran el hecho eucarístico[117].

En estos casos nos encontramos ante el mejor ejemplo de lo que hemos denominado iconografía dogmática y que, como en tantas otras ocasiones, une el sentido alusivo del jeroglífico y su oculto simbolismo, al seguro control formal de la teoría de las proporciones y el canon clásico. Pero, como hemos indicado, la iconografía eucarística tiene una vocación popular, ciudadana y procesional. Ya hemos mencionado algunos de los monumentos efímeros de la procesión del Corpus sevillano de 1594, tal como nos ha llegado a través del importante manuscrito de Reyes Messia de La Cerda[118], documento excepcional para entender la Fe y la Religión en la España contrarreformista a través de sus manifestaciones plásticas.

Según su autor, las causas de la fiesta encuentran sus raíces en sentimientos populares, ya que su fin principal es «salirles del alma esta affliction, y querer mostrar su christiano zelo contra el dañado de los herejes, y por que los ancianos desta tierra por tradición de sus mayores tienen por fee, que no tienen año bueno ni abundante, sino aquel que en hazer estas fiestas»[119].

A este sentimiento popular corresponden los elementos profanos de la fiesta[120] como máscaras, cuadrillas disfrazadas de pastores, de cavalleros del Cid, de los Nueve de la Fama, galeras..., sentimiento que se añade al interés manierista por lo maravilloso y la sorpresa en escenas como aquella en que un reloj movía los ojos y la lengua por medio de un sistema de pesas, o la escena, también mecánica, del molinero.

Pero sobre ello se superpone un sentimiento religioso de cuño contrarreformista y eclesial, ya presente en la descripción del mismo monumento con figuras y escenas bíblicas y alegorías como la de la «Ley de la Gracia» o la de la «Vida Eterna», y que se extiende por todo el recorrido, surcado de escenas sobre altares y representaciones de fuentes [307].

En la plaza de la Fuente se levantaba un bosque ·«de cuyas grutas manava una fuente», al lado del cual había un Ecce Homo y otro bosque de cera delante de cuatro vidrieras, que representaban las cuatro partes del año y una última fuente con las figuras de Adán y Eva. Otras veces, se acentuaba el sentido simbólico de la alusión eucarística, como en las «Fuentes del Pelícano», de la «Paloma», que despedía agua por boca y pies, la «Jarra» con lirios bordados de perlas, o el jeroglífico del «Non Plus Ultra» en

306. Juan de Arfe:
Custodia de la catedral de Sevilla (detalle)

el que, entre las dos columnas coronadas de espinas, aparecía la Hostia con la Crucifixión.

Como inspirador de las mismas, Messia de la Cerda se detiene ante las invenciones que jalonaban la calle de Sierpes, donde encontramos un buen resumen de los problemas tratados en este epígrafe: paralelismo entre Antiguo y Nuevo Testamento, valor pedagógico de la imagen dogmática, sentido de su valor profético al insertar figuras de Sibilas y Profetas y, sobre todo, continuas alusiones al papel de la Iglesia y del Dogma como algo presente en la realidad cotidiana. A las historias bíblicas y evangélicas, se añaden representaciones del Dogma de la Inma-

307. Procesión del Corpus Christi en Sevilla, dibujo de un altar

culada Concepción, o de Cristo airado y vencedor arrojando tres lanzas que son detenidas por la Virgen en su papel de mediadora o, en correspondencia con la escena de Ruth y Noemí, la del desposorio de Cristo con la Iglesia, estando presentes la Ley de la Gracia y la Vida Eterna.

De esta manera, la procesión sevillana del Corpus trasciende el puro valor de rememoración del misterio eucarístico, y se convierte en resumen de toda una manera de entender la religión que, propuesta en estos momentos contrarreformistas, se extenderá, ya con un sentido triunfal, en el Barroco.

CAPÍTULO 10

LA NUEVA IMAGEN DEL PRÍNCIPE,

1560-1600

Como ya hemos estudiado en otro lugar[1], el papel que el Emperador Carlos V juega con respecto a la actividad artística puede contemplarse desde un doble punto de vista: si por un lado supone uno de los factores más decisivos a la hora de la introducción del clasicismo en España, por otro, la actividad de ciertos artistas de su entorno, plantea una nueva manera de hacer visible su imagen, basada en los supuestos de majestad y grandeza. De esta tendencia, la actividad de su hijo y sucesor en el trono español, Felipe II, supone la perfección y la culminación.

Felipe II concibe la creación artística no como un mero soporte de una determinada imagen del príncipe destinada a visualizar unos contenidos de poder, sino como uno de los factores esenciales a la hora de crear una imagen del Estado. En él, y sobre todo en su obra de mayor envergadura —es decir, el Monasterio de El Escorial—, arte de corte y arte de Estado aparecen confundidos en una unión de carácter indisoluble, y que proporciona al momento su carácter más sobresaliente.

Ello explica el temprano origen del interés, ya señalado, de Felipe II por las cuestiones artísticas; de acuerdo con el ideal europeo de la segunda mitad del siglo XVI, el rey concibe la imagen artística como instrumento de propaganda a la vez que como medio de transmisión exterior de una imagen impositiva, fría, distanciada y mayestática, que encuentra en el manierismo clasicista su mejor vehículo formal. Se desarrolla así una idea del retrato, de la imagen del príncipe y del arte religioso áulico que, extendida por toda Europa, alcanza en la España de Felipe II uno de los puntos de mayor significación. Pero, al igual que sucedía con el manierismo de la primera generación, aparecen el capricho y la licencia como contrapuntos necesarios a la rigidez y la majestad; y así, es ahora cuando el gusto por el coleccionismo y los programas plásticos de los jardines, adquieren su auge mayor, continuando la dialéctica exterior-interior que recorre el arte europeo del Cinquecento.

LA REPRESENTACIÓN MANIERISTA DEL PRÍNCIPE: LOS RETRATOS DE CORTE

A lo largo del siglo XVI se ha ido definiendo un peculiar concepto de retrato cortesano cuya evolución, de acuerdo con el propio desarrollo político de la idea de poder, tiende hacia la presentación de una imagen del soberano cada vez más· fría, distanciada y majestuosa. De esta manera, el príncipe aparece ante los ojos del espectador como algo lejano y casi divinizado.

Es en Italia donde las posibilidades y alternativas del retrato cortesano son mayores y más ricas. Y si en Florencia hombres como Bronzino, Benvenuto Cellini y, ya a fines del siglo, Giambologna, plantean un tipo de retrato del soberano en el que los contenidos intelectuales se resuelven en una imagen de gran frialdad, en Venecia, la actividad de Tiziano propone, a nivel europeo, un concepto diverso del retrato de corte al que cabría calificar como «retrato de aparato», basado, ante todo, en la representación directa e impositiva del soberano, que acentúa el carácter teatral y el valor «material» del entorno: telas, sedas, vestidos[2]...

En España, la presencia de las obras de Tiziano en las colecciones reales fue, a estos efectos, de gran relevancia, y los encargos imperiales de 1548 en Augsburgo, constituyen toda una tipología del género del retrato cortesano. La importancia del pintor de Venecia continúa siendo grande durante el reinado de Felipe II, si bien, desde nuestro punto de vista, el hecho de mayor significación es la aparición de una escuela retratística española muy vinculada a la corte, cuyo origen inmediato no se sitúa en Italia, sino en Flandes, concretamente en torno al pintor Antonio Moro que, junto al menos conocido Jorge van der Straeten de Gante, trabajaron en la corte española[3], y sentaron la base de una escuela española de retratística áulica. Nos referimos a los pintores Sánchez Coello y Juan Pantoja de la Cruz

que, a caballo entre los dos siglos, formularon toda una idea del retrato en paralelo con las tendencias imperantes en el resto de las cortes europeas. Junto a ellos, señalaremos cómo un italiano, juega un papel excepcional en la evolución de este tipo de retrato en el campo de la escultura: se trata de Pompeo Leoni, el hijo de León, que, afincado en España, es el autor de alguno de los conjuntos más impresionantes de retratos cortesanos del siglo XVI en toda Europa.

López de Hoyos, en la descripción del *Real Aparato* montado en Madrid en 1572 con motivo de la recepción de la reina Ana de Austria, nos proporciona algunas de las claves necesarias para comprender la imagen exterior que la monarquía pretendía dar de sí misma: «La Reyna —dice— subió en un palafrén blanco mosqueado, ricamen-

308. Sánchez Coello:
Retrato del príncipe don Carlos.
Madrid, Museo del Prado

309. Sánchez Coello:
Retrato de Isabel Clara Eugenia.
Madrid, Museo del Prado

te adereçado, con un sillon de oro con mucha pedreria muy bien labrado, gualdrapa de terciopelo negro, guarnecida y bordada con franjas de oro. Su Majestad se mostró este dia hermossisima, y con aquella majestad y señorio que tan natural y tan fundado, y con tantos dotes del animo esmaltado tiene, represento muy bien su ser y monarquía»[4].

Este importante recibimiento contó con la colaboración del escultor Pompeo Leoni que realizó varias estatuas de los reyes, una de las cuales, la que representaba a Felipe II se describe así por el mismo López de Hoyos: «Todo el cuerpo armado y togado a la antigua con maravillosa aptitud y proporcion porque este retrato de su Majestad era muy al vivo, su artifice Pompeo Leoni lo avia dado singular esbeltez, significando la grandeza y majestad de un rey tan poderoso»[5].

A través de estas dos citas nos hacemos la idea de las dos modalidades que adquiere el retrato de corte en la España de Felipe II. Si bajo la influencia de Antonio Moro, Sánchez Coello y Pantoja de la Cruz proponen un retrato en el que la majestad del retratado se logra a través de la insistencia en los rasgos congelados de su rostro, en el estatismo de la postura, y en la importancia que adquiere el estudio minucioso del vestido y de las joyas, en Pompeo Leoni asistimos a la prolongación del concepto de retrato de aparato definido en Italia por Tiziano o su padre León Leoni.

Por lo que respecta al primer tipo de retratos, Sánchez Coello[6], nos ha legado una espléndida galería de la Casa Real española de tiempos de Felipe II: el *Príncipe Don Carlos* [308], la *Infanta Isabel Clara Eugenia* [309], *doña Isabel de Valois* y el propio *Felipe II* [310], aparecen ante nuestros ojos en una serie cuya austeridad, tantas veces resaltada, no es otra cosa que la plasmación visual de un cierto sentido de la etiqueta cortesana y del rígido concepto de la majestad que había desarrollado la Casa de Austria. Por otra parte, el sentido simbólico y alegórico del retrato, tan

310. Sánchez Coello: Retrato de Felipe II. *Madrid, Museo del Prado*

del gusto de la mentalidad del manierismo, no está ausente de algunos de estos retratos como sucede en el de *Margarita de Parma*, justamente destacado por Angulo[7], que aparece representada como gobernadora de los Países Bajos con el ferro en las manos. En-éste, como en el famoso del *Príncipe Don Carlos* del Museo del Prado, todavía existe una cierta libertad en los gestos y actitudes de los personajes, que desaparecen progresivamente para culminar en el de *Doña Isabel Clara Eugenia* [311], en el que la personalidad individual de la retratada comienza a desaparecer ante la rigidez de la pose y el sobrecargamiento de joyas y pedrería del atuendo. Rigidez que no desaparece ni siquiera ante los retratos de niños [312], como el que, fechado en 1579, representa a dos infantitos (quizá don Diego y el futuro Felipe III) y se

311. Sánchez Coello:
Retrato de Isabel Clara Eugenia (detalle)

encuentra en las Descalzas Reales de Madrid.

La tendencia a un mayor hieratismo y sentido abstracto y ceremonial de la figura se acentúa en el discípulo de Sánchez Coello, Juan Pantoja de la Cruz (1553-1608). Si la lección de Tiziano todavía estaba presente en Coello y sus retratos expresaban una cierta vida interior tras las rígidas normas de la etiqueta, en Pantoja de la Cruz, el personaje queda reducido a emblema abstracto, verdaderamente aprisionado en un mundo de símbolos, atributos y vestidos lujosos que, como sucede con los retratos contemporáneos de la reina Isabel I de Inglaterra[8], exasperan la tradición manierista iniciada por Bronzino y continuada por Antonio Mo-

ro. Si la enajenación del personaje con respecto a su entorno, es uno de los rasgos definitorios del manierismo, con los retratos de Sánchez Coello, y sobre todo, con los de Pantoja de la Cruz, nos encontramos ante el desplazamiento del personaje a un mundo abstracto e irreal, que no es otro que el de la etiqueta y el del rígido ceremonial de corte. Esta reducción de la imagen a emblema, alcanza en los retratos y en la actitud misma de Felipe II caracteres de paradigma. El padre Sigüenza lo resalta en varias ocasiones, pero quizá ninguna tan clara como cuando relata la impresión que causó en el rey la noticia de la victoria de Lepanto. Tras indicar el alborozo general y el de don Pedro Manuel, caballero de la Real Cámara, dice textualmente del rey: «No hizo el magnánimo Principe mudanza ni sentimiento, gran privilegio de la Casa de Austria, entre otros, no perder por ningun suceso la serenidad del rostro ni la gravedad del Imperio»[9].

Refiriéndose a Pantoja, Angulo ha hablado de iconos bizantinos y ha podido decir: «Este contraste entre la minuciosa representación del vestido, igualmente apurado en todos sus planos, y el modelado relativamente blando de los rostros, hace sentir a éstos como algo independiente de aquél»[10]. De ello son buena muestra los retratos de la *Princesa Clara Eugenia* (Munich) [313] o el de la *Reina Doña Margarita* del Prado. Si en el primero la insistencia en el enjoyado vestido y en la artificial colocación de las manos —cuya misión es enfatizar aún más el valor preponderante de los objetos— sitúa al personaje en un ambiente irreal, en el segundo, la importancia del rostro aparece literalmente arrojada en un mundo de telas, cortinajes y objetos, de lo que se hacen eco, de igual forma, los contratos y relaciones de cuentas del momento, cuya prolijidad es un buen indicio del carácter que adquieren los retratos[11]. Y lo mismo podríamos decir de sus retratos de niños en los que la presencia

312. Sánchez Coello: Las hijas de Felipe II. *Madrid, Museo del Prado*

313. Pantoja de la Cruz: Retrato de Isabel Clara Eugenia. *Pinacoteca de Munich*

infantil que aún alentaban ciertas obras de Bronzino, desaparece por completo en este mundo que reduce el personaje a un símbolo abstracto.

Con todo, en la obra más célebre de Pantoja, el retrato de *Felipe II* [314] de la Biblioteca de El Escorial, ha desaparecido la insistencia en el lujo y en las joyas y se hace ostentación de lo contrario: el despojado y austero traje negro, del que sólo se destaca el Toisón de Oro, actúa como elemento emblemático de la imagen exterior que de sí mismo pretendía dar el rey Felipe en los últimos años de su vida. La diferencia de intenciones con el juvenil retrato de Tiziano, en el que aparecía vestido de armadura, es obvia: del retrato de aparato en el que la imagen victoriosa y guerrera del monarca es el elemento fundamental, se ha pasado, sin apenas modificar la actitud, al recogimiento y la interiorización de la presencia del príncipe. Se trata no sólo de una diferencia de intenciones, sino de una evolución en el concepto de la Monarquía y de un cambio de los ideales artísticos: del rey que guía directamente a sus tropas, del que el clasicismo realza su majestuosa presencia, al monarca escondido en los laberintos de El Escorial, y que el manierismo reduce a esquemático emblema.

Felipe II, recogiendo y exacerbando toda la tradición del retrato áulico, convirtió la imagen del rey en un estereotipo del que le interesaba resaltar, sobre todo, las cualidades de grandeza, majestad, alteza y suntuosidad, refrenado por la prudencia y la moderación[12]. Ya en el siglo XVII, Luis Cabrera de Córdoba, en su inacabada historia de Felipe II nos proporciona un retrato del rey que es el más fiel trasunto literario de las pinturas de Sánchez Coello y Pantoja de la Cruz: «Tenía la frente señoril, clara, espaciosa, los ojos grandes, despiertos, garços, con mirar tan grave que ponia reverencia en mirarlos, y le agradaba. La hermosura, digna de un imperio, era de gran ornamento

314. Pantoja de la Cruz: Retrato de Felipe II
Monasterio del Escorial

en la forma del cuerpo, conveniente a su dignidad, con partes, con cierta gracia y perfección entre sí, que ni le conocieron, ni vieron en compañia o solo en una selva, juzgandole digno de toda veneracion, era saludado con reverencia...»[13].

El sentido ceremonial y solemne con el que Felipe II quiso adornar su imagen exte-

315. Pompeo Leoni:
Retrato de la emperatriz Isabel.
Madrid, Museo del Prado

rior, culmina en los retratos escultóricos de Pompeo Leoni. De sus retratos funerarios nos ocuparemos más adelante, y sólo indicaremos en este momento cómo, al igual que Antonio Moro y Sánchez Coello fueron los continuadores manieristas de la pintura clasicista de Tiziano, Pompeo, lo fue, en el campo de la escultura, de la obra de su padre. Antes de la reclusión y muerte del príncipe don Carlos, fue uno de sus artistas áulicos y realizó para él diversos encargos, como el de un *Crucifijo* de oro[14] y una medalla, fechada en 1557, con la efigie de don Carlos en el anverso y las figuras de Apolo y las Tres Gracias en el reverso[15]. De igual manera sabemos que realizó una cabeza de plata para la princesa doña Juana, sin que sepamos de quien era la efigie[16] y varias estatuas de mármol de Felipe II, Isabel de Portugal y otras de la familia real para el Jardín de los Césares en Aranjuez[17].

En todas ellas, así como en las realizadas para la entrada triunfal de 1572 ya mencionada, Leoni culmina y perfecciona las características que venimos atribuyendo a la imagen del príncipe en las últimas décadas del siglo XVI en España. Pero en él, la rigidez y solemnidad, presentes, por ejemplo en el retrato de mármol de la *Emperatriz Isabel* [315], conservado en el Museo del Prado, se une, como en el caso de su padre, y por la peculiar profesión de escultor, a referencias muy claras al modelo clasicista y romano del retrato; bustos y medallas se encuentran entre lo más característico de su producción, donde, como sucede con las estatuas de la entrada de 1572, la referencia a la antigüedad clásica, que en realidad subyace a toda la concepción retratística a la que nos venimos refiriendo, es concreta y precisa. Y, por otra parte, frente a la dispersión que caracterizaba la imagen retratística de Carlos V, nos encontramos ahora ante el fenómeno de la centralización y concreción de la misma en tipos determinados que, procedentes, como hemos dicho, de los modelos de Tiziano o Antonio Moro, alcanzan la categoría de estereotipo áulico.

LA FORMULACIÓN PLÁSTICA DEL IDEAL RELIGIOSO DE LA CORTE

Al margen de las corrientes más o menos populares que definían el concepto de la imagen religiosa de la España de la Contrarreforma, el mundo de la corte formula una idea distinta de pintura piadosa que, como sucedía en el campo del retrato, insiste en las ideas de majestad y distanciamiento, a la hora de representar la grandeza divina.

Con todo, a pesar de las apariencias de monolitismo y uniformidad que pueden desprenderse de una primera visión de los ciclos religiosos del Monasterio de El Escorial, la verdad es que asistimos a un interesante debate artístico y cultural en torno a la imagen sagrada que, en cierta medida, recoge la discusión española sobre el problema, y la agudiza debido a la presencia de una pléyade de italianos venidos a España, traídos por razón del cosmopolitismo y visión internacionalista de Felipe II.

Desde 1568 el pintor logroñés Juan Fernández de Navarrete, *el Mudo*, comienza a trabajar para el Monasterio de El Escorial, actividad que no abandonará durante los siguientes diez años. Desde un punto de vista formal, Navarrete plantea en el debate artístico escurialense el problema de Venecia. Si en sus primeras obras, sobre todo en *El Bautismo de Cristo* del Museo del Prado, cuadro de muestra para el rey, aún es patente el sentido monumental a lo Miguel Ángel de Gaspar Becerra [18], pronto se inclinó por la concepción pictórica de la escuela veneciana. El padre Sigüenza, lo dice con certeras palabras: «En estos cuatro lienzos [19] me parece a mí que siguió Juan Fernández su propio natural, y se dejó llevar del ingenio nativo, que se cree era labrar muy hermoso y acabado, para que se pudiese llegar a los

ojos y gozar cuan de cerca quisieren, propio gusto de los españoles en la pintura. Pareciole no era esto el camino de valientes y lo que él había visto en Italia, y que, aunque su maestro Tiziano había hecho algo de esto a los principios, que después siguió otra manera mas fuerte y de más relieve, y que lo mismo había hecho Rafael de Urbino, y así en los demás cuadros que hizo no acabó tanto y puso más cuidado en dar fuerza y relieve a lo que hazía, imitando más la manera de Tiziano en los oscuros y fuerzas» [20].

En realidad, la manera venecianista había sido introducida por Navarrete en alguna de las cuatro obras que excluye Sigüenza. En su *Martirio de Santiago* [316], Angulo ha señalado la influencia de Tintoretto tanto en su elevado punto de vista, como en su sentido del color y del dramatismo [21]. Con esta obra, Navarrete inicia un sentido patético de la imagen sagrada en El Escorial que pronto se va a ver abandonado, si bien, en un principio, este mesurado sentido emocionalista de Navarrete es todavía aceptado en los medios de la corte. De esta manera, el desarrollo de toda una poética de la luz, de sus contrastes y variaciones, que caracteriza su obra posterior, y que tan admirados fueron por el padre Sigüenza [22] son, en opinión del mismo «imágenes de devoción, donde se puede y aun da gana de rezar» [23].

Es éste uno de los puntos claves de la discusión escurialense acerca del valor y sentido de la imagen religiosa, y la razón por la cual el sentido de la visión exaltada de El Greco, encontró tan serios problemas a la hora de su acomodo en los ciclos del Monasterio. En la famosa glosa al asunto de la exclusión de *El Martirio de San Mauricio* para el lugar donde estaba destinado que redactó el padre Sigüenza, la contraposición entre el pintor griego y Navarrete es explícita, pues al referirse a la obra dice: «Y tras esto, como decía, en su manera de hablar, nuestro Mudo, los santos se han de pintar

316. Navarrete el Mudo: Martirio de Santiago. *Monasterio del Escorial*

de manera que no quiten las ganas de rezar en ellos, antes pongan devoción, pues el principal efecto y fin de la pintura ha de ser éste.»[24] Y en realidad, obras como el *Martirio de Santiago* de Navarrete alcanzan una intensidad dramática mayor que el *San Mauricio;* pero lo que en el español es una lectura en clave naturalista del tema del martirio, se convierte en El Greco en una visión eminentemente conceptual e intelectual: nos encontramos ante el mundo de la visión patética antinaturalista que de ninguna manera encajaba en el sobrio marco de El Escorial.

Como ha demostrado Yarza[25], el concepto de la imagen de Navarrete *el Mudo* se liga a las corrientes espiritualistas de tipo místico del siglo XVI español, pero cualquier veleidad intelectualista aparece mitigada por un acercamiento directo a la realidad propio de la escuela de Venecia. Y los problemas en el Monasterio le vinieron más por esta segunda vía, que por la primera. Angulo ha recordado[26], cómo en algunos de los contratos se le recordaba la prohibición de insertar animales, tales como perros, gatos, ni ninguna figura deshonesta, que no provoque a devoción[27].

Era éste el problema obsesivo en los ciclos religiosos escurialenses, como lo demuestran similares observaciones del fraile cronista con respecto al italiano Lucca Cambiaso. Con él, continuó la aparición de artistas italianos en el Monasterio provocada por la temprana muerte de Navarrete, y cuya presencia hace variar de manera radical los términos de la discusión artística al plantear en España el problema de la aparición del manierismo academicista imperante en Roma y en el centro de Italia y al abandonarse los tímidos inicios de venecianismo que habíamos observado en Navarrete. Lucca Cambiaso, Federico Zuccaro y Peregrino Tibaldi fueron los principales artistas que, con escaso éxito, sobre todo en lo que concierne a los dos primeros, se encargaron de la decoración

pictórica de El Escorial. Son ellos —junto con Granello, Francisco de Urbino y Rómulo Cincinato y el escultor Pompeo Leoni— los que proporcionaron a El Escorial su definitiva imagen plástica, basada en los preceptos más rigoristas del manierismo clasicista italiano. Pompeo Leoni, en las esculturas del retablo mayor y en los orantes de los sepulcros dio el tono de severa majestuosidad que requería la arquitectura herreriana, y los ciclos de Peregrino Tibaldi en el Claustro Grande, la idea ceremonial que requería la imagen religiosa escurialense. Y de esta manera, el clasicismo académico y rigorista, y la solemnidad ritual, cierran una discusión que las iniciales posturas de Navarrete y El Greco presuponían más rica y variada.

Pero, a pesar de la escasa calidad de la obra plástica escurialense, y de la que sólo se librarían las esculturas de Pompeo Leoni o el *Crucifijo* de Benvenuto Cellini regalado a Felipe II, resulta tentador el estudio de la imagen religiosa en el Monasterio como formulación plástica del ideal religioso de la corte. La sobriedad de esta imagen está perfectamente de acuerdo con el sentido general del desornamentado edificio, y su aparición sirve para subrayar determinados momentos clave en la lectura total del edificio concebido como un todo; de esta manera, pintura y escultura adquieren una especial relevancia, y su interpretación en clave iconográfica resulta imprescindible a la hora de comprender el sentido total del monumento.

Como casi siempre, es el padre Sigüenza quien nos proporciona los elementos más seguros a la hora de entender los problemas del Monasterio, y en el prólogo a su crónica no duda en compararlo con el Arca de Noé, con el Tabernáculo de Moisés e incluso el Templo de Salomón[28]. Algunas de estas informaciones se hallan corroboradas a través de los programas iconográficos.

Prescindiendo de un análisis arquitectónico del edificio que nos conduciría a esta-

blecer los paralelismos y concomitancias de
El Escorial con el templo hierosimilitano, hay
que señalar como uno de los elementos más
característicos de su iconografía, las *Estatuas
de los Reyes de Israel* [317], obra de Juan
Monegro, y que presiden la fachada principal de la basílica que da al Patio de los Reyes,
se refiere directamente al tema del Templo
de Jerusalén. Los Reyes de Judá que se
eligen son «los más píos de aquella genealogía, y que tuvieron parte en aquel templo
famoso que quiso Dios se le hiciera en aquel
pueblo»[29], y sirven de frontispicio signifi-

cativo y grandioso a la entrada de la Basílica
de El Escorial.

El Monasterio era considerado, ya lo hemos dicho, como Tabernáculo de Moisés.
A ello se hace explícita referencia en la zona
del altar mayor y, sobre todo, en las dos
custodias que albergan el Santísimo Sacramento.

En otro lugar hemos resaltado[30] esta zona
como la de mayor densidad significativa,
ya que se sitúa al final de uno de los posibles
recorridos —en realidad, el fundamental—
del Monasterio de El Escorial[31]. Y así es en

317. Juan de Monegro: Estatuas de los reyes de Israel. *Monasterio del Escorial*

efecto; prescindiendo de las grandiosas estatuas orantes, que serán estudiadas más
adelante, el altar mayor y las custodias constituyen la culminación de un recorrido físico
que es, a la vez, una peregrinación espiritual.
El altar, cuyo clasicista diseño arquitectónico se debe a Juan de Herrera, sustenta un
programa iconográfico realizado por León
y Pompeo Leoni en sus esculturas y por
P. Tibaldi y F. Zuccaro en las pinturas.
La escena central nos presenta el *Martirio
de San Lorenzo* [318], santo al que se dedica
el edificio, obra de Peregrino Tibaldi[32], con
lo que no hacía sino corresponderse con la
estatua del mismo santo, realizada por Monegro, y existente en la fachada principal,
convertida en recordatorio del Altar Mayor.

El resto de las pinturas representaban distintos momentos de la Historia de la Redención: *Nacimiento* y *Adoración de los Pastores*,
de Tibaldi, y *Flagelación, Subida al Calvario,
Asunción, Resurrección* y *Pentecostés*, de Federico Zuccaro. Como ha indicado Angulo[33]
las dos primeras obras fueron retocadas
en 1596 por Juan Gómez, perdiendo algunos
de los rasgos del miguelangelismo tibaldiano,
para iniciar unos estudios de tipo lumínico que no dejarán de tener influencia en el
posterior ambiente español.

Pero la imagen general del gran altar es
la de una obra de clasicismo severo a lo
que contribuyen, no sólo la arquitectura herreriana, sino las esculturas en bronce de
León y Pompeo Leoni con el tema de los
*Cuatro Doctores de la Iglesia, San Andrés, San-
tiago, San Pedro, San Pablo* y el *Calvario* [319]
en la parte superior. La calidad y el color
del bronce, unido a la policromía de los
mármoles del altar, le proporcionan este carácter grandioso, reposado y clasicista de
que hablamos, y que sirve de marco al elemento significativo esencial de la Basílica:
las Custodias [320].

La referencia explícita al Monasterio como Tabernáculo de Moisés se encuentra precisamente en estas dos custodias cargadas

318. Peregrino Tibaldi: Martirio de San Lorenzo.
Monasterio del Escorial

de contenido simbólico y significativo. Frente
al carácter desnudo y desornamentado que
adquiere el Monasterio, en las custodias,
obra de Juan de Herrera y el orfebre J. da
Trezzo[34], la inflación iconográfica y significativa alcanza caracteres de obsesión. Se
trata, como decimos, de dos custodias, pero
dentro de la segunda aún se coloca un vaso
de ágata con asas, pie y tapados de oro y un
zafiro de remate, y, dentro de él, un vaso
de oro que contiene el Sacramento. Todo
ello —obra de J. da Trezzo—, viene a plantear el tema manierista de la dialéctica entre
lo grande, solemne y majestuoso (es decir,
la Basílica, el altar y aun la custodia mayor),
y lo pequeño (la custodia menor y los vasos
sagrados). Por otra parte, frente a la mo-
nocromía y sobriedad de todo el edificio,

319. Pompeo Leoni: Retablo de la basílica del Monasterio del Escorial (detalle)

la zona del altar plantea el problema del color como elemento de realce de la majestuosidad, tema que se enfatiza en la custodia, a través del profuso empleo de jaspes, bronces, mármoles, oro y otras piedras preciosas, y culmina en la vidriera, especie de transparente que cambia de color, según el tiempo litúrgico, por medio de unas cortinillas. El efecto de sutil emoción que con ello se quiere alcanzar lo describe así Sigüenza: «... y sin duda se eriza el cabello de temor y reverencia viendose allí dentro cuando a las mañanas, echado el velo de seda colorada, queda todo como un carbunclo encendido»[35].

Por último, y con respecto a las custodias, hemos de señalar la importancia del programa iconográfico de tipo eucarístico que sustentan. La Custodia Grande posee representaciones de *La caída del maná*, el *Cordero Pascual*, *Abrahán y Melchisedech* y del *Profeta Elías* alimentándose de «aquel pan subcinerario... que le sustentó cuarenta días...»[36], una pintura en su bóveda, representando el cielo, que fue la primera obra de Tibaldi para el Monasterio, y estatuas de los Apóstoles. Los órdenes empleados, corintio en la custodia grande, y dórico en la pequeña, adquieren también carácter significativo: el primero —dedicado a las vírgenes y hembras— rodea al segundo —consagrado a los varones fuertes—, en recuerdo de la maternidad de María, origen de nuestra salvación[37].

De esta manera se culminaba un recorrido fundamental hacia la Redención, y que, en la zona del altar mayor, tenía dos momentos fundamentales: uno de carácter grandioso y clasicista —*La Crucifixión* de Leoni, que coronaba el retablo— y otro de carácter íntimo y dogmático —*La Custodia* de J. da Trezzo—, cuyo contraste no puede ser más típicamente manierista.

Pero otros caracteres de la religión estaban presentes en la iglesia de El Escorial. No hemos de olvidar que el edificio es uno de los mejores exponentes del sentir artístico de la Contrarreforma, y numerosos ejemplos, den-

320. Jacopo da Trezzo: Custodias de la basílica del Monasterio del Escorial (grabado de Perret)

tro de la misma Iglesia así lo avalan[38]. Los armarios con reliquias, de las que Felipe II era un ferviente y apasionado coleccionista, se decoran con pinturas, muy retocadas con posterioridad, de F. Zuccaro, y los grandes altares recibieron pinturas de Tibaldi, Rómulo Cincinato y Lucas Cambiaso. Por otra parte, el orfebre Juan de Arfe recibió el encargo de realizar algunos relicarios, hoy perdidos. Pero de todas maneras, el elemento más característico de la decoración de la parte baja de la Basílica son los pequeños altares, con la serie de santos emparejados, que realizaron Navarrete, Sánchez Coello,

Diego de Urbina y Carvajal. Instalados en los soportes de la Iglesia, la serie es una de las primeras en plantear el tema —ya tan del gusto del barroco— de la iconografía de santos como base de los programas de iglesias y recintos sagrados, ya que no es preciso señalar cómo la idea del santo concebido como héroe, es uno de los elementos favoritos de la religiosidad de la Contrarreforma.

Pero hay en El Escorial, además del recorrido que culmina en la Basílica, otros secundarios que también aparecen sustentados en programas iconográficos. El sentido ceremonial que impone la vida del Monasterio

321. Peregrino Tibaldi:
Desposorios de la Virgen, frescos del claustro del Monasterio del Escorial

tiene uno de sus puntos culminantes en el Claustro Grande, que era recorrido por las procesiones que lo rodeaban. Los frescos, hoy muy restaurados [39], de P. Tibaldi vuelven a contar, en estilo muy miguelangelesco, la historia de la Redención, que era la que recorrían las procesiones [321]. «Una de las cosas más importantes —dice el P. Sigüenza— y sagradas que hay en las religiones son los claustros; y en la orden de San Jerónimo el todo, como si dijésemos, y el ser de ella, donde como en la misma iglesia se guarda siempre silencio, y en particular en el bajo... por donde andan las procesiones y se entierran los religiosos...» [40].

Para la consecución de este fin ceremonial se recurre a la inserción de la historia sagrada en un marco clasicista, que no era sólo el del Monasterio, sino el de las propias arquitecturas pintadas al fondo de las escenas, tema obsesivo en el ciclo del Claustro, y que plantea el problema de la ciudad del clasicismo desde un punto de vista claramente ideal: «los que se asientan allí —continúa el cronista— tienen delante una muy alegre y varia vista, arcos altos y bajos, y por los lados escorzos y perspectivas en arquitectura excelente, que se hacen con las líneas visuales que salen de los ojos, nichos, puertas, jardines, frescuras, fuentes, estanques, pinturas, estatuas, que todo junto se viene delante, recreando con su compostura el alma» [41].

Todo ello rodeaba a un templete bramantesco con estatuas de los Evangelistas [322], obra de Monegro, y confería al conjunto un contrapunto medievalizante, al aludir, no sólo al tema de la «fons vitae» de los claustros de la Edad Media, sino también, y siguiendo una idea del padre Sigüenza, al concepto de paraíso terrenal místico, del que emanaban cuatro fuentes que tenían su origen en las cuatro estatuas: «El andar por ellas (las calles del jardín) es de gran recreación para el alma y para el cuerpo; entrambas partes hallan aquí sujetos excelentes en que emplearse, entretenerse, admirarse, la mucha y excelente arquitectura, que se viene a los ojos por tantas partes y con tanta correspondencia; la variedad de las hierbas y las flores, en que anda como envuelto; los estanques y los ruidos de los caños de agua; la pintura por cualquiera parte trae memorias dulces, tiernas, devotas; la escultura, jaspes, mármoles, columnas, arcos, ensanchan el corazón y el espíritu, que va con los ojos cogiendo las flores y los frutos de lo que la pintura representa, que, por no cultivar el hombre aquel primer Paraíso donde le pusieron, fue ocasión que el Hijo de Dios viniese a correr todos aquellos pasos y estaciones que con el contorno del claustro se están representando»[42].

Con todo, la riqueza conceptual de la imagen religiosa de El Escorial no se agota en los debates manieristas entre el clasicismo y la grandiosidad, y la minuciosidad y el preciosismo. No debemos olvidar que, junto a los ciclos de pintura religiosa ya citados, el Monasterio albergaba una colección de cuadros de tema religioso, esparcidos por las diversas dependencias, de extraordinaria importancia. La capilla que servía de enterramiento a los frailes se decoraba con tres lienzos de Tiziano: el *Martirio de San Lorenzo*, la *Adoración de los Reyes* y el *Santo Entierro*, el refectorio de los monjes tenía una *Santa Cena* del mismo pintor, y el padre Sigüenza relaciona al final de su libro una gran cantidad de estas obras en las que predomina la pintura veneciana, encabezada por el mismo Tiziano, y seguido, como veremos, por Tintoretto, Veronés, los Bassano y Sebastiano del Piombo, a las que habría que añadir obras de A. del Sarto, Girolamò Muciano, el Parmesano, F. Barozzi, Lavinia Fontana, Coxcie, Durero y el Bosco, de quien es uno de los primeros y más sagaces intérpretes[43]. Las alegorías a la Redención abundan en estos cuadros; y así, sabemos que desde 1586 el Monasterio poseía un *Díptico de la Redención*, obra de Miguel de Coxcie,

322. Juan Bautista Monegro: San Lucas, Patio de los Evangelistas. *Monasterio del Escorial*

que si en la tabla central representa el tema de la Virgen con el Niño, San Joaquín y Santa Ana, en su interior alberga «una alegoría de la Redención más directa: un globo terráqueo donde se apoya la Cruz, flanqueada por María y Cristo Resucitado y Triunfante. Arriba, Dios Padre, y la paloma del Espíritu Santo ocupan un lóbulo superior que culmina las tres tablas»[44].

Por fin, un conjunto tan importante como las Salas Capitulares [323], presenta un programa religioso de difícil interpretación, enmarcado, sin embargo, en un entorno de carácter lúdico como es el grutesco. Y así, entre el juego y la religión, los grutescos de las Salas Capitulares, obra de Granello y Fabricio, nos hablan de la pluralidad de

323. Granello y Fabricio: Pinturas al grutesco, sala capitular. *Monasterio del Escorial*

alternativas que una imagen contrarreformista de la religión como es la escurialense, permite a un arte versátil como es el del manierismo [45].

Como es bien sabido, la idea de Felipe II a la hora de construir el Monasterio del Escorial era, no sólo la de crear un centro religioso y un gran panteón dinástico, sino también la de integrar en él determinados estudios, continuando así una tradición de fuerte arraigo en la Edad Media. Pero la complejidad de saberes que había producido la cul-

tura del Renacimiento, que atravesaba su fase final a la hora de construirse el Monasterio, hacía imposible la uniformidad de programas, y en El Escorial vamos a contemplar la aparición de unos ciclos científicos de gran importancia y variedad, que culminan en los frescos de la Biblioteca, obra de Peregrino Tibaldi y Carducho, ejecutados entre 1590 y 1593 [46].

El programa de la Biblioteca consta en esencia de las *Alegorías de las Siete Artes Liberales* [324], que unen a «las dos cabezas y principios que el hombre trata: la Filosofía y la Teología» [47] en un recorrido ideal que nos revela, merced a la unión de estas dos alegorías principales, a través de toda una serie de figuras mitológicas e históricas, el

324. Peregrino Tibaldi: Alegoría de la Astrología,
frescos de la biblioteca del Monasterio del Escorial

325. Peregrino Tibaldi: El Dios Pan, frescos de la biblioteca del Monasterio del Escorial

carácter del espíritu científico tal como se concebía en la corte de Felipe II. Sin detenernos ahora en el análisis pormenorizado del programa, indicaremos cómo, sobre el entramado medieval de las Artes Liberales que unen, como decimos, la Filosofía con la Teología, se han insertado toda una serie de figuras históricas, dioses de la mitología [325], y escenas a su vez históricas y mitológicas, que ejemplifican las dos ramas principales en que se dividió la ciencia en el Renacimiento. Un saber racionalista, ligado a los «studia humanitatis», a la crítica filológica y al humanismo, y constantes alusiones a un saber esotérico, místico e irracionalista, que se ejemplifica a través de toda una serie de figuras que, desde la escuela de Alejandría, pasando por la Edad Media árabe y cristiana, llegan al Renacimiento[48].

La presencia de un programa humanista en la corte de Felipe II se explica por la pervivencia de la doctrina de Erasmo en El Escorial. Ya Bataillon había demostrado la existencia de residuos erasmistas en el Monasterio, representados por los «biblistas» dirigidos por el bibliotecario Arias Montano y continuados por su mejor discípulo, el padre Sigüenza, residuos que la investigación de Ben Rekers sobre Arias Montano no ha hecho más que confirmar[49]. De esta manera, estos círculos intelectuales habrían inspirado la parte del programa basada en el Trivium (Gramática, Retórica, Dialéctica), que recogía la tradición humanista del Renacimiento.

Por otra parte, sería el influjo de Juan de Herrera, apoyado por el rey, el que explicaría la presencia e importancia de científicos, astrónomos y «magos» en el programa de la Biblioteca, que introducían, como decimos, la vertiente irracionalista y esotérica de la ciencia renacentista en el programa de las *Siete Artes Liberales*, que se convertiría así en el resumen de la concepción científica de una época.

De esta manera, serían dos círculos intelectuales los inspiradores del complejo programa. Si el lulista Juan de Herrera es el responsable de las historias y figuras alegóricas de la parte científica o «Quadrivium», específica del erasmista Sigüenza sería la mayor parte del conjunto, es decir, la idea de las Artes Liberales como camino —método— para llegar de la Filosofía a la Teología, y la inserción de literatos, gramáticos e historias a ellos conexas. Y así, Erasmo y Raimundo Lulio —del que tanto Juan de Herrera, como Felipe II eran fervientes lectores— son los inspiradores últimos del programa.

El rey planteó la Biblioteca a la moda del manierismo, pues no había de ser una recopilación de libros, sino también —como el Museo Ioviano de Como o el Ferdinandeum de Innsbruck— había de poseer retratos de personajes y «conjuntos de grabados dibujos, aparatos geográficos, como mapas, esferas, astrolabios, instrumentos matemáticos y científicos, monetario, reproducciones de fauna y flora, etc. [50]. Todo ello existía en la Biblioteca Real, y en la antecámara aparecían cuadros y figuraciones de tema científico, como aquellos de «muchas diferencias de aves, con el mismo color que sus plumas», de reptiles «en particular culebras, víboras, lagartos, caimanes, escorzones, sapos y otras mil sabandijas», perspectivas de jardines y de huertos, de hojas, flores, frutos, «coloridas al natural». Se trata, como dice Sigüenza, de cosas «que se ven en nuestras indias» [51], y formaban parte de la importante colección de objetos científicos de El Escorial, cuyo principal aparato era la denominada *Torre Filosofal*, descrita así por un viajero de finales de siglo: «Le principal instrument pour distiller des eaulx de toutte sorte, et en abondance, est fort grand et hault et faict de laton, en forme d'une tour, et se distille par la chaleur de la vapeur. Il contient un grand nombre de vases ou alambiques, touttes de voirre, et en 24 heures on en tyre plus 200 libres de poix d'eaüe distillée de

telle sorte d'herbes que l'on y met, car en chaue vase se peult mettre difference d'herbe que l'on veult. C'est instrument est appellée la Tour Philosophale» [52].

No olvidemos que las preocupaciones culturales de Felipe II comprendían todas las ramas del saber, y que su reinado contempla un importante renacer de la ciencia, patrocinado por él mismo. A él se debe la fundación de la Academia de Matemáticas de Madrid (1582), bajo la dirección de Juan de Herrera, el patrocinio de expediciones naturalistas a las Indias, como la de Francisco Hernández que regresó de Méjico con 19 volúmenes a todo color describiendo la fauna, flora y costumbres de la Nueva España, y la protección a eruditos como Juan Páez de Castro, que proyectó un modelo de biblioteca de rasgos similares a la realizada en El Escorial, y Ambrosio de Morales, que describió arqueológicamente las antigüedades de España; todo ello, sin olvidar el grandioso proyecto de Biblia Regia, edición a cargo de Arias Montano, impresa en las prensas de Plantino en Amberes.

Es natural por tanto que todas estas actividades tuvieran su reflejo en los programas artísticos del Monasterio, en sus dependencias y algunos de sus jardines, que, además del contenido lúdico y festivo al que más adelante nos referiremos, servían como centros de experimentación botánica o como jardines zoológicos [53].

Pero en El Escorial no existían sólo círculos de saber profano. En realidad éstos no adquirieron carácter de oficialidad, sino que se trata, como decimos, de círculos restringidos y de escasa proyección exterior. La importancia que en el conjunto de los frescos de la Biblioteca alcanzan las *Siete Artes Libérales*, lo configuraba con un carácter de cierto arcaísmo. La confirmación de esta idea, es decir, el fuerte influjo medieval que, en el nivel oficial, adquirían los estudios en El Escorial, nos viene de la noticia trasmitida por Sigüenza sobre el proyecto de decoración de las Aulas de Teología y Artes, cuyo autor debía de ser Bartolomé Carducho[54] y que debía reflejar nada menos que la primera parte de Santo Tomás, «cuyas son estas cátedras y cuya doctrina se profesa», y una representación de la caída del hombre y de la Santísima Trinidad, cuya significación contrarreformista y tradicional no necesitamos resaltar.

La complejidad y los contrastes del sentido de la imagen de El Escorial también se nos revela en estos programas religiosos de carácter científico. Los frescos de la Celda Baja del Prior, recalcan cómo la mayor virtud de la persona que rige la comunidad ha de ser la Sabiduría, cuyo mejor ejemplo sería el Rey Salomón, del que Diego de Urbina

pintó la escena del *Juicio* [326], y al que acompañan retratos de pontífices, evangelistas, profetas y alegorías de las virtudes teologales y morales; otros grupos de figuras, en los que un sacerdote del templo y Jesucristo enseñan un libro a un niño, bien podrían ser alegorías de la enseñanza del Antiguo y Nuevo Testamento, claves para alcanzar la sabiduría religiosa necesaria a todo buen prior. Estamos pues ante una alegoría del saber religioso, basada en el estudio de la Biblia y en cierta manera opuesta al esquematismo escolástico de los proyectados frescos de las aulas y que, completada con el más íntimo programa de la celda superior[55], nos vuelve a plantear el problema de la presencia del humanismo renacentista

326. Rafael de Urbina: Juicio de Salomón, celda del prior del Monasterio del Escorial

en un centro de carácter contrarreformista
como es El Escorial.

LA IDEA DE TRIUNFO Y EL ENTORNO LÚDICO
EN LA CORTE DE FELIPE II

Luis Cabrera de Córdoba, iniciando una
polémica que iba a tener una gran repercusión en el barroco, describe la manera de
cómo Felipe II regulaba la forma de presentarse en público: «No con menos gusto
—dice— asistía a las leticias públicas, señalando día para ellas en que no había correo
u ordinario que despachar, ni cosa muy for-
zosa que hacer, lo cual iba disponiendo algunos días antes. Los sabios príncipes, para ganar el amor de sus súbditos, intervienen en
los juegos públicos y vista de ellos, hechos en
días en que el prudente gobierno tiene señalados para moderar con los entretenimientos
las ordinarias molestias»[56].

En efecto, la imagen adusta que del rey
nos ha llegado, tanto por las características
de su gran obra de El Escorial, como por las
series de retratos que acabamos de comentar,
no nos debe hacer olvidar que ante Felipe II
nos encontramos con un monarca del manierismo, quizá ante el personaje en que las
contradicciones de este momento cultural,
oscilante entre el rigor y el capricho, aparecen de manera más clara. Felipe II es el
rey escondido en los laberintos, austeros
en el Monasterio y sofisticados y lúdicos,
sin embargo, en sus jardines.

Durante los años del reinado de Felipe II
el sentido de la fiesta en España alcanza
una concreción definitiva y, cada vez más,
tiende a configurarse como un verdadero
triunfo a la romana, de carácter solemne
y mayestático, abandonando la mayor parte
de las referencias lúdicas, que se relegan
a la vida interior de palacio y al jardín.
De esta manera se continúa el sistema de
hacer visible la majestad real que se había
iniciado en tiempos de Carlos V, pero do-

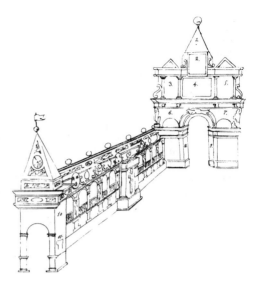

327. Matías Espinosa, Benito Rabuyate y Antonio
de Avila: Arco triunfal para la entrada de la reina
Isabel de Valois en Valladolid

tándole de mayor énfasis y solemnidad. Ello
es perceptible a través de los grabados y
dibujos que de algunos arcos triunfales nos
han llegado (Sevilla, Valladolid) y por medio de las numerosísimas descripciones de las
entradas triunfales.

Así, sabemos que en 1565, Matías Espinosa, Benito Rabuyate y Antonio de Ávila se
obligan a realizar en Valladolid un arco
triunfal [327] para la entrada de la reina
Isabel de Valois, en el que, entre otras,
había «tres figuras rrei y rreina sentados
en su trono y la fortuna a sus pies y encima
desta figura un dios Jupiter sobre un aguila
en la piramide»[57] para las que se exigía
una sobriedad en los materiales y colores
acorde con la estética del manierismo clasicista que se extendía por la España de la
segunda mitad del siglo; «nos obligamos azer
—dicen— todas las esculturas e figuras de
blanco e negro e color de oro e color de

328. Blas de Prado:
La emperatriz María y Felipe III, príncipe.
Toledo, Museo de Santa Cruz

bronce»[58]. De igual manera, años más tarde, con motivo de la entrada de Margarita de Austria, mujer de Felipe III en Madrid, se repite una cláusula parecida tendente a preservar una sobriedad en la decoración ajena a cualquier pintoresquismo colorista, al estipularse que sólo el color blanco —imitando el mármol— y el dorado —en imitación del bronce— son los que deben utilizarse en las decoraciones; recordemos también cómo en 1583, Blas de Prado, retrata en grisalla a *La Emperatriz María y Felipe III, Príncipe* [328], y a *La Infanta Isabel Clara Eugenia*, con motivo del adorno de los arcos que se erigieron en Toledo para recibir los

329. Arco triunfal para la entrada de Felipe II en Sevilla

restos de Santa Leocadia, siguiendo la manera fría y distanciada típica del retrato de corte que ya hemos tenido ocasión de comentar[59].

El mismo lenguaje arquitectónico se presta, con la rigidez de las decoraciones propuestas por el manierismo, a este énfasis de lo sencillo y majestuoso: pirámides, obeliscos, bolas, columnas... son el marco adecuado de estatuas y pinturas que, al contrario de lo que sucedía en las entradas triunfales de la primera mitad del siglo y volverá a suceder en el barroco, aparecen perfectamente ordenadas, claras y legibles, participando de esta tendencia a la claridad que ya habíamos señalado como característica de los retablos y portadas de iglesia de las décadas finales del siglo XVI.

Se trataba, como tantas veces hemos dicho, de demostrar por medio de la arquitectura efímera el poder del soberano sobre sus súbditos y el control de la ciudad y aun del territorio por medio del lenguaje clasicista y la complicación alegórica. Ello es bien patente en la entrada triunfal de Felipe II en Sevilla [329] donde en la muralla se representaron alegóricamente no sólo la propia ciudad, sino los lugares de la tierra y jurisdicción de Sevilla dividida en cuatro partidas «como están en los libros de la ciudad»[60]. Las imágenes se repartieron en dos bandas, una a la parte de la ciudad y otra a la parte del río, y encima de su cabeza llevaban un vaso colorado antiguo. «Todas eran de una estatura sobre sus pedestales, con igual distancia unas de otras, que parecían aver llegado entonces al recebimiento; y puestos por orden ofrecían a su Majestad graciosamente lo que Dios fue servido darles en sus tierras, para todo lo que ha menester y desea el hombre»[61].

El ofrecimiento de los productos de la tierra a través de estas figuras no es otra cosa que el símbolo del dominio que Felipe II ejercía sobre sus reinos, mezcla de protección y control, especialmente visible en la figura

que, en la serie que comentamos, representaba a Sevilla: «estava como humilde sierva de su Rey que a ella venia» con sus pechos abiertos, el corazón partido y en las dos partes el nombre de Felipe pues «ofrecia... a su Majestad el coraçon, que es lo mas que puede dar el hombre, y asi tenia los pies un cuerno de la copia, con gran diversidad de frutas, que por el suelo se derramaba, y entre ellas piezas de oro, y moneda labrada»[62].

En general, de lo que se trataba en estas entradas triunfales era entroncar la historia de la ciudad con un origen mítico, situado normalmente en el pasado clásico, a la vez que una glorificación del soberano, unido a su padre, el Emperador Carlos V, y, a través de él, con las casas reales de Austria y España, repitiendo así un esquema que se había utilizado con profusión en Europa durante la primera mitad del siglo XVI. Vicente Lleó, analizando la entrada sevillana de Felipe II en 1570, sintetizó el programa en tres aspectos: un arco de triunfo que había de servir de soporte a un discurso histórico-mítico, una puerta monumental con especial referencia a la iconografía y heráldica local y la propia ciudad como espectáculo en perspectiva[63]. Pero estos elementos son generalizables a gran parte de las entradas triunfales del Monarca. En 1571 se produce la entrada en Burgos de la reina Ana de Austria[64] y en el arco primero de la puerta de San Martín se representó la fundación e historia de la ciudad de Burgos ejemplificada en las estatuas de Diego Porcello, Laín Calvo y Nuño Rasura, con las alegorías de la Justicia y la Fortaleza y otras pinturas alusivas a la historia de Burgos. En el arco del conde Fernán González se continuaba la historia local, pero tras él surgía el discurso imperial y mítico, sustentado por estatuas que representaban a Germania, Hispania y el Tiempo, concretándose las alusiones mitológicas en «otras cuatro estatuas de cuatro dioses gentiles, que hablaban con su majestad cosas convenientes a las propiedades que a cada uno dio la antigüedad; estas eran de Saturno, Júpiter, Venus y Ceres»[65] y en una fuente con las estatuas de las ninfas, de cuyos pechos manaban chorros de vino.

En estas entradas triunfales no sólo se resaltaba la idea de poderío y majestad del príncipe: la propia ciudad se representaba a sí misma y se convertía en un teatro clasicista, en lo más parecido a una ciudad ideal, en suma, a una nueva Roma[66]. A veces, este sentido tautológico, llegaba al límite y se representaba dentro de la entrada triunfal otra entrada triunfal, como sucedió en Madrid en 1572; la imagen de esta entrada representada no puede ser más significativa de lo que se pretendía con estas manifestaciones: se trata de un verdadero triunfo mitológico en el que «muchas nymphas con sonajas en las manos, salían de unas graciosas florestas y hacían muchos actos de alegría, con las Driadas que los antiguos fingieron que presidían a las montañas y bosques...»[67], para simbolizar con su presencia la huida de todas las deshonestidades de la corte con la llegada de su majestad.

Pero lo más frecuente era aludir a la ciudad en su propia imagen, único lugar donde podía realizarse en su plenitud el ideal perspectivo de la urbe del Renacimiento. Se ha señalado repetidas veces cómo la ciudad del humanismo pretendía conseguir su utopía a través del lenguaje del clasicismo por medio de una sistematización espacial basada fundamentalmente en la perspectiva. Las entradas triunfales, por su parte, eran una de las escasas posibilidades de convertir en clasicista el aspecto de una ciudad e inundarla de artificios perspectivos que proporcionaran una imagen clásica de la misma. Se ha señalado este aspecto con respecto a Sevilla[68], pero en definitiva la misma problemática se trata en todas las ciudades. En la entrada de la reina en Burgos en 1571 se llegó a construir un edificio, especie de maqueta en perspectiva que no sería otra cosa

que la representación de una ciudad ideal en la que la diversidad de edificios y funciones aparecía claramente delimitada[69]. Y diez años antes, en Alcalá de Henares, se había hecho un parque «que hazia como una calle, labradas las dos paredes como de piedra berroqueña, con sus entrepaños y colunas muy agraciadas», que, con su perspectiva, hazia muy agradable vista»[70].

En la época de Felipe II asistimos a la manifestación típica de la dualidad manierista a la que nos vamos refiriendo de continuo y, junto a las significativas muestras de una mitología no heroica, que estudiaremos más adelante, aparece un recrudecimiento de los aspectos de la religión contrarreformista y de la imagen del príncipe cristiano.

En la referida entrada en Alcalá de 1560, y dado que la principal actividad de la Universidad era la Teología, se procuró obviar la presencia de los dioses de la gentilidad «para que todo fuesse, y se mostrasse muy Christiano, y las cosas de ingenio, y agudeza, que se pasassen, tuviessen fundamento de Religion y Christiandad»[71]. De esta forma aparecía el Genio de la Universidad no representado a la antigua, sino cristianizado en forma de un Ángel de la Guarda[72]. Por otra parte, y en esta misma entrada las alegorías que aparecen encontraban todas su base en virtudes cristianas como la Clemencia, la Liberalidad y la Mansedumbre como virtudes del rey, y el Ingenio, la Doctrina, el Exercicio y la Perseverancia como virtudes del Estudio.

En la entrada en Madrid descrita por López de Hoyos, doce años más tarde, el tercer arco triunfal, de orden dórico[73] aparece dedicado a la «Religión del Rey» y su iconografía se centra en el Coloso de la Religión, ya que ésta es «basis y fundamento de todas las virtudes, por la qual conserva Dios a los reyes, concede victorias, dilata y amplia los estados...». Junto a ello aparecen las virtudes del rey que tienen que ver

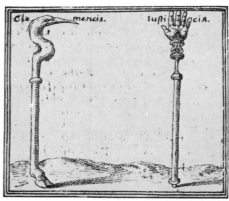

330. Ilustración del *Diálogo llamado Philippino*.
El Escorial, Biblioteca

330 bis. Ilustración del *Diálogo llamado Philippino*.
El Escorial, Biblioteca

con este aspecto: y así, los pintores Diego de Urbina y Alonso Sánchez, realizaron los jeroglíficos de la «Madura consideración» (un buey con rostro humano y un delfín a su espalda) y la Justicia (un león junto a una dama), junto a representaciones de la Templanza, la Ecuanimidad y la Prudencia. Era en este arco donde Pompeo Leoni esculpió una de las estatuas de Felipe II ya mencionada, que se acompañaba de los triunfos de tipo religioso del rey, ya que, mientras una de las pinturas representaba el *Socorro de la isla de Malta contra los turcos* en la otra aparecía «la piadosa defensa de la sancta fe cathólica y religión Christiana, con que su Magestad, assí con el poder de sus invincibles armas (como tan cathólico) con sus piadosas oraciones...»[74], representada en forma de jeroglífico a través de un templo arruinado del que emergía el Santo Sacramento, a cuya puerta muchos obispos hacían plegaria; el programa se completaba con la imagen de otra gran fábrica, a la que ayudaban la armada de su Majestad y la llegada del propio rey a caballo con su bastón de mando y el estandarte de Cristo y con la efigie de España «la qual con affecto muy alegre» pisotea la herejía, que arrojaba fuego por los ojos y la boca[75].

La imagen contrarreformista de Felipe II no sólo es servida por medio de los programas de la arquitectura efímera. Un curioso manuscrito tendente a justificar los derechos del rey al trono de Portugal, conservado en la Biblioteca de El Escorial[76], se ilustra con jeroglíficos de contenido similar a los que nos describen las relaciones de fiestas: la Concordia, el Triunfo de la Fe, la Concordia y la Discordia [330], la Clemencia y la Justicia, la Victoria y la Concordia y el Amor y el Favor, son alegadas como razones justificadoras, desde un punto de vista político y religioso, de los derechos del rey a Portugal; en ellas, y como es habitual en este momento, el lenguaje del emblema se carga de contenido contrarreformista y exaltador de las virtudes y cualidades del príncipe.

Volviendo al mundo de las fiestas y a sus contenidos específicamente contrarreformistas, recordaremos cómo el arco de la Puerta de San Juan en Burgos se adornaba otra vez con las alegorías de la Religión del Rey: se trata, como era de esperar, de una imagen combativa de la Religión, de acuerdo con el espíritu del momento. El triunfo se concibe ahora como una victoria religiosa y en uno de los cuadros del arco, la Religión, sobre cuya cabeza estaba una cruz, portaba en su mano derecha un cáliz; los elementos de mayor significación aparecían en su izquierda, donde una cadena se dividía en dos ramales que iban a parar a dos sierpes que, de manera similar al monstruo del manuscrito escurialense, simbolizaban la maldad herética y la idolatría[77].

Pero las alusiones más frecuentes en las entradas triunfales de Felipe II eran a sus victorias militares[78], continuando así la trayectoria heroica definida por su padre el Emperador, a la que habría que añadir toda una serie de características específicamente manieristas. Junto a la iconografía religiosa y heroica que muchas veces, y en un sentido plenamente contrarreformista, tendía a presentarse unida, aparecen toda una serie de artificios y un uso cada vez más frecuente de jeroglíficos codificados, que inciden en el aspecto manierista de esta manera de presentación del príncipe. En la entrada madrileña descrita por López de Hoyos, este mismo indica expresamente la fuente de los jeroglíficos mencionados que no es otra que Piero Valeriano, autor de un conocido y muy usado libro de jeroglíficos[79]. Ya vamos viendo cómo todas las entradas que estamos estudiando reflejan cómo en estas fechas la cultura emblemática había arraigado en España y alcanzado un alto grado de codificación y refinamiento.

Por otra parte, la presencia de una iconografía no propiamente heroica nos introduce en el mundo de la sofisticación del manierismo que alcanzará su culminación en los programas decorativos del jardín.

En la entrada de Madrid, entre otros dioses, se había representado la figura de Apolo para simbolizar la armonía con que el prín-

cipe había de gobernar a su pueblo, y en la de Sevilla uno de los elementos clave de la iconografía del triunfo era la representación del monte Parnaso, tema recurrente y que volveremos a encontrar en los jardines de los Reales Alcázares de esta misma ciudad. Los elementos lúdicos son muy frecuentes en la entrada de Burgos, donde en el patio del palacio del condestable de Castilla, además de un coloso que figuraba Neptuno, se levantó una peña con representaciones de Proteo, Glauco, las Nereidas, las Sirenas y Tritón. Por otra parte, el elemento exótico no estaba ausente en el desfile de entrada, donde unos «muy pequeños negrillos... traían un gran avestruz con el cual venía abrazada una forma de mujer muy vieja»[80] que acompañaban a tres arcos triunfales; el primero de ellos con «un cacique vestido de brocado» y seis indios y otras tantas indias, delante del cual «andaban veinte y cuatro indios con ropillas, zaragüelles y mantos de tafetanes de colores, jugando al balón... y todos éstos traían máscaras muy propias y muy bien pintadas, engastadas de muchas piedras y con zarcillos y otras devisas que decían con lo que remedaban»[81]; el segundo de los carros representaba a Vulcano y el tercero a Hércules.

Es sin embargo en el tema del jardín donde con mayor claridad se nos aparece el contenido lúdico y sofisticado que la corte de Felipe II, como corte propiamente manierista, adquiere. De la preocupación del rey por la naturaleza quedan abundantes referencias y testimonios[82], pero ninguno mejor que los restos y descripciones que nos han llegado de los jardines regios: El Escorial, El Pardo, Aranjuez, Sevilla, la Casa de Campo..., recordemos que Gutiérrez de los Ríos en su *Agricultura de jardines* indicaba cómo era propio de los reyes de la antigüedad, el retirarse a los jardines y dedicarse al cultivo de las plantas[83].

Desde el punto de vista en que estamos situados, tendente a estudiar los problemas

331. Reales Alcázares de Sevilla, Galería del Grutesco y estatua de Mercurio de Diego de Pesquera

de la imagen plástica del arte del siglo XVI español, los elementos significativos de estos programas pueden reducirse a estos problemas. Por un lado, la modificación que realizan en la lectura de los elementos arquitectónicos que, debido a su inserción en la naturaleza, pierden el carácter sereno, adusto y majestuoso connatural al lenguaje arquitectónico del momento, para recibir un contenido agradable, lúdico y naturalista. De ello es buen testimonio la descripción de El Escorial en clave mitológica que realizó el pintor Zuccaro[84] y el poema *Laurentina* de Luis Cabrera de Córdoba, centrado en la descripción de El Escorial y Aranjuez[85] y que expresa el sentido del jardín de Aranjuez como lugar deleitoso y regalado, visitado por el rey «despues que los negocios ha

dejado» y decorado con abundancia de fuentes y estatuas de origen y estilo italiano.

Desde el punto de vista de las artes plásticas, jardines como los existentes en la Casa de Campo o el de los Reales Alcázares de Sevilla, servían de sostén a programas mitológicos de contenido preferentemente naturalista. En este último destacan estatuas de Mercurio [331], obra de Diego Pesquera, situada en medio del estanque de entrada, la de Neptuno [332] en una de las fuentes, representaciones de Juno, Palas y Venus, de Proteo y Forco, de Diana y las Ninfas, de Acteón, en las grutas, y una imagen del monte Parnaso, «y en este cavallo Pegaso, abriendo con el pie la fuente Hippocrene, tan celebrada de los poetas, y las nueve Musas, que ocupan todo el ambito del, y Apolo

332. Fuente de Neptuno. *Sevilla, Reales Alcázares*

presidiendo, y cada figura destas tiene los instrumentos de su profesión»[86]. Y junto a ellos, y talladas en el mirto siguiendo las normas del «Ars topiaria», representaciones de las Ninfas, Hércules y Anteo...

Esto sucedía igualmente en los jardines de la Casa de Campo, en los que, como en Sevilla, las flores representaban elementos heráldicos y emblemáticos, «con tanto primor —dice Rodrigo Caro— que parecen pintura».

No insistiremos más en los elementos plásticos del jardín real español de fines del siglo XVI, ni estudiaremos sus elementos ideológicos[87], pero sí resaltaremos un hecho. La relativa abundancia de estos jardines y sus elementos, procedentes de la idea de jardín manierista elaborada por la cultura plástica, científica y naturalista italiana durante el siglo XVI, insertan el mundo español dentro de las grandes corrientes europeas del momento. En nuestro país no se ignoraba el valor simbólico de los dioses de la mitología situados en contextos naturalistas, ni la existencia de una ciencia hidráulica con fines lúdicos para la fabricación de órganos para

los jardines y cada vez es mayor la tendencia a considerar ciertas casas suburbanas como villas. Sólo en la utilización de determinados elementos lingüísticos de la tradición islámica pueden detectarse rasgos autóctonos. Pero el uso del lenguaje del Islam en jardines como los de los Reales Alcázares sevillanos[88], o la aparición de rasgos moriscos en alguno de los arcos de la entrada burgalesa de la reina Ana de Austria[89] ha de situarse en el contexto manierista del uso de los lenguajes anticlásicos como polémica frente al clasicismo, continuando de esta manera, hasta finales de siglo, la tradición ecléctica del siglo XVI español.

FELIPE II COLECCIONISTA Y LA DECORACIÓN DE LOS PALACIOS

Cuando en 1591 G. P. Lomazzo publica en Milán su *Idea del Tempio della Pittura*, recoge uno de los tópicos más queridos de la tratadística de las artes: aquél de la nobleza de la pintura debida a la protección que sobre ella ejercieron los reyes. Es ésta una actividad que ya ejercieron los príncipes antiguos y volvió a realizarse en forma masiva durante el Renacimiento, «lo que se puede comprender en los distintos museos de muchos príncipes que ahora se ven». Entre éstos, y junto a Maximiliano II, Rodolfo II, el duque Cosme de Medici y su hijo Fernando, y encabezándolos, Lomazzo sitúa la colección de Felipe II que centra en el Monasterio de El Escorial y de la que, si bien se fija con preferencia en los cuadros y esculturas, no deja de aludir a las joyas, libros y armaduras[90].

Como veremos, no sólo era en El Escorial donde el rey atesoraba sus colecciones; palacios como El Pardo colgaban pinturas de Tiziano y de artistas flamencos y españoles. Pero lo que nos interesa destacar con esta mención de Lomazzo es que, años antes de la muerte del rey, los gustos artísticos y su gran colección constituían ya uno de los puntos de referencia esenciales en el panorama cultural europeo.

Ya hemos visto cómo entre las preocupaciones culturales del rey, las Ciencias Naturales ocupaban un lugar muy importante y cómo planteó la Biblioteca del Monasterio como una verdadera *Wunderkammern*. La comparación de Felipe II con Maximiliano II o Rodolfo II que realiza Lomazzo adquiere así toda su significación ya que, al margen de su importante colección de obras de arte de El Escorial se recibía con alborozo cualquier objeto natural («naturalia») que satisfaciera las ansias de saber y la curiosidad de la corte. Así, el padre Sigüenza narra la llegada en 1575 de las quijadas de una ballena y en el mes de octubre de 1583, «por mandado de Su Majestad» llega un elefante y un rinoceronte que fue metido «en el jardín para verle dende allí, y como venía calmoso le echaron al cuerpo y cabeza muchos cubos de agua con que se refrescó, y de contento se revolvió en el suelo y gimió»[91].

Este tipo de anécdotas, cuya acumulación en torno a Felipe II nos permite elevarlas a categoría, nos ayudan a perfilar de manera definitiva el carácter internacional de los gustos del Monarca, de acuerdo con las modas del manierismo cortesano. El mismo rey, y al margen de los retratos de aparato realizados por Tiziano, Antonio Moro, Sánchez Coello o Pantoja de la Cruz, y sobre cuyo carácter áulico y mayestático ya hemos hablado, no dudó en retratarse por el mismo Tiziano tocando el órgano y en compañía de una Venus desnuda. Se trata de la *Venus con Felipe II organista* del Museo de Berlín, que Wethey cree se pagó el 29 de enero de 1549[92]. El cuadro es una buena prueba de la falta de prejuicios del entonces joven príncipe con respecto a las corrientes profanas del más sofisticado manierismo, que continuará hasta los años de su madurez. El mismo Wethey ha señalado cómo al final de la vida de Tiziano remiten los encargos de re-

tratos por parte de la corte. Entonces las obras de temática religiosa parecen dominar con destino a la magna obra escurialense, pero el palacio de El Pardo recibe cinco obras de tema mitológico de entre las de más alta calidad que nunca produjo el pintor veneciano. Son las «poesías» para Felipe II: la *Dánae, Venus y Adonis, Diana y Acteón, Diana y Calisto* y *El rapto de Europa*[93] cuya temática de contenido naturalista es la más adecuada para el lugar donde se destinan. Inspiradas en narraciones de las *Metamorfosis* de Ovidio, son una clara prueba del grado de cultura y sentido profano de la vida a que se había llegado en la corte del rey Felipe.

Pero no siempre se recurría a pintores extranjeros a la hora de dotar de contenidos profanos la decoración de los palacios. Desde este punto de vista, el ya mencionado Gaspar Becerra alcanza una importancia excepcional, pues desde fechas tempranas —1562— entra al servicio de Felipe II para el que pintó al fresco diversas estancias del Alcázar de Madrid[94] con imágenes de los Cuatro Elementos y las Artes Liberales, éstas últimas con destino a la habitación que guardaba las trazas del edificio.

Nada de ello nos ha llegado, pero sí, sin embargo, la decoración del techo de una de las torres de El Pardo, realizadas hacia 1563. El tema es ahora la *Historia de Perseo* [333, 334] que desarrolla en nueve compartimentos: el central con la bajada del héroe portando la cabeza de la Gorgona y los de alrededor las diversas fases de la vida del protagonista[95]. La amplitud de la serie y la noticia de otros encargos de tipo mitológico hechos por Felipe II a Becerra, como «el famoso Mercurio volando» que nos recuerda Pacheco, nos vuelve a plantear el tema del gran desarrollo de la mentalidad profana al que ya nos hemos referido.

Al decorar sus palacios con obras de pintores italianos o españoles de formación italiana quedan patentes las intenciones modernizadoras del rey no sólo desde el punto

333. Gaspar Becerra: Historia de Perseo (detalle). *Madrid, Palacio del Pardo*

334. Gaspar Becerra: Historia de Perseo (detalle). *Madrid, Palacio del Pardo*

de vista iconográfico, sino también formal. El aspecto que aún hoy día ofrece la decoración de Becerra existente en el Pardo es, a este respecto, ejemplar; composiciones y figuras en el lenguaje miguelangelesco que, desde los palacios romanos —recordemos que Becerra había trabajado en los frescos del Palazzo della Cancelleria y en la capilla della Rovere de la iglesia de la Trinidad de los Montes de Roma— se extendían a toda Europa, se unen a un sistema decorativo y de ordenación de las historias de clara raigambre manierista.

Los distintos intereses que hemos ido señalando en el entorno de Felipe II aparecen en la decoración de sus palacios. Si el tema mitológico era uno de los favoritos en el Pardo, sus estancias reales en El Escorial se adornaban otra vez con temas naturalistas; así, la Galería de Su Majestad por «donde de ordinario se pasea y huelga por lo muy apazible de la vista de los jardines o huertos pensiles de la parte oriental»[96], tenía 16 cuadros con pinturas de plantas, paisajes y 65 mapas. De igual manera la antecámara poseía «23 cuadros de topologías y diferencias de aves y animales y hierbas y frutales de las Indias, cosa peregrina y curiosamente procurado por su Majestad»[97]. Además de ello, el tema heroico volvía a estar presente en la Galería de los Aposentos, donde un inmenso fresco representa la *Batalla de la Higueruela* [335], obra de Nicolás Granello y Fabricio Castello, tomada de un tapiz que se encontró en el Alcázar de Segovia; junto a ello la *Batalla de San Quintín* y la *Navegación del marqués de Santa Cruz a la isla Tercera*, recuerdan algunos de los más famosos hechos heroicos de Felipe II. A todo ello habría que añadir la existencia de otros cuadros con representaciones de la batalla de Lepanto, en que Tiziano retrató al rey ofreciendo al Cielo a su heredero sobre un fondo de batallas y con el turco vencido en primer plano y que el mismo pintor trasformó una obra anterior suya en su famosa alegoría *La Reli-*

gión socorrida por España, con un sentido heroico de clara referencia contrarreformista[98].

La Historia, la Mitología y las Ciencias Naturales eran pues los temas favoritos no sólo de las decoraciones de los palacios del Rey Felipe, sino de otros monumentos de carácter efímero y aun insólito. Es el caso de la Galera Real que fue decorada en Barcelona a principios de 1586 por el pintor italiano Juan Bautista Castello, *el Bergamasco*, y que conocemos por la descripción de Juan de Mal Lara, que fue quien proporcionó el programa[99].

Este adquiere una extraordinaria complejidad y en él, a través del lenguaje habitual de historias, paralelismos, jeroglíficos y alusiones mitológicas y alegóricas, resaltó el valor heroico de don Juan de Austria, pues el propio Mal Lara indica cómo la intención del rey Felipe era hacer una Galera Real «que en grandeza y ligereza llevase grande ventaja a las ordinarias», a la vez que fuera «mas vistosa y de maior contemplacion», para lo que se encargó al *Bergamasco* que inventase una serie «de historias, fábulas, figuras, empresas, letras, Hieroglyphicos, dichos y sentencias que declarasen las Virtudes que en un capitán general del mar han de concurrir y que la mesma galera sirva de libro de memoria que a todas horas amoneste a Don Juan en todas sus partes lo que deve hazer»; se resaltaba así el carácter no sólo heroico y exaltatorio del programa, sino también el pedagógico, en una dualidad de valores muy típica de la mentalidad de la España de la Contrarreforma.

Volviendo al palacio de El Pardo, Argote de Molina nos describe cómo en el comedor que permitía la vista del bosque el flamenco Antonio de las Viñas realizó las vistas de «las grandes Islas y tierras de Zelanda, con todas sus Villas, Puertos, Rios, y Diques, con todo el Mar, que descubre el gran Reyno de Inglaterra»[100], a lo que habría que añadir las también perdidas pinturas de las batallas de Carlos V, las representaciones de las fies-

335. Nicolás Granello y Fabricio Castello: Batalla de la Higueruela,
sala de batallas del Monasterio del Escorial

tas y triunfos de Binche, realizadas en tiempo
del Emperador, y una galería de 45 retratos
de príncipes, damas y caballeros, obras de
Tiziano, Antonio Moro, Sánchez Coello y
Maestre Luca[101].

Pero la concreción plástica de este tipo
de interés polivalente va ligado a un tipo
muy preciso de elecciones artísticas que configuran el entorno cortesano con carácter
netamente moderno. A los grandes ciclos de
frescos realizados por los manieristas italianos de procedencia miguelangelesca y adornados con la decoración al grutesco de moda

en toda Europa y las obras ya citadas, hay
que añadir una prodigiosa colección de obras
de Tiziano, Sebastiano del Piombo, Andrea
del Sarto, Veronés, Tintoretto, los Bassano,
Jerónimo Muziano, Parmigianino, F. Ba-
rocci, Miguel Coxcie, Lavinia Fontana,
el Greco, Durero, el Bosco... Los palacios de
Felipe II, y sobre todo El Escorial, constituían, junto con las colecciones de los Papas,
la más fabulosa concentración de obras de
arte posibles de contemplar en el siglo XVI.
Como decimos, las elecciones artísticas son
enormemente significativas: la escuela más

representada era, como puede deducirse simplemente de la relación de artistas antes citada, la italiana, que era también la más apreciada.

Para el padre Sigüenza, Tiziano «no sólo atendió al colorido y a la buena labor y hermosura... sino también trabajó en entender profundamente el arte...»; el mismo cronista recoge las teorías eclécticas que tan de moda estaban en Italia y que sin duda difundiría por el Monasterio: «Dicen algunos —continúa— que si el Bonarroto dibujara un Adán y Rafael una Eva, y el Tiziano coloriera y pintara el Adán y Antonio de Acorezzo la Eva, que tuviéramos lo que se podía desear en género de pintura»[102]. Los elogios de Sigüenza, que podemos tomar por portaestandarte de los gustos oficiales del Monasterio, continúan centrándose en Tiziano, Sebastiano del Piombo —«compañero e imitador de la manera de Miguel Ángel»—, Bassano —«que tiene buen lugar entre los valientes maestros»— para acabar centrándose en un amplísimo comentario de la obra de El Bosco.

El gusto de Felipe II por este pintor[103] es uno de los capítulos más sugestivos del coleccionismo del siglo XVI. Como el de su pariente Rodolfo II de Austria por Brueghel es un claro ejemplo de la mentalidad manierista y de su preferencia por lo abstruso, lo monstruoso y lo raro. Argote de Molina recoge la presencia de ocho tablas del pintor en el palacio de El Pardo, «la una dellas de un estraño muchacho que nasció en Alemania que siendo de tres días nacido parescía de siete años» y las demás con el tema de Las tentaciones de San Antón; por su parte, Sigüenza describe las tablas del pintor flamenco de El Escorial, entre las que destacaban obras maestras como El jardín de las delicias, el Carro de Heno o la Mesa de los pecados capitales, y que se encontraban repartidas por todo el Monasterio.

Como es sabido, no sólo Felipe II fue un gran coleccionista de obras de El Bosco,

sino que Sigüenza es uno de los primeros glosadores de la obra del pintor flamenco, para la que encuentra explicaciones no sólo de tipo ideológico y moral, sino también estético. Para ello recurre al tópico, que vimos tan frecuente en la literatura artística de la época, de la relación entre pintura y poesía: al igual, dice, que entre los poetas latinos los había heroicos, cómicos, trágicos y líricos, también los hubo «macarrónicos», que practicaron la poesía ridícula. «A este poeta (Martín Cocayo) tengo por cierto quiso parecerse el pintor Jerónimo Bosco»[104].

De esta manera se nos aparece el valor polifacético de la actividad de Felipe II como coleccionista y decorador de palacios y residencias. Se trata de un gusto muy variado que, y es lo que más nos interesa resaltar, en nada se diferencia al de las cortes europeas del momento; con ello pretendemos sustraer la interpretación estrictamente nacionalista de un Felipe II del que sólo se resaltan sus aspectos contrarreformistas para integrar su actividad estética, a la que tanta importancia concedió, dentro de las coordenadas culturales del momento.

LA IMAGEN DE LA MUERTE

El recurso exasperado al clasicismo que caracteriza el arte de corte en torno a Felipe II, en ningún momento aparece con mayor claridad que en las actividades artísticas destinadas a resaltar la solemnidad de las ceremonias fúnebres. En tiempos de Felipe II la imagen de la muerte se reviste de los caracteres de grandiosidad, solemnidad y majestad que han definido las obras arquitectónicas.

Como es sabido, uno de los fines primordiales para los que el rey construyó el monasterio de El Escorial fue el de servir de panteón para sus padres y los demás miembros de la dinastía austriaca. Esta exigencia funeraria no sólo influyó en la configuración

336. Pompeo Leoni: Estatuas orantes de Carlos V y su familia.
Basílica del Monasterio del Escorial

337. Pompeo Leoni: Estatua orante de Felipe II (detalle). *Basílica del Monasterio del Escorial*

arquitectónica del edificio, sino que parte de sus programas escultóricos hacen referencia al destino mortuorio del mismo.

Desarrollando al máximo la idea de las figuras orantes en relación con el altar que habíamos visto aparecer en ciertos retablos españoles del siglo XVI, pero dotándolos ahora de un definitivo sentido de la grandeza, Juan de Herrera y Pompeo Leoni concibieron las figuras orantes de Carlos V y su familia y Felipe II y la suya [336, 337], que enmarcan solamente los laterales del altar. El tipo de figura orante alcanza ahora, ayudado por el marco arquitectónico de mármoles polícromos y adornos en bronce, un nuevo sentido en el que la imagen del soberano, al contacto con la Divinidad y la muerte, alcanza unos caracteres máximos de distanciamiento y frialdad. Lo que hemos denominado imagen distanciada en ningún momento alcanza un sentido más claro que en estos retratos de Pompeo Leoni en los que la imagen de la realeza queda situada de manera definitiva por encima de los mortales y en contacto íntimo sólo con realidades trascendentes y divinas.

Pero no es sólo en estos grandiosos conjuntos donde Pompeo Leoni dio su magnífica talla como escultor. De 1574 es su bulto para el sepulcro de doña Juana de Austria [338] existente en el convento de las Descalzas Reales de Madrid, realizado ahora en mármol y cobijado en un conjunto arquitectónico de gran belleza obra de Jacopo de Trezzo y que, como el mencionado de Juan Herrera en El Escorial, constituye un marco imprescindible de referencia para estas estatuas en las que el clasicismo manierista alcanza su culminación.

338. Pompeo Leoni: Sepulcro de doña Juana de Austria. *Madrid, convento de las Descalzas Reales*

Pero si Felipe II había construido uno de los mayores panteones de la Cristiandad, lo había hecho sobre todo a mayor gloria de Dios. Si en la tumba de Maximiliano I en Innsbruck las estatuas se hacen presentes de manera inmediata al espectador y rodean el grandioso túmulo del Emperador, coronado por una estatua ecuestre, en El Escorial, las tumbas se colocan debajo del altar mayor —referencia a los «martyria»-paleocristianos— y las estatuas ya no están de pie, sino arrodilladas y semiocultas entre enormes columnas, girando su actitud en torno al altar donde se celebra la Misa, de igual manera que Carlos V hacía en Yuste y como más tarde imitó su hijo en El Escorial[105].

Las relaciones de la época que narran la muerte de Felipe II son muy significativas del sentido solemne que se pretendía dar a la misma y nos muestran la figura del rey en toda su complejidad; por un lado sus arquitectos aún le entretienen con sus ideas en su lecho de muerte[106], por otro, el acontecimiento se trata con severidad en todo ajena a las irónicas danzas de la muerte o los triunfos de años antes. Sigüenza narra prolijamente los preparativos fúnebres hechos en su presencia y a instancias del mismo rey, y una relación contemporánea describe así la muerte: «Spirato che ebbe s. Maestá subito trattorno di metterlo nella cassa di piombo, qual era gia apparechiata, portando solamente di tutta le ricchezze di che fu possesore, una camisa netta che gli fu possesore, una camisa neta che gli fu posta, e un lenzolo, nel qua fu involto e al collo gli fu messa una croce di legno bianco, e alla cintura il suo rosario...»[107].

De igual manera las celebraciones funerarias que no alcanzaron el rango de permanencia y quedaron en el terreno de lo efímero alcanzaron una progresiva importancia en la España de la segunda mitad del siglo XVI. Los medios de glorificación eran los habituales del momento y así, en 1568, en las exequias realizadas en honor del prín-

cipe don Carlos aparecía dibujado «un sceptro en lo alto del qual avia un ojo, y sobre él una corona real»[108] junto a la corona de España, las armas de Madrid, jeroglíficos de la Liberalidad y la Magnificencia, la imagen del Príncipe en un trono, figuras de las Parcas, la Sabiduría y «dos estampas de la muerte muy horribles, la una tenía un arco con su flecha... la otra muerte tenia seys versos recopilados de varios authores de ilustre doctrina...», entre infinitud de referencias fúnebres recogidas en el lenguaje críptico y emblemático propio del manierismo, en un programa similar al que un año más tarde se hizo con motivo del fallecimiento de la reina Isabel de Valois[109] y en el que, junto a una abundante iconografía de santos, y virtudes, se resaltaban los hechos de la misma denominados «heroycas, sanctas y catholicas virtudes»; en él se insertaban los símbolos y jeroglíficos que ya eran tópicos en la iconografía real: el Ave Fénix, las Pirámides —a las que la relación da una importancia especial—, el Triunfo de la Muerte y festones con versos elegiacos.

Pero de todas estas ceremonias y celebraciones ninguna más destacada y que conozcamos mejor que los funerales y túmulo levantado en Sevilla en memoria de Felipe II. Su arquitecto fue el famoso Juan de Oviedo y de la Bandera y sus formas fueron alabadas por Cervantes y Lope de Vega [339]. «Tuvo tres cuerpos —dice Morgado en su *Historia de Sevilla*— en el segundo estuvo la tumba, y en el tercero un San Lorenzo. Y éste se remataba en bobeda, de que salia un obelisco sobre que estava una gran bola, y en ella una Fenix en un fuego...»[110]. A un lado y otro del túmulo le acompañaban dos calles de arcos, que proporcionaban un grandioso marco que sobrepasaba lo arquitectónico y comenzaba a incidir en lo urbanístico. Todo el conjunto soportaba un programa de exaltación de las virtudes, devociones y hechos heroicos del rey: así por ejemplo en el tercer cuerpo, que era de orden corintio, sus ocho

339. Juan de Oviedo y de la Bandera: Túmulo de Felipe II en Sevilla

columnas se acompañaban de otras tantas matronas que representaban las virtudes y «en medio de este cuerpo la imagen de San Lorenzo, el rostro al altar mayor y mirando al Cielo, puesta su Dalmática, y en la mano derecha una corona de flores y en la hizquierda una palma, y su parrilla». Junto a esta iconografía de tipo religioso, los hechos heroicos del rey se representaban en las pinturas de los arcos y se ilustraban con figuras alegóricas: la Guerra de Granada, la Riqueza, la Justicia, la Clemencia, la Liga contra el Turco, alegoría de la lucha del rey contra la Herejía, la reducción de Inglaterra, la abdicación de Carlos V, la toma de San Quintín...

Estamos ante un programa de cuño claramente contrarreformista, en el que el lenguaje clasicista de su arquitectura tendía a resaltar la claridad de su mensaje; en realidad se trataba del mejor complemento de las estatuas fúnebres del Monasterio.

Si éstas se concentraban en los sentidos de solemnidad y permanencia y acentuaban los rasgos de intemporalidad de los monarcas, las celebraciones efímeras eran verdaderos monumentos propagandísticos de hechos determinados y concretos. La distinta finalidad de una y otra actividad influye en el lenguaje artístico utilizado; si el clasicismo y el purismo constituyen la base común de ambos, el hieratismo y la sencillez dominan en las tumbas escurialenses, proyectadas como memoria imperecedera y victoria sobre el tiempo, mientras que el lenguaje retórico y lleno de contenidos concretos y precisos de las arquitecturas efímeras, tenía como fin el llegar directamente al pueblo y reforzar en él sus convicciones y sentimientos monárquicos de apoyo al poder establecido.

CAPÍTULO 11

LA IMAGEN DEL NOBLE EN LA ESPAÑA DE LA CONTRARREFORMA, 1560-1600

Durante el último tercio del siglo XVI la nobleza y las clases cultas españolas alcanzan una consolidación definitiva acorde con los nuevos ideales artísticos. La imagen del noble y del erudito se adaptan a las características que ya hemos estudiado en torno a la Monarquía, ya que son los mismos artistas quienes retratan a unos y otros, con la notable excepción de Dominico Greco. Por otra parte, el fenómeno más destacado es la aparición de una clase culta, cuyas realizaciones y actividades artísticas —coleccionismo, academias...— alcanzan ahora una notable importancia, pues son ellos los productores de la nueva teoría artística a la que ya nos hemos referido.

Desde el punto de vista del lenguaje artístico la dicotomía entre clasicismo —especialmente visible en el campo de la retratística y de la escultura funeraria— y la sofisticación manierista —coleccionismo, jardines...— es especialmente notable, continuando y acentuando una tendencia ya señalada. Sobre todo ello planea omnipresente el tema de la religión contrarreformista: los círculos sevillanos y toledanos, sobre los que mayor información poseemos, aparecen muy influidos, incluso en sus discusiones de mayor alcance erudito, por las cuestiones de tipo religioso y sagrado.

LA IMAGEN DEL NOBLE: RETRATO Y SEPULCRO

La progresiva afirmación de la clase social aristocrática incide de manera muy especial en el campo de la actividad artística. A partir de la segunda mitad del siglo, en un proceso que irá acentuándose conforme avancen los años, los nobles irán preocupándose cada vez en mayor medida por su propia imagen en un claro sentido emulatorio al proceso paralelo que estaba teniendo lugar en el mundo de la corte. De esta manera es, a partir de estas fechas, desde las que podemos hablar de aparición de un verdadero arte nobiliario completamente emancipado de contenidos religiosos; en el caso del retrato, se trata de verdaderas efigies exentas que no necesitan recurrir a la ficción del donante, ni a la inserción dentro de contextos religiosos, para adquirir su autonomía artística.

Ya el pintor florentino Benito Rabuyate (muerto en 1586) había realizado veinte años antes una serie de retratos, hoy perdidos, para el duque de Osuna en Peñafiel[1]; por otra parte, el mismo Juan de Juanes había retratado al señor de Bicorp, don Luis de Castellá, en una obra ya mencionada con anterioridad y que nos indica lo parejo que iban el interés por la propia imagen y los intereses culturales más avanzados: es a este personaje a quien Jorge de Montemayor dedica su *Diana*, comparándole en uno de los sonetos introductorios a Mecenas, protector de Virgilio, y a Alejandro, que gozaba con los poemas de Homero. Con todo, no será hasta las décadas finales del siglo cuando los retratistas de la corte y un artista excepcional como El Greco planteen el tema del retrato de manera nueva y original.

El Greco, que había ya dado buenas pruebas de ser un excelente pintor de retratos en Italia —véase, sobre todo, su retrato de Julio Clovio—, encontró en Toledo la clientela adecuada para sus aspiraciones

340. El Greco: Vista de Toledo. *Nueva York, Metropolitan Museum*

de pintor culto, erudito e intelectual. Los protectores toledanos de El Greco fueron, aparte de los mecenas eclesiásticos, toda una clase profesional y noble formada alrededor de la catedral y de la Universidad de Santa Catalina, fundada en 1485[2]. Personajes como Bernardo de Sandoval y Rojas, de cuyo Cigarral de Buenavista nos ocuparemos más adelante, los hermanos Covarrubias, don Jerónimo de Cevallos, el médico Rodrigo de la Fuente, don Rodrigo Vázquez de Arce, fray Hortensio Félix de Paravicino, el cardenal Juan de Tavera o Giacomo Bosio, fueron algunos de los retratados por el Greco, a los que habría que añadir los de caballeros desconocidos, como algunos de los del friso de *El entierro del señor de Orgaz* o los célebres del Museo del Prado o el *Caballero de la mano en el pecho*.

Todo ello nos ayuda a perfilar la imagen de Toledo y del propio pintor de manera definitiva. En las inserciones paisajísticas de algunas obras (por ejemplo, *San Martín partiendo la capa*) y en los paisajes exentos (Metropolitan de Nueva York [340], Casa de El Greco, Toledo), aparece claro el interés del pintor y de los propios toledanos por el ambiente urbanístico que les rodeaba. Se piensa que las dos obras fueron encargadas por don Pedro de Salazar Mendoza, administrador del hospital de San Juan Bautista, amigo de El Greco y coleccionista de mapas y vistas de ciudades[3], y constituyen dos excelentes testimonios de la imagen de Toledo a fines del siglo XVI, desde la particular óptica de El Greco. Si la versión de Nueva York se detiene con mayor interés en los aspectos paisajísticos, la de Toledo insiste en los topográficos, enfatizados por el plano que el muchacho enseña en la parte derecha del lienzo. Los elementos interpretativos son, sin embargo, abundantes en ambas obras y van desde una colocación no exacta de algunos edificios, hasta las apariciones celestiales y la Alegoría del Tajo que existen en el cuadro de Toledo, lo que ha hecho

341. El Greco:
Fray Hortensio Félix de Paravicino.
Boston, Museum of Fine Arts

que se hayan interpretado como cuadros emblemáticos y expresivos de un cierto orgullo ciudadano[4].

Es a la nobleza y clases cultas de esta ciudad —para la que presumiblemente pintaría una de sus últimas y más célebres obras, la única conservada de su mano de tema mitológico, el *Laocoonte*— a la que retrató en las obras mencionadas con anterioridad. Antonio de Covarrubias, humanista, amante de las antigüedades y letras griegas, al que El Greco quizá conociera en Roma, y su hermano Diego, catedrático de Derecho canónico en la Universidad de Salamanca, fueron retratados por El Greco por encargo de don Pedro de Salazar Mendoza; Jerónimo de Ceballos, jurista, era asiduo participante en la academia literaria de Francisco de Rojas y Guzmán, conde de Mora; fray Hortensio Félix de Paravicino [341], catedrático de Retórica de Salamanca, predicador de Felipe III, fue también poeta y entre sus obras más famosas están algunas dedicadas al Greco; el médico Rodrigo de la Fuente, gran amigo del pintor...; ésta era la clientela del artista a la que habría que añadir personajes clave para la Contrarreforma toledana como el cardenal Juan Tavera, también humanista y amante de las artes, uno de cuyos retratos poseía don Pedro de Salazar Mendoza y don Bernardo de Sandoval y Rojas[5], para el que pintó el que quizá sea su más impresionante retrato [342]. Este personaje que ocupó la sede toledana entre 1599 y 1618 es clave a la hora de comprender el humanismo contrarreformista toledano, fue retratado también por Luis Tris-

342. El Greco: Bernardo de Sandoval y Rojas. *Nueva York, Metropolitan Museum*

tán y construyó, como ya hemos dicho, el Cigarral de Buenavista.

No nos podemos extender ahora en el análisis de los restantes personajes con los que El Greco se relacionó (Alonso de Narbona, Gregorio de Angulo...)[6], pero con los relacionados nos podemos hacer una idea del mundo intelectual en que se movía, entre el que se encontraba parte de lo más selecto de la intelectualidad española. El Greco no resulta una personalidad aislada, preocupado por dotar a la profesión de pintor de un status intelectual que no era frecuente en la España de su tiempo. Prueba de ello es la visita que el culto Pacheco le hizo desde Sevilla y que el artista griego retratara a su hijo Jorge Manuel como pintor, exhibiendo con orgullo los instrumentos de su profesión.

Los retratos de El Greco participan del carácter austero y escueto común a la producción retratística europea del momento, pero siempre con ese toque suelto y ligero que había aprendido en Venecia y que lo alejaban de la escuela de la corte, muy influida por Antonio Moro: prueba de ello es, junto a las mencionadas obras, el magnífico retrato de Giacomo Bosio, fechado entre los años 1610 y 1614.

Con todo, la clase culta y aristocrática toledana no fue sólo retratada por El Greco. Luis de Velasco, Luis de Carvajal, Blas de Prado retrataron a cardenales y nobles; recordemos la importante serie de prelados existente en las salas capitulares de la catedral, obra, en parte, de los dos primeros y que Prado retrata, aún como donante, a don Alonso de Villegas en su *Sagrada Familia* de 1589 [252]. Por otra parte, el célebre Juanelo Turriano, del que nos ocuparemos más adelante, fue esculpido por Monegro en un famoso busto [355] y su efigie fue acuñada en una medalla por Jacomo Trezzo.

Otro centro cultural de enorme importancia fue Sevilla. Más adelante nos ocuparemos del sentido que allí adquieren las

academias y colecciones existentes; sólo recordaremos ahora cómo Pacheco realizó
un conocido *Libro de retratos*, donde dibujó
a lo más selecto de los artistas e intelectuales
de la ciudad, dándonos así idea de la importancia que la cultura adquiría en la ciudad.
De igual manera, y recogiendo una moda
italiana del momento, la decoración de casas y palacios se hacía a menudo por medio
de series de retratos. Todavía en el marco
íntimo de la decoración de libros habría que
señalar las miniaturas de los reyes de España,
realizadas por el toledano Hernando de
Ávila, autor de un tratado de pintura hoy
perdido, y ya en el campo de la decoración
de interiores recordemos que Argote de Molina encargó a Alonso Sánchez Coello en
el año 1571 una galería de retratos ilustres
con personajes de todas clases[7], y que el tercer duque de Alcalá tenía en su biblioteca
una galería de retratos familiares que un
inventario de 1751 atribuye a Tiziano, Pacheco, Céspedes, Roelas, Vargas, Durero,
Palma *el Joven*, Artemisa Gentileschi, etc.[8].
La idea de la antigüedad de la alcurnia y lo
antiguo de la nobleza, típica de la mentalidad aristocrática[9] está en la base de estas
series de retratos en que las familias querían
ver reflejada su historia. Algo parecido sucedía con los retratos al fresco que adornaban la Sala de linajes del palacio de don Álvaro de Bazán en el Viso del Marqués o en
la serie de retratos de sus antepasados que
Roland de Mois realizó para el duque de
Villahermosa en Aragón [343]; la fama de
Roland de Mois como retratista fue enorme,
pues «en aquel tiempo —afirma Jusepe Ma-
tínez— no se tenía por hombre de consideración el que no se hiciera retratar de su mano;
por ello se hallan infinitos (retratos); no se
dignó de hacer retratos de gente ordinaria,
teniendo a menos emplear sus manos en
semejante gente, aunque le pagaran, ni
tampoco ir a casa de ningún caballero por
principal que fuese, sino sólo en su casa los
retrataba: a las damas solamente iba, con

343. Roland de Mois: Alonso de Aragón,
primer duque de Villahermosa

mucha cortesía, a hacerlos a sus palacios
o casas». Palabras reveladoras no sólo del
valor social que en aquel tiempo tenía el
retrato, sino de una consideración más elevada del artista.

Los retratistas de la corte, por su parte,
amplían su idea del retrato, ya expuesta en
un anterior capítulo, al mundo de la nobleza
[344]. Ya hemos mencionado la serie de
Alonso Sánchez Coello para Argote de
Molina, si bien sus retratos para los nobles
no son muy abundantes. La pintura de

344. Taller de Sánchez Coello: Festín

Sánchez Coello, tan influido por Tiziano y, sobre todo, por su maestro Antonio Moro, tiene uno de sus mejores ejemplos en el *Retrato de caballero* de la colección Reig de Barcelona, obra que no tiene nada que envidiar a los mejores de sus retratos reales. Sabemos que Sánchez Coello retrató también al duque de Villahermosa, pero será sobre todo Juan Pantoja de la Cruz quien nos proporcionará la imagen más cabal de la nobleza española en el reinado de Felipe II, ya que casi todos los grandes personajes del momento fueron retratados por él. Por la relación de acreedores que poseemos[10] sabemos que lo más selecto de la nobleza le debía dinero por obras fundamentalmente retratísticas: don Baltasar de Zúñiga por cuadros como el retrato de Isabel Clara Eugenia, el marqués de Castel Rodrigo le debía «un retrato entero de mi señora la duquesa de Alcalá, su hija, vestida de blanco, que hice cuando se concertó el casamiento en 22 de noviembre de 1597», don Pedro de Portocarrero un retrato de Cristóbal de Osorio y otro de doña Antonia de Luna,

el marqués del Pozo, el suyo y los de sus hijas, así como varios el duque de Alcalá[11], a los que habría que añadir los de la duquesa de Braganza, su hermana doña Mariana, de doña Ana Mauricia, el padre Sigüenza, el del calatravo don Fernando de Toledo, etc., que configuran una impresionante galería de la nobleza española de finales del siglo XVI.

La pretensión de un retrato ennoblecedor se extiende a la nobleza local. Angulo atribuye a alguno de los maestros que realizaron las pinturas de la Generalidad valenciana, el retrato de la familia Vic de 1581[12], y conocemos también el magnífico retrato de don Francisco Gutiérrez de Cuéllar [345], atribuido por el marqués de Lozoya a Alonso de Herrera[13]. Junto a la idea de exaltación cultural, individual y genealógica que hemos visto sustenta el auge de la pintura de retratos en las décadas finales del siglo XVI hemos de señalar, para terminar con este aspecto, la existencia de retratos colectivos en los que la nobleza y las clases gobernantes se retratan como estamento.

El cuadro de Francisco de Mendieta que representa la *Jura de los Fueros de Vizcaya por Fernando el Católico* [14] es un verdadero retrato colectivo, en el que la nobleza vasca toma juramento al rey sentado debajo de un árbol y en el que no faltan elementos alegóricos [15]. De igual manera, Juan de Sariñena, Francisco Pozzo, Vicente Requena, Vicente Maestre, Matas y Sebastián Zaidía, pintaron en la Sala de la Diputación de Valencia los distintos estamentos o brazos de las Cortes (Militar-Eclesiástico-Real-Ciudades y Villas) en un tono convencional como corresponde a una pintura de carácter conmemorativo [16]. En estas obras la nobleza alcanza rasgo institucional, su imagen adquiere un nuevo rango por encima de intereses particulares y consigue una expresión pública, signo de su gran importancia en la vida del país.

Al igual que en el campo del retrato, la imagen que la nobleza española quiere transmitir en sus sepulcros como testimonio de perennidad se tiñe de contenidos solemnes y majestuosos, en claro síntoma de emulación de las grandes empresas artísticas de la Corona, sintetizadas en las obras de El Escorial.

La tipología sepulcral de estos momentos es muy variada y no ofrece novedades esenciales con respecto a épocas anteriores. Sí es de notar, sin embargo, una progresiva depuración estilística acorde con los deseos de sencillez y abstracción que dominaban el panorama artístico español: de ello es buen ejemplo una obra como el sepulcro de don Pedro de la Gasca [346], obra de Esteban Jordán, en la iglesia de la Magdalena de Valladolid, en el que al hieratismo de su figura se une la enorme simplificación de la cama de jaspe donde se acuesta, de la que ha desaparecido cualquier referencia decorativa o alegórica. Con ella logra Jordán su mejor obra en el campo funerario, ya que, tanto el sepulcro de don Álvaro de Mendoza (San José, de Ávila), como el Juan de Ortega (Sanc-

345. Alonso de Herrera: Francisco Gutiérrez de Cuéllar. *Segovia, catedral*

ti-Spiritu, Valladolid) se nos presentan llenos de vacilaciones y aun de imperfecciones.

Gran parte de estas estatuas se encontraban en capillas funerarias formando parte de un conjunto artístico más vasto. Como hemos visto repetidas veces a lo largo de este libro, era ésta una de las actividades artísticas más queridas por parte de los nobles, pues en ella veían reflejado tanto su prestigio como sus ansias de inmortalidad: es en este contexto donde hemos de comprender la aparición de estos temas escultóricos que tanto auge alcanzarán en estos momentos.

Desde este punto de vista cobran gran importancia ejemplos como la ya mencionada capilla de San Miguel en la Seo de Zaragoza, patronato de los Zaporta y con un retablo de Anchieta, la de Gutiérrez de Cuéllar en Segovia o, ya con estatuas funerarias, la capilla de don Suero de Quiñones en el monasterio de Nogales (León), pintada

346. Esteban Jordán: Sepulcro de don Pedro de la Gasca

por Cosme de Azcutia y escultura atribuida a Francisco de la Maza, que representa a don Suero y a doña Elvira de Zúñiga.

Estamos ante una de las más genuinas manifestaciones del arte en torno a los nobles, ante aquella actividad que, junto a la construcción y decoración del palacio, mejor definía la imagen de todo un estamento que pretende situarse por encima del resto de la población y parangonarse con el rey.

Frente al patetismo que había dominado la escultura funeraria de otros momentos, la majestad, como decimos, es el carácter que ahora caracteriza al género. Esta serenidad aparece en obras como el sepulcro de doña Catalina Cortés y doña Juana de Zúñiga en el convento sevillano de la Madre de Dios (1589, obra de Juan de Oviedo *el Mozo* y Miguel Adán), mientras que un sentimiento despreocupado y libre, casi cortesano, invade los bultos del obispo, obra de Leoni, y el del Inquisidor Corro [239], obra

de Bautista Vázquez, en San Vicente de la Barquera, en Santander.

Con todo, el sentimiento más característico en la escultura funeraria de este momento es el de emulación de la escuela cortesana; los mismos escultores de El Escorial (Leoni, Monegro) serán muchas veces requeridos para la realización de grandes obras sepulcrales para la nobleza. Monegro es el autor de los bultos del conde de Barajas, del inquisidor Soto, del canónigo Alonso de Rojas, en la Puerta de los Leones de la catedral de Toledo, y se le atribuye, sobre todo, el sepulcro de don Francisco Eraso y doña Mariana de Peralta en Mohernando (Guadalajara), obra que enlaza con la monumentalidad de las grandes realizaciones de Pompeo Leoni.

Es éste, en realidad, el artista que marca una escuela y que plantea un modo peculiar para la escultura funeraria en España. En 1577 firma el contrato para la realiza-

ción del gran monumento funerario de
don Fernando de Valdés [347], Inquisidor
General, en la colegiata asturiana de Salas;
la obra, de una enorme grandiosidad y sencillez, sin parangón en la escultura funeraria
de su tiempo, es un verdadero monumento
contrarreformista: una sobria arquitectura
de carácter clasicista sirve de marco a la estatua reclinada de don Fernando, que se
destaca sobre lo oscuro del nicho, acompañado de las alegorías de la Caridad y la
Esperanza en el cuerpo inferior y de las
cuatro virtudes cardinales en el superior,
todo ello coronado por la estatua de la Fe,
pisoteando a la Herejía. Era ésta una clara
alusión a las actividades del Inquisidor, a la
vez que un elemento ideológico típicamente
contrarreformista. Recordemos, como lo
hace Gilman Proske[17], que con ello se repite
la idea de la alegoría de «España sometiendo
a la Herejía» de uno de los arcos triunfales
levantados en Madrid en 1570.

Estamos en los antípodas del emocionalismo y de los sentimientos patéticos. Y, si
en la tumba de don Fernando de Valdés
todavía el elemento alegórico y aun el arquitectónico es muy importante, en la de Diego
de Espinosa, en Martín Muñoz de las Posa-
das, Leoni plantea el tema funerario en todo
su sentido escueto y sencillo: la arquitectura
se aplana, se desornamenta, se convierte en
pura referencia abstracta para transformarse
en simple marco de una estatua orante en
la que el recogimiento es el valor que predomina y los únicos elementos, escuetos, de
emoción son el rostro y las manos, que se
juntan en similar actitud a las de las tumbas
escurialenses.

En estas esculturas, Leoni propone un
tipo funerario de gran tradición cuyo desarrollo culmina en estos momentos y que se
verá repetido en bastantes ejemplos del arte
nobiliario. Ello sucede en obras como la
tumba de Antonio de Sotelo (1598-1601) en
la iglesia zamorana de San Andrés y sobre
todo en las estatuas en bronce de los duques

de Lerma o la de don Cristóbal de Rojas, verdadera culminación de la tendencia y que
fueron terminadas, ya en el siglo XVII, por
Arfe. Del éxito de las obras escurialenses
y de éstas, que pueden considerarse deri-
vados suyos, nos puede dar idea la repetición
del modelo en los más diversos lugares (Viso
del Marqués, Marqués de Poza...) que señalan, por su inferior calidad, el agotamiento
de todo un lenguaje, en el que la majestad
y el hieratismo corren el peligro de convertirse en frialdad y rigidez.

347. Pompeo Leoni:
Sepulcro de don Fernando de Valdés.
Iglesia de Salas

LA DECORACIÓN DEL PALACIO

En anteriores capítulos hemos ido viendo las distintas alternativas ideológicas que configuran el fenómeno de la decoración del palacio español del Renacimiento. Ahora, en las décadas finales del siglo XVI, estas tendencias actúan de una manera más decidida y en los escasos, aunque importantes, ejemplos conservados la huella del manierismo pictórico italiano es enormemente visible, como ya hemos notado que lo era en la decoración pictórica de los palacios reales.

La decoración palaciega, considerada como ilustración heroica a la vida del guerrero, tiene un buen ejemplo en las pinturas del palacio de Oriz, que narran los hechos de la guerra de Sajonia. Fechadas por Sánchez Cantón[18] hacia 1550 nos inclinamos a tratarlas en este epígrafe, pues se trata de un conjunto que actúa como puente o transición entre las manifestaciones heroicas del clasicismo ý primer manierismo y los grandes conjuntos pictóricos que, como los del Viso del Marqués, definen ciertos aspectos de la España finisecular.

Junto a algunos fragmentos de carácter religioso, el ciclo de Oriz [348] aparece dominado por el tema de la exaltación imperial; los sucesivos muros de las salas representan los siguientes temas: el socorro de Ingoldstadt, una vista de los dos campamentos enemigos, el avance del ejército de Carlos V, el comienzo de la lucha, el paso del Elba, la persecución del ejército de la Liga de Smalkalda y, por fin, la rendición del duque de Sajonia. Pero por encima de su contenido temático, queremos resaltar los aspectos formales del programa: se trata de un ciclo pintado al fresco, técnica, como sabemos, poco usual en España, que enfatiza su sentido narrativo merced a una presentación «objetiva» de la historia. Los episodios de la guerra de Sajonia aparecen narrados «tal cual», sin excesivas interpolaciones interpretativas de signo mitológico o alegórico.

Estamos ante el tema de la exaltación del héroe clásico, en este caso el emperador Carlos V, servido con los medios formales del manierismo clasicista; pero la propia extensión del ciclo y su concepción, como si de una historia continuada se tratase, nos hablan de una concepción nueva de la historia que tiende a la pura exaltación del héroe a partir de hechos concretos, en una idea que será continuada, años más tarde, en la sala de batallas del monasterio de El Escorial.

Unos años anterior al palacio de Oriz, el de Páez de Castillejo en Córdoba (hacia los años 40), plantea una decoración que vuelve a insistir en estos aspectos mítico-heroicos y en su portada, junto a esculturas que pudieran ser las de Alejandro Magno y Escipión, aparecen los bustos de Hércules y Teseo, uniendo una vez más el mundo histórico de la Antigüedad con el mitológico en una referencia al poseedor real de la casa en una obra realizada en 1543 por los escultores Francisco Jato y Francisco Linares[19].

Con todo, el ejemplo más completo y que nos ha llegado en mejor estado de conservación es el Palacio del marqués de Santa Cruz, que don Álvaro de Bazán mandó construir en el Viso del Marqués (Ciudad Real) a Giovanni Castello Bergamasco.

Con independencia de los problemas de tipología arquitectónica[20] nos centraremos en la consideración de su impresionante programa pictórico realizado por los italianos hermanos Peroli, Juan Bautista y Francisco, con la ayuda de Cesare Arbasía[21]. Ante el Viso del Marqués nos encontramos con el mejor ejemplo de un palacio español decorado a la moda manierista italiana. La totalidad de sus bóvedas y paredes se recubren de pinturas al fresco que no sólo ostentan un complejo programa iconográfico, sino también decorativo: los grutescos, tal como iba a suceder en El Escorial, recubren gran parte de los paramentos; estamos ante una variedad del grutesco puesta de moda en estos años por toda Italia y que

348. Pinturas del palacio de Oriz

349. Los Peroli:
Alegoría de las Partes del Mundo (detalle).
Palacio del Viso del Marqués

formaba parte esencial del repertorio decorativo de los grandes palacios de la Península junto a los ciclos propiamente significativos: cartelas, falsas arquitecturas, perspectivas fingidas, puntas de diamantes... configuran un repertorio que procedía, como decimos, de un gusto extendido en estos momentos a nivel europeo. En otras salas, la decoración se basa en la inserción de pinturas con temas arquitectónicos como son el del orden gigante que se abre sobre un fondo paisajístico, tal como sucedía en algunas villas italianas, recordándonos así el carácter no sólo heroico, sino también festivo que don Álvaro de Bazán quiso dar a su palacio.

350. Los Peroli: Salón de Linajes (detalle).
Palacio del Viso del Marqués

Con todo, el elemento predominante en las pinturas es la exaltación militar del marqués de Santa Cruz. De esta manera la galería baja representa las topografías —sacadas del *Civitates Orbis Terrarum*, de Braun y Hoefnagel— de los lugares en que intervino militarmente este personaje, junto a escenas de su vida bélica; un programa similar presenta la galería alta.

Quizá como símbolo del dominio universal del imperio español, al que servía don Álvaro, los ángulos de cada una de las dos galerías se decoran con bóvedas alegóricas de España, Italia, Francia, Turquía, Flandes, Indias, Alemania y Castilla [349], cada una de ellas flanqueada por figuras alusivas a cuatro ciudades de cada zona y bustos de personajes característicos. De igual manera, no faltan los retratos del marqués y su familia: el salón de los linajes representaba a don Alonso González de Bazán [350], fundador de la familia que se asoma por una galería al modo italiano, con su mujer y los descendientes primogénitos; la siguiente sala se dedica al fundador del mayorazgo, don Álvaro de Bazán, mientras que la denominada cámara de don Álvaro recoge el tema del asalto a la fortaleza de 1487, realizada por él mismo, flanqueado también por retratos familiares.

El palacio se concibe así como una exaltación del héroe y de sus antecesores desde el habitual doble punto de vista histórico y mitológico. Personajes de la historia romana —Escipión, Mucio Scévola, Hostio Hostilio, Mercio Curcio o Publio Horacio Cocles— que en la sala romana se ponen en relación con los Cuatro Elementos o figuras de la Biblia —David y Moisés—, se unen en un complejo programa mitológico.

Mientras algunos espacios aluden con claridad a las victorias militares del fundador (el zaguán se centra en la figura de Neptuno, con las figuras de la Navegación, la Victoria, el Poder, la Fuerza y las Alianzas, o la sala de Ulises), la escalera, quizá

351. Los Peroli: Pintura mitológica.
Palacio del Viso del Marqués

el ambiente más logrado del conjunto, sirve para la exaltación no sólo de don Álvaro, sino de su padre; mientras éste aparece en una estatua concebido como Marte, el hijo lo hace como Neptuno, aludiendo al dominio terrestre y marítimo que ambos habían ejercido en sus empresas respectivas, todo ello en un contexto dominado por escenas alusivas a Hércules y a los pecados capitales, que recogen el viejo tema de la lucha entre la Virtud y el Vicio, y el asunto de la fundación de Roma.

Por fin habríamos de añadir la presencia de salas con temas tomados de la mitología griega: Mercurio y Argos, la historia del rapto de Proserpina, la de Calixto y Arcas o los amores de Júpiter y Diana, completando así el principal ciclo pictórico de la España del manierismo y que sólo podría tener su paralelo en determinadas villas y palacios italianos [351].

Pero el tema del palacio y sus decoraciones no se reduce a una exaltación de hechos guerreros tal como aparece en los ejemplos que acabamos de citar. El palacio del marqués de Bazán posee un pequeño jardín que constituye un tema importante en la decoración del edificio, siguiendo con ello las pautas italianas de moda en Europa.

Desde este punto de vista resultan en gran manera interesantes las informaciones que nos suministran determinados viajeros de estos momentos. Enrique Cock, en la descripción del viaje de Felipe II nos habla de la existencia de villas en diversas ciudades españolas, como la que en Zaragoza poseía Antonio Palavicino, natural de Génova, en la que se alojó el mismo rey[22], o las existentes en Valencia, donde había «muchos edificios galanes de fábrica» que poseen «muy lindas huertas, entre las cuales es la del conde de Cocentaina y del obispo de Segorbe y otros infinitos»[23]. Pero lo que a nosotros nos interesa, más que constatar el gusto por rodear la casa de elementos naturalistas, es precisar las decoraciones de estos lugares. El mismo Cock, refiriéndose al huerto de El Real de Valencia, describe así los elementos de Ars Topiaria allí existentes: «Tiene asimismo lindas huertas, y en una dellas hechos cavalleros de verduras, que rompen la lanza, y otros diversos animales fechos de mirtho...»[24].

Por su parte el viaje por España de B. Yoly nos aporta nuevos datos acerca de la decoración de los jardines. Si en Valencia nos los describe hechos en terrazas y en Calatayud alude a las fuentes de algunos de ellos[25], cuando se refiere a jardines de la región catalana atiende a la importancia que en ellos cobraban las decoraciones arqueológicas. Hablando de determinados jardines de Barcelona, y tras describir el lujo, la frondosidad y la abundancia de especies frutales existentes en los mismos, menciona ciertas fuentes colocadas en la ciudad «où sont de belles inscriptions antiques, ausquelles je ne voulus toucher parce qu'elles sont difficiles a lire et qu'elles se trouvent dans Antonius Agustinus au IX Chapitre qu'il a fait sur les medailles»[26]. Y más adelante, al describir su estancia en Tarragona insiste sobre este mismo fenómeno que alcanza no sólo un valor urbano, como en Barcelona, sino también otro más íntimo en la decoración de jardines particulares: «La ville —dice— sera de mil habitans, très antique, comme apert par touts les maisons et jardins particuliers, embellis de statues, inscriptions romains et medaillons, trouvées sur le lieu au plus grand nombre qu'autre d'Espagne. Ils ont revesti un boulevart tout de ces pierres antiques...»[27]. De esta manera se nos aparece clara la importancia de la erudición arqueologista a la hora de decorar unos jardines resaltando así el nuevo valor que adquiere la cultura en el contexto de las artes plásticas.

El ya citado Cock, a su paso por Guadalajara, al señalar el estado semirruinoso del palacio de los duques del Infantado, resalta las obras de reconstrucción que en la zona de poniente realizaba el quinto duque don Íñigo López de Mendoza entre 1569 y 1585[28] y que lo estaban convirtiendo en un edificio «muy adereçado de pinturas, estatuas, fuentes y huertos»[29]. En efecto, conocemos por los documentos publicados por Laína algunas de las vicisitudes en la construcción de esta parte del palacio —la galería de Poniente— y de la decoración de los jardines. Pero lo que más nos interesa destacar ahora es la importante decoración pictórica que Rómulo Cincinato —el pintor italiano, que también realizó en Guadalajara las pinturas murales de la capilla de don Luis de Lucena— concibió en esta zona del palacio. Cincinato era uno de los artistas italianos traídos por Felipe II para la decoración de El Escorial, y entre 1578 y 1580 recibió permiso del rey para servir al quinto duque del Infantado en el adorno de su palacio [352]. Se trata de uno de los pocos palacios españoles que, siguiendo la moda europea, se decora con frescos de escenas históricas, mitológicas y decoraciones al grutesco. El programa de Guadalajara contiene una sala con la representación de Cronos y los doce signos del Zodiaco, una gran sala con figuraciones de batallas, otra con representaciones cinegéticas a base de escenas extraídas de la leyenda de Diana y Apolo, junto con dos pequeñas salas más con abundantes imágenes mitológicas, decoraciones al grutesco y los escudos de don Íñigo López de Mendoza y su mujer doña Isabel Enríquez. El ciclo, inspirado en Ovidio desde el punto de vista iconográfico, y en los grandes conjuntos italianos, desde el formal, nos vuelve a proponer, si bien no con la complejidad de alusiones que hemos visto en el Viso del Marqués, el tema del palacio del guerrero: el programa se agrupa en torno a la gran sala de batallas, incidiendo en el contenido heroico, al que habría que añadir la importancia del tema de la caza (Diana), como actividad propia de la nobleza en la que se sublimaba, en forma lúdica y placentera, el ansia bélica del estamento aristocrático.

Como en el Viso del Marqués, la decoración al grutesco cobra una importancia extraordinaria. En Guadalajara las paredes de dos pequeñas saletas ovaladas se cubren en su totalidad con estos elementos decorativos, que proporcionaban, como en El Escorial, un entorno agradable y con fuertes resonancias naturalistas. La decoración del palacio contenía en sí misma la dualidad típicamente manierista entre la referencia al tema heroico y las alusiones a los elementos de placer y diversión. No hemos de olvidar que el palacio constituía, como en momentos inmediatamente anteriores, el escenario favorito de fiestas y diversiones, que ahora alcanzan una progresiva complejidad.

De esta manera el citado palacio de Guadalajara fue escenario de los desposorios y subsiguientes fiestas de Felipe II e Isabel de Valois el año 1560, cuando todavía no se habían comenzado las reformas a las que nos acabamos de referir; en esta ocasión la munificencia del duque se mostró en el hecho de que repartiera «entre las personas reales y damas del palacio y señores corte-

352. Rómulo Cincinato: Sala de la Caza. *Guadalajara, Palacio del Infantado*

sanos joyas y preseas de gran valor»[30], virtud que se vio aumentada años más tarde con motivo de las bodas de la heredera del duque el 20 de enero de 1582, cuyas fiestas se prolongaron durante una semana.

Estas fiestas eran ocasión de mostrar la idea de lujo y sofisticación cortesana. Cock nos narra cómo en un palacio zaragozano se exhibieron las tapicerías de la conquista de Túnez por Carlos V con motivo de la visita de Felipe II[31], mientras que en esta misma ocasión de 1585 el duque de Saboya regaló al rey diez piezas de cristal engastadas en oro, a su mujer una cinta, frontal y zarcillos, a doña Isabel, un diamante y una careta de cristal adornada de oro y joyas y al príncipe «una galera de cristal con los instrumentos pertenecientes a ella de oro fino muy bien labrados»[32], buena muestra del progresivo refinamiento y sofisticación que habían alcanzado las clases aristocráticas españolas.

Prueba de ello es, por fin, la fiesta ofrecida por la nobleza catalana al mismo Felipe II en este viaje de 1585. En un palacio situado junto al mar se fabricó una máquina de fuegos artificiales a base de carros que culminó en otra realizada a base de cuatro castillos, coronado el primero por un pelícano, el segundo por una mujer rodeada de tres serpientes «entre las cuales conté cincuenta y tres bocas que echaban todas fuego», el tercero por una pirámide, y el cuarto y mayor que «en lo más alto tenía un Cupido con su arco en la mano»[33].

Nos encontramos ante uno de los mejores ejemplos españoles de lo que podríamos denominar «maravilloso manierista» y que, una vez más, introduce determinados aspectos de la cultura y el arte español del Renacimiento dentro de las más avanzadas corrientes europeas del momento. Si la decoración de palacios y jardines se adscribe en estos momentos al movimiento manierista internacional, lo mismo hemos de decir de las fiestas y decoraciones aristocráticas. La culta sociedad española de la Contrarreforma encontraba así desahogo a las rigideces de una religión dogmática vivida intensamente, religiosidad que, como veremos de inmediato, no dejaba de aparecer incluso dentro de escenarios a priori no reservados para ella.

LA IMAGEN ARTÍSTICA DE LA CULTURA Y LA ERUDICIÓN Y EL NUEVO SENTIDO DEL COLECCIONISMO

Dentro del estudio que venimos realizando de los problemas de la imagen profana en la España de la Contrarreforma fuera de los contextos cortesanos, quizá el hecho más significativo sea la importancia que la propia cultura tiene en los programas artísticos

y en las actividades coleccionistas de ciertos nobles. Por vez primera la erudición y las actividades intelectuales se consideran dignas de ser reflejadas en los programas pictóricos y ello es signo indudable de la importancia que estaban adquiriendo en el panorama español.

Desde este punto de vista habría que considerar una vez más el tema de la decoración del jardín y de la residencia campestre, considerados ahora no sólo como lugares de juego y diversión, sino también de retiro y meditación. En el ya varias veces mencionado estudio de Lleó sobre el humanismo sevillano se recogen cantidad de noticias sobre este problema, así como gran número de referencias literarias que ayudan a reconstruir el ambiente cultural en donde tuvieron lugar estas manifestaciones. Personajes como Diego López de Cortegana, el arcediano del Alcor, traductor de Erasmo y otros autores, mecenas del escultor Miguel Florentín, el bachiller Peraza o Hernando Colón, encontraron en la vida en el campo el lugar ideal de sus meditaciones y esfuerzos intelectuales; y lo mismo podríamos decir de hombres de la talla del poeta Francisco de Rioja, del estudioso Benito Arias Montano o del marqués de Tarifa. De entre todas, destacaremos villas como la denominada *Bellaflor*, elegida por Felipe II para residencia en su visita sevillana de 1570 y que Mal Lara describe así: «... entrando en las salas es gran deleite quan acompañadas de cosas (está) en que se emplea la vista... de cerca se ofrescen tablas y lienços y retratos que al entendimiento dan diversas consideraciones, preguntando o declamando lo que cada uno se muestra...»[34]. Y el mismo Mal Lara al referirse a otra villa, la *Florida*, narra cómo se decoraba con «pinturas artificiosas».

Como decimos, estas villas y jardines se utilizaban no sólo como lugares de reposo, sino también con finalidades de trabajo intelectual. Así sucedía en la villa de la

Peña de Martos, construida para el erudito Arias Montano —bibliotecario de El Escorial—, donde se realizó «una gran fuente y la adornó de mármoles»[35] y, ya fuera del culto ambiente sevillano, en ciertos cigarrales toledanos.

Uno de los más suntuosos de entre ellos era el construido para el cardenal Quiroga, descrito por el padre Mariana en sus *Siete Tratados*[36]. De que en esta finca nos encontramos ante un lugar de reposo y retiro espiritual nada es mejor prueba que las decoraciones pictóricas que se conservan en el edificio: temas de carácter bíblico, como la llegada del Espíritu Santo, vienen a demostrarnos la importancia de la religión en un contexto campestre como es el del cigarral, en un amplio ciclo pictórico recientemente atribuido a Blas de Prado[37]. Martín Gamero, en su estudio acerca de los cigarrales de Toledo, insiste en el carácter de retiro intelectual que éstos poseían, corroborado por las actividades que allí se realizaban; sabemos que el canónigo Juan de Vergara, helenista y filósofo, ya sostenía a principios de siglo una tertulia literaria en el cigarral denominado *Morterón* «suntuosamente adornado»[38] y, ya en la época que ahora tratamos, don Bernardo de Sandoval y Rojas fundó el más suntuoso cigarral que pueda pensarse, el de *Buena-Vista*, repleto de fuentes, estatuas, laberintos, representaciones heráldicas, jeroglíficos (el león, el águila, el elefante...) e imágenes talladas de Narciso, Adonis, Venus, los Vientos, etc., que culminan en el denominado jardín del Norte:

en cuya fuente dond'está su corte
labro l'arte solicita y maestra
de las aguas al dios cerúleo y frío
con noble señorío[39].

De todas maneras es en la decoración de algunos palacios sevillanos donde las preocupaciones eruditas de las élites intelectuales nos han llegado con mayor claridad.

Se trata de ciclos tardíos, algunos del ya iniciado siglo XVII, pero que constituyen el mejor testimonio conservado de la importancia que el humanismo renacentista había adquirido en la España del siglo XVI. En la Casa de Pilatos sevillana, el pintor Francisco Pacheco realizó una grandiosa *Apoteosis de Hércules* [353] en el que el héroe triunfa sobre las imágenes de Perseo, Pegaso, Faetón, Dédalo e Ícaro, Ganimedes y Astrea: mientras estos últimos ejemplifican distintos estadios en la idea de fracaso para conseguir sus sucesivas aspiraciones, sólo Hércules triunfa en sus deseos, por lo que es elevado a la gloria.

Otro de los ciclos, atribuido a Mohedano[40], con representaciones de Juno, Júpiter, Diana, Apolo, Venus, la Fama, Marte, Ganimedes, Ceres, Medea..., ha sido interpretado como otra escena de apoteosis que alegoriza, desde un punto de vista pagano, el viaje «astral» del alma bienaventurada[41]. Por fin, otro tercer ciclo se centra en torno a la figura de Prometeo, símbolo precisamente de la capacidad intelectual e investigadora del hombre.

De esta manera la figura de Prometeo viene a iluminar una visión global de estos tres programas al exaltar el valor positivo que al cultivo de la inteligencia y los valores intelectuales se daba en los sofisticados salones de los duques de Alcalá. Entroncados figurativamente con Hércules, varón sabio y virtuoso por excelencia, y concibiendo el viaje de las almas bienaventuradas hacia la divinidad desde una perspectiva laica y pagana, el saber intelectual se colocaba bajo la advocación en cierta manera trágica de Prometeo. Y si de ahí pasamos a la consideración del similar ciclo existente en la casa del poeta Arguijo [354], interpretado por Lleó como una alegoría del poeta y del artista como «vir melancolicus» a la manera típica del Renacimiento, comprenderemos el valor de alto refinamiento a que se había llegado en las especulaciones intelectuales de la Sevilla del humanismo[42].

353. Francisco Pacheco: Apoteosis de Hércules

354. Frescos de la casa del poeta Arguijo. *Sevilla*

Así la decoración de los palacios comienza a convertirse más que en el reflejo de las actividades bélicas y heroicas de su posesor, en el de sus actividades intelectuales. Casos como las decoraciones en casa del poeta Arguijo nos permiten hablar ya, antes que del palacio del guerrero, de la idea del palacio como casa del intelectual, en una significativa inflexión que, sin embargo, la Contrarreforma había de cortar de raíz. Pero antes de que esto suceda todavía habremos de referirnos a otros fenómenos que nos ayuden a completar el complejo fenómeno de la España de fin de siglo.

Ya hemos mencionado en anteriores epígrafes la existencia de verdaderos jardines arqueológicos en los que tenían asiento inscripciones y restos de estatuas de la antigüedad clásica. De igual manera, a lo largo del presente libro hemos ido haciendo referencia al valor progresivo que esta antigüedad había ido adquiriendo en la sociedad culta de la España del Renacimiento; de todas maneras, a fines del siglo XVI este interés alcanza un contenido cada vez más preciso, riguroso y erudito. De esta manera sabemos que en esta época Francisco Llançol de Romaní, estudioso valenciano, recorrió España copiando inscripciones romanas, o que Juan Martín Cordero tradujo la Enciclopedia Numismática de Guillermo Rovelio[43]. Estas dos actividades, la anticuaria y la numismática, están en la base de ciertas colecciones y en la actividad de eruditos que trataremos de inmediato.

De entre ellos quizá el más conocido sea el canónigo Antonio Agustín, ya mencionado anteriormente en la cita de Cock por nosotros recogida, y que en 1587 publica en Tarragona su célebre *Diálogo de medallas, inscripciones y otras antigüedades;* en él comienza constatando el interés que estas actividades despiertan en muchas personas: «... yo he visto muchas personas —dice— deleitarse de tener muchas antiguallas y gastar en comprarlas muchos reales y entender

muy poco dellas...»[44]. Al tratar de describir y clasificar estas medallas le guía, pues, un principio pedagógico que, como más adelante sostiene, ha de basarse en el estudio de la antigüedad, pues, en su opinión, tanto los pintores, como los escultores, plateros y medallistas «se pueden aprovechar de los antiguos en mucha manera...»[45].

Un mismo interés arqueológico guió a Ambrosio de Morales a publicar en Alcalá de Henares en 1575 sus *Antigüedades de las ciudades de España*, concebida como continuación de la crónica de Florián de Ocampo. Al comienzo del libro se dice: «Por muchas causas se ha desseado en España una muy cumplida y copiosa historia de las cosas antiguas que passaron por ella en tiempo de los Romanos, y por ninguna sin duda más clama, que porque se entiendan bien los nombres y sitios antiguos de las ciudades...»[46].

Estamos en ambos casos ante el mismo fenómeno de un acercamiento anticuario y rigorista a la antigüedad clásica. Si Antonio Agustín había trabajado en Roma en los más sofisticados círculos culturales, y cita en su obra a hombres como Pirro Ligorio, Huberto Golzio o Iacopo Stradanus, Ambrosio de Morales era uno de los intelectuales de los que se sirvió Felipe II para sus amplios planes de un conocimiento riguroso de la historia y de la realidad de la España de su tiempo: no hemos de olvidar que era sobrino de Fernán Pérez de Oliva, ya mencionado varias veces a lo largo de este libro, que en Córdoba, su ciudad natal, había trabajado en la biblioteca de Francisco Argote, punto de reunión de lo más brillante de la intelectualidad de la ciudad y que, en buena muestra de su interés por el arte, menciona *El carro del heno* del Bosco en su traducción a la *Tabla de Cebes*[47]; y no olvidemos, por fin, que es también autor de un documentado *Viaje a León, Galicia y Asturias*, punto de partida para la revalorización de ciertos aspectos de nuestro pasado medieval[48].

Pues bien, como decimos, este interés erudito está en la base ideológica de las grandes colecciones de medallas y antigüedades que florecieron en la España de fines del siglo XVI, y que es uno de los fenómenos que mejor nos ayuda a configurar el gusto estético de una época. El mismo Agustín, poseedor de una notable colección, nos refiere los precedentes de este gusto, al mencionar a Felipe de Guevara —el tratadista tantas veces mencionado— y a don Diego de Mendoza: «y destas (medallas) yo he visto muchas, aunque no uviere visto sino las de don Philippe de Guevara, que son las más escogidas y diversas que creo en España se han juntado. Por que entendía mucho dellas aquel cavallero, como lo manifestara a lo que dellas dexo escrito, quando salga en publico... y el aver sido muy señor mio y amado me mucho, me dio mucha parte en esta su riqueza de monedas, mientras bivio. También el señor don Diego de Mendoça, me dio con muy señalada liberalidad todas las medallas antiguas, que tenía, con nombres de las ciudades de España...»[49].

De igual manera sabemos de la existencia de colecciones de antigüedades en Sevilla como la de Gonzalo Argote de Molina, la de Francisco Medina, la de Gonzalo Martel, duque de Medina Sidonia y, sobre todo, la del primer duque de Alcalá, poseedor de una de las mejores colecciones de antigüedades clásicas y modernas continuada, y extraordinariamente ampliada, por su descendiente el tercer duque ya a principios del siglo XVII: monedas y medallas formaban parte de ella, presidida por ocho lienzos pintados por Juan Vázquez y que representaban las artes liberales[50].

El ya citado quinto duque del Infantado poseía una amplísima armería[51], pues este género de obras era también objeto de coleccionismo; pero, sin duda, de la colección que más y mejor documentación poseemos es de la del duque de Villahermosa y conde de Ribagorza, don Martín Gurrea y Aragón[52], cuyo interés por el arte ya hemos mencionado anteriormente. Don Martín Gurrea reunió en su palacio una extensa colección de obras antiguas y modernas, predominantemente esculturas, aunque no debamos olvidar cómo entre sus pinturas, además de la mencionada galería de antepasados, colgaban obras de tanta calidad como *El rapto de Europa* de Tiziano. Con todo, como decimos, el interés del duque se centraba en su colección de estatuas a la que describe pormenorizadamente en su obra *Discursos* para la que, como él mismo confiesa, le sirvió de modelo el *Discours sur la religion des anciens romains*, publicado por Guillaume Choul en Lyon el año 1556. El interés del duque por su colección sobrepasa el estético y aun el de mero prestigio, pues, en realidad, gran parte de su discurso es una historia de la religión romana a la que sus estatuas sirven de imagen; los fines culturales e intelectuales de sus tesoros se nos aparecen así con claridad y son un ejemplo más del despertar cultural de las altas capas sociales españolas.

No debemos olvidar los viajes de Martín Gurrea para comprender la formación de su gusto. Embajador en Roma en 1556, había acompañado a Felipe II en alguna de sus estancias en los Países Bajos; por ello no ha de extrañarnos que varias de las obras de su colección, como la cabeza de un niño o un sátiro de bronce, le fueran enviadas por Antonio Perrenot, cardenal Granvela, o que de Italia procedieran una estatua de Pompeyo, obra de Juan Bautista Bonassone (el mismo autor de ciertas estatuas para el jardín real de la Casa de Campo) y que mandara al mismo copiar otra de Julio César. El interés arqueológico del duque es claro al comprobar la procedencia de otras de las obras: un Adriano en mármol, hallado en Tarragona; un vaso de Baco en La Coruña; un toro de bronce en Villahermosa; un caballo del mismo material en Gerona u otra estatua de sátiro encontrada cerca de Soria y regalada por el conde de Morata; viene a confirmarnos este interés la consulta que sobre el vaso de bronce hizo el duque al erudito Antonio Agustín[53].

Junto a este coleccionismo de tipo arqueológico se extiende de igual manera el gusto por la pintura profana y por el denominado coleccionismo ecléctico. El ambiente de los artistas y hombres cultos de Sevilla a fines del siglo XVI es muy ilustrativo al respecto: sabemos que Pedro Villegas Marmolejo donó a Arias Montano su colección de pinturas[54], donde se encontraban obras como un Apolo, una Diana, un Ganimedes o una «Venus sobre las armas y su hijo dormido», realizadas por el mismo Villegas. Igualmente se ha recordado el encargo que Argote de Molina hizo a Sánchez Coello de una serie de retratos y «fábulas» y el que recibieron Francisco Pacheco y Miguel Vázquez del caballero Hernando Díaz de Medina para realizar toda una serie de pinturas mitológicas[55], contratos que podrían culminar con el que Miguel Vázquez firma con el toledano Gonzalo de la Palma Hurtado para realizar mil retratos de figuras profanas o con los encargos del duque de Villahermosa al flamenco Pablo Scheppers, para que le copiara pinturas de Tiziano de tema mitológico y otras de su invención dentro de la misma modalidad[56]. Todo ello es bien significativo del verdadero panorama artístico de nuestro país a fines del siglo XVI, en el que el gusto por los elementos profanos y humanistas convivía sin problemas con la mentalidad religiosa de la Contrarreforma; y la misma ciudad que costeaba empresas como la decoración de las salas capitulares de la catedral o la custodia en plata de Arfe, llenaba sus palacios de pinturas profanas de tema mitológico o alegórico.

Otro de los grandes coleccionistas del momento es el secretario de Felipe II Antonio Pérez, poseedor de una finca de recreo en los alrededores de Madrid denominada La Capilla, adornada con tapices que narraban escenas de *La Vida de Abraham* y paneles con episodios de la *Eneida*. Junto a ello Pérez instaló bustos y medallones con representaciones de los Emperadores y una prodigiosa colección de pinturas de retratos, mitológicas, alegóricas y religiosas, de los autores más prestigiosos en la Europa del momento, como Tiziano o Correggio, del que poseía nada menos que la serie de *Cupido, Dánae, Leda* y *Ganimedes*, hoy dispersa en varios museos, de la que Rodolfo II de Austria adquirió tres cuadros[57].

Pero no acaba aquí la modernización del gusto de ciertas élites españolas. Junto a este coleccionismo erudito y académico y al placer por rodearse de pinturas de tema profano, la atracción por lo que podemos denominar «maravilla manierista» hace también su aparición en estos años.

Ya en las primeras décadas del siglo XVI, Cristóbal de Villalón, en su *Diálogo* acerca de la superioridad entre lo antiguo y lo moderno, había llamado la atención, junto a los principales artífices y personajes del momento, por un tema que se convertirá en típico del manierismo: el de las figuras articuladas movidas por artificios mecánicos: «Qué cosa —decía Villalón— puede aver de más admiración que aver hallado los hombres industria como por vía de unos reloxes, que unas ymágines y estatuas de madera anden por una mesa sin que ninguno las mueva, y juntamente, andando, tañan con las manos una vihuela, o atabal, o otro instrumento, y vuelba una vandera con tanto orden y compás que un hombre bivo no lo pueda hazer con mas perfection?»[58]. Y el mismo autor continúa relatando otro artificio maravilloso, especie de teatro donde por medio de un reloj se representaba el Nacimiento de Cristo o los autos de la pasión[59].

Estos signos que, según Villalón, nos indican la superioridad de los tiempos nuevos sobre los viejos, no son sino un precedente de la moda que por estos objetos se extendió por la Europa de fines del siglo XVI. Y, una vez más, España no podía ser menos: sabemos, por ejemplo, de la existencia, a fines de siglo, de un relojero madrileño llamado Melchor Díaz a quien el marqués de Távara le encargó una muñeca automática y bailarina que representaba una ninfa, encargo que se repite en 1597 por parte de Gaspar de Porres, director de comedias[60]. Pero en este campo destaca sobre todas la figura de Juanelo Torriano [355], ingeniero italiano al servicio de la casa real española y uno de los mejores ingenios de su tiempo del que Esteban de Garibay había dicho que «era geómetra y astrólogo tan eminente que, venciendo los imposibles de la naturaleza, subió contra el agua hasta el Alcázar de Toledo y hizo que los movimientos de los cielos y contracursos de los planetas se gozasen en sus reloxes, admirable maravilla»[61]. Torriano no fue sólo el autor del célebre artificio mencionado por Garibay y prolijamente descrito por Ambrosio de Morales[62], sino de prodigiosos relojes y figuras automáticas, como la de un molino de hierro de diminuto tamaño, capaz de moler dos celemines diarios y que podía separar la harina del salvado, la del Hombre de Palo, muñeco que, al parecer, iba todos los días desde su casa hasta el palacio arzobispal para recoger la comida y la de «una dama de más de una tercia en alto, que puesta sobre una mesa danza por toda ella al son de un atambor que ella misma va tocando, y da su vuelta, tornando a donde partió; y aunque es juguete y cosa de risa, todavía tiene mucho de aquel alto ingenio»[63].

Como decimos, el tema de los autómatas nos introduce en el ambiente de lo «maravilloso» o «prodigioso» manierista que ya hemos visto aparecer en el apartado de la decoración de los jardines. Ello nos induce a hablar, para terminar el epígrafe, de un último género de coleccionismo, el ecléctico, quizá una de las manifestaciones que mejor definen el espíritu y el gusto cortesano del

355. Juan Bautista Monegro: Busto de Juanelo Torriano. *Toledo, Museo de Santa Cruz*

manierismo tardío[64]. Desde este punto de vista, y con anterioridad a la cámara de maravillas española más conocida, la que en Huesca formó Vincencio Juan de Lastanosa[65], hemos de señalar cómo en España existían, con relativa abundancia este tipo de manifestaciones.

Como sabemos, las cámaras de maravillas eran reuniones de objetos de la más diversa procedencia en la que tenían cabida, junto a obras artísticas, curiosidades y rarezas de la naturaleza, objetos preciosos, joyas, armas, instrumentos musicales, etc. Base de ello era una concepción científica de carácter mágico, teñido de irracionalismo[66], pero que no por ello se situará al margen del concepto moderno de la ciencia.

Un hecho como el descubrimiento de América resultó decisivo a la hora de valorar ciertos objetos raros y exóticos y no vistos hasta el momento[67]; los gabinetes naturalistas que fomentaba Felipe II en sus palacios y jardines así lo demuestran, de igual manera que algunos otros existentes en nuestro país. Concretamente habremos de destacar el del sevillano doctor Nicolás Monardes, fundador en Sevilla de un museo de Historia Natural repleto de curiosidades; el mismo personaje en algunas de sus obras había destacado el valor de la rareza —esencial en estas colecciones— que tenían los objetos venidos de América: «(Tras el descubrimiento) se han hallado cosas, que jamas en estas partes, ni en otras del mundo, han sido vistas, ni hasta oy sabidas...»[68], para pasar más adelante a destacar la cantidad de piedras preciosas —oro, plata, turquesas, esmeraldas, perlas...—, pájaros exóticos o maderas finas, que de allí procedían.

De ello la sociedad española hacía un doble uso desde el punto de vista estético: o bien las joyas se aderezaban o incluían como elemento esencial en la moda —recordemos los retratos de Sánchez Coello o Pantoja de la Cruz— o bien se insertaban en estas colecciones de arte y maravillas. De ello tenemos dos ejemplos poéticos en sendos sonetos de Góngora de principios del siglo XVII: se trata de los denominados «De las pinturas y relicarios de una galería del Cardenal don Fernando Niño de Guevara» y «Al Conde de Villamediana, celebrando el gusto que tuvo en diamantes, pinturas y caballos»[69], buen indicio del gusto por estas cámaras de tesoros a que tan aficiona-

dos eran parte de la nobleza europea en el tránsito entre los dos siglos. Recordemos al respecto cómo en un diamante tallado por Jacopo da Trezzo para el príncipe don Carlos se resaltaban precisamente las cualidades de exotismo, al afirmarse que «por su color, su brillo y todo lo que puede entusiasmar a la vista este diamante no cede en nada a ninguno de los diamantes orientales»[70].

Si el poema gongorino dedicado a don Fernando Niño de Guevara alude a una galería de retratos de tipo religioso, la que Argote de Molina poseía en su cámara de maravillas, realizada por Sánchez Coello, se centraba en los temas mitológicos y en grandes personajes de su momento, y se colocaba bajo la advocación de una empresa tomada del libro de Ruscelli *Le Imprese Illustri* (Venecia, 1572), y que el *Libro de retratos* de Pacheco describe así: «(había allí) raros i pelegrinos libros de ystoria impresas y de mano, luzidos y estraordinarios cavallos de luzida caça y vario pelo y una gran copia de armas antiguas y modernas que, entre diferentes cabeças de animales i famosas pinturas de Fábulas i retratos de insignes ombres de mano de Alonso Sánchez Coello hazían maravillosa correspondencia»[71].

De esta manera, entre la erudición y la maravilla, el lenguaje clasicista y la sofisticación del manierismo, se define el complejo gusto de una aristocracia convertida en uno de los pilares básicos de la sociedad estamental y que trataba de encontrar una imagen propia, diferenciada del mundo de la religión y claramente emuladora de las realizaciones cortesanas.

NOTAS

CAPÍTULO 1

1. Hoy la obra se encuentra situada en la capilla del Santo Cáliz de la misma catedral.
2. Véase Gudiol Ricart, «Pintura gótica», *Ars Hispaniae*, IX, Madrid, 1955, págs. 235 y ss.
3. Gudiol, *op. cit.*, pág. 54; César Pemán, *Juan Van Eyck y España*, Cádiz, 1969, págs. 50-52; V. de Sambricio, «Luis Dalmau et Jean van Eyck», *Cahiers de Bordeaux*, 1954, págs. 27 y ss.
4. César Pemán, *op. cit.*, pág. 54; Post, VII, pág. 1.
5. A. del Bosque, *Artisti italiani in Spagna dal XIV secolo ai Re Catolici*, Milán, 1968. Y así el miniaturista Gabriel Altadell ilustró con destino a la biblioteca real obras como el *Tratado Gramatical* de Guarino de Verona (1450), el Códice con obras de Bartolomé Facio (1450) o la *Etica* de Aristóteles (1457). Véase Domínguez Bordona, *Minia tura*, *Ars Hispaniae*, XVII, Madrid, 1958, pág. 21.
6. Sobre este problema, considerado en sus aspectos generales, véase V. Nieto y F. Checa, *El Renacimiento. Formación y crisis del modelo clásico*, Madrid, 1981, páginas 45-54.
7. Véase Gudiol Ricart, *op. cit.*, págs. 244-45; E. Tormo, *Jacomart y el arte hispanoflamenco cuatrocentista*, Madrid, 1913.
8. Véase César Pemán, *op. cit.*
9. Véase Juan de Salazar, «El origen flamenco de Gil de Siloé», *A.E.A.* (1946), págs. 228-242, que discute la tesis acerca del origen no flamenco del escultor sostenida por Wethey y confirma la de Gómez Moreno, por medio de argumentos filológicos basados en su apellido; véase también Wethey, *Gil de Siloé and his School*, Cambridge, 1936.
10. Véase F. Pérez Embid, *Pedro Millán y los orígenes de la escultura en Sevilla*, Madrid, 1973.
11. E. Tormo, «Bartolomé Bermejo, el más recio de los primitivos españoles. Resumen de su vida, de su obra y de su estudio», *A.E.A.A.* (1926), págs. 11-94.
12. Gudiol Ricart, *op. cit.*, págs. 261-266.
13. E. Young, *Bartolomé Bermejo*, Londres, 1975. Sobre este pintor véase también H. Friedmann, *Bartolomé Bermejo «Episcopal Saint». A Study in Medieval Spanish Symbolism*, Washington, 1966; A. Mayer, «En torno al Maestro Alfonso y a Bartolomé Bermejo», *Revista Española de Arte*, XII (1934), págs. 36 y ss., y E. Romero de Torres, «Los primitivos cordobeses. Pedro de Córdoba y Bartolomé Bermejo», *B.S.E.E.*, XVII (1908), páginas 55-62.
14. Véase Gudiol Ricart, *op. cit.*, pág. 390; sobre la pintura sevillana en el cambio de siglos, D. Angulo, «La pintura en Granada y Sevilla en torno a 1500», *A.E.A.A.*, XIII (1937), págs. 85 y ss.
15. Bertaux, «Les Borgia en Espagne», en *Études d'Histoire et d'art*, París, 1911, págs. 177-252; A. del Bosque, *op. cit.*
16. Gudiol Ricart, *op. cit.*, pág. 243.
17. L. Saralegui, «El maestro de Bonastre», *A.A.V.* (1960).
18. Sobre estas obras véase el citado estudio de Tormo sobre Jacomart.
19. Sobre Jaime Huguet véase A. Durán i Sampere, «Lluis Dalmau et Jaume Huguet», en *La peinture catalane a la fin du Moyen Âge*, París, 1933, págs. 164, 84-88, 123-132; J. Gudiol y J. Ainaud, *Jaime Huguet*, Barcelona, 1948; J. Ainaud, *Jaime Huguet*, Madrid, 1955; A. L. Mayer, «Jaime Huguet y los Vergós», *B.S.E.E.* (1925), páginas 210-213; G. Richert, «Jaime Huguet», *Pantheon*, marzo de 1941, págs. 57-63.
20. J. Gudiol Ricart, *op. cit.*, pág. 275, donde añade: «Esta individualización de los tonos, que no debe confundirse con la técnica de las zonas monótonas de los primitivos, es en definitiva el gran paso de nuestro pintor hacia las nuevas luces del Renacimiento.»
21. Angulo, «Pintura española del siglo XVI, *Ars Hispaniae*, XII, pág. 21. Sobre los Osona véase también J. Camón Aznar, «La pintura de Rodrigo de Osona», *Goya*, 96 (1970), págs. 335-341, donde señala las conocidas influencias de la escuela de Ferrara, la de Padua, Squarcione, Marco Zoppo, de Juan de Flandes y Van der Goes, así como la de los maestros flamencos más italianizados; E. Tormo y Monzó, «Rodrigo de Osona, padre e hijo, y su escuela», *A.E.A.A.* (1932), págs. 101-147 (1933), págs. 153-210, primer estudio de conjunto de la obra de ambos maestros; C. Tramoyeres, «El maestro Rodrigo de Osona y su hijo del mismo nombre», *Cultura española*, IX (1908), pág. 139 y ss.
22. D. Angulo, *op. cit.*, pág. 37.
23. Véase Domínguez Bordona, *Miniatura, Ars Hispaniae*, XVII, Madrid, 1958, pág. 197.
24. *Ibid.*, pág. 198.
25. Véase M. Schiff, *La Bibliothèque du Marquis de Santillana*, París, 1905.
26. Una buena antología de estos temas literarios puede leerse en *Poesía crítica y satírica del siglo XV*, edición de Julio Rodríguez Puértolas, Madrid, 1981. Repertorio de xilografías del siglo XV en Vindel. *El arte tipográfico en España durante el siglo XV*, 9 vols., Madrid, 1945-51.
27. *Cordiale Quatuor Novissimorum*, Zaragoza, Pablo

Hurus, 1494. Traducido por Gonzalo García de Santa María.

28. I. Mateo Gómez, *Temas profanos en la escultura gótica española*. *Las sillerías de coro*, Madrid, 1979; J. A. Ramírez Domínguez, «Notas para una estimación de la sátira religiosa en las misericordias de algunas sillerías de coro», *R.I.E.* (1975), págs. 109-121.

29. D. Angulo Íñiguez, *La mitología y el arte español del Renacimiento*, Madrid, 1952; I. Mateo Gómez, «Los trabajos de Hércules en las sillerías de coro góticas españolas», *A.E.A.* (1975), págs. 43-55.

30. J. M. Azcárate, «El tema iconográfico del salvaje», *A.E.A.* (1948), págs. 81-99.

31. *Crónica de D. Álvaro de Luna*, publicado por J. M. de Flora, Madrid, 1784.

32. Véase Juan Carrete Parrondo, «Sebastián de Toledo y el sepulcro de don Álvaro de Luna», *R.I.E.* (1975), págs. 232-237; J. M. Azcárate, «El Maestro Sebastián de Toledo y el doncel de Sigüenza», *Wad-al hayara* (1974), págs. 7-34; C. González Palencia, «La capilla de don Álvaro de Luna en la catedral de Toledo», *A.E.A.A.*, V (1929), págs. 109-122.

33. Durán Sanpere, «Escultura gótica española», *Ars Hispaniae*, VIII, pág. 341; B. Gilman Proske, *Castilian Sculpture, Gothic to Renaissance*, Nueva York, 1951, páginas 54 y ss.; H. Wethey, *op. cit.*

34. B. Gilman Proske, *op. cit.*, pág. 69.

35. Hernando del Pulgar, *Los claros varones d'spaña*, fol. iiii.

36. Gudiol Ricart, *op. cit.*, pág. 316. Véase también F. J. Sánchez Cantón, «Maestro Jorge Inglés, pintor y miniaturista del marqués de Santillana», *B.S.E.E.*, XXIV (1916), págs. 99-105; XXV (1917), págs. 27-31. Sobre el mecenazgo de la Casa Mendoza y las obras del Maestro de Sopetrán, véase E. Lafuente Ferrari, «Las tablas de Sopetrán», *B.S.E.E.*, XXXVII (1929), páginas 89-111.

37. Sobre la importancia de Alonso de Cartagena véase O. di Camillo, *El humanismo castellano del siglo XV*.

38. Durán Sanpere, *op. cit.*, pág. 342; B. Gilman Proske, *op. cit.*, págs. 11-12.

39. Orueta, *La escultura funeraria en España*, págs. 89-94.

40. *Ibíd.*, pág. 99.

41. *Ibíd.*, pág. 115.

42. Gudiol Ricart, *op. cit.*, págs. 282-287, Post, VII, páginas 414-511.

43. Diego de Valera, «Espejo de la verdadera nobleza», *B.A.E.*, CXVI, págs. 105-107.

44. M. Gómez Moreno, *Provincia de León, Catálogo monumental de España*, 1926.

45. Con todo, y como signo de los nuevos tiempos, frente al gusto por lo mudéjar que se había producido durante el siglo XIV en los ambientes reales —Tordesillas, Palacio de Pedro *el Cruel* en Sevilla—, los ejemplos de este tipo son ahora menos frecuentes: Palacio del Infantado en Guadalajara.

46. Sobre Alejo de Vahía véase Gil Ara, *En torno al* escultor *Alejo de Vahía (1440-1510)*, Valladolid, 1974; I. Vandevivere, «L'intervention du sculpteur hispano-rhenan Alejo de Vahía dans le «Retablo Mayor» de la cathédrale de Palencia (1505)», en *Mélanges Jacques Lavalleye*, Lovaina, 1970, págs. 305-318.

47. Véase B. Gilman Proske, *op. cit.*, págs. 99 y ss.

48. Durán Sanpere, *op. cit.*, págs. 374-389; M. Gómez Moreno, «El retablo mayor de la catedral de Oviedo», *A.E.A.A.*, págs. 1 y ss.; E. Serrano Fatigati, «Retablo de la catedral de Oviedo», *B.S.E.E.*, X (1902), página 176; J. Cuesta, «La documentación del retablo de Oviedo», *A.E.A.A.*, 9 (1933), págs. 7 y ss.; A. L. Mayer, «El retablo mayor de la cartuja del Paular», *B.S.E.E.*, XXXI (1923), págs. 257 y ss.

49. Durán Sanpere, *op. cit.*, Madrid, 1920, pág. 319.

50. Sánchez Cantón, *Los Arfe*; E. Díaz-Jiménez y Molleda, «Datos para la historia del Arte Español. Enrique de Arfe», *R.A.B.M.*, 45 (1924), págs. 92 y ss.; F. de B. San Román, «La custodia de la catedral de Toledo», *Toledo*, 1916, págs. 382 y ss.; E. Rodríguez Gómez, «Custodia de la Santa Iglesia Catedral de Toledo», *Toledo* (1917), 74, págs. 2 y ss.; S. Sedó, «La más valiosa custodia española», *Toledo* (1927).

51. Acerca de la aceptación del modelo nórdico por la Corte y su influencia en él véase J. L. Brans, *Isabel la Católica y el arte hispano-flamenco*, Madrid, 1952.

52. F. J. Sánchez Cantón, *Libros, tapices y cuadros que coleccionó Isabel la Católica*, Madrid, 1950, lám. XVI, página 157; «El dibujo de Juan Guas (arquitecto español del siglo XV)», *Arquitectura* (1928). Sobre las actividades plásticas de Juan Guas véase, además, J. V. L. Brans, «Juan Guas, escultor», *Goya* (1960), págs. 362-367.

53. Durán Sanpere, *op. cit.*, pág. 327.

54. *Ibíd.*, pág. 329.

55. Gudiol Ricart, *op. cit.*, págs. 360-365.

56. M. Gómez-Moreno, «Un trésor de peintures inédites du XV siècle à Grénade», *G.B.A.*, XI (1908); A. Gallego y Burín, *La Capilla Real de Granada*, Granada, 1931.

57. J. V. L. Brans, *op. cit.*, pág. 79.

CAPÍTULO 2

1. Jerónimo Münzer, *Viaje por España y Portugal (1494-1495)*, Ed. Madrid, 1951: «Ahora va tomando arraigo la elocuencia, principalmente entre los próceres y nobles de España, con cuyo ejemplo estimulados los clérigos y los otros ciudadanos, se consagran todos a las artes y Humanidades. Había en Madrid cierto doctísimo y laureado poeta, Pedro Mártir..., el cual educa a los jóvenes de la nobleza... Allí vi al duque de Villahermosa, al duque de Cardona, al hijo del conde de Cifuentes, don Juan de Carrillo... y a otros muchos agraciados jóvenes, que me recitaron largos trozos de Juvenal, de Horacio... Se despiertan las Humanidades en toda España...», pág. 114.

2. Véase para este problema lo tratado en F. Checa, *Carlos V y la imagen del héroe en el Renacimiento*, Madrid, Taurus (en prensa).

3. *Juan del Enzina porque algunos le preguntavan qué cosa era la corte y la vida della*, en Juan del Enzina, *Obras completas*, II, ed. de Rambaldo, A. M., págs. 32-33.

4. Cfr. nota 1.

5. Lucio Marineo Sículo, *De las grandezas y cosas memorables de España* (Prólogo). Véase C. Lynn, *A college professor of the Renaissance. Lucio Marineo Siculo among the Spanish humanists*, Chicago, 1957.

6. Sobre esto véase J. Gállego, *Visión y símbolos en la pintura española del Siglo de Oro*, Madrid, 1972.

7. Véase J. M. Carriazo, «Los relieves de la guerra de Granada en el coro de Toledo», *A.E.A.A.* (1927), páginas 19-70.

8. Véase A. Gallego Burín, *La Capilla Real de Granada*, Granada, 1931, ed. 1952, págs. 60 y ss.

9. Lucio Marineo Sículo, *op. cit.* (Prólogo).

10. F. J. Sánchez Cantón, *Libros, tapices y cuadros que coleccionó Isabel la Católica*, Madrid, 1950.

11. F. J. Sánchez Cantón, *op. cit.*, págs. 107-150, donde se transcribe la documentación de los tapices.

12. Sobre esto véase V. Nieto y F. Checa, *El Renacimiento. Formación y crisis del sistema clásico*, Madrid, 1981, páginas 118-130; J. Pope-Hennesy, *The Portrait in the Renaissance*, Princeton, 1966.

13. Véase D. Angulo Íñiguez, *Isabel la Católica, sus retratos, sus vestidos, sus joyas*, Santander, 1951; «El retrato de Isabel la Católica de la colección Bromfield Davenport», *A.E.A.* (1954), págs. 260-61; «Un nuevo retrato de Isabel la Católica», *B.R.A.H.* (1950); «El retrato de Isabel la Católica», *Arbor* (1951); «Un nuevo retrato de don Fernando el Católico», *A.E.A.* (1951); «Los retratos de los Reyes Católicos del palacio de Windsor», *Clavileño* (1951); C. Justi, «Juan de Flandes, ein niederländische Hofmaler Isabella der Katholischen», *J.K.P.K.S.*, VIII (1887), págs. 157 y ss.; E. Haverkamp Begemann, «Juan de Flandes y los Reyes Católicos», *A.E.A.*, XXV (1952), págs. 237 y ss.; J. V. L. Brans, *Isabel la Católica y el arte hispano-flamenco*, Madrid, 1952; íd., «Juan de Flandes. Pintor de la Reina Católica y de Castilla», *Clavileño*, IV, 21 (1953), págs. 28 y ss.; A. M. Barcia, «Retratos de Isabel la Católica», *R.A.B.M.*, XVII (1907), págs. 76 y ss.

14. Véase P. Johansen, «Meister Michel Sittow. Hofmaler der Königin Isabelle von Kastilien und Bürger von Reval», *J.K.P.K.S.*, LXI (1940), págs. 1-36; J. Trizna, *Michel Sittow*, ha estudiado la importancia y la necesidad de tener un retratista en la corte española, y así (pág. 18) indica cómo en 1486 Fernando el Católico se queja de no tener un retratista de calidad para enviar un retrato suyo y de su hijo Juan con motivo de ciertos proyectos matrimoniales con la infanta de Nápoles. E. A. de la Torre, «Michel Sittow, pintor de Isabel la Católica. Su estancia en España», *Hispania* (1958), n. LXXI; S. Sanpere i Miquel, «Miguel

Sithium, pintor de la Cámara de Isabel la Católica y de Carlos V», *Revista crítica de Historia y Literatura españolas, portuguesas e hispano-americanas*, VII (1902), págs. 5-22.

15. Gudiol la atribuye al maestro Bartolomé, colaborador de Fernando Gallego. J. Gudiol Ricart, «Pintura gótica», *Ars Hispaniae*, IX, Madrid, 1955, págs. 334 y 337.

16. Véase, con bibliografía adicional a la portada en nuestra nota 13, A. Gallego Burín, *La Capilla Real de Granada*, Madrid, 1952, págs. 160-168.

17. Véase E. Bermejo, *Juan de Flandes*, Madrid, 1962.

18. Fue el conde de Tendilla el que encargó para la corte el sepulcro del príncipe don Juan; véase J. Hernández Perera, *Escultores florentinos en España*, Madrid, 1957, página 11. Documentación sobre la estancia de artistas italianos en España, en P. Andrei, *Sopra Domenico Fancelli, fiorentino e Bartolome Ordognes spagnuolo e sopra altri artisti loro contemporani che nel principio del secolo decimo sesto coltivarono e propagarono in Spagna li Arti Belle italiane. Memoria estratte da documenti inediti per cura del canonico...*, Massa, 1871. Véase también A. del Bosque, *Artisti italiani in Spagna. Dal XIV secolo al Re cattolici*, Milán.

19. A. Gallego Burín, *op. cit.*, pág. 49.

20. Hernández Perera, *op. cit.*, págs. 12-13; Gallego Burín, *op. cit.*, págs. 53-55 y 158-160, con bibliografía. Acerca del sentido simbólico de la capilla es muy significativa la inscripción que rodea el interior del edificio: «Esta capilla mandaron edificar los muy católicos don Fernando y doña Ysabel rrey y rreyna de las españas, de napoles, sicilia, jerusalen. estos conquistaron este reyno de Granada e lo rredugeron a nuestra fee y edificaron y dotaron las iglesias y monesterios y ospitales del e ganaron las islas canarias e las indias e las cibdades de oran, tripol e bugia y destruieron la eregia y echaron los moros y judios destos rreinos y rreformaron las rreligiones. finó la rreyna martes veinte y seis de noviembre de mill y quinientos cuatro; fino el rrey miercoles veinte y tres de enero de mill y quinientos y diez y seis. Acabose esta obra año de mill y quinientos y diez y siete años.»

21. «Mahometice secte prostratores et heretice pervicacie extintores Fernandus Aragonum et Helisabeta Castelle vir et uxor unanimes Catholici appellati marmoreo clauduntur hoc tumulo.»

22. A. Navagiero, *Il viaggio fatto in Spagna et in Francia dal magnefico Messer...*, Venecia, 1563.

23. A. Gallego Burín, *op. cit.*, págs. 75-95; M. Gómez-Moreno, «Un trésor de peintures inédites du XV siècle à Grénade», *G.B.A.*, XII (1908).

24. Luis de Milán, *Libro intitulado el Cortesano*, Valencia, 1541.

25. P. Mártir de Anglería, *Opus Epistolarum...*, Amstelodami, MDCLXX.

26. Luis de Milán, *Libro de motes de damas y caballeros: intitulado el juego de mandar*, Valencia, 1535.

27. C. Justi, *Miscellaneen aus drei Jahrhunderten Spanische Kunstlebens*, Berlín, 1908.

28. Hernando del Pulgar, *Claros varones d'spaña*, Sevilla, 1500, fol. XV.

29. *Ibíd.*, fol. XI v.

30. *Ibíd.*, fol. XXXVII.

31. *Ibíd.*, fol. XXXVII v.

32. Véase E. García, «Los tapices de Fonseca en la catedral de Palencia», *B.S.A.A.*, XIII (1946-47), páginas 173-196; XIV (1948); XV (1949-50), págs. 144-149. Poseen temas de la Historia Sagrada, de las virtudes, etcétera. Sobre el sepulcro del patriarca Fonseca véase Gómez-Moreno, *Diego Siloé*, Granada, 1963, págs. 29-30, y sobre la actividad total de esta familia a principios de siglo, los artículos de J. M. Pita Andrade, «Don Alonso de Fonseca y el Arte del Renacimiento», *Cuadernos de Estudios Gallegos*, 1918, págs. 173 y ss.; «Realizaciones artísticas de D. Alonso de Fonseca», *ibíd.*, 1968, págs. 20-44, y «La huella de Fonseca en Salamanca», *ibíd.*, 1959, páginas 209-232.

33. Angulo, «Pintura del siglo XVI», *Ars Hispaniae*, XII, Madrid, 1954, pág. 58, no se inclina por atribuir esta figura a Anye Bru.

34. *Ibíd.*, pág. 92.

35. *Ibíd.*, pág. 58.

36. Post, X, pág. 226; D. Angulo, «La pintura en Granada y Sevilla hacia 1500», *A.E.A.*, XIII (1937), página 87.

37. Post, XII, págs. 434-35.

38. Véase Chabas, *La pintura del altar mayor de la Catedral de Valencia*, Valencia, 1891.

39. Sobre este problema véase A. Raquejo, «El donante en la pintura española del siglo XVI», *Goya*, 164-165 (1981), págs. 76-87.

40. Sobre el patrocinio de los Mendoza en las actividades artísticas de los inicios del Renacimiento español todavía sigue siendo fundamental M. Gómez-Moreno, «Sobre el Renacimiento en Castilla. I. Hacia Lorenzo Vázquez», *A.E.A.A.* (1925), págs. 7-40. Véase también Layna Serrano, *Historia de Guadalajara y sus Mendozas en los siglos XV y XVI*, Madrid, 1942; F. de B. San Román, «Las obras y los arquitectos del cardenal Mendoza», *A.E.A.A.* (1931), págs. 153-161; E. Tormo, «El brote del Renacimiento en los monumentos españoles y los Mendoza del siglo XV», *B.S.E.E.*, XXV, págs. 51-114; XXVI, págs. 116-130; R. Díez del Corral «Lorenzo Vázquez y la casa del cardenal don Pedro González de Mendoza», *Goya* 155 (1980), págs. 280-285.

41. Véase también F. Layna Serrano, «Las tablas de San Ginés, en Guadalajara», *B.S.E.E.* (1936-40, 1944), páginas 89-102; A. L. Mayer, «Una colección de arte español en Reggio d'Emilia», *Revista Española de Arte* (1935), págs. 330-332. (Retrato de doña María de Mendoza, hacia 1500.)

42. J. M. Azcárate encontró en Simancas este importante documento, «El Cardenal Mendoza y el origen del Renacimiento en España», *Revista Santa Cruz*, XVII, número 22, Valladolid, 1962.

43. Véase E. García Rodríguez, «Las joyas del cardenal Mendoza», *Toledo* (1942), págs. 31-46.

44. *Ibíd.*

45. Véase S. C., «Carta del gran cardenal Mendoza al cabildo de Toledo sobre su sepultura», *B.S.E.E.* (1915), págs. 161 y ss.

46. Lucio Marineo Sículo, *op. cit.*, bii y biii v.

47. M. Bataillon, *Erasmo y España*, 2, ed. México, 1966, página 26.

48. Véase M. Gómez Moreno, «Sobre el Renacimiento en Castilla. I. Hacia Lorenzo Vázquez», *A.E.A.A.* (1925), págs. 7-40.

49. Sobre el *Codex Escurialensis* véase H. Egger, *Codex Escurialensis. Ein Skizzenbuch aus der Werksatt Domenico Ghirlandaios*, Viena, 1906; sobre el patio de La Calahorra, D. Hanno y Kruftt, «Un cortile rinascimentale italiano nella Sierra Nevada: La Calahorra», *Antichità viva*, VIII (1969), págs. 35-50; la conexión entre el *Codex* y el patio en S. Sebastián, «Antikisierende Motive in der Dekoration des Schlosses La Calahorra», *Spanische Forschungen des Goerresgesellschaft*, 1 serie XVI, Munster, 1960; *id.*, «Los grutescos del palacio de La Calahorra», *Goya*, 93; *id.*, *Arte y Humanismo*, Madrid, 1978, págs. 97-105.

50. Gómez-Moreno, *op. cit.*

51. Véase antes D. Angulo Íñiguez, «Los relieves del patio de la Universidad de Salamanca», *A.E.A.* (1950), página 356; S. Sebastián y L. Cortés, *Simbolismo de los programas humanísticos de la Universidad de Salamanca*, Salamanca, 1973; S. Sebastián, «El mensaje iconológico de la portada de la Universidad de Salamanca: revisión», *Goya*, 137.

52. Véase S. Sebastián y L. Cortés, *op. cit.*, pág. 24. Sobre este conjunto véase, además, J. A. Gaya Nuño, *Fernando Gallego*, Madrid, 1958; M. Gómez-Moreno, «La capilla de la Universidad de Salamanca», *B.S.E.E.* (1914); J. Gudiol Ricart, «Las pinturas de Fernando Gallego en la Bóveda de la Biblioteca de la Universidad de Salamanca», *Goya*, 13 (1956), págs. 8-13.

53. Véase R. Valturius, *De Re militari Libri XII*, Verona, 1483.

54. Sobre el tema de las fiestas de Fernando el Católico, véase también V. Lleó Cañal, «Recibimiento en Sevilla del Rey Fernando el Católico en 1508», *A.H.*, 188 (1978), págs. 9-25.

55. Véase M. de Lozoya, *Escultura de Carrara en España*, Madrid, 1957, págs. 31-34; Flama, «El sepulcro del Duc de Cardona a Bellpuig», *Gaseta de les Arts*, n. 16; E. Tormo, «El sepulcro de don Ramon Folch de Cardona en Bellpuig», *B.R.A.H.*, LXXXVII (1925), páginas 288 y ss.

56. Véase V. Lleó Cañal, *Nueva Roma: mitología y humanismo en el Renacimiento sevillano*, Sevilla, 1979.

57. *Ibíd.*, pág. 114.

58. *Ibíd.*

59. M. Gómez Moreno, *Las Águilas del Renacimiento español*, Madrid, págs. 58-60.

60. A. González de Figueroa, *Alcázar Imperial de la Fama del Gran Capitán, la Coronación y las Cuatro Partidas del Mundo*, Ed. de L. García-Abrines, Madrid, 1951.

61. Juan del Encina, «Arte de Poesía Castellana», en

Obras Completas, ed. de A. M. de Rambaldo, t. I, páginas 27-28.

62. Juan del Encina, *ibíd.*

63. Juan del Encina, *ibíd.*, págs. 17-18.

64. A. de Nebrija, *Gramática de la lengua castellana*, edición de A. Quilis, Madrid, 1981, págs. 97 y 101.

65. Véase V. Nieto y F. Checa, *El Renacimiento. Formación y crisis del modelo clásico*, Madrid, 1981, págs. 171-184.

66. Véase nota 49, y A. del Bosque, *Artisti italiani in Spagna. Dal XIV secolo al Re Cattolici*, Milán.

67. Véase E. Bertaux, «Les Borgia en Espagne», en *Études d'Histoire et d'art*, París, 1911, págs. 177-252; A. del Bosque, *op. cit.*

68. M. de Laurencín, *Relación de los festines que se celebraron en el Vaticano con motivo de las bodas de Lucrecia Borgia con don Alfonso de Aragón... año 1498*, Madrid, 1916.

69. Véase J. M. Azcárate, «Escultura del siglo XVI», *Ars Hispaniae*, XIII, Madrid, 1958, págs. 18-22.

70. Véase J. Hernández Perera, *Escultores florentinos en España*, Madrid, 1957; M. de Lozoya, *op. cit.*; K. Justi, *Miscellaneen aus drei Jahrjundeten Spanische Kunstlebens*, Berlín, 1908 (hay traducción española); H. M. Kruft, *Pace Gagini and the Sepulcres of the Ribera in Seville*, en *Actas del XXIII Congreso Internacional de Historia del Arte*, Granada, 1973, 1976, págs. 327 y ss.; A. J. Morales, *Francisco Niculoso Pisano*, Sevilla, 1977.

71. J. M. Azcárate, *op. cit.*, pág. 117.

72. Véase J. Hernández Perera, *op. cit.*; M. de Lozoya, *op. cit.*; A. Morales, *op. cit.*

73. Véase A. Morales, *op. cit.*

74. Véanse notas 13 y 14.

75. Véase E. Bermejo, *Juan de Flandes*, Madrid, 1962; J. Moreno Villa, «Un pintor de la Reina Católica», *B.S.E.E.*, XXIV (1916), págs. 276-281; C. Justi, «Juan de Flandes, ein niederländischer Hofmaler Isabella der Katholischen», *J.K.P.K.S.*, VIII (1887), págs. 157 y ss.; E. Haverkamp Begemann, «Juan de Flandes y los Reyes Católicos», *A.E.A.*, XXV (1952), págs. 237-247; J. V. L. Brans, «Juan de Flandes. Pintor de la Reina Católica y de Castilla», *Clavileño*, IV, 21 (1953), págs. 28 y ss.

76. Véase, además de la bibliografía citada, F. J. Sánchez Cantón, «El retablo de la Reina Católica», *A.E.A.A.* (1930), págs. 97-133; *íd.*, «El retablo de la Reina Católica. (Addenda et corrigenda)», *A.E.A.A.* (1931), páginas 149-152.

77. Post, IV, 1, pág. 63.

78. Véase J. A. Gaya Nuño, *Fernando Gallego*, Madrid, 1958; véase también Gómez-Moreno, Sánchez Cantón, «Sobre Fernando Gallego», *A.E.A.A.* (1927), página 349; F. J. Sánchez Cantón, «Tablas de Fernando Gallego en Zamora y Salamanca», *A.E.A.A.* (1929), páginas 279-283; J. A. Gaya Nuño, «Sobre el retablo de Ciudad Rodrigo, por Fernando Gallego y sus colaboradores, *A.E.A.* (1958), págs. 299-312; R. M. Quinn, *Fernando Gallego and the Retablo of Ciudad Rodrigo*, Tucson, 1961.

79. Véase R. Laínez Alcalá, *Pedro Berruguete, pintor de Castilla*, Madrid, 1943; D. Angulo, *Pedro Berruguete en Paredes de Nava*, Barcelona, 1946; F. Bacaicoa, «Simbolismo del sillar de Paredes de Nava», *A.E.A.* (1949), páginas 260 y ss.; D. Angulo Íñiguez, *Las pinturas de Pedro Berruguete del retablo mayor de la iglesia de Santa Eulalia, de Paredes de Nava*, Madrid, 1965, Instituto Conservación y Restauración de Obras de Arte, págs. 5-12; González Simancas, «Un retablo de Pedro de Berruguete», *A.E.A.* (1925), págs. 221 y ss.; F. de B. San Román, «La capilla de San Pedro de la catedral de Toledo: datos artísticos», *A.E.A.A.* (1928), págs. 227-235; J. Lafora, «Autorretrato de Pedro Berruguete», *B.S.E.E.* (1901), págs. 49 y ss.; J. Lafora, «De Pedro Berruguete. Apuntes para la catalogación de alguna de sus obras», *A.E.A.A.*, VIII (1926), págs. 163-169; D. Angulo Íñiguez, «Pedro Berruguete: dos obras probables de juventud», *A.E.A.* (1945), págs. 137-149; *íd.*, «Las verrugas de Berruguete y las hojas de roble de Van Dyck», *A.E.A.* (1964), págs. 76-77; C. Bernis, «Pedro Berruguete y la moda: algunas aclaraciones cronológicas sobre su obra», *A.E.A.* (1959), págs. 9-28.

80. D. Angulo, «Pintura del siglo XVI», *Ars Hispaniae*, XII, Madrid, 1954, págs. 84-102.

81. Véase G. Hulin de Loo, *Pedro Berruguete et le studio du Palais Ducal d'Urbin*, Bruselas, 1942.

82. Sobre la estancia de Pedro Berruguete en Urbino, además del libro citado en la nota anterior, véase: G. Gamba, «Pietro Berruguete», *Dédalo* (1927), páginas 638 y ss.; Allende-Salazar, «Pedro Berruguete en Italia», *A.E.A.A.* (1927), págs. 638 y ss.; M. G. Lavalleye, *Juste de Gand o Pedro Berruguete*, Bruselas, 1933; E. Tormo, «De nuestro Pedro Berruguete, ¿quién fue en Italia su excelso mecenas?», *B.S.E.E.* (1943), págs. 7-18; C. Gnudi, *Lo Studiolo di Federico de Montefeltro*, Forli, 1938; J. A. Gaya Nuño, «En Italia, con Pedro Berruguete», *Goya*, 15 (1956), págs. 147-157; D. Angulo Íñiguez, «L'enigme de Berruguete, peintre castillan, dans l'attribution des peintures d'Urbino», *Les Beaux Arts*, Bruselas, 1957; Eeckhout, O. Lavalleye y H. Pauwels, *Berruguete et la Cour d'Urbin*, Exposición, Gante, 1957; J. Lavalleye, «Unité ou colaboration dans la decoration des Palais Ducal d'Urbin. Juste de Gand, Berruguete, Giovanni Santi, Melozzo da Forlí», *Les Beaux Arts* (1957); C. H. Glough, «Pedro Berruguete and the court of Urbino: a case of wishful thinking», *Notizie da Palazzo Albano*, III (1974), 1, págs. 17-24.

83. D. Angulo Íñiguez, «La Virgen con el Niño de Berruguete, de la colección del Vizconde de Roda», *A.E.A.* (1943), págs. 111-115, donde acerca de la influencia de Italia y de Flandes en la pintura de Berruguete.

84. Así, por ejemplo, en la *Epifanía* (Londres, National Gallery), *San Dionisio y el ciego* (catedral de Valencia), *Retablo de Valencia*: santos en la predella.

85. Sobre este problema véase J. B. Bury, «The stylistic term "Plateresque"», *J.W.C.I.*, 39 (1976), pá-

ginas 199-230; E. Rosenthal, «The Image of Roman architecture in Renaissance Spain», *G.B.A.*, LII (1958), páginas 329-346; V. Nieto y F. Checa, *El Renacimiento. Formación y crisis del modelo clásico*, Madrid, 1981, páginas 176-184.

86. Diego de Sagredo, *Medidas del Romano*, Toledo, 1526, Bviii r. y v.

87. Camón Aznar, «La escultura y la rejería españolas del siglo XVI», *Summa Artis*, XVIII, Madrid, 1967, página 423; T. Andrés, «El rejero Juan Francés», *A.E.A.* (1956), págs. 181-210.

88. J. Camón Aznar, *op. cit.*, págs. 419-421.

89. F. Olaguer Feliú, *Las rejas de la Catedral de Toledo*.

90. J. Camón Aznar, *op. cit.*, pág. 448.

91. Diego de Sagredo, *op. cit.*, Bviii v.

92. Véase nota 86 de J. B. Bury, *op. cit.*

93. J. Camón Aznar, *op. cit.*, pág. 493.

94. *Ibíd.*, pág. 494.

95. Véase S. Sebastián, «La escalera dorada de la catedral de Burgos», *Goya*, 47 (1962).

CAPÍTULO 3

1. Véase V. Nieto y F. Checa, *El Renacimiento. Formación y crisis del modelo clásico*, Madrid, 1981, págs. 19-184.

2. *Ibíd.*, 187-250.

3. Diego de Sagredo, *Las medidas del Romano*, Toledo, 1526, edición facsímil, Valencia, 1976.

4. *Ibíd.*, fol. E iiii.

5. *Ibíd.*, A v.

6. *Ibíd.* «Picar. Que medidas ha de haver el hombre para ser bien hecho y proporcionado? Tampe. Hombre bien proporcionado se puede llamar aquel que contiene en su alto (segun Vitruvio) diez rostros. y segun Pomponio Gaurico nueve...»

7. *Ibíd.*

8. *Ibíd.*, A vi.

9. *Ibíd.*, A vii. r. y v.

10. Fernán Pérez de Oliva, *Diálogo de la dignidad del hombre*, edición de M. L. Cerrón Puga, Madrid, 1982.

11. *Ibíd.*, págs. 97-98.

12. Diego de Sagredo, *op. cit.*, fol. Av y ss.

13. «La barba y las mexillas son no solamente para firmeza y capacidad de lo que contienen, sino tambien para singular hermosura, que con ellas tiene la cara del hombre», Fernán Pérez de Oliva, *op. cit.*, pág. 99.

14. *Ibíd.*, pág. 100.

15. Cristóbal de Villalón, *El Scholastico*, edición de R. Kerr, Madrid, 1967.

16. *Ibíd.*, págs. 208-209.

17. *Ibíd.*, pág. 212.

18. Mexía, *Silva de Varia Lección*, edición de 1593.

19. Mexía, *ibíd.*

20. E. Bertaux, «La Renaissance en Espagne et Portugal», t. IV, en *Histoire de l'Art de André Michel*, página 926.

21. Véase D. Angulo, «Pintura del siglo XVI», *Ars Hispaniae*, XII, Madrid, 1954, pág. 75; *id.*, «La pintura del Renacimiento en Navarra», *P.V.*, IV (1943), n. 13, página 22.

22. Fernán Pérez de Oliva, *op. cit.*, págs. 107-108. La cita entera es así: «Los artífices que biven en las ciudades, no tienen la pena que tú representavas, mas antes singular deleyte en tratar las artes, con las quales explican lo que en sus almas tienen concebido. No es ygual el trabajo de pintar una linda ymagen, o cortar un lindo vaso, o hazer algún edificio, al plazer que tiene el artífice después de verlo hecho.»

23. E. Bertaux, *op. cit.*, pág. 949; P. Saviron, «Retratos de Damián Forment y su mujer», *Museo Español de Antigüedades*, VII, pág. 483.

24. F. M. Garin Ortiz de Taranco, *Yáñez de la Almedina, pintor español*, Valencia, 1953, pág. 118.

25. J. Ibáñez Martín, *Gabriel Yoly*, Madrid, 1956, página 29. La inscripción dice: «Sepultura del Virtuoso/ senyor mayor Gabriel Yoli Villa Mario: que Dios perdone/El cual hizo el re-/tablo mayor de la presente ig...»

26. E. Tormo, *Un Museo de Primitivos. Las tablas de las iglesias de Játiva*, Madrid, 1912.

27. F. M. Garin Ortiz de Taranco, *Yáñez de la Almedina, pintor español*, pág. 118.

28. M. Gómez-Moreno, *La escultura del Renacimiento en España*, Florencia-Barcelona, 1931.

29. Véase D. Angulo Íñiguez, *Alejo Fernández*, Sevilla, 1946.

30. Véase Teixidor, *Antigüedades de Valencia*, Valencia, 1896, pág. 253; Sanchís y Sivera, *La catedral de Valencia*, Valencia, 1909; R. Chabas, *Las pinturas del altar mayor de la catedral de Valencia*, Valencia, 1891; C. Justi, «El misterio del retablo leonardesco de Valencia», *B.S.E.E.*, X (1902), págs. 203 y ss.

31. E. Tormo, *Monumento de españoles en Roma y de portugueses e hispanoamericanos*, Madrid, 1942.

32. M. L. Caturla, «Fernando Yáñez no es leonardesco», *A.E.A.* (1942), págs. 35-49. La cita es de F. M. Garín Ortiz de Taranco, *op. cit.*, pág. 123.

33. Véase D. Angulo Íñiguez, «León Picardo», *A.E.A.* (1945), págs. 84-96; L. Huidobro, «León Picardo», *Boletín Comisión Monumentos de Burgos*, V (1938); M. Martínez Burgos, «Sobre León Picardo», *Boletín Comisión Monumentos de Burgos*, 1951.

34. D. Angulo Íñiguez, «Pintura del siglo XVI», *Ars Hispaniae*, XII, Madrid, 1954, pág. 127.

35. M. González Muñoz, «El antiguo retablo de la colegiata de Talavera. Posible obra de Juan de Borgoña», *A.E.A.*, XLVII (1974), 185, págs. 53-66. Sobre estos problemas de mecenazgo de los nobles véase otro caso concreto en B. Gilman Proske, «Dos estatuas de la familia Cárdenas de Ocaña», *A.E.A.* (1959), págs. 29-37.

36 Sobre esto véase D. Angulo, «El Maestro de los del Campo en Segovia», *A.E.A.* (1940), págs. 75-76; M. de Lozoya, «Un pequeño museo de primitivos: la

capilla de los del Campo en la parroquia de la Trinidad de Segovia», *B.S.E.E.*, 35 (1927), págs. 289 y ss., y 36 (1927), págs. 245 y ss.; «Algo más sobre Ambrosius Benson», *A.E.A.* (1960), págs. 1-17.

37. F. M. Garín Ortiz de Taranco,*op. cit.*, págs. 80-81.

38. Sobre el Cardenal Cisneros véase el clásico libro de L. Fernández de Retana *Cisneros y su siglo. Estudio histórico de la vida y actuación pública del Cardenal D. Fr. Francisco Ximénez de Cisneros*, 2 vols., Madrid, 1929-30.

39. Véase M. Gómez-Moreno, *Escultura del Renacimiento en España*, Florencia-Barcelona, 1931.

40. A. Gómez de Castro, *De rebus gestis a Francisco Ximenio Cisnerio Archiepiscopo*, fol. 37.

41. M. Bataillon, *Erasmo y España*, México, 2.ª edición, 1966, pág. 52.

42. *Ibíd.*, pág. 53.

43. Martín de Herrera, *Istorias de la divinal vitoria y nueva adquisición de la muy insigne cibdad de Orán*, cap. IV. Sobre las pinturas, D. Angulo Iñiguez, *Juan de Borgoña*, Madrid, 1954.

44. Martín de Herrera, *op. cit.*, cap. I.

45. Bataillon, *op. cit.*, págs. 39-43.

46. Sobre esta obra véase J. Amador de los Ríos, «Sepulcro del cardenal Cisneros. Iglesia Magistral de Alcalá de Henares», *Museo Español de Antigüedades*, V, página 343; M. Gómez-Moreno, *Las águilas del Renacimiento en España*, Madrid, 1941, págs. 26-27; V. García Rey, «El sepulcro del cardenal Cisneros en Alcalá de Henares», *A.E.* (1928-29), págs. 483 y ss.

47. Diego de Villalta, *De las estatuas antiguas* (1590), fol. 34 v. y 35.

48. Así lo traduce Diego de Villalta, fol. 35 v.: «Despues de haver yo Franᶜᵒ. edificado grande Gimnasio / y morada a las Musas / estoy agora encerrado en esta pequeña sepultura / la ropa larga de Arçobispo frente al sayal de frayle / y la celada al capello / Yo mismo fui Capitan y soldado, y Padre Cardenal / y tambien con mi virtud, y valor segundo la corona Real / al Capello y mitra /.

49. Sobre estos pintores, además de las obras citadas hasta el momento, véase V. Aguilera Cerni, «Actualidad de Yáñez de la Almedina», *A.A.V.* (1955), págs. 106 y ss.; D. Angulo Íñiguez, «La Virgen, el Niño y San Juan con Santa Ana y Santa Isabel, de Yáñez», *A.E.A.* (1946), página 64, donde explica su relación con una estampa de Durero; *íd.*, «Pinturas del siglo xvi en Toledo y Cuenca. Juan de Borgoña y su escuela. Pedro de Aponte en Atri. Yáñez y Sebastián del Piombo», *A.E.A.* (1956), páginas 43-58; F. M. Garín Ortiz de Taranco, «Leonardescos españoles», *R.I.E.* (1953), págs. 347-359; M. González Martí, «Las tablas de los pintores Llanos y Almedina», *Museum*, IV (1914), págs. 379 y ss.; W. Suida, *Leonardo und sein Kreis*, Munich, 1929; E. Tormo, «Obras conocidas y desconocidas de Yáñez de la Almedina», *B.S.E.E.* (1924), págs. 30-39; E. Tormo, «Yáñez de la Almedina, el más exquisito pintor del Renacimiento en España», *B.S.E.E.*, xxiii (1915), págs. 198 y ss.

50. A. Ponz, *Viaje de España*, t. IV, carta II, páginas 35-38.

51. Vasari, IV, 43, n. 1.

52. D. Angulo Íñiguez, «Pintura española del siglo xvi», *Ars Hispaniae*, XII, Madrid, 1954, pág. 43.

53. M. L. Caturla, *op. cit.*

54. D. Angulo Íñiguez, *op. cit.*, pág. 83.

55. M. Gómez Moreno, *La Escultura del Renacimiento en España*, Florencia-Barcelona, 1931.

56. *Ibíd.*, pág. 35.

57. Post, IX, I, págs. 62-134.

58. Post, *ibíd.*, págs. 188, 192, 223; D. Angulo, *Juan de Borgoña*, Madrid, 1954.

59. Angulo, *op. cit.*, pág. 15; sobre Juan de Borgoña, además del libro de D. Angulo, véase D. Angulo Íñiguez, «Juan de Borgoña», *A.E.A.*, XXX (1957), págs. 329 y ss.; J. M. Azcárate, «Una traza de Juan de Borgoña», *A.E.A.* (1948), págs. 55-58; J. M. Caamaño, «Sobre la influencia de Juan de Borgoña», *B.S.A.A.* (1964), págs. 292-305; J. Camón Aznar, «Dos pinturas del Museo Lázaro Galdiano», *Goya* (1961-62), págs. 278 y ss.; J. Gómez Menor, «Algunos documentos inéditos de Juan de Borgoña y de otros artífices toledanos de su tiempo», *Arte Toledano* (1968), n. 1, págs. 164-183; J. González Martí, «Cuatro retablos de la catedral atribuidos a Juan de Borgoña y Francisco de Amberes», *Boletín Academia de Toledo* (1924), págs. 197 y ss.; González Muñoz, *op. cit.*; F. Marías, «Datos sobre la vida y la obra de Juan de Borgoña», *A.E.A.*, XLIX (1976), 194, págs. 180-182; A. E. Pérez Sánchez, «Sobre una obra de Juan de Borgoña», *A.E.*, XXVI (1968-69), págs. 13 y ss.; Ch. Post, «Juan de Borgoña in Italy and in Spain», *G.B.A.*, XLVIII (1956), págs. 129-142; *íd.*, «Note on the article on Juan de Borgoña in Italy and in Spain», *G.B.A.* (1957), pág. 208; L. de Saralegui, «El retablo Mayor de Ávila», *Museum*, VII (1925-26), págs. 242 y ss.

60. Sobre Felipe Vigarny véase Gilman Proske, *Castillian Sculpture gothic to Renaissance*, Nueva York, 1951, páginas 221 y ss.; S. Sebastián, *Arquitectura plateresca en la provincia de Burgos*, resumen de tesis doctoral; L. Huidobro, «Una obra desconocida de Felipe Vigarny», *Boletín Comisión Monumentos de Burgos* (1946), pág. 227; J. A. Bialostocki, «Madonna and Child from Felipe Vigarny workshop», *Bulletin du Musée National de Varsovia*, XII (1971) págs. 49 y ss.; J. Domínguez Bordona, «El escultor Felipe de Vigarny o de Borgoña (datos inéditos)», *B.S.E.E.* (1914), págs. 262 y ss.; *íd.*, «Felipe Vigarny. Resumen de los datos hasta ahora conocidos», *B.S.E.E.* (1914), págs. 269 y ss.; M. Gómez-Moreno, «Estudios sobre el Renacimiento en Castilla. II, En la Capilla Real de Granada», *A.E.A.A.* (1926); A. Gallego Burín, *La Capilla Real de Granada*, Madrid, 1952; P. Lafond, «Philippe de Bourgogne», *B.M.* (1909), XV, páginas 289 y ss.; M. de Montesa, «Más acerca de la obra encargada a Vigarny por los Condestables», *A.E.A.* (1945), páginas 232 y ss.; E. Tormo, «Algo más sobre Vigarny, primer escultor del Renacimiento en Castilla», *B.S.E.E.*

(1914), págs. 275 y ss.; Fra. Carlos Villacampa, «La capilla del Condestable, de la catedral de Burgos. Documentos para su historia», *A.E.A.A.* (1928), págs. 25-44.

61. Vigarny suscitó la admiración de ciertos tratadistas españoles del siglo XVI. Así Diego de Sagredo dice en sus *Medidas del Romano*: «De la qual opinion (que el hombre bien proporcionado ha de medir nueve veces y un tercio la longitud de la cara) es maestre Phelipe de Borgoña singularissimo artifice en el arte de escultura y estatuaria; varon asi mesmo de mucha experiencia; y muy general en todas las artes mecanicas y liberales; y no menos muy resoluto en todas las sciencias de architetura; y las medidas que por el son asignadas en la estatura del hombre dexadas todas las otras son estas que siguen...», fol. Av. Villalón en su *Ingeniosa Comparación entre lo Antiguo y lo presente* dice: «Pues en la estatuaria tiene nuestra España a maestre Phelipe y a Syloe, que su excelencia alumbra y esclarece nuestra edad, porque ni Phidias ni Praxiteles, grandes estatuarios antiguos, no se pueden comparar con ellos», pág. 170; menos conocida, pero quizá la más significativa, sea la de Pedro Mexía en su *Silva de Varia lección*, que comentamos más adelante.

62 B. Gilman Proske, *op. cit.*, pág. 224.

63. *Ibíd.*, pág. 229.

64. Véase A. Gallego Burín, *op. cit.*, págs. 60-64.

65. J. M. Azcárate, «Escultura del siglo XVI», *Ars Hispaniae*, XIII, Madrid, 1958, pág. 42.

66. M. Gómez Moreno, *La escultura del Renacimiento en España*, Florencia-Barcelona, 1931, pág. 46; sobre Cornelis de Holanda véase, además, Filgueira Valverde, «El escultor Cornelis de Holanda en Pontevedra», *El Museo de Pontevedra*, I (1942); M. Gómez Moreno, «Sobre Cornelis de Holanda», *Museo de Pontevedra*, I, páginas 77 y ss.

67. Post, x, 26. El mismo autor en su *Alejo Fernández*, Sevilla, 1946, ha recogido todos los datos de su anterior investigación sobre este pintor (ver la bibliografía de este libro).

68. D. Angulo, «Pintura del siglo XVI», *Ars Hispaniae*, XII, Madrid, 1954, pág. 76.

69. *Ibíd.*, pág. 127. Sobre Pedro Núñez véase J. M. Madurell Marimón, «Pedro Nunyes y Enrique Fernández. Notas para la historia de la pintura catalana de la primera mitad del siglo XVI», *Anales de los Museos de Barcelona* (1943), págs. 13-91; *íd.*, «El pintor Pedro Nunyes y el retablo de San Eloy», *Museo* (1950), págs. 131 y ss.; *ídem*, «La labor pictórica de Pedro Nunyes (1512-1554)», *A.E.* (1968-69), págs. 85-123.

70. Véase Jusepe Martínez, *Discursos del arte de la pintura*; D. Angulo Íñiguez, «Pintura del siglo XVI», *Ars Hispaniae*, XII, Madrid, 1954, pág. 180.

71. Sobre la influencia de Durero en la pintura catalana y española de principios del siglo XVI véase D. Angulo Íñiguez, «Durero y los pintores catalanes del siglo XVI», *A.E.A.* (1944), págs. 327-330; *íd.*, «El pintor gerundense Porta», *A.E.A.* (1944), págs. 341-359; sobre

el influjo de Schongauer, *íd.*, «Martin Schongauer y algunas miniaturas castellanas», *A.E.* (1924), págs. 173-180, donde demuestra la procedencia de un grabado del pintor alemán del Calvario de la capa pontifical del cardenal Mendoza; *íd.*, «La pintura en Burgos a principios del siglo XVI (nuevas huellas de Schongauer)», *A.E.A.*, 6 (1930), pág. 75; *íd.*, «El Maestro de Astorga», *A.E.A.* (1943), págs. 404-409 (relación de su obra *El prendimiento* con un grabado de Durero).

72. Véase nota 2.

73. Véase Garín Ortiz de Taranco, *op. cit.*, y la bibliografía de la nota 49.

74. Pedro Mexía, *Silva de varia lección*, edición 1590, página 231.

75. Véase B. Gilman Proske, *op. cit.*

76. J. M. Azcárate, *Escultura del siglo XVI, Ars Hispaniae*, XII (1958), pág. 65.

77. D. Angulo, «León Picardo», *A.E.A.* (1945), páginas 84-96.

78. Véase M. Abizanda y Broto, *Damián Forment*, Barcelona, 1942; J. Albareda, *La influencia de Alberto Durero en dos obras de Damián Forment*, en *Homenaje a D. M. Parro*, Zaragoza, 1947; A. Gascón de Gotor, «El escultor valenciano Damián Forment en la primera mitad del siglo XVI», *Boletín de la Real Academia de la Historia* (1913), LXII, págs. 38 y ss.; G. Llabrés, «Documentos sobre Forment», *Revista de Huesca* (1914); N. Marcos Rupérez, «Retablo de la capilla mayor de Santo Domingo de la Calzada», *B.S.E.E.*, 30 (1922), págs. 5-16; D. Martínez Abelenda, «La escultura de la capilla del Condestable, en la catedral de Burgos», *Boletín Institución «Fernán González»*, Burgos, 1956, págs. 59 y ss.; A. Melón, «Forment y el monasterio de Poblet (1527-1535)», *R.A.B.M.* (1917), XXXVI, págs. 276 y ss.; M. Pano, «Damián Forment en la catedral de Barbastro», *Cultura Española* (1906), págs. 812 y ss., y 1909, págs. 3 y ss.; X. de Salas, «Damiá Forment i el monestir de Poblet», *Estudis Universitaris Catalans* (1928), XIII, págs. 445 y ss.; L. Tramoyeres, *El escultor valenciano Damián Forment* (1903).

79. Véase X. Salas, *op. cit.*

80. F. M. Garín Ortiz de Taranco, *ob. cit.*, pág. 123.

81. Post, IX, I, págs. 236-238.

82. Angulo, *op. cit.*, págs. 225-227.

83. Véase D. Angulo, «Varios pintores de Palencia. El maestro de Astorga», *A.E.A.* (1945), págs. 221 y siguientes.

84. Véase J. M. Azcárate, *op. cit.*, pág. 55.

85. D. Angulo, «Pintura del siglo XVI», *Ars Hispaniae*, XII, Madrid, 1954, pág. 58.

86. Sobre el Maestro del Portillo véase J. M. Caamaño Martínez, «La presencia del maestro del Portillo en Valladolid. Nuevas obras», *A.E.A.* (1965), págs. 87-104, sobre las tablas de Santa Clara de Tordesillas y las de la capilla de mosén Rubí de Bracamonte; M. A. García Guinea, «Las tablas del Maestro del Portillo en la Seca (Valladolid)», *B.S.A.A.* (1953-54), págs. 223-224; *íd.*, «El

retablo del palacio arzobispal de Valladolid», *B.S.A.A.*, XV (1949-50), págs. 151-167.

87. Gómez-Moreno, *La escultura del Renacimiento en España*, Florencia-Barcelona, 1931.

88. Véase nota 82.

89. R. Longhi, «Comprimari spagnoli della maniera italiana», *Paragone*, IV, 43 (1953), págs. 3-15; íd., «Ancora sul Machuca», *Paragone*, XX, 231, págs. 34-39.

90. V. Nieto y F. Checa, *El Renacimiento. Formación y crisis del modelo clásico*, Madrid, 1981, pág. 36.

91. S. Sebastián, *La arquitectura plateresca en la provincia de Burgos*, resumen de tesis doctoral, 1969.

92. Véase lo que dice al respecto, y refiriéndose únicamente al caso sevillano, V. Lleó Cañal, *Nueva Roma: mitología y humanismo en el Renacimiento sevillano*, Sevilla, 1979.

93. D. Angulo, *La mitología y el arte español del Renacimiento*, Madrid, 1952, págs. 47-50.

95. Son al respecto significativas las palabras de Martí-Monsó: «En el tiempo que se ejecutaban las obras que hoy llamamos platerescas, decían siempre a lo romano, significando así que imitaban el estilo de la Italia moderna derivado a la vez del arte antiguo grecoromano...», *Sillerías del Coro de San Benito el Real de Valladolid, de la catedral, en Santo Domingo de la Calzada y de Santa María la Real, en Nájera. Andrés de Nájera*, en *Estudios histórico-artísticos relativos a Valladolid* (1898), pág. 85; véase sobre todo E. Rosenthal, «The Image of Roman architecture in Renaissance Spain», *G.B.A.*, LII (1958), páginas 329-346.

94. *Ibíd.*, págs. 88-92.

96. Véase D. Angulo, «Pintores cordobeses del Renacimiento», *A.E.A.*, 17 (1944), págs. 226 y ss.

97. Sobre él véase F. G. Wolf Metternich, «Der Kupferstich Bernardos de Prevedari aus Mailand 1481», *Römische Jahrbuch für Kunstgeschichte* (1967-68), páginas 9-97); P. Murray, «Bramante milanese: The printings and engrawings», *Arte Lombarda*, 7 (1962), páginas 25-42.

98. A. Bruschi, *Bramante*, Roma-Bari, 1973, página 51.

99. Véase al respecto D. Angulo, «Bramante et la Flagellation du Musée du Prado», *B.B.A.*, XLII (1953), páginas 5-8.

100. El mismo Angulo ha señalado la inspiración de algunos de ellos en ciertos grabados de Schongauer, *Alejo Fernández*, Sevilla, 1947.

101. Post, XII, I, pág. 257.

102. D. Angulo, «Pintura del siglo XVI», *Ars Hispaniae*, XII, Madrid, 1954, pág. 105.

103. Véase nota 100.

104. J. Camón Aznar, «La pintura española del siglo XVI», *Summa Artis*, XXIV, Madrid, 1970.

105. Véase J. Hernández Perera, *Escultores florentinos en España*, Madrid, 1957; M. Lozoya, *Escultura de Carrara en España*, Madrid, 1957; V. Nieto y F. Checa, *op. cit.*, páginas 171-176.

106. M. Gómez Moreno, *Diego de Siloé*, Granada, 1963, página 30.

107. M. Gómez-Moreno, *E. Bartolomé Ordóñez*, Madrid, 1956, págs. 28-30.

108. Pedro de Medina, *Libro de la Verdad*, en *Obras*, Madrid, 1945, pág. 316.

109. La inscripción dice así:
«Hoc nitidum pario Rodericus marmore justit condore mausoleum doctor uterque gravis.

Idem Abulae presul claustrum et sublime sacellum hoc struxit magna preses in urbe manens.

Ut placidis montes violis decorantur et almo flamine consurgunt morta membra sic.

Non decees hoc spere insurgent hoc templo supremo quem genuit Mercadus ovans Ochoa cacola coniurge qui preseus incoluere solum.»

«Rodrigo doctor en ambos derechos con este mármol pario, mandó edificar un magnífico mausoleo.

Igualmente obispo de Ávila, construyó este claustro y santuario, permaneciendo como protector en la gran ciudad.

Como se adornan con tranquilas violetas del monte y por su sagrado halo se levantan los miembros muertos.

Así surgen estos templos por obra suprema y llevan a su autor por encima de los astros al cual engendró el honorable Ochoa Mercado con su esposa Zazola, los cuales habitaban en este lugar.» Véase M.ª E. Gómez Moreno, «El sepulcro de D. Rodrigo Mercado en Oñate», *Oñate*, 1950, págs. 40-46.

110. J. M. Azcárate, *op. cit.*, pág. 99.

111. Diego de Sagredo, *Medidas del Romano*, Toledo, 1526, fol. Aiiv.

112. R. Orueta, *La escultura funeraria en España (provincias de Ciudad Real, Cuenca y Guadalajara)*, Madrid, 1919, página 233.

113. Diego de Sagredo, *op. cit.*, fol. Aiiii.

114. Pedro de Medina, *op. cit.*, pág. 315.

115. Fra. Carlos Villacampa, «La capilla del Condestable, de la catedral de Burgos. Documentos para su historia», *A.E.A.A.* (1928), págs. 25-44; véase también D. Martínez Abelenda, «La escultura de la capilla del Condestable, en la catedral de Burgos», *Boletín de la Institución Fernán González*, Burgos, 1956, págs. 59 y ss.

116. Villacampa, *op. cit.*, págs. 16-17.

CAPÍTULO 4

1. K. M. Swoboda, «Kaiser Karl V und die spanische Kunst», en *Kunst und Gesichte. Vorträge und Aufzatze* (1969), Viena, Colonia, Graz, págs. 140-148.

2. Véase F. Checa, *Carlos V y la imagen del héroe en el Renacimiento*, Madrid, Taurus (en prensa).

3. M. Gómez Moreno, *Las águilas del Renacimiento español*, Madrid, 1941, págs. 148-150; véase también J. M. Azcárate, *Alonso Berruguete. Cuatro ensayos*, Valladolid, 1963, pág. 15.

4. M. Gómez Moreno, *op. cit.*, págs. 150 y 156.

5. Véase R. Beer, «Acten, regesten und Inventare aus dem Archivo General zu Simancas», *J.K.S.* (1891), págs. XCI y ss.

6. Véase F. Checa, *op. cit.*, y V. Nieto y F. Checa, *El Renacimiento. Formación y crisis del modelo clásico*, Madrid, 1981, págs. 291-298.

7. Véase M. E. Gómez-Moreno, *E. Bartolomé Ordóñez*, Madrid, 1956; M. Gómez Moreno, *Las águilas del Renacimiento en España*, Madrid, 1941, págs. 17-32; C. Justi, *Miscellaneen aus drei Jahunderten spanischen kunstlebens*, Berlín, 1908.

8. Véase J. M. Madurell, «Contribución al estudio de Bartolomé Ordóñez», *Anales y Boletín de los Museos de Arte de Barcelona*, julio-diciembre 1948, VI, páginas 345-373; J. Ainaud de Lasarte, «El contrato de Ordóñez para el coro de Barcelona», *Anales y Boletín de los Museos de Arte de Barcelona* (1948), VI.

9. Véase J. Jacquot, *Les fêtes de la Renaissance*, tres vols., París, 1960, el segundo de ellos se dedica íntegramente a la época de Carlos V, *Fêtes et cérémonies au temps de Charles Quint*. Cfr. sobre todo, en relación con España, C. C. Marsden, *Entrées et fêtes espagnoles au XVI siècle*, páginas 389-411. El más completo repertorio bibliográfico de estas manifestaciones es, para España, J. Alenda y Mira, *Relaciones de solemnidades y fiestas públicas de España*, Madrid, 1903.

10. Véase Laurent Vital, *Relación del primer viaje de Carlos V a España*, Madrid, 1958; sobre los viajes de Carlos V, tan importantes en la formación de su imagen artística, véase García Mercadal, *Viajes de extranjeros por España y Portugal*, Madrid, 1952; M. Gachard, *Collection des voyages des souverains des Pays-Bas*, Bruselas, 1882; M. Foronda y Aguilera, *Estancias y viajes de Carlos V (desde el día de su nacimiento hasta el de su muerte)*, Madrid, 1944.

11. Laurent Vital, *op. cit.*, pág. 196.

12. *Ibíd.*, pág. 228.

13. Mexía, *Historia de Carlos V*, Madrid, 1945, página 119.

14. Véase *El recevimiento del Rey Don Carlos en Burgos*, Colección de Jesuitas, t. CV, fol. 673. Cfr. J. Alenda y Mira, *op. cit.*, n. 29.

15. Véase F. Checa, *op. cit.*

16. P. Mexía, *Silva de varia lección* (1593), págs. 440 y ss.

17. Véase, para un estudio más completo, F. Checa, *op. cit.* La relación puede leerse en *Feste et archi triumphali, che furono fatti in la intrata de... Carolo V... en... Siviglia*, MDXXVI; recogida y traducida al español en Ortiz de Zúñiga, *Anales eclesiásticos y seculares de... Sevilla*.

18. Sempere, *La Carolea*, mdlx, Canto XI, folios CXXXVj y ss., describe esta entrada en Valencia.

19. Vasco Díaz Tanco, *Los veinte triunfos...*, MLDI, 1526.

20. Sobre la vidriera de Sevilla véase V. Nieto Alcaide, *Corpus vitrearum medii Aevi. España I. Las vidrieras de la catedral de Sevilla*, Madrid, 1969; íd., *Arnao de Vergara*, Sevilla, 1974, págs. 84-85.

21. Véase F. Checa, *op. cit.*; sobre la emblemática imperial, tan importante en el programa del palacio, véanse los trabajos de E. Rosenthal, «Plus Ultra, Non plus Ultra, and the columnar Device of Emperor Charles V», *J.C.W.I.*, XXXIV (1971), págs. 204-228; «The invention of the Columnar Device of Emperor Charles V at the Court of Burgundy in Flanders in 1516», *J.C.W.I.*, XXXVI (1973), págs. 198-230; «Plus Oultre: the idea Imperial of Charles V in its Columnar Devise on the Alhambra», en *Hortus Imagines, Essays in Western Art*, Kansas, 1974, págs. 85-93.

22. Véase M. Gómez Moreno, «Los pintores Julio y Alejandro», *B.S.E.E.* (1919-20), XXVI, págs. 20-35; íd., *Pinturás del tocador de la Reina en la Alhambra*, Granada, 1873.

23. Erasmo, *Educación del Príncipe Cristiano*, edición de L. de Riber, Madrid, 1964, pág. 281.

24. Véase E. Rosenthal, «The Lombard sculptor Niccoló da Corte in Granada from 1537 to 1552», *The Art Quaterly*, XXIX (1966), págs. 209-244.

25. Véase D. Angulo, *La mitología y el arte español del Renacimiento*, Madrid, 1952, págs. 18-20.

26. Véase E. Rosenthal, *The Cathedral of Granada. A study in the Spanish Renaissance*, Princeton, 1961; V. Nieto Alcaide, *Corpus Vitrearum medii Aevi. España II. Las vidrieras de la Catedral de Granada*, Granada, 1973.

27. V. Nieto Alcaide, *op. cit.*, pág. 10. E. Rosenthal, *op. cit.*, pág. 107, hace notar cómo el programa de las vidrieras desarrolla la mencionada historia de la Redención.

28. Ciertas inscripciones de la portada subrayan esta interpretación, así «Hoc est victoria que vincit mundum, fides nostras» «Ecce crucem domini; fugite partes adversas. Vincit deo de tribu juda radis David, alleluia», véase Gómez Moreno y González, *Guía de Granada*, páginas 260-270, citado por E. Rosenthal, *op. cit.*, pág. 117.

29. Véase A. Gallego Burín, *La Capilla Real de Granada*, Granada, 1952, págs. 117 y ss.

30. Véase Sarrablo Argelés, «La cultura y el arte venecianos, en las relaciones con España a través de la correspondencia diplomática de los siglos XVI y XVII», *R.A.B.M.*, LXII (1956), págs. 639-684.

31. Véase F. Checa, *op. cit.*

32. Véase H. E. Wethey, *The paintings of Titian. Complete Edition. The portraits*, Londres; también P. Beroqui, *Tiziano en el Museo del Prado*, Madrid, 1946, y A. Cloulas, «Charles V et le Titien. Les premiers portraits d'apparat», *L'information de l'histoire de l'Art*, IX, n. 5 (1964), págs. 213-221; H. von Einem, «Karl V und Titian», en *Karl V, der Kaiser und seine Zeit*, Colonia, 1960.

33. Véase F. Checa, *op. cit.*

34. Véase *Las solemnidades y triunfos hechos y mostrados en los desposorios y casamientos de la hija del Rey, la Princesa María con el Príncipe de Castilla archiduque de Austria*, B.N.M. Mss.

35. Véase F. Checa, *op. cit.*, y «Un programa imperia-

lista: el túmulo erigido en Alcalá de Henares en memoria de Carlos V», *R.A.B.M.*, LXXXII (1979), págs. 369-379; *íd.*, «El Caballero y la Muerte (estudios sobre la imagen de la muerte en el Renacimiento» (en prensa); A. Bonet Correa, «Túmulos del emperador Carlos V», *A.E.A.* (1960), págs. 55-66; J. J. Abellá Rubio, «El túmulo de Carlos V en Valladolid», *B.S.A.A.* (1978), págs. 177-196.

CAPÍTULO 5

1. Felipe de Guevara, *Comentarios de la Pintura*, edición de Antonio Ponz (1788), 2.ª edición, Barcelona, 1948; Francisco de Holanda, *De Pintura antigua* (1548), traducción de Manuel Denis, publicada en Madrid, 1921.

2. Francisco Villalpando, *Tercer y Cuarto Libro*, traducción española de 1552, edición facsímil, fol. II v.

3. Francisco de Holanda, *op. cit.*, pág. 27.

4. Felipe de Guevara, *op. cit.*, pág. 332.

5. *Ibíd.*, pág. 331. Más adelante dice: «Todo esto debemos a esos bárbaros de Godos, los quales ocupando las provincias, llenas entonces de todas las buenas artes, no se contentaron sólo con arruinar los edificios, estatuas, y semejantes cosas, pero también se ocuparon con sumo cuidado en quemar librerías insignes, no dexando papel a vida, como si de propósito ovieran contra las buenas artes, y no contra los hombres, tomado a fuego y sangre la conquista», págs. 355-356.

6. Francisco de Holanda, *op. cit.*, pág. 29.

7. *Ibíd.*, pág. 30.

8. Felipe de Guevara, *op. cit.*, págs. 91-93.

9. Francisco de Holanda, *op. cit.*, pág. 21.

10. *Ibíd.*, pág. 60. Sobre este problema véase E. Panofsky, *Idea. Contribución a la historia de la teoría del arte*, Madrid, 1967.

11. Francisco de Holanda, *op. cit.*, pág. 62.

12. *Ibíd.*, pág. 16.

13. *Ibíd.*, pág. 103.

14. Felipe de Guevara, *op. cit.*, pág. 109. También Holanda, págs. 177-188, se refiere al problema de los colores en la pintura al fresco.

15. Francisco de Holanda, *op. cit.*, pág. 123.

16. *Ibíd.*, pág. 173.

17. Felipe de Guevara, *op. cit.*, pág. 345.

18. *Ibíd.*, pág. 104.

19. Domínguez Ortiz, *La sociedad española del siglo XVII*, tomo I, Madrid, 1963, pág. 209.

20. Francisco de Holanda, *op. cit.*, pág. 38.

21. *Ibíd.*, pág. 52.

22. Felipe de Guevara, *op. cit.*, pág. 95.

23. Sobre este problema véase A. Blunt, *La teoría de las artes en Italia, 1450-1600*, Madrid, 1979; R. de Maio, *Michelangelo e la Controriforma*, Roma-Bari, 1978 (especialmente referido a España, págs. 100-136).

24. Felipe de Guevara, *op. cit.*, págs. 95-96.

25. A. Conti, «L'evoluzione dell'artista», en *Storia dell'arte italiana*, Milán, Einaudi, 1979, págs. 115-263.

26. F. Portela Sandoval, *La escultura del Renacimiento en Palencia*, Palencia, 1977, págs. 404-405.

27. A. Conti, *op. cit.*, pág. 127.

28. El estudio fundamental sobre la sociología del artista durante el siglo XVI español es J. J. Martín González, «La vida de los artistas en Castilla la Vieja y León durante el siglo de Oro», *R.A.B.M.* (1959), LXVII, páginas 391-438. Véase también M.ª del Carmen Pescador del Hoyo, «Los gremios artesanos de Zamora», *R.A.B.M.* (1959), LXVII, págs. 391-438. Véase también M.ª del Carmen Pescador del Hoyo, «Los gremios artesanos de Zamora», *R.A.B.M.*, 1, LXXXVI, (1973), págs. 13-59; LXXVII, 1 (1974), págs. 83-101.

29. *Ordenanças de Sevilla*, Sevilla, ed. 1975, fols. 162-163 v.

CAPÍTULO 6

1. P. Chaunu, *La España de Carlos V*, Barcelona, 1976, tomo I, pág. 231.

2. Domínguez Ortiz, *La sociedad española del siglo XVII*, Madrid, 1963, 1970; *íd.*, *Las clases privilegiadas en el Antiguo Régimen*, Madrid, 1973.

3. A. Domínguez Ortiz, *op. cit.* (1963), pág. 265.

4. Citado por A. Domínguez Ortiz, *op. cit.*, pág. 179.

5. P. Chaunu, *op. cit.*, pág. 240.

6. J. Martorell, *Tirant lo Blanch*, t. I, Madrid, 1969, página 136.

7. Gaspar Gil Polo, *La Diana enamorada*, Barcelona, Biblioteca clásica española, 1886, pág. 287.

8. Garci Rodríguez de Montalvo, *Amadís de Gaula*, capítulo XXI, libro I.

9. Cristóbal de Villalón, *El Crótalon*, Quinto Canto del Gallo.

10. Jorge de Montemayor, *Los Siete Libros de la Diana*, Libro Quarto.

11. *Ibíd.*

12. *Ibíd.*

13. F. García Mercadal, *Viajes de extranjeros por España y Portugal*, Madrid, 1952, t. I, pág. 452.

14. *Ibíd.*, pág. 451.

15. *Ibíd.*, pág. 487.

16. *Ibíd.*, pág. 465.

17. *Ibíd.*, pág. 461.

18. Laurent Vital, *Relación del primer viaje de Carlos V a España*, Madrid, 1958, pág. 352.

19. D. Angulo Íñiguez, *La mitología y el arte español del Renacimiento*, Madrid, 1952, pág. 25.

20. A. Gallego Morell, «Casa de los Tiros», *Guías de los Museos de España*, XI, Granada, 1962, págs. 12-13.

21. D. Angulo Íñiguez, *La mitología y el arte español del Renacimiento*, Madrid, 1952, pág. 27 y ss.

22. Véase V. Lleó Cañal, *Nueva Roma: mitología y humanismo en el Renacimiento sevillano*, Sevilla, 1979.

23. *Ibíd.*, pág. 44. Véase anteriormente D. Angulo Íñiguez, *op. cit.*, págs. 29 y ss.

24. Felipe de Guevara, *Comentarios de la Pintura*, edición citada, págs. 316 y ss., 318 y ss.

25 *Ibíd.*, págs. 320 y ss.

26. Citado por Domínguez Ortiz, *op. cit.* (1963), página 184.

27. Para el tema de Hércules y su influencia en el arte español del Renacimiento véase D. Angulo Íñiguez, *op. cit.*

28. Véase S. Sebastián, «El tema del "triunfo de César" en la decoración del Renacimiento español"», *Cuadernos de trabajos de la escuela española de Historia y Arqueología en Roma*, 15 (1981), págs. 241-247; anteriormente, *íd.*, «Interpretación iconológica del palacio del conde Morata en Zaragoza», *Goya*, 132 (1976); *íd.*, *Arte y humanismo*, Madrid, 1978, págs. 219-224.

29. Véase F. J. Sánchez Cantón, «El gran friso histórico de relieve en el Ayuntamiento de Tarazona», *XIX Congreso de la Asociación Española para el Progreso de las Ciencias*, San Sebastián, 1946; Angulo Íñiguez, *op. cit.*, páginas 106-112; S. Sebastián, *op. cit.*, págs. 85-87.

30. Véase F. Antón, «La Casa Blanca», *La Esfera* (1919); sobre el mecenazgo artístico de los Dueñas véase también E. García Chico, «El palacio de los Dueñas de Medina del Campo», *B.S.A.A.* (1949-50), págs. 87-93.

31. Véase S. Sebastián, «La casa Zaporta: espejo de palacios aragoneses», *Goya*, 105 (1971), págs. 164-167; *ídem*, «La Casa Zaporta (patio de la Infanta); sus claves mitológicas», *Boletín del Museo e Instituto Camón Aznar*, I, páginas 5-19; F. Esteban Lorente, «Imperio, religión, finanzas y filosofía en el palacio de Gabriel Zaporta», *Boletín del Museo e Instituto Camón Aznar*, VI-VII (páginas 56-79) (1981).

32. S. Sebastián, *Arte y humanismo*, Madrid, 1978, páginas 176-180.

33. Véase J. A. Lizarralde, *La Universidad de Oñate*, Tolosa, 1930.

34. Dámaso de Frías, *Diálogo en alabanza de Valladolid*, B.NM. Mss.

35. A. Domínguez Ortiz, *op. cit.* (1963), pág. 173.

36. Andrés Muñoz, *Viaje de Felipe II a Inglaterra y relaciones varias relativas al mismo suceso*, Zaragoza, 1554, publicado por la Sociedad de Bibliófilos españoles (1877), páginas 35 y ss.

37. B. Benasar, *Valladolid et ses campagnes au XVI siècle*, París, 1967, pág. 458.

38. Andrés Muñoz, *op. cit.*, pág. 35.

39. *Ibíd.*, pág. 36.

40. *Ibíd.*

41. *Ibíd.*, pág. 38.

42. *Ibíd.*, pág. 37.

43. Benasarr, *op. cit.*, pág. 460.

44. N. Alonso Cortés, «Datos para la biografía artística de los siglos XVI y XVII», *Boletín Real Academia de la Historia* (1922), págs. 385-387.

45. B. Benasar, *op. cit.*, págs. 506-509.

46. Andrés Muñoz, *op. cit.*, pág. 39.

47. *Ibíd.*, pág. 44.

48. Dámaso de Frías, *op. cit.*

49. *Relación de las fiestas y regocijos que se han hecho en las bodas del Duque y Duquesa de Sesa*, en *Relaciones de los reinados de Carlos V y Felipe II*, Bibliófilos españoles, segunda época, XXV, Madrid, 1950, pág. 157.

50. *Ibíd.*, pág. 163.

51. Véase sobre ellos J. Subías Galter, «Los libros de pasantías», *Goya*, 52 (1963), págs. 224-228.

52. Andrés Muñoz, *op. cit.*, págs. 44 y ss.

53. Sobre Francisco de los Cobos véase sobre todo Hayward Keniston, *Francisco de los Cobos, secretario de Carlos V*, Madrid, 1980.

54. Sobre esta obra véase E. Panofsky, *Die Pietá von Ubeda*, *Festschrift für Julius Schlosser*, Zurich, 1927, páginas 150-161; Keniston, *op. cit.*, págs. 350 y n.

55. *Ibíd.*, págs. 132-133.

56. *Ibíd.*, pág. 242.

57. Véase Martínez de Irujo y L. Artázcoz, *La batalla de Mülhberg en las pinturas murales de Alba de Tormes*, Madrid, 1962.

58. F. Checa, *Carlos V y la imagen del héroe en el Renacimiento* (en prensa).

59. Cristóbal de Villalón, *El Scholastico*, edición de . J. A. Kerr, Madrid, 1967, pág. 59.

60. *Ibíd.*, pág. 60.

61. *Ibíd.*, pág. 56.

62. Ponz, *Viaje de España*, VIII, págs. 18-31; véase también M. Gil, «Una visita a los jardines de Abadía o Sotofermoso de la Casa Ducal de Alba», *A.E.* (1945), páginas 58-66; Marquesa de Casa Valdés, *Jardines de España*, Madrid, 1973, págs. 94-95; B. Villalba, *El peregrino Curioso*, Sociedad de bibliófilos españoles, Madrid, 1866, págs. 262-269.

63. Lope de Vega, «Descripción de la Abadía del Duque de Alba», en *Rimas Humanas*.

64. F. Checa, «Artificio y lenguaje clasicista en la Florencia medicea: Carlos V y el arte florentino del siglo XVI», *Cuadernos de trabajos de la escuela española de arqueología e historia en Roma*, 15 (1981), págs. 229-240.

CAPÍTULO 7

1. Francisco de Holanda, *op. cit.*, pág. 153.

2. Véase sobre Macip y Juanes el reciente libro de J. Albi, *Joan de Juanes y su círculo artístico*, Valencia, 1979, 3 vols., con bibliografía.

3. *Ibíd.*

4. D. Angulo Íñiguez, «Pintura del siglo XVI», *Ars Hispaniae*, XII, Madrid, 1954, pág. 170.

5. Post, X, págs. 410-419.

6. Francisco Pacheco, *Libro de descripción de verdaderos Retratos, de ilustres y memorables varones por...*, Sevilla, 1599.

7. Sobre Pedro de Campaña véase D. Angulo, *Pedro de Campaña*, Sevilla, 1951; *íd.*, «Algunas obras de Pedro de Campaña», *A.E.A.* (1951), págs. 225 y ss.; *íd.*, «Una nueva crucifixión de Pedro de Campaña», *A.E.A.* (1974),

página 332; F. Bologna, «Osservazioni su Pedro de Campaña», *Paragone*, IV, 43 (1953), págs. 27-49; J. Camón Aznar, «El arte de Pedro de Campaña», *Goya*, 88 (1969), paña», *Paragone*, VIII, 87 (1957), págs. 13-21; C. Justi, «Peter Kempeneer, gennant Maese Pedro Campaña», *J.P.K.* (1884), págs. 154 y ss.; A. Morales, «Pedro de Campaña y su intervención en la Capilla Real de Sevilla», *A.H.* (1977), 185, págs. 184-194; Terey, «Ein unbekanntes Bild des Pedro Campaña», *Belvedere* (1928), páginas 130 y ss.

8. Véase Angulo, *Pedro de Campaña*, Sevilla, 1951.

9. Véase V. Nieto Alcaide, «La vidriera manierista en España: obras importadas y maestros procedentes de los Países Bajos (1542-1561)», *A.E.A.* (1973), págs. 93-130.

10. Sobre Berruguete e Italia véase Allende-Salazar, «Alonso Berruguete en Florencia», *A.E.A.A.* (1934), páginas 185-187; G. Cruzada Villaamil, «Una recomendación de Miguel Ángel a favor de Berruguete», *El Arte en España*, V (1886), págs. 103-105; A. Griseri, «Precisazioni per Alonso Berruguete», *Commentarii*, 20 (1969), páginas 63-74; *id.*, «Berruguete e Machuca dopo il viaggio italiano», *Paragone* (1964), 179, págs. 3-19; R. Orueta, *Berruguete y su obra*, Madrid, 1917; F. Zeri, «Alfonso Berruguete: una Madonna con San Giovaninno», *Paragone* (1953), págs. 49 y ss.; J. M. Azcárate, *Alonso Berruguete. Cuatro ensayos*, Valladolid, 1963, páginas 27-52.

11. Orueta, *op. cit.*, pág. 133.

12. V. Nieto y F. Checa, *El Renacimiento. Formación y crisis del modelo clásico*, Madrid, 1981, págs. 337-346.

13. Véanse las afirmaciones de Juan de Arfe en su *De Varia Commesuración para la escultura y architectura*, Sevilla, 1585, edición facsímil a cargo de A. Bonet Correa, Madrid, 1974, fols. 2 y 3: «Alonso Berruguete fue natural de Paredes de Nava, lugar cercano a Valladolid. Este estando en Roma inquirio tan de veras esta proporcion y la composicion de los miembros umanos, que fue de los primeros que en España la traxeron y enseñaron, no embargante que a los principios uvo opiniones contrarias, porque unos aprobavan la proporcion de Pomponio Gaurico, que era nueve rostros. Otros la de un Maestre Phelipe de Borgoña que añadio un tercio más, otros las de Durero, pero al fin Berruguete vencio mostrando las obras que hizo tan raras en estos Reynos, como fue el retablo del templo de San Benito el Real de Valladolid, y el de la Mejorada, y el medio coro de sillas, y el traschoro de la Cathedral de Toledo, donde se mostro el arte suya con maravilloso efecto...» Palabras indicadoras no sólo de una polémica de tipo estético en torno a la imagen en España, sino de la cualidad eminentemente intelectual de las obras de arte realizadas por Berruguete.

14. J. M. Azcárate, *op. cit.*, págs. 64-66.

15. *Ibíd.* Azcárate insiste, con acierto, en la cualidad intelectual del arte de Berruguete.

16. Véase al respecto J. J. Martín González, *Juan de Juni. Vida y obra*, Madrid, 1974, págs. 31-53.

17. Sobre Gaspar Becerra véase sobre todo J. J. Martín González, «Precisiones sobre Gaspar Becerra», *A.E.A.* (1970), págs. 327-356; G. Weise, II, págs. 59 y ss.

18. Véase D. Angulo Íñiguez, «Pintura del siglo XVI», *Ars Hispaniae*, XII, Madrid, 1954, págs. 211-216.

19. Véase D. Angulo Iñiguez, «Luis de Vargas: Virgen con el niño y santos», *A.E.A.* (1973), pág. 188.

20. Sobre Doncel y Angés, J. J. Martín González, «Guillén Doncel y Juan de Angés», *Goya* (1962), n. 47, páginas 344-351; sobre Nicolás Vergara, F. Portela Sandoval, «Nicolás de Vergara, *el Mozo*», *Goya*, 112 (1973), págs. 208-213.

21. Sobre Morales véase I. Bäcksbacka, *Luis de Morales*, Helsinki, 1962; J. A. Gaya Nuño, «Pequeña historia de la valoración de Morales», *Revista de estudios extremeños*, XVI (1960), n. 1, págs. 20-30; *id.*, Luis de Morales, Madrid, 1961; W. Goldschmidt, «El problema del arte de Luis de Morales», *Revista Española de Arte* (1935-36), págs. 274-280; J. Hinojos, *El Divino Morales*, Cáceres, 1926; A. L. Mayer, «Morales, gloria del "manierismo" español», *A.E.* (1931), págs. 185-187; E. Tormo, *El Divino Morales*, Barcelona, 1917.

22. D. Angulo Íñiguez, *Pintura española del siglo XVI*, página 232; Gaya Nuño, *op. cit.*; E. du Gue Trapier, *Luis de Morales and leonardesque influence in Spain*, Nueva York, 1953.

23. Véase J. Albi, *op. cit.*

24 Sobre esto véase F. Zeri, *Pittura e Controrriforma. L'arte senza tempo di Scipione da Gaeta*, Turín, 1957; M. Calí, *Da Michelangelo all'Escorial. Momenti del dibattito religioso nell'arte del Cinquecento*, Turín, 1980; sobre la relación entre Morales y Juan de Ribera véase F. Benito Doménech, *Pintura y pintores en el Real Colegio de Corpus Christi*, Valencia, 1980; V. Castell y R. Robres, «El Divino Morales, pintor de Cámara del Beato Juan de Ribera en Badajoz», *Boletín Sociedad Castellonense* (1945), páginas 36 y ss.; Rodríguez-Moñino, «El Beato Juan de Rivera y no el beato Juan de Villegas», *A.E.* (1946), páginas 39-40.

25. Alfonso de Valdés, *Diálogo de las cosas ocurridas en Roma*, Madrid, 1969, pág. 103.

26. Francisco de Holanda, *op. cit.*, pág. 32.

27. *Ibíd.*, pág. 33.

28. Alfonso de Valdés, *op. cit.*, pág. 137.

29. Francisco de Holanda, *op. cit.*, pág. 33.

30. J. Martín González, «Tipología e iconografía del retablo español del Renacimiento», *B.S.A.A.* (1964), páginas 5 y ss.

31. Post, XIV, I, pág. 112.

32. Post, XIV, I, págs. 60-63.

33. V. Nieto Alcaide, «Programas iconográficos en la vidriera española del siglo XVI», *Goya*, 121 (1974), páginas 7-13.

34. J. Domínguez Bordona, *Proceso inquisitorial contra el escultor Esteban Jamete*, Madrid, 1933.

34 bis. B. Benasar, *op. cit.*, pág. 385.

35. Cfr. V. Nieto y F. Checa, *op. cit.*, pág. 338.

36. Véase A. Gaya Nuño, *Alonso Berruguete en Toledo*, Barcelona, 1944.
37. *Ibíd.*
38. Véase Martín González, *Juan de Juni. Vida y obra*, Madrid, 1974, págs. 92-113; *íd.*, «La sillería de San Marcos de León», *Goya* (1959), n. 29, págs. 279-282.
39. Sobre esto véase J. Camón Aznar, «La escultura y la rejería españolas del siglo XVI», *Summa Artis*, XXIII, Madrid, 1967.
40. Véase F. Olaguer Feliú, *op. cit.*
41. Camón Aznar, *op. cit.*
42. J. Caro Baroja, *Las formas complejas de vida religiosa*, Madrid, 1978, págs. 77 y ss.
43. Véase F. Checa, «Clasicismo, mentalidad religiosa e imagen artística: las ideas estéticas de Diego de Cabranes», *R.I.E.* (1979), págs. 51-60.
44. La cita del contrato de Pedro de la Henestrosa es citada por Martí Monso, *Estudios histórico artísticos relativos a Valladolid y su provincia* (1898), pág. 214; la del de Jerónimo Corral es citada por E. García Chico, *Documentos para el arte en Castilla. I, Pintores*, Valladolid, 1946, páginas 97-98.
45. Martí Monsó, *op. cit.*, pág. 159.
46. El documento del pleito fue publicado por Martí-Monsó, *op. cit.*, págs. 326 y ss., y antes por Bosarte, *Viaje...*, págs. 372 y ss.
47. Martín González, *Juan de Juni. Vida y obra*, Madrid, 1974, pág. 183.
48. Véase I. Rosell, «El retablo de las Descalzas Reales, obra de Gaspar Becerra», *Museo Español de Antigüedades*, V, pág. 525.
49. J. J. Martín González, «Precisiones sobre Gaspar Becerra», *A.E.A.* (1970), págs. 327-356.
50. Juan López de Hoyos, *De la enfermedad, felicissimo transito y sumptuosas exequias funebres de la reina doña Isabel de Valois*, Madrid, 1569, en S. Díaz, *Fuentes para la historia de Madrid y su provincia*, t. I, pág. 30.
51. Battisti, «Le tendenze all'unitá verso la metá del Cinquecento», *Bolletino del Centro Internazionale di studi di architettura Andrea Palladio* (1968), págs. 127-147.
52. Véase F. Checa, *op. cit.*
53. Véase Paolo Pino, *Dialogo di Pittura di Messer... nuovamente dato in luce*, Venezia, 1548, la cita concreta en F. Checa, *op. cit.*, pág. 58.
54. V. Nieto Alcaide, *La luz, símbolo y sistema visual*, Madrid, 1978.
55. Zapata, *Miscelanea. Silva de curiosos casos*, selección de A. Rodríguez Moñino, Madrid (s. f.), pág. 17.
56. V. Nieto Alcaide, «Programas iconográficos en la vidriera española del siglo XVI», *Goya*, 121 (1974), páginas 7-13; *íd.*, *La luz, símbolo y sistema visual*, Madrid, 1978, págs. 147 y ss.
57. *Ibíd.*
58. Caro Baroja, *op. cit.*, pág. 133.
59. *Obras de Fray Luis de Granada*, B.A.E., 6, pág. 186.
60. *Ibíd.*, pág. 185.
61. *Ibíd.*
62. *Ibíd.*, pág. 257.
63. M. Giginta, *Tractado de remedio de pobres...*, Coimbra, 1579, fo. 47 v.
64. Sobre el programa véase S. Sebastián, «El programa de la capilla funeraria de los Benavente de Medina de Rioseco», Traza y Baza, 3 (1973); sobre la capilla, E. García Chico, «La capilla de los Benavente en Santa María de Rioseco», *B.S.A.A.* (1933-34), páginas 319-356.
65. Véase J. J. Martín González, *op. cit.*, págs. 341 y ss.; Isidro de Benito Domínguez, «Ermita y sepulcro de San Segundo», *B.S.E.E.* (1893), pág. 29.
66. Véase Gaya Nuño, *op. cit.* Sobre el sepulcro del Cardenal Tavera véase *El Toledo de El Greco*, Catálogo de la Exposición, Toledo, 1982, págs. 86-87, con bibliografía.
67. F. Chueca, «Arquitectura del siglo XVI», *Ars Hispaniae*, XI, Madrid, 1953, pág. 289.
68. J. J. Martín González, *op. cit.*, págs. 178 y ss.
69. Erasmo, *Enchiridion*, edición de D. Alonso, Madrid, 1971, pág. 242.
70. *Ibíd.*, pág. 136.
71. Ceán, *Diccionario...*, I, 67. Sobre Arfián véase J. Herráez, «Antonio de Arfián: aportaciones al estudio del arte pictórico sevillano del siglo XVI», *B.S.E.E.*, 37 (1929), páginas 270-309.
72. *Ordenanzas de Sevilla*, edición citada, pág. 163.

CAPÍTULO 8

1. Para el ambiente de la teoría artística en Italia véase A. Blunt, *op. cit.*
2. Juan de Arfe y Villafañe, *De varia commesuración para la esculptura y architectura;* los dos primeros libros fueron publicados en Sevilla en 1585 y dos años más tarde los libros tercero y cuarto. Véase la edición facsímil de la primera edición, Madrid, 1974, con un extenso estudio inicial de A. Bonet Correa, págs. 9-62.
3. *Ibíd.*, libro IV, fol. 2.
4. *Ibíd.*, libro IV, fols. 2 v y 3.
5. Gaspar Gutiérrez de los Ríos, *Noticia general para la estimación de las artes* (1600), pág. 137.
6. Pablo de Céspedes, *Poema de la Pintura*, publicado en Ceán, *Diccionario...*, vol. 5, Madrid, 1800; véase también G. Díaz-Plaja, *Antología Mayor de la literatura española*, vol. II, Barcelona, 1958; sobre las ideas de Céspedes, J. Brown, «La teoría del arte de Pablo de Céspedes», *R.I.E.*, 23 (1965), págs. 99-105.
7. Arfe, libro IV, fol. 4.
8. *Ibíd.*, fol. 3.
9. *Ibíd.*, fol. 18.
10. P. A. Ondériz, *La Especularia de Euclides, traducida en lengua castellana por...*, Madrid, 1585; en su *Prólogo al lector* dice: «La perspectiva, aunque no mueve los irracionales, a lo menos a los hombres que la ignoran, los vuelve como irracionales de espanto, y a los que la saben les aviva mas la razon, y subtiliza el entendimiento.

De manera que juzgan las mesmas cosas por tales quales son, y los engaños que en ella se ofrecen la mesma sciencia se los descubre. Por donde con gran razón deve ser muy estimada, porque si en alguno se juntaron lo gustoso y provechoso fue en esta...».

11. Rodrigo Zamorano, *Los seis libros primeros de la geometria de Euclides...*, Sevilla, 1576, fols. 5 y 5 v.

12. Así dice en su libro IV, fol. 4: «El principio, y fundamento de la Arquitectura es sitio, cimiento y fabrica... Esta fabrica consiste en proporcion y simetria; la proporcion es la correspondencia general de toda la pieza, o edificio en las partes mayores; y la simetria es la medida, y compartición de las partes, y molduras que la hermosean».

13. Arfe, libro II, fol. 12.

14. Gracián Dantisco, *Galateo español*, Madrid, Compañía Ibero-americana de publicaciones, s. a., páginas 162 y ss.

15. Gutiérrez de los Ríos, *op. cit.*, págs. 15-16.

16. *Ibíd.*, pág. 20.

17. Fernando Herrera, *Obras de Garcilaso de la Vega con anotaciones*, Sevilla, 1580, pág. 675.

18. López Pinciano, *Philosophia antigua poetica*, ed. Madrid, 1973, t. I, pág. 39.

19. Véase fray José de Sigüenza, *Historia de la Orden jerónima*, Madrid, 1605, citamos por la edición de Madrid, 1963, que contiene lo relativo a la fundación de El Escorial, págs. 376 y ss.

20. Gutiérrez de los Ríos, *op. cit.*, pág. 56.

21. *Ibíd.*, págs. 39 y 41. En páginas 116-118 se afirma que son liberales porque en ellas se cansa más el entendimiento que la mano, interviniendo el primero con todas sus operaciones: aprehender, componer, juzgar y discurrir. «No se eche claramente de ver —dice— el ingenio que requieren estas artes, viendo en tan suma perfeccion tanta variedad de figuras e historias pintadas y relevadas, calices, custodias, y ornamentos, como ay en el glorioso templo de San Lorenço el Real?»

22. Para ello no duda en apoyarse en la autoridad del mismo Aristóteles. Véase t. I, pág. 150.

23. Gutiérrez de los Ríos, págs. 138-147.

24. Véase J. Gállego, *El pintor de artesano a artista*, Granada, 1976.

25. Véase G. della Volpe, «Poetica del Cinquecento», en *Opere*, V, Roma, 1973, págs. 103-190.

26. López Pinciano, *op. cit.*, t. I, pág. 149.

27. «... porque este vocablo imitar podría poner alguna escuridad, digo que imitar, remedar y contrahazer es una misma cosa, y que la dicha imitacion, remedamiento y contrahechura es derramada en las obras de naturaleza y arte... de la imitacion que haze la arte esta lleno el mundo. Pregunto... ¿que (hace) el pintor sino... imitar a la naturaleza...?» López Pinciano, *op. cit.*, páginas 195-196. «Dicho avemos que el poema es imitación en lenguaje, y qual el pintor de hervajes es pintor como el de figuras, ni mas ni menos el poeta que pinta y descrive las otras cosas, es tambien poeta como el que

imita efectos, acciones y costumbres humanas», *Ibíd.*, tomo I, pág. 264.

28. Citado en Pacheco, *Arte de la Pintura*, t. I, Madrid, 1956, pág. 12.

29. Véase la discusión en N. Dacos, *La decouverte de la Domus Aurea et les origines des grotesques*, Londres, 1967.

30. En *op. cit.*, t. I, págs. 48-49.

31. *Ibíd.*, t. II, págs. 62-63.

32. Pacheco, *op. cit.*, pág. 12.

33. Así dice textualmente: «Pues, señor, dixo el Pinciano, yo he visto pinturas de essas y aun poemas. ¿Y vos no véis como Virgilio pinta a Atlante? Fadrique dixo: essas son pinturas alegóricas y significativas de cosas, y no son de las que agora se tratan, que son de las que no tienen alegoría alguna, sino que, por causar admiración, algunos poetas pintan pinturas y disparates ridículos y agenos de toda imitación... De a do se colige no ser aquella descripción fabulosa, sino histórica y verdadera, y que no tienen los pintores y poetas más licencia de se entender en sus ficciones de quanto se alarga el termino de la verisimilitud», *op. cit.*, t. II, págs. 63-64. La reconducción alegórica del tema de los grutescos ya había sido realizada en Italia por obra de teóricos como Paleotti o Pirro Ligorio, mientras que Lomazzo los había asociado a emblemas o empresas; véase F. Checa, «Capricho y fantasía en El Escorial (sobre el grutesco y el gusto por lo fantástico en el Monasterio)», *Goya*, 156 (1980), págs. 328-335.

34. Comanini, *Il Figino*, Mantua, 1591.

35. Gutiérrez de los Ríos, *op. cit.*, pág. 189.

36. López Pinciano, *op. cit.*, t. I, pág. 199.

37. *Ibíd.*, t. I, págs. 212-213.

38. Citado en Pacheco, *op. cit.*, t. I, págs. 12-13.

39. Bernardo Daza Pinciano, *Los Emblemas de Alciato traducidos en Rimas españolas*, Lyon, 1549; F. Sánchez de las Brozas, *Coment. in And. Alciati Emblemata*, Lugduni, 1573; del comentario de Mal Lara sólo nos han llegado noticias.

40. Francisco Guzmán, *Triumphos Morales*, Alcalá, 1565; Juan de Borja, *Empresas Morales*, Praga, 1581 (edición facsímil, Madrid, 1981); Juan Horozco Covarrubias, *Emblemas Morales*, Segovia, 1591; Hernando de Soto, *Emblemas moralizados*, Madrid, 1599. Sobre este tema véase G. Ledda, *Contributo allo studio della letteratura emblematica en España (1549-1613)*, Pisa, 1970; también los estudios de K. L. Selig, entre los que destacamos: «La teoria dell'emblema in Spagna», *Convivium* (1955), págs. 409-421, y «The Spanish Translations of Alciato's Emblemata», *MLN* (1955), páginas 354-359; A. Sánchez Pérez, *La literatura emblemática española de los siglos XVI y XVII*, Madrid, 1977.

41. López Pinciano, *op. cit.*, t. I, pág. 296.

42. Juan de Borja, *op. cit.*, Prólogo al lector.

43. Véase Juan de Horozco, Prólogo, págs. 5 y 10.

44. López Pinciano, *op. cit.*, t. I, págs. 295-297.

45. Cfr. para ello, y para la influencia en el arte de nuestro Siglo de Oro de este género el importante

J. Gállego, *Visión y símbolos en la pintura española del Siglo de Oro*, Madrid, 1972.

46. P. Giovio, *Dialogo dell'Imprese Militari et Amorose*, Lyon, 1559, ed. Roma, 1978, pág. 9.

47. «Assi que el pintor dista tres grados de la verdad, lo qual haze el poeta como el pintor, porque la pintura es poesia muda, y la poesia pintura que habla; y pintores y poetas siempre andan hermanados, como artífices que tienen una misma arte», t. I, pág. 169. Sobre este problema véase R. W. Lee, *Ut Pictura Poesis. The Humanist Theory of Painting* (1967), ed. esp., Madrid, 1983.

48. Gutiérrez de los Ríos, *op. cit.*, pág. 158.

49. Arfe, *op. cit.*, libro I, pág. 3.

50. En *op. cit.*, págs. 39-40, dice: «Tampoco es bueno ser nadie melancólico y triste, ni dando a entender a los que comunica y trata, aunque esto se debe comportar con algunos estudiosos o especulativos en algunas de las ciencias y artes liberales: y así estos tales procuran pasarse a solas su tristeza.»

51. Huarte de San Juan, *Examen de ingenios para las ciencias*, Madrid, 1977, pág. 237: «También en la imaginativa, de los que habitan debajo del septentrión no vale nada para la medicina; porque es muy tarde y remisa. Sólo es buena para hacer relojes, pinturas, alfileres y otras brujerías impertinentes al servicio del hombre. Sólo Egipto es la región que engendra en sus moradores esta diferencia de imaginativa... Y que esto sea verdad, parece claramente porque todas las ciencias que pertenecen a la imaginativa, todas se inventaron en Egipto, como son matemáticas, astrología, aritmética, perspectiva, judiciaria y otras así.»

52. Fray Luis de León, *De los nombres de Cristo*, folio 217 r. v.; «Y como el artífice que, como alguna vez acontesce, primero haze de la materia que le conviene lo que le ha de ser instrumento en su arte, figurándolo en la manera que deve para el fin que pretende, y después, quando lo toma en la mano, queriendo usar dél, le aplica su fuerça y le menea y le haze que obre conforme a su qualidad y manera, y, en quanto está assí el instrumento, es como un otro artífice bivo porque el artífice bive en él y le comunica, quanto es possible, la virtud de su arte, assí Christo, despues que con la gracia, (a) semejança suya nos figura y concierta en la manera que cumple, aplaca su mano a nosotros y lança en nosotros su virtud obradora, y, dexándonos llevar nosotros sin le hazer resistencia, obra él, y obramos con. él y por él, lo que es devido al ser suyo.»

53. López Pinciano, *op. cit.*, t. I, págs. 222-229.

54. Dámaso de Frías, *op. cit.*

55. J. Arfe, edición citada.

CAPÍTULO 9

1. Citado por Cedillo, *Toledo en el siglo XVI, después de las Comunidades* (1901), pág. 170.

2. Descripción detallada en *íd.*, págs. 169-175.

3. Juan de Mariana, B.A.E., XXXI, Madrid, 1950, página 243.

4. «Pero ¿para qué nos detenemos más tiempo en este lugar estando vedado por ley eclesiástica hacer juegos teatrales en los templos, cuyo principio es aun decoro de la vida y honestidad de los clérigos? A veces, dice, se hacen juegos teatrales en las iglesias y... se introducen en ellos monstruos de máscaras...» *Ibíd.*

5. *Constituciones Synodales del Obispado de Pamplona, compiladas, hechas y ordenadas por don Bernardo de Rojas y Sandoval*, Pamplona, 1591, citadas por C. García Gaínza, *La escultura romanista en Navarra, discípulos y seguidores de Juan de Anchieta*, Pamplona, pág. 260. Véase también C. Saravia, «Repercusión en España del decreto del Concilio de Trento sobre las imágenes», *B.S.A.A.*, (1960), págs. 129 y ss.

6. Es sobre estas ideas sobre las que Weise ha basado sus investigaciones acerca de la escultura española de finales del siglo XVI, G. Weise, *Die Plastik der Renaissance und des Frühbarock in Nördlichen Spanien*, Band II, Tubinga, 1959; «La sculpture espagnole du temps de la Renaissance et le problème du Maniérisme», *L'information de l'histoire de l'art* (1964), págs. 104 y ss.; *La fase manierística —o prebarocca— e la reazione del classicismo rinascimentale nell'arte spagnola del cinquecento*, en *Il Manierismo. Bilancio critico del problema stilistico e culturale*, Florencia, 1971, págs. 111-121.

7. G. Weise, *Die Plastik...*, pág. 48.

8. *Ibíd.*, págs. 50-51.

9. *Ibíd.*, pág. 52.

10. Véase J. Camón Aznar, *El escultor Juan de Ancheta*, Pamplona, 1943.

11. G. Weise, *op. cit.*, pág. 65.

12. *Ibíd.*, pág. 67.

13. Véase S. Andrés Ordax, *El escultor Lope de Larrea*, Vitoria, 1976, págs. 127-142 y 256-270.

14. Véase C. García Gaínza, *La escultura romanista en Navarra, discípulos y seguidores de Juan de Anchieta*, Pamplona, 1969.

15. Véase D. Angulo, «Pintura del siglo XVI», *Ars Hispaniae*, XII, Madrid, 1954, pág. 295; J. Gómez Menor, «El pintor Blas de Prado», *Boletín de Arte Toledano* (1966), págs. 60 y ss.; 1967, págs. 109-117; J. Brown, «Algunas adiciones a la obra de Blas de Prado», *A.E.A.* (1968), págs. 29 y ss.; *El Toledo de El Greco*, Catálogo de la exposición (1982), págs. 155-157.

16. Véase A. E. Pérez Sánchez, «Dibujos españoles en los Uffizi florentinos», *Goya*, 111 (1972), págs. 146-157.

17. Véase E. García Chico, «Los Bolduque escultores», *B.S.A.A.* (1936-39), págs. 37 y ss.; F. Portela Sandoval, *La escultura del Renacimiento en Palencia*, Palencia, 1977, páginas 350-359; Romeo di Maio, *Michelangelo e la Controriforma*, Roma-Bari, 1978, pág. 112.

18. Sobre estas obras de Pantoja véase J. Agapito Revilla, «Juan Pantoja de la Cruz en Valladolid», *B.S.E.E.*, 30 (1922), págs. 81-87.

19. Sobre la escuela sevillana de fines del siglo XVI

véase D. Angulo Íñiguez, *La escultura en Andalucía*, y J. Hernández Díaz, *Imaginería hispalense del Bajo Renacimiento*, Sevilla, 1951.

20. Véase su estudio por Angulo Íñiguez, *ob. cit.*

21. Véase Agapito Revilla, *ob. cit.*

22. Véase al respecto el análisis de X. de Salas, *Miguel Ángel y El Greco*, Madrid, 1967; íd., «Un exemplaire des Vies de Vasari annoté par le Greco», *G.B.A*, 69 (1967), págs. 177-180. Pacheco, en su *Arte de la pintura*, edición de 1956, dice: «Preguntando yo a Dominico Greco el año 1611 ¿cuál era más difícil el debuxo o el colorido? me respondiera que el colorido. Y no es esto tanto de maravillar como oírle hablar con tan poco aprecio de Micael Ángel (siendo padre de la pintura) diciendo que era un buen hombre y que no supo pintar», t. I, pág. 370.

23. X. Salas, *op. cit.*, pág. 43. Este autor ha estudiado con minuciosidad las obras en que la influencia de Miguel Ángel sobre el Greco es bien patente. Para una discusión en profundidad acerca de la importancia de la estancia italiana en el Greco véase ahora J. Brown, *El Greco y Toledo*, en *El Greco de Toledo*, catálogo de la exposición de 1982, págs. 75-94.

24. Véase F. Marías y Bustamante, *Las ideas artísticas del Greco: comentarios a un texto inédito*, Madrid, 1981, página 143.

25. Don Francisco Terrones del Caño, *Instrucción de predicadores*, pág. XXIX, Madrid, 1960.

26. Sigüenza, *op. cit.*, pág. 44.

27. García Chico, *op. cit.*, *Pintores*, I, págs. 83-84.

28. *Constituciones Synodales...*, pág. 264. «Item por experiencia nos consta el grande gasto, que las Iglesias padescen en los bordados que se hazen en los ornamentos, no pudiendose averiguar con puntualidad el valor, y que en ellos se gasta mas de lo que conviene, y despues de hechos los bordados, se hechan a perder con el mal trato. Y queriendo prevenir a todo S. S. A. mandamos, que de aqui adelante no se hagan en las yglesias ornamentos bordados, sino que se gasten telas de oro, y plata, y sedas con franjas, pasamanos; salvo si alguno por su devocion quisiere de su hazienda dar algun ornamento bordado a la Yglesia. Y sea lo mismo en mangas, y frontales, salvo en la yglesia mayor de Pamplona.»

29. Sobre Esteban Jordán véase Martín González, *Esteban Jordán*, Valladolid, 1952, y sobre este retablo, páginas 58-63; sobre la iglesia de Medina del Campo, E. García Chico, «El convento de la Magdalena de Medina del Campo», *B.S..I..I.*, XIV (1948), páginas 157 y ss.

30. Martín González, *op. cit.*, págs. 81-89.

31. Fray Juan de Segovia, *De predicatione evangelica*, *libri tres*, Compluti, 1573.

32. Fray Diego de Estella, *Modus condicionandi*, capítulo XIX.

33. Véase D. Angulo Íñiguez, «Pintura del siglo XVI», *Ars Hispaniae*, XII, Madrid, 1954, pág. 334, basándose en una noticia de Jusepe Martínez. Sobre esta capilla véase A. San Vicente, «La capilla de San Miguel, del

patronato Zaporta, en la Seo de Zaragoza», *A.E.A.* (1963), págs. 99-118. Sobre Bartolomé Matarana, y las pinturas del Colegio del Patriarca, véase F. Benito Doménech, *op. cit.*, y «Más sobre pinturas y pintores en el Real Colegio de Corpus Christi», *A.A.V.* (1981).

34. Fray Juan Bonifacio, *De Sapiente fructuoso*, Burgos, 1589.

35. *Ibíd.*

36. Francisco Terrones del Caño, *op. cit.*, pág. 65.

37. Fray Diego Pérez Valdivia, *De Sacra ratione condicionandi*, 1588.

38. D. Angulo, *La escultura en Andalucía*; J. Hernández Díaz, *op. cit.*

39. Sobre Juan de Oviedo véase V. Pérez Escolano, *Juan de Oviedo y de la Bandera*, Sevilla, 1977.

40. San Juan de la Cruz, *Subida al Monte Carmelo*, capítulo XXXV.

41. *Constituciones synodales...*, Pamplona, 1591, página 260.

42. San Juan de la Cruz, *op. cit.*, XXXV.

43. H. Wethey, *El Greco y su escuela*, t. I, Madrid, 1967, página 52.

44. *Ibíd.*

45. Véase J. M. Azcárate, «La iconografía de "El Expolio" del Greco», *A.E.A.*, XXVIII (1955), págs. 189-197.

46. Si bien hemos de señalar, con Wethey, el carácter de punto de partida que la experiencia venecianista tiene para el Greco, nos parece exagerada su afirmación: «El aislamiento de las figuras de El Greco y su incorpóreo alejamiento de las relaciones terrenales son una concepción personal y propia en El Greco y carecen de analogías exactas en la pintura veneciana», *op. cit.*, t. I, página 72, pensemos, sobre todo, en las obras de Tintoretto para la escuela de San Rocco.

47. San Juan de la Cruz, cap. III de *Noche oscura del alma*.

48. San Juan de la Cruz, *Subida al monte Carmelo*, capítulo XI.

48 bis. Véase J. Brown, *op. cit.*

49. San Juan de la Cruz, *Subida al Monte Carmelo*, capítulo XVII.

50. Véase «El lenguaje de gestos del Greco», en *Sobre la arquitectura en la Edad del Humanismo*, Barcelona, 1979, páginas 363-375.

51. La cita no puede ser más explícita del concepto de imagen en San Juan de la Cruz. A su idea de impedimento de la imagen para la visión mística en seguida añade un inciso «aunque alguna vez ayudan (las imágenes) a levantar el espíritu, mas esto es olvidándola luego y quedándose en Dios, y —continúa— por lo cual, nuestro Salvador escogía lugares solitarios para orar, y aquellos que no ocupasen mucho los sentidos (para darnos ejemplo); sino que levantasen el alma a Dios, como eran los montes que se levantavan de la tierra, y ordinariamente son pelados sin materia de sensitiva recreación», San Juan de la Cruz, *op. cit.*, cap. XXXIX.

En realidad, nos encontramos ante la contrapropuesta literaria al tópico —también de origen en la literatura y tan desarrollado en el Renacimiento, del «Locus amoenus».

52. Fray Luis de Granada, *De la Retórica eclesiástica*, B.A.E., t. XI, pág. 520.

53. *Ibíd.*, pág. 547.

54. «Sea, pues, esta primera advertencia: que cuando, tratando de un asunto queremos conmover los ánimos de los oyentes, mostramos ser en su género de grandísima importancia, y si lo sufre su naturaleza propongámosle como patente a sus ojos», *ibíd.*

55. *Ibíd.*, pág. 548.

56. R. Wittkower, *op. cit.*

57. Fray Luis de Granada, *op. cit.*, pág. 621.

58. En el mismo capítulo V, del libro VI, *op. cit.*, página 621, dice: «Aprobamos aquella disposición de la mano y dedos, con que se juntan al pulgar los dos dedos siguientes, o cuando sujetos al pulgar los otros sólo el índice está derecho y extendido; postura de dedos que sirve para casi todo lo que decimos. A veces también separado el pulgar se unen bien los cuatro restantes, cuando o arrimamos la mano al pecho, o también cuando desechando algo, la retiramos de él.»

59. Cipriano de Valera, *Dos tratados, el primero es del Papa y de su autoridad colegido de su vida y dotrina, de los que los Dotores y Concilios antiguos y la misma Sagrada Escritura enseñan... el segundo es de la Misa... En casa de Arnoldo Hatfildo, año de 1588.*

60. *Ibíd.*, pág. 3.

61. *Ibíd.*, pág. 8.

62. *Ibíd.*, págs. 10-11.

63. *Ibíd.*, pág. 12.

64. *Ibíd.*, pág. 14.

65. «Todo cuanto avemos dicho contra las imágines se entiende de aquellas que se hazen para religión, servicio y culto, y para honrarlas, servirlas y adorarlas. Las tales imágines son prohibidas por la ley de Dios. Y assí el arte de entallar, esculpir y pintar, quando no es para este fin, no es prohibida, sino lícita. Quitada la superstición y idolatría, el arte es buena. Si hay pueblo o nación que aya cometido idolatría interna y externa, es la iglesia papística. Porque otra cosa vemos en sus templos, en sus casas, calles, y encrucijadas sino ídolos, imágenes hechas, y adoradas contra el expreso mandamiento de Dios...», *op. cit.*, pág. 17.

66. *Constituciones Synodales...*, en García Gaínza, *op. cit.*, página 259.

67. Fray Diego de Valades, *Rhetorica Cristiana*. Sobre los grabados de este libro preparamos un próximo estudio detallado.

68. Véase J. Hernández Díaz, «Iconografía hispalense de la Virgen Madre en la escultura renacentista», *A.H.* (1944); íd., *Imaginería hispalense del Bajo Renacimiento*, Sevilla, 1951.

69. Gutiérrez de los Ríos, *op. cit.*, págs. 189-191. El carácter antiprotestante se hace explícito en este autor

cuando, a continuación de la cita transcrita en el texto, afirma: «... quan ciegos enemigos de Dios, y de toda virtud andan los herejes, anatemizados por nuestra Santa Cathólica Romana Iglesia, que estando en tinieblas persiguen las santas Imágines, que nos representan la luz divina, ofreciéndola a los ojos, y nos traen a la memoria para dotrina nuestra, las vidas, martirios o historias de los santos». *Ibíd.*

70. «Ytem la composición del manto a de ser la mas decente e conbeniente que pareciese. Ytem el rostro hará el más hermoso que se pudiese sacar ymitando la pintura de la ymagen que llaman nuestra señora la griega o otra ssi pareciese mexor los ojos a de tener algo levantados acia el cielo pero todo el rostro derecho de manera que desde el mesmo altar donde estubiere puesta se puede goçar la cabeça o cubierta con el manto o como mexor pareciese que tendra mas hermosura.» Citado en García Chico, II, *Escultores*, págs. 102-103.

71. Weise, *op. cit.*, págs. 7-11.

72. Resumen de las vicisitudes de este retablo en J. M. Azcárate, «Escultura del Renacimiento», *Ars Hispaniae*, XIII, Madrid, 1958, págs. 306-309.

73. Véase J. Hernández Perera, «Iconografía española. El Cristo de los Dolores», *A.E.A.* (1954), páginas 47-62.

74. Azcárate, *op. cit.*, págs. 281-282.

75. *Ibíd.*, pág. 319.

76. Del que se ignora la relación con el precedente, cfr. J. Hernández Díaz, *op. cit.*, pág. 27.

77. Véanse las dependencias estilísticas y las conexiones con otras obras suyas (Altar de Corbado, La Calahorra), en Weise, *op. cit.*, págs. 82-83.

78. Véase J. Hernández Díaz, *op. cit.*, pág. 84; Azcárate, *op. cit.*, pág. 243; documentación en Hernández Díaz, *Documentos para la historia del arte en Andalucía*, II, páginas 132-135.

79. Horozco, BNM Mss. 10250, fol. 41.

80. *Ibíd.*, fol. 44.

81. A. de Cianca, *Historia de la vida, invención, milagros y translación de San Segundo, primero obispo de Ávila...*, Madrid, 1595, fols. 46 r. y v., 52, 47 v.

82. *Ibíd.*, fol. 47 v.

83. *Ibíd.*

84. V. García Rey, «El Greco y la entrada de los restos de Santa Leocadia en Toledo», *A.E.*, 8 (1926), págs. 125-129.

85. Véase la descripción del hecho en *Vida, Martyrio y translacion de la gloriosa virgen y martir Santa Leocadia. Que escribe el padre Miguel Hernández de la Compañía de Jesús*, con la relación, de lo que passó en la Translación, que se hizo de las Santas Reliquias de Flandes a Toledo, Toledo, 1591. Otro ejemplo de este tipo de orfebrería, ahora con una pieza de procedencia italiana, lo tenemos en los ejemplares de Grajal de Campos, véase al respecto J. M. Luengo, «Las piezas de orfebrería de Grajal de Campos», *A.E.A.* (1940), págs. 76-78.

86. Véase I. Prades, *Historia de la adoración y uso de las*

santas imágenes, y de la imagen de la fuente de la salud dirigida al Rey Don Felipe..., Valencia, 1596, págs. 5 y 7.

87. Weise, *op. cit.*, págs. 13-14.

88. E. Tormo, *Levante*, Madrid, 1923, pág. 16; Weise, *op. cit.*, pág. 18.

89. Véase Weise, *op. cit.*, págs. 18-19.

90. I. Prades, pág. 179.

91. Y que aparecen también en lugares tan apartados como el *Retablo Mayor de Lete*, obra de Ramón de Oscáriz; véase D. Angulo Íñiguez, «Nuevas pinturas del Renacimiento en Navarra», *P.V.* (1947), págs. 160 y ss.; P. Navascués Palacio, «Ramón Oscáriz, pintor navarro del siglo XVI», *P.V.* (1965), págs. 103 y ss.; M. C. García Gaínza, «Los Oscáriz, una familia de pintores navarros del siglo XVI», *P.V.* (1969); E. Casado Alcalde, *La pintura en Navarra en el último tercio del siglo XVI*, Pamplona, 1976, págs. 74 y ss.

92. Así lo reconoce R. Buendía, «Pintura», en *Historia del Arte hispánico III El Renacimiento*, Madrid, 1980, página 266. Sobre Navarrete *el Mudo* en la Rioja véase Alonso de Gabriel, «El Monasterio de Nuestra Señora de la Estrella y el pintor Juan Fernández de Navarrete», *B.S.E.E.*, L, (1946), pág. 236; J. Yarza, «Navarrete *el Mudo* y el Monasterio de la Estrella», *B.S.A.A.*, XXXVIII (1972), págs. 332 y ss.

93. Discutida, sin embargo, por Wethey, *op. cit.*, t. II, página 153.

94. J. Brown, *op. cit.*

95. Terrones del Caño, *op. cit.*, pág. 86, dice al respecto: «Lo de los jeroglíficos ha cundido de manera que hay predicadores que los componen de su cabeza, fingidos al propósito de lo que quieren decir, y fingen la ninfa y el sátiro... Un jeroglífico o dos, cuando más, ... si son de Alciato o Pierio Valeriano u otros autores simbólicos, pueden pasar.»

96. Cianca, *op. cit.*, fols. 60 v., 61.

97. Horozco, *op. cit.*, fol. 41 v. Los ejemplos de esta misma entrada podrían multiplicarse, con figuraciones de la Providencia, Constancia, Vigilancia (fol. 42 v.), Paz, Felicidad, Concordia, Salud (fol. 43)...

98. Ambrosio de Morales, *La vida, el martyrio, la invención, las grandezas y las translaciones de los gloriosos niños Martyres Santos Iusto y Pastor. Y el solemne triunfo con que fueron recebidas sus santas reliquias en Alcalá de Henares en su postrera traslación*, Alcalá, 1568.

99. «Los santos niños están en un continente tan devoto, que verdaderamente ponen devoción, a todos los que los miran», fol. 91 v.

100. Ambrosio de Morales, *op. cit.*, fols. 115 v, 118 r. y v., 121.

101. *Ibíd.*, fols. 129 y ss.

102. F. Terrones del Caño, *op. cit.*, pág. 62.

103. Véase Wethey, *op. cit.*, t. I, pág. 76.

104. *Ibíd.*, t. II, págs. 113-122.

105. D. Angulo, *La escultura en Andalucía*, Sevilla, 1927; Díaz, *op. cit.*; M. Gómez-Moreno, «Diego de Pesquera, escultor», *A.E.A.* (1955), págs. 289-304.

106. J. Hernández Díaz, *op. cit.*, pág. 45. Se trata de la Prudencia, la Fortaleza, la Providencia, la Justicia, la Caridad, la Esperanza, la Templanza y la Piedad.

107. J. M. Azcárate, *op. cit.*, pág. 354. Un mismo sentido dogmático, unido ahora a valores litúrgicos, adquiere el tenebrario de la catedral de Sevilla, obra de Bautista Vázquez, Juan Giralte y Bartolomé Morel; sobre él, véase J. Hernández Díaz, y Amador de los Ríos, «El tenebrario de la catedral de Sevilla», *Museo Español de Antigüedades*, III, pág. 213.

108. Reyes Messia de la Cerda, *Discursos festivos en que se pone la descripción del ornato e invenciones, que en la fiesta del Sacramento la parrochia collegial y vezinos de Sant Salvador hizieron... Año 1598*, BNM Mss. 598, fol. 21 v.

109. Véase F. J. Sánchez Cantón, *Catálogo de las pinturas del Instituto Valencia de Don Juan*, Madrid, 1923, páginas 177-179; Wethey, *op. cit.*, págs. 91-92; *El Greco de Toledo*, Exposición 1982, n. 28.

110. Véase Villalta, *De las estatuas antiguas*, BNM Mss.

111. Véase M.ª Jesús Sanz Serrano, *Juan de Arfe y Villafañe y la Custodia de Sevilla*, Sevilla, 1978.

112. Véase V. Lleó, *Fiesta Grande. El Corpus Christi en la historia de Sevilla*, Sevilla, 198c.

113. Arfe, *op. cit.*, libro IV, fols. 2 v. y ss.

114. Citado por M. J. Sanz Serrano, *Juan de Arfe y Villafañe y la Custodia de Sevilla*, Sevilla, 1978, pág. 80.

115. «que quiso acomodarse a la traza de la Iglesia Católica, repartiendo por todas sus partes historias, figuras y hieroglíficos, que cuadran con este intento, y principalmente con el misterio del Santo Sacramento», Sanz Serrano, *op. cit.*, pág. 82.

116. La descripción pormenorizada del programa en Sanz Serrano, *op. cit.*, págs. 79-98.

117. Véase E. Camps y Cazorla, «La Custodia de la Catedral de Sigüenza y su autor», *A.E.A.* (1940), páginas 461-472.

118. Sobre él véase V. Lleó Cañal, *Arte y espectáculo: la fiesta del Corpus Christi en Sevilla en los siglos XVI y XVII*, Sevilla, 1975.

119. Messía de la Cerda, fol. 12.

120. Cfr. lo dicho por Vicente Lleó, *Fiesta Grande...*, siguiendo ideas de Bahktin. Los elementos de la procesión citados a continuación están en Messía de la Cerda, folios 9, 12 v., 24 v., 36, 2 a 4, 16 r. y v., y 31.

CAPÍTULO 10

1. Véase F. Checa, *op. cit.*

2. Véase Jenkins, *Il ritratto di Stato*, Roma, 1977.

3. Véase Angulo Íñiguez, «Pintura del siglo XVI», *Ars Hispaniae*, XII, Madrid, 1954, pág. 296; también, Aureliano de Beruete, «Pintores de Felipe II», en *Conferencias de Arte*, Madrid, 1924.

4. López de Hoyos, *Real Apparato, y sumptuoso recibimiento...*, Madrid, 1572, citado en J. Simón Díaz, *Fuentes para la historia de Madrid y su Provincia*, t. I, Madrid, 1964, página 61.

5. *Ibíd.*, pág. 95.

6. Sobre Sánchez Coello véase, V. García Rey, «Nuevas noticias para la biografía del pintor Alonso Sánchez Coello», *B.S.E.E.* (1927), págs. 199 y ss.; J. Moreno Villa, «Documentos sobre pintores recogidos en el Archivo de Palacio», *A.E.A.A.* (1936), págs. 261-268; Ch. Piot, «Alonso Coello, peintre espagnol de Bruxelles», *Bulletin de l'Academie Royal de Belgique* (1815), págs. 299 y ss.; Roblot Delondre, *Portraits d'infantes*, París, 1913; F. B. San Román, «Alonso Sánchez Coello», *Boletín de la Academia de Toledo*, XII (1930), págs. 158 y ss.; íd., *Alonso Sánchez Coello*, Lisboa, 1938; N. Sentenach, «Los grandes retratistas renacientes», *B.S.E.E.* (1912), págs. 111-121; H. Zimmerman, «Zur Iconographie des Hauses Habsburg», *J.K.P.K.*, 28 (1912), 153 y ss.

7. Angulo, *op. cit.*, pág. 300.

8. Véase F. Yates, *Astraea, The Imperial Theme in the Sixteenth Century*, Londres, 1975.

9. Sigüenza, *op. cit.*, pág. 441.

10. D. Angulo Íñiguez, *op. cit.*, pág. 306; y A. Beruete, resaltando el papel de Pantoja dijo: «Decíamos hablando de Sánchez Coello que había sido aquel artista el pintor de la corte de Felipe II. De Pantoja puede decirse que fue el pintor de aquel Rey. En efecto, los retratos que le hiciera Sánchez Coello al Monarca, han desaparecido casi todos, y además son de época anterior y menos interesantes que la de aquellos de Pantoja en que le representa ya a fin de su vida, el Felipe II enfermo y viejo», *op. cit.*, pág. 58; sobre Pantoja de la Cruz véase Kusche, *Pantoja de la Cruz*, Madrid, 1964; R. de Aguirre, «Juan Pantoja de la Cruz. Pintor de cámara», *B.S.E.E.*, 30 (1922), págs. 17-22, y págs. 270-274 (1923), 31, págs. 201, 205; A. Plaza, «Juan Pantoja de la Cruz y el archivo de Simancas», *B.S.A.A.* (1934-35), págs. 259-262, sobre el proyecto (no realizado) de Felipe II de instalar una serie icónica de reyes de España para cerramiento de estantes en el Archivo de Simancas; F. J. Sánchez Cantón, «Sobre la vida y la obra de Juan Pantoja de la Cruz», *A.E.A.* (1947), págs. 95-120, noticias sobre sus inventarios, pinturas de tema profano, su intervención en El Pardo...

11. Así se dice en uno de los inventarios de Pantoja de la Cruz: «Deve mas el Rey Nuestro Señor un retrato entero de la Reyna nuestra señora, bestida de blanco con la misma saya que sacó el día que se casó, de tela de primavera, matiçada con las armas de Castilla y Leon y Austria, sembrada de perlas y todas las joyas ricas, cintura, puntas, botones, braçaletes de diamantes, y la banda de diamantes y el joyel rico...». Véase Aguirre, *op. cit.*; Kusche, *op. cit.*, pág. 244.

12. Son los caracteres que Cristóbal Pérez de Herrera resalta en su elogio fúnebre del Monarca, *Elogio a las esclarecidas virtudes de la C. R. M. del Rey N. S. Don Felipe II que está en el cielo, y de su ejemplar y cristianísima muerte...*, Valladolid, 1604.

13. Luis Cabrera de Córdoba, *Felipe II, rey de España*, t. I (1619), ed. Madrid, 1876, págs. 4-6. El mismo autor

describe a doña Juana, hermana de Felipe II, y retratada también por Pantoja de la Cruz (véase Sánchez Cantón, *op. cit.*, pág. 117) de esta manera: «Fue de blanco color, cabello rubio, frente espaciosa, ojos grandes, sanos, graves, airosa en el andar, hermosa, honesta, liberal, afable, discreta, misericordiosa, favorecedora de los pobres...» *Ibíd.*, t. II, pág. 212.

14. Véase Plon, *Les maîtres italiens au service de la maison d'Autriche. Leon Leoni, sculpteur de Charles Quint et Pompeo Leoni, sculpteur de Philippe II*, París, 1887, págs. 132, 317-319.

15. *Ibíd.*, págs. 312 y 323-324.

16. *Ibíd.*, págs. 319-320.

17. *Ibíd.*, págs. 317, 325, 349, 350, y B. Gilman Proske, *Pompeo Leoni: work in marble and alabaster in relation to Spanish sculpture*, Nueva York, 1956.

18. Angulo Íñiguez, «Pintura del siglo XVI», *Ars Hispaniae*, XII, Madrid, 1954, pág. 252.

19. Se trata de *La Asunción, El Martirio de San Felipe, El Martirio de Santiago, San Jerónimo*.

20. Sigüenza, *op. cit.*, pág. 243.

21. D. Angulo Íñiguez, *op. cit.*, pág. 257.

22. Así dice de la *Adoración de los Pastores*: «Reverberan estas luces de unas partes en otras, ayudándose para hacer claros y oscuros diferentes, coxa de mucho ingenio.» *Op. cit.*, pág. 243.

23. Sigüenza, *op. cit.*, pág. 245.

24. *Ibíd.*, pág. 385.

25. J. Yarza Luaces, «Aspectos iconográficos de la pintura de Juan Fernández de Navarrete *el Mudo* y relaciones con la Contrarreforma», *B.S.A.A.*, 36 (1970), páginas 43 y ss.

26. D. Angulo Íñiguez, *op. cit.*, pág. 252; véase también J. Zarco Cuevas, «Pintores españoles en San Lorenzo el Real de El Escorial (1568-1614): Juan Fernández de Navarrete *el Mudo*», *A.E.*, t. X (1930-31), páginas 106 y ss.

27. Sin embargo, del cuadro *La Virgen, Santa Ana, San Joaquín y San José* dice Sigüenza: «Aquí quiso jugar un poco a regocijar la vista: pintó una perdiz que parece ha de volar si llegamos a cogerla, salvo que le ve que es mansa. También un perrillo y un gato que riñen sobre un hueso, tan aferruzados y propios, que dan ganas de reír...». *Op. cit.*, pág. 244.

28. Sigüenza, *op. cit.*, pág. 6.

29. *Ibíd.*, págs. 209-220. Sobre Francisco Monegro véase V. García Rey, «Juan Bautista Monegro», *B.S.E.E.* (1931), 39, págs. 109 y ss., 183 y ss.; (1932), 40, págs. 22 y ss., 129 y ss., 136 y ss.; (1933), 41, 148 y ss., 204 y ss.; (1934), 42, págs. 202 y ss.; (1935), 43, 53 y ss., 211 y ss.

30. Véase V. Nieto y F. Checa, *op. cit.*, págs. 352-361.

31. Sigüenza habla de esta zona como el fin hacia donde deben tender las miradas y atenciones: «Lo mismo temo ha de acontecerme ahora que quiero decir lo postrero de lo que dije, que es en la capilla mayor, altar, retablo, custodia, entierros...». *Op. cit.*, pág. 357. Sobre esta obra véase J. Babelon, *Jacopo da Trezzo et la construc-*

tion de l'Escorial. Essai sur les arts a la Cour de Philippe II
(1519-1589), París, 1922; A. Cloulas, «Les peintures du
grand retable aü Monastère de l'Escorial», *Mélanges
de la Casa de Velázquez*, IV, París, 1968, págs. 349-370;
J. Domínguez Bordona, «Sobre la participación de
Pedro Castelo en el retablo de El Escorial», *A.E.A.A.*, 9
(1933), págs. 139 y ss.; E. García Chico, «La obra en
bronce hecha en Italia para el retablo y tabernáculo
de San Lorenzo el Real de El Escorial», *B.S.A.A.*
(1946), págs. 127 y ss.; J. J. Martín González, «Sobre
la intervención de Leon Leoni en el retablo de El Escorial», *B.S.A.A.*, XIII (1950-51), págs. 126-127; E. Plon,
*Les maîtres italiens au service de la Maison d'Autriche. Leon
Leoni, sculpteur de Charles Quint et Pompeo Leoni, sculpteur
de Philippe II*, París, 1887; A. Vázquez Martínez, «Datos
nuevos sobre "Jacomo Trezzo" y el Tabernáculo del
Escorial», *B.S.A.A.* (1941-42), págs. 288-297.

32. Y antes había otra obra del mismo tema de
Zuccaro, y, aun con anterioridad, otra de Lucas Cambiasso, testimonio elocuente de la minuciosidad de Felipe II en materia artística.

33. *Op. cit.*, pág. 260.

34. Véase J. Babelon, *op. cit.*

35. Sigüenza, *op. cit.*, pág. 343.

36. *Ibíd.*, pág. 344.

37. *Ibíd.*, pág. 346.

38. Véase G. Weise, *El Escorial como expresión esencial
artística del tiempo de Felipe II y del periodo de la Contrarreforma*, en *El Escorial*, t. II, Madrid, 1963, págs. 273-295.

39. Véase M. de Lozoya, «Restauración de las pinturas del claustro mayor del Monasterio de El Escorial»,
Reales Sitios (1973), 37, págs. 65 y ss.

40. Sigüenza, *op. cit.*, pág. 228.

41. *Ibíd.*, pág. 236.

42. *Ibíd.*, pág. 248. El pensamiento de Sigüenza era
más complejo, pues comprendía una estatua del Salvador
en el claustro, las de los Cuatro Evangelistas «Para que
desde ellos se recibiese el agua en unas tazas o vasos que
habían de tener en las manos derechas cuatro ninfas,
puestas dentro de los estanques figuras de las cuatro
partes del mundo... de allí había de caer el agua en el
alberca y estanque, y después salir a regar los jardines
del contorno del jardín», pág. 277. Con ello se pretendía
significar el carácter apostólico del reinado de Felipe II.

43. Véase toda la descripción del Monasterio del
padre Sigüenza.

44. Véase J. Ollero, «Miguel Coxcie y su obra en
España», *A.E.A.* (1975), págs. 65-198.

45. Véase F. Checa, «Capricho y fantasía en El Escorial (sobre el grutesco y el gusto por lo fantástico
en el Monasterio)», *Goya*, 156 (1980), págs. 328-335.

46. El programa de los frescos aparece descrito por
Sigüenza, *op. cit.*, págs. 278-300. Se trata del texto fundamental para cualquier interpretación iconográfica.
Sobre Tibaldi cfr. sobre todo la monografía de G. Briganti, *Il manerismo e Pellegrino Tibaldi*, Roma, 1945, si
bien apenas habla de la obra tibaldiana en El Escorial.

La documentación de las obras la publicó J. Zarco
Cuevas, *Pintores italianos en San Lorenzo el Real de El
Escorial*, Madrid, 1932. Véase también F. Checa, «Ciencia medieval y ciencia renacentista: el programa iconográfico de la Biblioteca de El Escorial» (en prensa),
y R. Taylor, «Arquitectura y Magia», *Traza y Baza*
(1978).

47. Sigüenza, *op. cit.*, pág. 281.

48. Cfr. F. Checa, *op. cit.*

49. Véase M. Bataillon, *op. cit.*, págs. 736 y ss.;
B. Rekers, *Arias Montano*, Madrid, 1974.

50. Gregorio de Andrés, *Real Biblioteca de El Escorial*,
Madrid, 1970, pág. 10.

51. Véase su descripción en Sigüenza, *op. cit.*, páginas 300-311.

52. Jean l'Hermite, *Les passetemps de...*, t. II, Amberes,
1896, pág. 74.

53. Y lo mismo sucedía en los jardines reales como los
de Sevilla y Aranjuez.

54. Sigüenza, *op. cit.*, págs. 262-265.

55. Descrito por Sigüenza, págs. 257-259.

56. Luis Cabrera de Córdoba, *op. cit.*, t. II, pág. 6.

57. Martí-Monsó, *Estudios histórico-artísticos relativos a
Valladolid y su provincia*, Valladolid, 1898; *Obras decorativas
para la entrada en Valladolid de la Reina Isabel de Valois*, página 425.

58. *Ibíd.*

59. «En todo este arco —de traza de Francisco de
Mora— no a de aber ningun genero de colores sino
que todo el a de ser fingido de marmol blanco muy bien
ymitado si en las basas y capiteles y otros miembros
pareciere aber algun oro o color de bronce se hara pero
colores ninguno a de aber.» *Ibíd.*, pág. 277. Para las
obras de Blas de Prado véase *El Toledo de El Greco*, Catálogo de la exposición, Toledo, 1982, pág. 157.

60. Véase Morgado, *Historia de Sevilla*, fols. 97 v. y 103.
Estas cuatro partidas eran El Axarafe, la Sierra de Cons-
tantina, la Sierra de Aroche y la Campiña o Vanda
Morisca.

61. *Ibíd.*, fol. 98.

62. *Ibíd.*, fol. 103 v.

63. Véase V. Lleó, *Nueva Roma: mitología y humanismo
en el Renacimiento sevillano*, Sevilla, 1979, pág. 174.

64. Véase *Relación verdadera, del recebimiento, que... Burgos... hizo a la Majestad Real de la Reyna... doña Anna de
Austria*, Burgos, MDLXXI, publicada en *Relaciones de los
siglos XVI y XVII*, Sociedad de Bibliófilos Españoles,
páginas 167-273.

65. *Ibíd.*, pág. 207.

66. V. Lleó, *op. cit.*

67. López de Hoyos, *Real apparato, y sumptuoso recebimiento con que Madrid... recibió a la Sereníssima reyna
D.ª Ana de Austria...*, Madrid, 1572, publicado en J. Simón Díaz, *Fuentes para la historia de Madrid y su Provincia*, t. I, Madrid, 1964, pág. 79.

68. V. Lleó, *op. cit.*, págs. 173-178.

69. *Relación verdadera...*, pág. 235.

70. A. Gómez de Castro, *El recebimiento, que la Universidad de Alcalá de Henares hizo a los Reyes nuestros señores...*, publicado por Simón Díaz, *op. cit.*, pág. 1.

71. *Ibíd.*, pág. 1.

72. *Ibíd.*, pág. 3.

73. «Este fue un orden que los antiguos dedicavan y hazían a los magnánimos y valerosos príncipes, porque su compostura por sí misma demuestra fortaleza, valor y majestad de aquellos a quien se dedica», López de Hoyos, *Real apparato...*, pág. 89.

74. *Ibíd.*, pág. 95.

75. *Ibíd.*, págs. 68-69.

76. *Diálogo llamado philippino : donde se refieren cien congruencias concernientes al derecho, que su magestad del Rey don Phelippe nro. señor tiene al reyno de Portugal*, B. Esc. Mss. K-III-31.

77. *Relación verdadera...*, págs. 220-222.

78. Y así en la entrada de Valencia narrada por E. Cock, *Relación del viaje de Felipe II a Zaragoza, Barcelona y Valencia*, Madrid, Morel-Fatio, 1876, págs. 226-237, se representaron: San Quintín, el Peñón de Vélez, Malta y Granada, junto a Escipión, el Cid y el rey don Jaime, así como tablados donde estaban Lepanto, otra vez San Quintín, el Peñón de Vélez y Malta.

79. López de Hoyos, *op. cit.*, págs. 73, 74, 82, 113.

80. *Relación verdadera...*, pág. 244.

81. *Ibíd.*, pág. 245.

82. Véase J. L'Hermite, *op. cit.*; Alberi, *Relazioni degli ambasciatori veneti*, serie I, vol. V, págs. 63, 114, 257, 360, 361, 442, 446, 447; F. Iñiguez Almech, *Casas Reales y jardines de Felipe II*, Roma, 1952; F. Checa, «La imagen manierista de la naturaleza : el caso de los Reales Alcázares de Sevilla», III Congreso Nacional de Historia del Arte, Sevilla, 1980 (en prensa).

83. «Porque entre los Emperadores se cuenta de Othon, que se retiró del gobierno del Imperio y se ocupaba de inxerir arboles, y quiso saber cultivarlos y gobernar las plantas. Y el emperador Diocleciano fue asimismo aficionado a jardines, que dejó el Imperio y se retiró a un jardín a cultivar plantas; de lo qual gustaba tanto, que por ello dexó el gobierno de la monarquía», Gutiérrez de los Ríos, pág. 20.

84. Véase J. Domínguez Bordona, «Federico Zuccaro en España», *A.E.A.A.* (1927), págs. 77-79.

85. Luis Cabrera de Córdoba, *Laurentina*, ed. de L. Pérez Blanco, El Escorial, 1975.

86. Rodríguez Caro, *Antigüedades de Sevilla*, págs. 57-58.

87. Véase F. Checa, *op. cit.*

88. Para los jardines de Sevilla y Granada y su uso en el Renacimiento véase A. Bonet Correa, «Renacimiento y barroco en jardines musulmanes españoles», *Cuadernos de la Alhambra*, 4 (1968), págs. 3-20.

89. El autor de *Relación verdadera...* insiste varias veces en ello. «... el friso del arco estaba muy bien compasado y labrado de muchas vueltas y lazos moriscos», página 198; «... un escogido cielo verde y otras colores... ese todo labrado de lazos moriscos», pág. 199; «... un cielo muy bien labrado de lazos moriscos», pág. 205.

90. «Ha dunque questo gran re, oltre il suo Museo celebratissimo per l'opere di pitture e scultura, gioie, libri et arme in tanta copia, che solamente a mirarli la mente nostra si confonde, spezialmente cintemplando i bellissimi quadri, appesi sopra le porte di Tiziano et altri uomini famosi, el grandissimo tempio dedicato a S. Lorenzo nel Scurial per il voto che egli fecesnell' occasione delle maravigliosa vittoria ch'ottene a San Quintino», Lomazzo, *Idea dell'tempio della Pittura*, Milán, 1591, ed. de Paolo Ciardi, Florencia, 1974, t. I, páginas 359-360.

91. Sigüenza, *op. cit.*, pág. 57.

92. H. E. Wethey, «Los retratos de Felipe II por Tiziano», *A.E.A.* (1969), págs. 129-165; *íd.*, *Titian II. The Portraits*, Londres, 1971. Sobre la identificación de Felipe II con el personaje retratado en este cuadro véase también B. Berenson, *Italian Pictures of the Renaissance*, Oxford, 1932, pág. 568; *íd.*, *The Venetian School*, Londres, 1957, pág. 184, y Panofsky, *Titian problems, mostly iconographic*, Nueva York, 1969, pág. 122.

93. Sobre esto véase H. E. Wethey, «Los retratos...», página 165; *Titian III. The Mitological Paintings*, Londres, 1975.

94. Carducho, V., *Diálogos de la pintura*, Madrid, edición 1979, pág. 431.

95. *Dánae y la lluvia de oro, Nacimiento de Perseo, Entrega al mar de Dánae y Perseo, Dánae y Polieucto, Perseo recibiendo de Mercurio y Minerva la hoz y el escudo, Perseo y las hijas de Forques, Perseo y la Medusa, Perseo y el caballo de Pegaso.*

96. Véase Almela, *Descripción de la Octava maravilla del mundo...*, edición preparada por Gregorio de Andrés, Documentos para la historia de El Escorial, VI (1972), pág. 78.

97. *Ibíd.*, pág. 78.

98. Véase R. Wittkower, «La alegoría de Tiziano *España socorre a la religión*» en *Sobre la arquitectura en la edad del Humanismo*, Barcelona, 1979, págs. 357-362.

99. J. de Mal Lara, *Descripción de la Galera Real del Sermo. Sr. D. Juan de Austria*, Sevilla, 1876. Véase V. Lleó Cañal, *op. cit.*, págs. 59-61.

100. Argote Molina, *Discurso sobre el Libro de la Montería*, 1582, fols. 15 a 22 v.

101. *Ibíd.* Véase también F. J. Sánchez Cantón, «Sobre la vida y las obras de Juan Pantoja de la Cruz», *A.E.A.* (1947), págs. 95-120.

102. Sigüenza, *op. cit.*, pág. 379.

103. Véase I. Mateo Gómez, *El Bosco en España*, Madrid, 1965; *íd.*, «El Jardín de las Delicias. A propósito de una copia temprana y un tapiz», *A.E.A.* (1967), páginas 47-53; X. de Salas, *El Bosco en la literatura española*, discurso leído el día 30 de mayo de 1943..., Barcelona; R. del Arco, «Estimación española del Bosco en los siglos XVI y XVII», *R.I.E.* (1952), págs. 417-431.

104. Sigüenza, *op. cit.*, págs. 387-392.

105. Sobre estas obras véase J. M. Azcárate, «Los enterramientos reales en El Escorial», *Goya*, 56-57, pá-

ginas 130-147; L. M. Cabello Lapiedra, «Escultura escurialense», *Revista Española de Arte* (1934), págs. 66-68; E. Plon, *op. cit.*; sobre el sepulcro de doña Juana, B. G. Proske, *Pompeo Leoni. Work in marble and alabaster in relation to Spanish Sculpture*, Nueva York, 1956.

106. Cervera de la Torre, *Testimonio autentico y verdadero de las cosas notables que passaron en la dichosa muerte del Rey nuestro señor Don Phelippe Segundo*, Valencia, 1599.

107. Véase *Relatione delle morte e essequie del... re Filippo II*, Bibliothèque Royale Albert I, Bruselas, L. P. 1158 A fol. Biii v.

108. J. López de Hoyos, *Relación de la Muerte y honras fúnebres del SS. Principe Don Carlos...*, Madrid, 1568, publicada por J. Simón Díaz, págs. 8-20.

109. J. López de Hoyos, *Historia y relación...*

110. Morgado, *Historia de Sevilla*, 112 r. y v. Véase Lleó Cañal, *op. cit.*; E. Pérez Escolano, «Los túmulos de Felipe II y de Margarita de Austria en la catedral de Sevilla», *A.H.*, 185 (1977). Para otras ciudades véase J. Agapito y Revilla, «Honras por Felipe II y proclamación de Felipe III en Valladolid», *B.S.E.E.* (1923), 31, páginas 126-162; M. J. Sanz, «Estudio iconográfico del túmulo a Felipe II, levantado en la colegiata de la ciudad de Belmonte», *R.I.E.* (1978), págs. 33-47.

CAPÍTULO 11

1. Hoy desconocidos. Véase Angulo, *Pintura del siglo XVI*, Ars Hispaniae, XII (1954), pág. 195.

2. Sobre el ambiente intelectual de Toledo y las relaciones de sus miembros con *el Greco* véase Richard L. Kagan, «La Toledo del *Greco*», en «*El Greco*» de *Toledo*, Cat. Exp. 1982, págs. 35-73.

3. Véase el Catálogo de W. Jordan en «*El Greco*» de *Toledo*, págs. 244 y 255-256.

4. *Ibíd.*, págs. 244-245, 255-256.

5. Su retrato (Metropolitan de Nueva York) es el que hasta ahora venía siendo denominado *El Cardenal Niño de Guevara*.

6. Véase para ello Richard L. Kagan, *op. cit.*

7. Véase J. Gestoso, *Curiosidades antiguas sevillanas*, Sevilla, 1910, pág. 268; V. Lleó, *Nueva Roma : mitología...*, página 63.

8. V. Lleó, *ibíd.*, pág. 65.

9. Véase A. Domínguez Ortiz, *Las clases privilegiadas en el Antiguo Régimen*, Madrid, 1979.

10. Véase F. J. Sánchez Cantón, «Sobre la vida y las obras de Juan Pantoja de la Cruz», *A.E.A.* (1947), páginas 95-120.

11. Sánchez Cantón, *op. cit.*

12. Angulo, *op. cit.*, pág. 336.

13. Véase M. de Lozoya, «El retrato de don Francisco Gutiérrez de Cuéllar en la catedral de Segovia», *B.S.E.E.* (1925), págs. 166-170.

14. Véase Allende Salazar, «Francisco de Mendieta y su cuadro Jura de los Fueros de Vizcaya por Fernando el Católico», *B.S.E.E.* (1924), págs. 269-273; J. San Martín, «Observaciones sobre el pintor Mendieta y su obra *Jura de los Fueros de Vizcaya*», *Boletín de la Sociedad Vasca*, XXVIII (1972), págs. 183-185.

15. «En el fondo y parte alta del cuadro se ve una ermita o iglesia: en uno de los lados y en el otro, un carro alegórico, tirado por dos lobos, que llevan a los lados unos viejos, y encima del carro un personaje que tiene en la mano izquierda un libro que dice: Legibus ornamenta, y en la derecha una zona en la que hay escrito el letrero siguiente: Hostile namquam temerate vestigio finit (o fuit)», Allende Salazar, *op. cit.*, pág. 269.

16. Barón de San Petrillo: «Las pinturas de la Generalidad de Valencia. Investigación iconográfica», *A.E.A.* (1943), págs. 97-102; (1944), págs. 49-54; 323-326.

17. B. Gilman Proske, *Pompeo Leoni, work in marble and alabaster in relation to Spanish Sculpture*, Nueva York, 1956, pág. 20.

18. F. J. Sánchez Cantón, *Las pinturas de Oriz y la guerra de Sajonia*, Pamplona, MCMXLIV, pág. 62.

19. Véase De la Torre y del Cerro, «Nota histórico-artística sobre la casa de Jerónimo Páez», *Memorias de los Museos arqueológicos provinciales*, Madrid, 1942-43, páginas 120-121; S. Sebastián, *Arte y Humanismo*, Madrid, 1978, págs. 81-82.

20. Véase al respecto C. Wilkinson, «Il Bergamasco e il palazzo a Viso del Marqués», en *Galezzo Alessi e l'architettura del Cinquecento*, Génova, 1974.

21. Véase D. Angulo, *La mitología y el arte del Renacimiento en España*, Madrid, 1952, págs. 57-64; Sebastián, *op. cit.*, págs. 72-80, y T. Antonio, «Pinturas mitológicas en el zaguán del palacio de Viso del Marqués», en *Miscelánea de arte en honor de Diego Angulo*, Madrid, 1982, páginas 85-87.

22. H. Cock, *Relación del viaje hecho por Felipe II en 1585 a Zaragoza, Barcelona y Valencia*, edición de A. Morel-Fatio, Madrid, 1876, pág. 33.

23. *Ibíd.*, pág. 245.

24. *Ibíd.*

25. B. Joly, «Voyage en Espagne», *Revue Hispanique*, 1909, págs. 513 y 539.

26. *Ibíd.*, pág. 482.

27. *Ibíd.*, pág. 503.

28. Véase F. Layna Serrano, «La desdichada reforma del palacio del Infantado hecha por el quinto Duque en el siglo XVI», *B.S.E.E.* (1946); A. Herrera Casado, *El Palacio del Infantado*, Guadalajara, 1975.

29. Cock, *op. cit.*, pág. 13.

30. Citado por Herrera Casado, *op. cit.*, pág. 32.

31. Cock, *op. cit.*, pág. 52.

32. *Ibíd.*, pág. 63.

33. *Ibíd.*, págs. 143-144.

34. Citado por V. Lleó, *op. cit.*, pág. 80; véase también páginas 69 y ss. para un estudio detallado de la villa suburbana en la Sevilla del Renacimiento.

35. González Carvajal, *Elogio histórico de la Peña de Martos*, citado por V. Lleó, pág. 84.

36. Cfr. A. Martín Gamero, *Los cigarrales de Toledo*, páginas 109 y ss.

37. Véase F. Marías, «El cigarral toledano del cardenal Quiroga», *Goya* 154 (1980), págs. 216-222.

38. Martín Gamero, *op. cit.*, pág. 106.

39. B. E. Medinilla, *Descripción de Buena-Vista*. Se trata de la mejor descripción del lugar recogida por M. Gamero, *op. cit.*, págs. 172 y ss.

40. Rechazada por Lleó, *op. cit.*, pág. 49.

41. V. Lleó, *ob. cit.*, págs. 51-52.

42. Véase, para un estudio detenido, V. Lleó, *op. cit.*, páginas 44-56, donde se menciona la posibilidad de la existencia de otros ciclos mitológicos similares en la Sevilla de este momento. Véase también Kunoth, «Francisco's Pacheco Apotheosis of Hercules», *J.C.W.I.* (1964), páginas 335-337, y Jh. Brown, *Images and Ideas in Seventeenth Century Spanish Painting*, Princeton, 1978, págs. 73 y siguientes.

43. A. Igual Úbeda, *Historiografía del arte valenciano*, Valencia, 1961, págs. 87-89.

44. A. Agustín, *Dialogos de Medallas, inscriciones y otras antigüedades*, Tarragona, 1587, pág. 1.

45. *Ibíd.*, pág. 15.

46. A. Morales, *Las antigüedades de las ciudades de España*, Alcalá de Henares, MDLXXV.

47. Véase A. M. Salazar, «El Bosco y Ambrosio de Morales», *A.E.A.* (1955).

48. *Viaje de Ambrosio de Morales por orden del rey D. Phelipe II a los reynos de Leon y Galicia, y principado de Asturias*. Hay edición facsímil de la de 1765 en Biblioteca Popular Asturiana, Oviedo, 1977.

49. A. Agustín, *op.cit.*, fols. 9 v. y 10.

50. V. Lleó, *op. cit.*, págs. 64-65; Jh. Brown, *op. cit.*, página 38.

51. Así lo relata Cock, *op. cit.*, págs. 13-14: «El mismo Duque tiene en otra parte de la ciudad una linda casa de todo género de armas para guerra, y entre ellas hay una que fueron del Duque de Sessa... En suma, se cuentan en la dicha casa çiento y veinte y seis armaduras de caballeros.»

52. J. R. Mélida, *Discurso de Medallas y Antigüedades por Don Martín Gurrea y Aragón, Duque de Villahermosa*, Madrid,

53. Mélida, *op. cit.*, pág. 117: «Hame dado este vaso en que entender por la variedad de figuras que comprehende, y assí, no fiando la interpretación del de mi juiçio, lo consulte con el reverendissimo Antonio Agustin, Obispo de Lerida, doctíssimo y universal en toda facultad, y grandissimo humanista, y amador mucho de las antiguedades, y la persona que mas de ellas entiende de quantas yo he tratado ni visto.»

54. Véase su testamento en *A.H.*, III (1887), páginas 214-224; J. M. Serrera, *Pedro Villegas Marmolejo*, Sevilla, 1976; V. Lleó, *op. cit.*, pág. 57.

55. Véase Lleó, que transcribe el encargo: «Una istoria de Tiçio que el aguila le hiere el pecho, vale 1500 reales; una istoria de una figura que atormenta

una rruda vale 1400 reales; el tantalo, que es otra historia con el arbol encima, vale este lienzo 1500 reales; otra istoria de sisifo que sube una peña sobre los hombros, vale 1300 reales; el lienço original de las artes de mano de maese pedro, vale 70 ducados; el lienço de las penas del infierno, donde esta pluton, vale 25 ducados; los tres lienços de caza, frutas y pescados vale 800 reales cada uno; un retrato de una niña que tiene un perrito en los brazos, vale 30 ducados.»

56. Más ejemplos de este tipo de coleccionismo en J. C. López Martínez, *Desde Martínez Montañés hasta Pedro Roldán*, recordados por Lleó, pág. 58.

57. El inventario de los bienes de A. Pérez en 1585 está en *Archivo Histórico de Protocolos de Madrid*, Antonio Márquez, leg. 989, fols. 466-476 v. Estando este trabajo en prensa aparece el artículo de Ángela De la Force, *The Collection of Antonio Pérez*, que lo recoge, *B.M.*, diciembre de 1982, págs. 744-752.

58. Villalón, *Ingeniosa comparación...*, pág. 174.

59. *Ibíd.*, págs. 174-175.

60. J. Cavestany, «Autómatas curiosos», *A.E.* (1944), páginas 3-8.

61. C. M. Rivero, «Nuevos documentos de Juanelo Turriano», *Revista Española de Arte*, XIII (1936), págs. 17-21.

62. A. de Morales, *op. cit.*, t. XI, págs. 330-337.

63. A. de Morales, *op. cit.*, pág. 341. Véase también Llaguno, *Noticia...*, t. II, págs. 100-105 y 245-249.

64. Schlosser, *Die Kunst-Und Wunderkammer der Spätrenaissance*, Leipzig, 1908. En la actualidad preparo, junto con Miguel Morán Turina, una edición de esta obra con un amplio apéndice del problema en España (Ed. Cátedra).

65. J. M. Morán Turina, «Los prodigios de Lastanosa y la habitación de las Musas», *Separata*, Sevilla, 1981, págs. 53-59.

66. Véase L. Salerno, «Arte, Scienza e collezioni nel Manierismo», en *Scritti di Storia dell'arte in onore di Mario Salmi*, III, Roma, 1963. También E. Battisti, *L'antirinascimento*, Milán, 1962.

67. Véase D. Heikampf, *Mexico and the Medici*, Florencia, 1972; N. Dacos, «Présents Americains a la Renaissance. L'asimilation de l'Exotisme», *G.B.A.* (1969), páginas 57-64.

68. N. de Monardes, *Primera, segunda y tercera partes de la historia medicinal de las cosas que se traen de nuestras indias Occidentales que sirven en Medicina*, Sevilla, 1574, folio 1 v.

69. Véase L. de Góngora, *Sonetos completos*, edición de B. Ciplijauskaite, Madrid, 1969, págs. 75 y 110.

70. Véase J. Babelon, *J. da Trezzo et la Construction de l'Escurial...*, París, 1922, pág. 38. De igual manera Babelon recuerda cómo fray Jerónimo Román, con su *República del Mundo*, Salamanca, 1595, refiriéndose al mismo da Trezzo decía: «... en el año 1560 le he visto grabar una pequeña cornalina, sobre la que figuró los signos del cielo con mucha habilidad y me dijo que era una medalla destinada al bonete del Rey don Felipe, nuestro señor», *op. cit.*, pág. 41.

71. Pacheco, *Libro de retratos*.

BIBLIOGRAFÍA

Aunque nuestra intención ha sido dar el mayor número posible de referencias bibliográficas, es obvio que en un trabajo de este tipo, es imposible proporcionar una bibliografía completa. Se ha procurado incluir los trabajos que, de una manera u otra, siguen teniendo hoy vigencia; por eso es raro que aparezcan obras publicadas con anterioridad a 1900 (para ellas véase, en el campo de la pintura, la bibliografía de los tomos de Post). Determinadas referencias aparecidas en las notas —sobre todo se trata de bibliografía antigua que no puede calificarse de tratado artístico— no se recogen en esta bibliografía que sí incluye, por el contrario, multitud de obras no citadas a pie de página. Se excluyen también los catálogos monumentales, las historias de ciudades y, por regla general, las descripciones y guías de monumentos. La bibliografía se ordena según este criterio:

A. Fuentes y tratados.
B. Colecciones de documentos.
C. Obras generales. (Se incluyen aquí obras y artículos que pueden referirse a dos o más capítulos del libro a la vez.)
D. Bibliografía por capítulos:
1. El fin de la Edad Media y los nuevos planteamientos artísticos.
2. Cultura humanista y primeras obras italianas.
3. El modelo clásico y los intentos de regularización.
4. El arte de la Corte en torno a Carlos V.
5. El problema del manierismo.
6. La imagen religiosa del manierismo.
7. Formulación nobiliaria del clasicismo manierista.
8. La idea del arte entre el manierismo y la Contrarreforma.
9. La imagen religiosa de la Contrarreforma.
10. La nueva imagen del príncipe.
11. La imagen de la nobleza en la España de la Contrarreforma.
12. El Greco.

Abreviaturas de revistas

A.A.V.	Archivo de Arte Valenciano.
A.B.	The Art Bulletin.
A.E.	Arte Español.
A.E.A.	Archivo Español de Arte.
A.E.A.A.	Archivo Español de Arte y Arqueología.
A.H.	Archivo Hispalense.
B.A.T.	Boletín de la Academia de Toledo.
B.M.	The Burlington Magazine.
B.R.A.H.	Boletín de la Real Academia de la Historia.
B.S.A.A.	Boletín del Seminario de Historia del Arte y Arqueología de la Universidad de Valladolid.
B.S.C.E.	Boletín de la Sociedad Castellana de Excursiones.
B.S.E.E.	Boletín de la Sociedad Española de Excursiones.
C.O.D.O.I.N.	Colección de Documentos inéditos para la Historia de España.
E.S.	Estudios Segovianos.
G.B.A.	Gazette de Beaux Arts.
J.C.W.I.	Journal of the Warburg and Courtauld Institute.
J.P.K.	Jahrbuch Preussischen Kunstsammlungen.
J.KS.K.	Jahrbuch Kunstsammlungen allerhöchsten Kaiserhauses.
P.V.	Príncipe de Viana.
R.A.B.M.	Revista de Archivos, Bibliotecas y Museos.
R.I.E.	Revista de Ideas Estéticas.
R.S.	Reales Sitios.

BIBLIOGRAFÍA

A. FUENTES Y TRATADOS

ALMELA, J. A., *Descripción de la octava maravilla del mundo que es la excelente y santa casa de San Lorenzo el Real, monasterio de frailes jerónimos y colegio de los mismos y seminario de letras humanas y sepultura de reyes y casa de recogimiento y descanso despues de los trabajos del gobierno, fabricada por el muy alto y poderoso rey y señor nuestro don Felipe de Austria, segundo de este nombre,* edición preparada y anotada por el padre Gregorio de Andrés, O. S. A., en *Documentos para la Historia del Monasterio de El Escorial,* VI (1962).

ARFE, J. DE, *De varia conmesuración para la escultura y architectura*, Sevilla, 1585, edición moderna a cargo de Antonio Bonet Correa, Madrid, 1974.

ARFE, J. DE, *Descripción de la Traça y ornato de la Custodia de plata de la Santa Iglesia de Sevilla*, Sevilla, 1587; reeditada en *El Arte en España*, III, Madrid, 1864, págs. 174-96, y en *A.H.*, Sevilla, 1887.

BOSARTE, I., *Viaje artístico a varios pueblos de España*, Madrid, 1804. Ed. facsímil a cargo de A. E. Pérez Sánchez, Madrid, 1980.

CARDERERA, V., *Iconografía española*, Madrid, 1855-1864.

CARDUCHO, V., *Dialogos de la pintura: su defensa, origen...*, 1633. Ed. crítica a cargo de F. Calvo Serraller, Madrid, 1979.

CEÁN, J. A., *Diccionario de los profesores de las Bellas Artes en España*, Madrid, 1800. Ed. facsímil, Madrid, 1965.

CÉSPEDES, P. DE, «Escritos», en J. A. Ceán, *Diccionario...*, vol. V.

GARCÍA MERCADAL, F., *Viajes de extranjeros por España y Portugal*, Madrid, 1952.

GUEVARA, F. DE, *Comentarios de la pintura*, publicados por Ponz, 1788. Ed. moderna, Barcelona, 1948.

GUTIÉRREZ DE LOS RÍOS, *Noticia General para la estimación de las artes*, 1600.

HOLANDA, F. DE, *Libro de la pintura antigua...*, traducción de Manuel Denis, Madrid, 1923.

LLAGUNO Y AMIROLA, E., *Noticias de los arquitectos y arquitectura desde su restauración...*, Madrid, 1829. Edición facsímil, Madrid, 1978.

MARTÍNEZ, J., *Discursos del arte de la pintura*, con notas de Carderera, Madrid, 1866. Ed. a cargo de J. Gállego, Barcelona, 1960.

PACHECO, F., *Libro de retratos*, Ed. Sevilla, 1870.

PACHECO, F., *Arte de la pintura*, 1638. Ed. de Sánchez Cantón, Madrid, 1956.

PALOMINO, A., *Museo pictórico y escala óptica*, Madrid, 1724; nueva ed., Madrid, 1947.

PÁREZ DE MOYA, J., *Philosophia secreta*, Madrid, 1585. Edición moderna, 1928.

SAGREDO, D., *Medidas del Romano necessarias a los oficiales...*, Toledo, 1526. Hay varias ediciones facsímiles.

SERLIO-VILLALPANDO, *Tercero y Quarto libro de Architectura*, Madrid, 1583, ed. facsímil.

SIGÜENZA, FRAY J. DE, *Fundación del Monasterio de El Escorial*, Madrid, 1605. Ed. Madrid, 1963.

SIMÓN DÍAZ, J., *Fuentes para la historia de Madrid y su provincia. Tomo I: textos impresos de los siglos XVI y XVII*. Madrid, 1964.

VILLALÓN, C. DE, *Ingeniosa comparación entre lo antiguo y lo presente*, 1539, Madrid, Bibliófilos españoles, Edición moderna, 1898.

VILLALTA, D. DE, *De las estatuas antiguas*, 1590, Mss. en la B.N.M.

VIÑAZA, C. DE LA, *Adiciones al Diccionario Histórico de don J. A. Ceán Bermúdez*, Madrid, 1889.

B. COLECCIONES DE DOCUMENTOS

ABIZANDA Y BROTO, M., *Documentos para la historia artística y literaria de Aragón procedentes del archivo de protocolos de Zaragoza*, Zaragoza, 1917.

AGUILÓ, E., «Notes y documents per una lliste d'artistes mallorquins», *Bolletí Societat Arqueologica Luliana*, XI (1905-1907).

AGULLÓ Y COBO, M., *Noticias sobre pintores madrileños de los siglos XVI y XVII*, Granada, 1978.

AGULLÓ Y COBO, M., *Documentos sobre escultores, entalladores y ensambladores de los siglos XVI al XVIII*, Valladolid, 1978.

ALENDA Y MIRA, J., *Relación de solemnidades y fiestas públicas de España*, Madrid, 1903.

ALONSO CORTÉS, N., «Datos para la biografía artística de los siglos XVI y XVII», *Boletín Real Academia de la Historia* (1922).

ÁLVAREZ TERÁN, C., y GONZÁLEZ TEJERINA, «Papeletas sobre artistas y menestrales castellanos. Archivo de protocolos», *B.S.A.A.* (1933-34), páginas 227-238.

AZCÁRATE, J. M., *Datos histórico-artísticos de fines del siglo XV y principios del XVI*, en Colección de documentos para la historia del arte en España, vol. II, Zaragoza-Madrid, 1982.

CASTRO, J. P., *Cuadernos de Arte navarro*, Pamplona, 1944.

Documentos... para la Historia del Arte en Andalucía, Sevilla, 1927-1946.

DÍAZ JIMÉNEZ, E., «Datos para la Historia del Arte español», *R.A.B.M.* (1924-1925).

GARCÍA CHICO, E., *Documentos para el arte en Castilla. Pintores*, Valladolid, 1946; *Escultores*, 1941; *Plateros*, Valladolid, 1963.

PÉREZ PASTOR, C., *Colección de documentos inéditos para la historia de las Bellas Artes en España*, Memorias de la Real Academia Española, XI, Madrid, 1914.

PÉREZ SEDANO, F., *Datos documentales inéditos para la Historia del arte español I. Notas del Archivo de la catedral de Toledo*, Madrid, 1914.

SALTILLO, M. DEL, «Aportación documental a la biografía artística de Soria durante los siglos XVI y XVII (1508-1698)», *Boletín Real Academia de la Historia* (1944-46).

SALTILLO, M. DEL, *Artistas sorianos de los siglos XVI y XVII*, Madrid, 1948.

SANCHO, H., *Documentos para la historia artística de Cádiz y su región*, Larache, 1940.

ZARCO DEL VALLE, M., *Documentos para la historia*

de las Bellas Artes en España, C.O.D.O.I.N., Madrid, 1870.

ZARCO DEL VALLE, M., *Documentos de la catedral de Toledo*, Madrid, 1916.

C. OBRAS GENERALES

ABIZANDA Y BROTO, M., «Breves noticias sobre la pintura aragonesa hasta el siglo XVII», *Boletín del Museo de Zaragoza*, V (1921), págs. 20 y ss.

AGAPITO Y REVILLA, J., «La pintura en Valladolid», *Boletín del Museo de Valladolid* (1925).

AGAPITO Y REVILLA, J., «La obra de los maestros de la escultura vallisoletana» (1920-1929).

AINAUD DE LASARTE, J., «Cerámica y vidrio», *Ars Hispaniae*, X, Madrid, 1952.

AINAUD DE LASARTE, J., «La pintura dels segles XVI i XVII», *L'art catalá* (1958), págs. 73-94.

ALCAHALÍ, BARÓN DE, *Diccionario de artistas valencianos*, Valencia, 1897.

ALCOLEA, S., «Artes decorativas de la España cristiana de los siglos XI al XIX», *Ars Hispaniae*, XX, Madrid, 1975.

ALCOLEA, S., «La pintura desde 1500 a 1850», *La pintura en Cataluña*, Madrid, 1956, págs. 151-208.

ANGULO ÍÑIGUEZ, D., *La escultura en España*, en STEGMANN, *La escultura en Occidente*, Col. Labor, núms. 78-79.

ANGULO ÍÑIGUEZ, D., «Miniaturistas y pintores granadinos del Renacimiento», *B.R.A.H.* (1945).

ANGULO ÍÑIGUEZ, D., *La mitología y el arte español del Renacimiento*, Madrid, 1952.

ANGULO ÍÑIGUEZ, D., «Pintura del Renacimiento», *Ars Hispaniae*, XII, Madrid, 1954.

ANGULO ÍÑIGUEZ, D., «Pintura del siglo XVI en Toledo y Cuenca», *A.E.A.*, XXIX (1956), 113, páginas 43-58.

ANGULO ÍÑIGUEZ, D., y PÉREZ SÁNCHEZ, A. E., *A corpus of Spanish Drawings, vol. 1 (1400-1600)*, Londres, 1975.

ARAÚJO, F., *Historia de la escultura en España desde principios del siglo XVI hasta fines del XVIII y causas de su decadencia*, Madrid, 1885.

ARCO, R. DEL, «La pintura de primitivos en el alto Aragón», *A.E.*, II (1914), págs. 406 y ss.

ARCO, R. DEL, «La pintura aragonesa», *A.E.*, I (1912), págs. 340 y ss. y 385 y ss.

ARCO, R. DEL, «Nuevas noticias de artistas altoaragoneses», *A.E.A.*, XX (1947), págs. 216 y ss.

ARCO, R. DEL, «La pintura aragonesa en el siglo XVI: Obras y artistas inéditos», *A.E.* (1912-1913), págs. 385 y ss.

ARCO, R. DEL, «El arte en Huesca durante el siglo XVI», *B.S.E.E.*, págs. 187 y ss.

ARRAZOLA, M. A., *El Renacimiento en Guipúzcoa*, San Sebastián, 1967-68.

AZCÁRATE RISTORI, J. M., «Escultura del siglo XVI», *Ars Hispaniae*, XIII, Madrid, 1958.

AZCÁRATE RISTORI, J. M., «La influencia miguelangelesca en la escultura española», *Goya* (1966-1967), págs. 104 y ss.

BAQUERO, A., *Catálogo de los profesores murcianos*, Murcia, 1913.

BENITO, F., y BERCHEZ, J., *Presencia del Renaixement a Valencia. Arquitectura i Pintura*, Valencia, 1982.

BERTAUX, E., «La Renaissance en Espagne et Portugal», ts. IV y V de *Histoire de l'art de André Michel*, París, 1909-12.

BERTAUX, E., *Études d'Histoire de l'art*, París, 1911.

BERTAUX, E., «Les primitifs espagnoles», *La Revue de l'art* (1906-1909).

BUENDÍA, R., *El Renacimiento*, 3.ª parte, Pintura, Madrid, 1980.

CALVERT, A. F., *Sculpture in Spain* (1912).

CAMÓN AZNAR, J., *El arte del Renacimiento en España*, t. X, Historia del Arte Labor.

CAMÓN AZNAR, J., «La arquitectura y orfebrería española del siglo XVI», *Summa Artis*, XVIII, Madrid, 1964.

CAMÓN AZNAR, J., «La escultura y la rejería españolas del siglo XVI», *Summa Artis*, XXIII, Madrid, 1967.

CAMÓN AZNAR, J., «La pintura española del siglo XVI», *Summa Artis*, XXIV, Madrid, 1970.

CANDEIRA, C., *Guía del Museo Nacional de Escultura de Valladolid*, Valladolid, 1945.

CASA VALDÉS, MARQUESA DE, *Jardines de España*, Madrid, 1973.

CASTRO, J. R., «Pintores navarros del siglo XVI», *P.V.*, III (1942), págs. 257, 377; IV (1943), páginas 19, 167 y 281.

CASTRO, J. R., *La pintura en Navarra en el siglo XVI*, San Sebastián, 1934.

CASTRO, J. R., *Cuadernos de arte navarro. Escultura*, Pamplona, 1949.

CATURLA, M. L., *Arte de épocas inciertas*, Madrid, 1944.

CLOULAS, A., *Peintres et sculpteurs italiens en Espagne au XVIe siècle*, París, La Sorbona, 1974.

DÍAZ LÓPEZ, G., *Algunos estatuarios de los siglos XV al XVII*, Madrid, 1943.

DÍAZ PADRÓN, M., «Nuevas tablas del Divino Morales y del Maestro del Portillo», *Informes y trabajos del Instituto de Conservación y Restauración de Obras de Arte* (1968), 7, págs. 17-24.

DÍAZ PADRÓN, M., «Dos nuevas tablas del Divino Morales y seis medallones de Yáñez de la Almedina», *A.E.A.* (1970), págs. 409-413.

DÍAZ Y PÉREZ, N., *Diccionario de extremeños ilustres*, Madrid, 1884-1888.

DIEULAFOY, M., *La statuaire polychrome en Espagne*, París, 1908.

DURÁN SANPERE, A., y AINAUD DE LASARTE, J., *Es-*

cultura gótica, Ars Hispaniae, VIII, Madrid, 1956.

FERNÁNDEZ SERRANO, F., «Artistas del libro litúrgico en Plasencia», *B.S.A.A.* (1949-50), páginas 53-83.

FURIÓ, A., *Diccionario de los profesores de las Bellas Artes en Mallorca*, Palma de Mallorca, 1839.

GÁLLEGO, J., *El pintor de artesano a artista*, Granada, 1976.

GARCÍA GAÍNZA, C., *El Renacimiento*, 2.ª parte, Escultura, Madrid, 1980.

GARCÍA CHICO, E., «Artistas palentinos», *B.S.A.A.* (1945), págs. 197 y ss.

GARCÍA CHICO, E., *Palencia. Papeletas de historia y arte*, Palencia, 1951.

GAYA NUÑO, J. A., «El sentido barroco en la escultura española del siglo XVI», *B.S.E.E.*, 59 (1951), págs. 89 y ss.

GESTOSO PÉREZ, J., *Diccionario de artífices de Sevilla*, Sevilla, 1899-1900.

GESTOSO PÉREZ, J., *Curiosidades antiguas sevillanas*, Sevilla, 1885.

GESTOSO PÉREZ, J., *Sevilla Monumental y artística*, Sevilla, 1890.

GILMAN PROSKE, B., *Catalogue of sculpture in the Hispanic Society of America*, Nueva York, 1930-1932.

GÓMEZ MORENO, M., *La escultura del Renacimiento en España*, Florencia-Barcelona, 1931.

GÓMEZ MORENO, M. E., *La policromía en la escultura española*, Madrid, 1943.

GÓMEZ MORENO, M. E., *Breve Historia de la escultura española*, Madrid, 1951.

GUDIOL RICART, J., *Pintura gótica*, Ars Hispaniae, IX, Madrid, 1955.

GUÉ TRAPIER, E., «Pinturas por artistas del siglo XVI en la colección de la Hispanic Society of America», *B.S.E.E.*, 57 (1953), págs. 129-136.

GÜELL, J. A., *La sculpture polychrome religieuse espagnole*, París, 1925.

GUINARD, P., *La pintura española*, Barcelona, 1972.

HARRIS, E., «Spanish pictures from the Bowes Museum», *B.M.*, XCV, 598, págs. 22-24.

HAUPT, A., *Geschichte der Renaissance in Spanien und Portugal*, Stuttgart, 1927.

HERNÁNDEZ DÍAZ, J., «Iconografía hispalense de la Virgen Madre en la escultura renacentista», *A.H.*, t. II, págs. 41 y ss.

HUIDOBRO, L., «Apuntes para la historia de la pintura castellana», *Boletín de la Comisión de Monumentos de Burgos*, VI (1945), págs. 362 y ss.

JUAN LOVERA, C., «La pintura del siglo XVI en Alcalá la Real (plateresco, purismo y la generación decisiva). De Juan Ramírez a la dinastía de los Raxis», *Boletín de estudios jienenses*, XXIV (1978), 97, págs. 43-76.

JUSTI, K., *Miscellaneen aus drei Jahrhunderten Spanische Kunstlebens*, Berlín, 1908 (hay traducción española).

KUBLER, G., y SORIA, M., *Art and architecture in Spain and Portugal (1500-1800)*, Harmondsworth, 1959.

LAFOND, P., *La sculpture espagnole*, París, 1908.

LAFUENTE FERRARI, E., *Breve historia de la pintura española*, Madrid, 1936, y sucesivas ediciones.

LÉVI, E., *Fortune e aventure de'artifici italiani in Catalogne*, Nápoles, 1932.

LÓPEZ JIMÉNEZ, J. C., «Correspondencia pictórica valenciano-murciana. Siglos XVI-XVII», *A.A.V.* (1966), págs. 3 y ss.

LÓPEZ MARTÍNEZ, C., *Retablos y esculturas de traza sevillana*, Sevilla, 1928.

LÓPEZ MARTÍNEZ, C., *Arquitectos, escultores y pintores de Sevilla*, Sevilla, 1928.

LÓPEZ MARTÍNEZ, C., *Desde Jerónimo Hernández a Martínez Montañés*, Sevilla, 1929.

LÓPEZ TORRIJOS, R., «Representaciones de Hércules en obras religiosas del siglo XVI», *B.S.A.A.* XLVI (1980), págs. 293-308.

LOZOYA, MARQUÉS DE, *Historia del Arte Hispánico III*, Barcelona, 1940.

LLEÓ CAÑAL, V., *Nueva Roma: mitología y humanismo en el Renacimiento sevillano*, Sevilla, 1979.

MADRAZO, P. DE, *Viaje artístico de tres siglos por las colecciones de los reyes de España*, Barcelona, 1884.

MARTÍ Y MONSÓ, J., *Estudios histórico-artísticos relativos a Valladolid y su provincia* (1898).

MARTÍN GONZÁLEZ, J. J., «La policromía en la escultura castellana», *A.E.A.* (1953), págs. 195 y siguientes.

MARTÍN GONZÁLEZ, J. J., «Atribuciones de obras de escultores españoles del siglo XVI», *B.S.A.A.*, XX (1953-54), págs. 200 y ss.

MARTÍN GONZÁLEZ, J. J., «Los ideales artísticos en la imaginería castellana», *R.I.E.* (1954), páginas 319 y ss.

MARTÍN GONZÁLEZ, J. J., «Tipología e iconografía del retablo español del Renacimiento», *B.S.A.A.* (1964), págs. 5 y ss.

MAYER, A. L., *Historia de la pintura española*, Madrid, 1942.

MAYER, A. L., «De pintura española: I. Una obra juvenil del Greco. II. Pinturas del Maestro del Caballero de Montesa», *A.E.A.A.* (1935), páginas 205-208.

MAYER, A. L., *Die Sevillaner Malerschule*, Leipzig, 1911.

MÉNDEZ CASAL, A., *El Renacimiento italiano en España*, t. IX, Historia del arte Labor.

MENÉNDEZ PELAYO, M., *Tratadistas de Bellas Artes en el Renacimiento*, Discurso de ingreso en la Real Academia de San Fernando, Madrid, 1901.

MOYA VALGAÑÓN, J. G., «Algunos aspectos de la pintura aragonesa del siglo XVI», *Primer colo-*

quio de arte aragonés, Teruel, 1978, págs. 247-264.

NIETO ALCAIDE, V., «Función simbólica de la luz en la arquitectura española del siglo XVI», *Homenaje a Gómez-Moreno, Revista Universidad de Madrid*, 1973, págs. 115-132.

NIETO ALCAIDE, V., *La vidriera del Renacimiento en España*, Madrid, 1970.

NIETO ALCAIDE, V., *La luz, símbolo y sistema visual*, Madrid, Cátedra, 1978.

OLAGUER FELIÚ, F., *Las rejas de la catedral de Toledo.*

ORDUÑA, E., *La talla ornamental en madera*, Madrid, 1930.

ORELLANA, M. A., *Biografía pictórica valentina*, ed. de X. de Salas, Valencia, 1967.

ORUETA, R., *La escultura funeraria en España (provincias de Ciudad Real, Cuenca y Guadalajara)*, Madrid, 1919.

PANTORBA, B. DE, *Imagineros españoles*, Madrid, 1952.

PARDO CANALÍS, E., «Dos diálogos de Ceán Bermúdez sobre escultura en España», *R.I.E.* (1962), págs. 351 y ss.

PARRO, S. R., *Toledo en la mano*, Toledo, 1857.

PELAYO QUINTERO, M., «Sillas de coro españolas», *B.S.E.E.* (1907), XV, págs. 53-56, 86-91, 126-134, 168-177, 219-225; (1908), XVI, 16-23, 89-101.

PÉREZ CONSTANTÍ, P., *Diccionario de artistas que florecieron en Galicia durante los siglos XVI y XVII*, Santiago, 1930.

PÉREZ MARTÍN, J. M., «Pintores valencianos medievales y modernos. Addenda», *A.E.A.* (1935), páginas 293-312.

PÉREZ SÁNCHEZ, A. E., «Dibujos españoles en los Ufizzi florentinos», *Goya*, n. 111 (1972), páginas 146-147.

PÉREZ SÁNCHEZ, A. E., «Presencia de Tiziano en la España del Siglo de Oro», *Goya*, 135, páginas 140-159.

POLERÓ, V., *Estatuas tumulares de personajes españoles*, Madrid, 1902.

PORTELA SANDOVAL, F., *La escultura del Renacimiento en Palencia*, Palencia, 1977.

POST, CH., *A History of Spanish Painting*, Cambridge.

POST, CH., «Attributions for several Paintings in Valladolid and its Region», *B.S.A.A.* (1954-55), páginas 7-13.

QUILLET, F., *Le arti in Spagna, ossia storia di quanto gli artisti italiani contribuirono ad abbellire le Castiglie*, Roma, 1851.

RAMÍREZ DE ARELLANO, R., *Catálogo de artífices de Toledo*, Toledo, 1920.

RAMÍREZ DE ARELLANO, R., *Diccionario de artistas de Córdoba*, Madrid, 1893.

RAQUEJO GRADO, M. A., «El donante en la pintura española del siglo XVI», *Goya*, 164-165 (1981), paginas 76-87.

RODRÍGUEZ CRUZ, R., «La pintura segoviana en los siglos XV y XVI», *E.S.*, 14 (1962), página 405.

RODRÍGUEZ MOÑINO, A., «La escultura en Badajoz durante el siglo XVI», *B.S.A.A.*, 13 (1946-47), páginas 101 y ss.

RODRÍGUEZ MOÑINO, A., «Algunos cuadros a identificar del siglo XVI», *A.E.A.*, t. 10 (1934), página 267.

SÁNCHEZ CANTÓN, F. J., *Fuentes literarias para la historia del arte español, t. I, siglo XVI*, Madrid, 1923.

SÁNCHEZ CANTÓN, F. J., «Los pintores de cámara de los Reyes de España», *B.S.E.E.* (1914), páginas 62 y ss.

SÁNCHEZ CANTÓN, F. J., *Dibujos españoles*, Madrid, 1930.

SÁNCHEZ CANTÓN y PITA ANDRADE, *Los retratos de los Reyes de España*, Barcelona, 1948.

SÁNCHEZ MESA, D., *Técnica de la escultura policromada granadina*, Granada, 1971.

SÁNCHEZ MONTERO, J., «Escultura de los siglos XVI y XVII en Murcia», *A.E.A.*, XV (1945), páginas 124 y ss.

SANCHIZ, J., «Pintores medievales valencianos» *A.A.V.* (1928, 1929, 1930).

SARALEGUI, L. DE, «Para el estudio de algunas tablas españolas», *A.E.A.*, 18 (1945), páginas 17 y ss.

SARALEGUI, L. DE, «Algunas sargas y sargueros de Valencia», *Museum*, VII (1921-1926), páginas 203 y ss.

SARALEGUI, L. DE, «Miscelánea de tablas valencianas», *B.S.E.E.* (1932-40), págs. 50-64, 294-307; (1933), 41, págs. 161-176; (1934), 42, páginas 167-182.

SARALEGUI, L. DE, «Sobre algunas tablas españolas (escarceos iconográficos)», *A.E.A.* (1946), páginas 131-159.

SARALEGUI, L. DE, «Sobre algunas tablas de particulares», *A.E.A.* (1950), págs. 185-201.

SARALEGUI, L. DE, «Comentarios sobre algunos pintores y pinturas de Valencia», *A.E.A.*, XXVI (1953), págs. 237 y ss.

SARALEGUI, L. DE, «Para el estudio de algunas tablas de los siglos XV y XVI», *A.E.A.* (1954), páginas 303-314.

SARALEGUI, L. DE, «Sobre algunas tablas del XV al XVI», *A.E.A.* (1956), págs. 275-290.

SARTHOU, C., *La pintura gótica y renacimiento en la provincia de Castellón*, 1920.

SEBASTIÁN, S., «Las fuentes inspiradoras de los grutescos del plateresco», *P.V.*, XXVII (1966), páginas 229 y ss.

SEBASTIÁN, S., *Arte y Humanismo*, Madrid, 1978.

SEBASTIÁN, S., *Iconografía e iconología en el arte de Aragón*, Zaragoza, 1980.

SESMERO PÉREZ, F., *El arte del Renacimiento en Vizcaya*, Bilbao, 1954.

SOHENER, VON HALLDOR, «Die Geschichte der Spanischen Malerei in der Spiegel der Forschung», *Zeitschrift für Kunstgesichte*, 19 (1956), páginas 287-301.

STIRLING-MAXWELL, S. W., *Annals of the Artists of Spain*, 4 vols., Londres, 1847-48.

TEIXIDOR, *Antigüedades de Valencia*, Valencia, 1896.

TORMO, E., *Desarrollo de la pintura española del siglo XVI*, Madrid, 1902.

TORMO, E., «Nuevos estudios sobre la pintura española del Renacimiento», *B.S.E.E.*, 9 (1903), páginas 27 y ss.

TORMO, E., «Álbum de lo inédito para la historia del arte español. El retablo de 1503. El retablo de Sigüenza. El gran Bautismo de los Masip en la catedral de Valencia de 1535», *B.S.E.E.*, 24 (1916), págs. 221-234.

TORMO, E., «El museo diocesano de Valencia», *Arte Español*, VI (1922-23), págs. 293 y ss.

TORMO, E., *Valencia, Los museos*, Madrid, 1932.

TRAMOYERES, L., *Guía del Museo de Valencia*, Valencia, 1915.

VALDIVIESO, E., *Catálogo de la pintura de la catedral de Sevilla*, Sevilla, 1978.

VALVERDE MADRID, J., «La pintura sevillana en la primera mitad del·siglo XVI (1501-1560)», *A.H.*, XXIV (1956), págs. 385 y ss.

VILANOVA, A., «Preceptistas españoles del siglo XVI», en *Historia General de las literaturas hispánicas*, vol. 3, Barcelona, 1953.

VILLALPANDO, M., y VERA, J., «Notas para un diccionario de artistas segovianos del siglo XVI», *E.S.* (1952), págs. 59 y ss.

WEISE, G., *Spanische Plastik aus sieben Jahrhundert*, Reutlingen, 1925-1939.

WEISE, G., «El barroquismo en la escultura española del siglo XVI», *Boletín Museo Provincial de Bellas Artes de Valladolid* 1925-1928), págs. 221 y siguientes.

WEISE, G., *Die Plastik der Renaisance und des Frühbarock in Nördlichen Spanien*, Tubinga, 1957.

ZAPATER, F., *Apuntes acerca de la escuela aragonesa de pintura*, Madrid, 1863.

D. BIBLIOGRAFÍA POR CAPÍTULOS

1. *El fin de la Edad Media y los nuevos planteamientos artísticos*

ABBAD, F., «Unas tablas desconocidas de Bartolomé Bermejo», *A.E.A.* (1951), pág. 335.

AINAUD, J., *Jaime Huguet*, Madrid, 1955.

AINAUD, J., «Una tabla documentada de Lluis Dalmau», *Cuadernos Arquitectura e Historia* (1968), páginas 73-84.

ANGULO ÍÑIGUEZ, D., «Dos tablas de hacia 1490 en el Museo del Prado», *A.E.A.A.* (1927), páginas 93-94.

ANGULO ÍÑIGUEZ, D., «Dos primitivos sevillanos del tercer cuarto del siglo XV», *A.E.A.A.*, VII (1931), págs. 271-272.

ANGULO ÍÑIGUEZ, D., «Una nueva obra de Bartolomé Bermejo», *Revista Española de Arte* (1935-1937), págs. 302-303.

ANGULO ÍÑIGUEZ, D., «Miscelánea de primitivos flamencos y españoles: otros dos primitivos sevillanos», *A.E.A.A.*, 13 (1937), págs. 191-206.

ANGULO ÍÑIGUEZ, D., «La pintura en Granada y Sevilla hacia 1500», *A.E.A.*, 13 (1937), página 85.

ANGULO ÍÑIGUEZ, D., «Primitivos valencianos en Madrid», *A.E.A.* (1940), págs. 85 y ss.

ANGULO ÍÑIGUEZ, D., «La adoración de los Reyes, del Museo de Bayona, atribuida a Rodrigo de Osona», *A.E.A.* (1945), pág. 383.

ANGULO ÍÑIGUEZ, D., «El maestro de la colección Pacully», *A.E.A.* (1959), págs. 143-144.

ARA GIL, J., *En torno al escultor Alejo de Vahía (1440-1510)*, Valladolid, 1974.

ARENA, H. L., «Las sillerías de coro del maestro Rodrigo Alemán», *B.S.A.A.* (1965).

AZCÁRATE, J. M., «El tema iconográfico del salvaje», *A.E.A.* (1948), págs. 81 y ss.

AZCÁRATE, J. M., «El maestro Sebastián de Toledo y el Doncel de Sigüenza», *Wad-al-hayara*, 1 (1974), págs. 7-34.

BERMEJO, E., «El *Cristo Muerto* del maestro de la *Virgo inter virgenes*», *A.E.A.* (1955), págs. 261-263.

BERMEJO, E., *La pintura de los primitivos flamencos en España*, t. I, Madrid, 1980; t. II, Madrid, 1982.

BERTAUX, E., «Cuatro tablas de un políptico flamenco pintado para Isabel la Católica», Catálogo de la exposición hispano-francesa, Zaragoza, 1908.

BERTAUX, E., «Das Katalanische Sankt Georg Triptik aus der Werkstaat des Jaime Huguet», *J.K.P.K.*, XXX (1909), págs. 187-192.

BRANS, J. V. L., «Juan Guas escultor», *Goya* (1960), páginas 362-367.

BRANS, J. V. L., *Isabel la Católica y el arte hispano-flamenco*, Madrid, 1952.

BROWN, JH., «Dos obras tempranas de Bartolomé Bermejo y su relación con Flandes», *A.E.A.* (1963), págs. 269-279.

CABRÉ, J., «El tesoro artístico de los S. S. Corporales de Daroca», *B.S.E.E.*, 30 (1922), páginas 275-292.

CAMÓN AZNAR, J., «La pintura de Rodrigo de Osona», *Goya*, 96 (1970), págs. 335-341.

CAMÓN AZNAR, J., «Martín de Soria», *Goya* (1965), 68, págs. 70-75.

CARRETE PARRONDO, J., «Sebastián de Toledo y el sepulcro de don Álvaro de Luna», *R.I.E.* (1975), páginas 231-237.

CARRIAZO, J. DE LA M., «Los relieves de la guerra de Granada en el coro de Toledo», *A.E.A.A.* (1927), págs. 19-70.

CONDORELLI, A., «Su Paolo di San Leocadio», *Comentarii*, XIV (1963), págs. 134-150, 246-253.

CHABAS, R., *Contrato tra il capitolo, Pagano e Paolo da San Leocadio, 28-Julio-1492.*

DOÑATE SEBASTIÁ, J. M., «Los retablos de Pablo de San Leocadio en Villarreal de los Infantes», *Boletín Sociedad Castellonense de Cultura*, XXXIV (1958), págs. 241-289.

DURÁN SANPERE, A., «Lluis Dalmau et Jaume Huguet», en *La peinture catalane á la fin du Moyen Age*, París, 1933, págs. 164, 84-88, 123-132.

DURÁN SANPERE, A., «Dibujos del siglo XV atribuibles al pintor Jaime Vergós», *Anales y Boletín de los Museos de Arte de Barcelona*, I (1941), páginas 23-29.

DURRUTY, I, «El retablo de Santa Ana en el Seminario Conciliar de Valladolid», *B.S.A.A.* (1941-42), págs. 219-237.

FERRÁN, V., «Pablo de San Leocadio y la pintura valenciana en los siglos XV y XVI», *Saitabi*, VI (1946), págs. 247 y ss.

FOLSCH Y TORRES, R., «El retaule de Sant Jordi, de Jaume Huguet», *Gaseta de les arts*, junio 1924, páginas 1-13.

FRIEDMANN, H., *Bartolomé Bermejo «Episcopal Saint». A Study in Medieval Spanish Symbolism*, Washington, 1966.

GALLEGO BURÍN, A., *La Capilla Real de Granada*, Granada, 1931, 1952.

GESTOSO Y PÉREZ, J., «Juan Sánchez, pintor sevillano desconocido», *B.S.E.E.*, XVII (1909), páginas 9-16.

GÓMEZ-MORENO, M., «El retablo mayor de la catedral de Oviedo», *A.E.A.A.* (1933), págs. 1 y ss.

GÓMEZ-MORENO, M., «A propósito de Simón de Colonia en Valladolid», *A.E.A.A.*, XXX (1934), páginas 181-184.

GONZÁLEZ-SÁNCHEZ GABRIEL, M., «La sillería del coro de la colegiata de Belmonte», *B.S.A.A.* (1936-39), págs. 21-34.

GUDIOL, J., y AINAUD, J., *Jaime Huguet*, Barcelona, 1948.

GUDIOL, J., «El pintor Diego de la Cruz», *Goya*, 70 (1966), págs. 208-217.

LACARRA, M., «Huella de Martín Schongauer en los primitivos aragoneses», *A.E.A.*; 207 (1979), páginas 347-350.

LAFUENTE FERRARI, E., «Las tablas de Sopetrán», *B.S.E.E.*, 37 (1929), págs. 89-111.

LAFUENTE FERRARI, E., «Notas de catálogo (Oso-na y su escuela)», *A.E.A.*, 9 (1933), pág. 189.

LAFUENTE FERRARI, E., «Miscelánea de primitivos castellanos I. Las tablas de la iglesia de San Miguel del Pino (Valladolid)», *A.E.A.A.* (1935), páginas 179-194.

LAVALLEYE, J., «Considérations sur les primitifs flamands conservés a la Capilla Real de Grenade», *Bulletin de la classe de Beaux-Arts de l'Academie Royale de Belgique*, XLI (1959), páginas 21-29.

LOGA, V. VON, «Bermejo in Castile», *B.M.*, XXII (1912-1913), págs. 315-316.

LOZOYA, M. DE, «La Sala del solio en el Alcázar de Segovia», *A.E.A.* (1940), págs. 261-269.

MARTÍ Y MONSÓ, J., «Retratos de Isabel la Católica», *B.S.C.E.* (1903-4), págs. 496-506.

MARTÍN GONZÁLEZ, J. J., «La sillería de la iglesia de Santa María de Dueñas.(Palencia)», *A.E.A.* (1956), págs. 117-123.

MATEO, I., *Temas profanos en la escultura gótica española. Las sillerías de coro*, Madrid, 1979.

MAYER, A. L., «El escultor Gil de Siloé», *B.S.E.E.*, 31 (1923), págs. 252-257.

MAYER, A. L., «Jaume Huguet y los Vergós», *B.S.E.E.* (1925), págs. 210-213.

MAYER, A. L., «En torno al maestro Alfonso y a Bartolomé Bermejo», *Revista Española de Arte*, XII (1934), pág. 36.

MORÁN RUBIO, M., «Un relieve de San Jerónimo (Covarrubias) próximo a Diego Siloé», *B.S.A.A.* XLVI (1980), págs. 485-490.

NIETO GALLO, G., «Tablas de la iglesia de Portillo», *B.S.A.A.* (1935-36), págs. 87-89.

OCAMPO, M. J., «Papeletas sobre escultura gótica en Castilla. Los grupos de San Pablo de la Moraleja y Nava del Rey», *B.S.A.A.* (1934-35), páginas 403-409.

OCAMPO, M. J., «Papeletas sobre escultura gótica en Castilla: El retablo del Museo de Valladolid», *B.S.A.A.* (1935-36), págs. 91-95.

PEMÁN, C., «Un retablo sevillano en la colección Orleáns Sanlúcar», *A.E.A.A.*, XVI (1930), páginas 65-70.

PEMÁN, C., *Juan van Eyck y España*, Cádiz, 1969.

PÉREZ EMBID, F., *Pedro Millán y los orígenes de la escultura en Sevilla*, Madrid, 1973.

POST, R. CH., «Additional works by the Osonas», *G.B.A.*, XXV (1943), págs. 273 y ss.

POST, R. CH., «Una obra posible de Santa Cruz», *B.S.A.A.*, XIII (1951-52).

POST, R. CH., «El maestro de Geria», *B.S.A.A.*, XIV (1952-53), págs. 11-13.

POST, R. CH., «An Agony in the Garden by Rodrigo de Osona the Jounger», *Bulletin of Rhode Island School of design* (1958), págs. 1-3.

POST, R. CH., «Diego de la Cruz», *G.B.A.* (1959), páginas 21-25.

PUT, VAN DE, «An early valencian master», *B.M.* (1907), págs. 111 y ss.; (1908), págs. 155 y siguientes.

RAMÍREZ DOMÍNGUEZ, J. A., «Notas para una estimación de la sátira religiosa en las misericordias de algunas sillerías de coro», *R.I.E.* (1975), páginas 109-121.

RODRÍGUEZ CRUZ, R., «El maestro de los claveles», *Goya*, 61 (1964), págs. 10-17.

ROMERO DE TORRES, E., «Los primitivos cordobeses. Pedro de Córdoba y Bartolomé Bermejo», *B.S.E.E.*, XVII (1908), págs. 55-62.

SALAZAR, J. DE, «El origen flamenco de Gil de Siloé», *A.E.A.* (1946), págs. 228-242.

SAMBRICIO, V. DE, «Luis Dalmau et Jean van Eyck», *Cahiers de Bordeaux* (1954), págs. 27 y ss.

SÁNCHEZ CANTÓN, F. J., «Maestro Jorge Inglés, pintor y miniaturista del Marqués de Santillana», *B.S.E.E.*, XXIV (1916), págs. 99-105; XXV (1917), págs. 27-31.

SÁNCHEZ CANTÓN, F. J., «El retablo de la Reina Católica», *A.E.A.A.* (1930), págs. 97-133 «(Addenda et corrigenda)» (1931), págs. 149-152.

SÁNCHEZ CANTÓN, F. J., «Mito y realidad de Rincón, pintor de los Reyes Católicos», *Las Ciencias*, 1 (1934).

SANPERE I MIQUEL, «Miquel Sithium, pintor de la cámara de Isabel la Católica y Carlos V», *Revista crítica*, vii (1902), págs. 5-22.

SAN PETRILLO, B. DE, «Filiación histórica de los primitivos valencianos», *A.E.A.A.* (1932), páginas 1-19; (1933), págs. 85-98; (1934), páginas 109-122; (1936), págs. 87-107; (1940-41), páginas 202-207.

SANTOS JAVIER, SAMUEL DE LOS, «Pinturas murales de la casa del Museo Arqueológico de Córdoba», *A.E.A.*, 20 (1947), págs. 240-249.

SARALEGUI, L. DE, «Las tablas de la iglesia de Borbotó», *A.A.V.*, XIII (1927), págs. 67 y ss.

SARALEGUI, L. DE, «Miscelánea de tablas valencianas. Ecos del arte de San Leocadio», *B.S.E.E.* 39 (1931), págs. 217 y ss.; 40 (1932), págs. 50 y ss., y 274 y ss.

SARALEGUI, L. DE, «Para el estudio de algunas tablas valencianas», *A.A.V.*, XX (1934).

SARALEGUI, L. DE, «Tres tablas valencianas», *B.S.E.E.*, 43 (1935), págs. 157 y ss.

SARALEGUI, L. DE, «Para el estudio de algunas tablas valencianas y aragonesas», *B.S.E.E.* (1936-40), págs. 109-113.

SARALEGUI, L. DE, «Problemas de pintura valenciana del siglo xv», *A.E.A.* (1944), págs. 104-123.

SARALEGUI, L. DE, «Estudio de algunas tablas españolas», *A.E.A.* (1945), págs. 17 y ss.

SARALEGUI, L. DE, «Noticias de tablas inéditas», *A.E.A.* (1948), págs. 200-214.

SARALEGUI, L. DE, «Más tablas españolas inéditas (las de la colección Gómez Fos)», *A.E.A.* (1948), páginas 276-291.

SARALEGUI, L. DE, «Comentarios sobre algunos pintores y pinturas de Valencia», *A.E.A.* (1953), página 237.

SARALEGUI, L. DE, «Noticiario de pinturas en tierras levantinas», *A.E.A.* (1958), págs. 237-242.

SEBASTIÁ, DE, *Los retablos de Pablo de San Leocadio en Villarreal de los Infantes*, Castellón de la Plana, 1958.

SEBASTIÁN, S., «Un programa astrológico en la España del siglo xv», *Traza y Baza*, 1 (1972), páginas 49-61.

SENTENACH, N., «Retratos de don Íñigo López de Mendoza, primer Marqués de Santillana y su mujer doña Catalina Suárez de Figueroa», *B.S.E.E.* (1907), págs. 141-144.

SERRANO FATIGATI, E., «Retablos españoles ojivales y de la transición al Renacimiento», *B.S.E.E.*, IX (1901), págs. 204-218, 234-244, 264-265.

SILVA MAROTO, P., «Nuevos datos para la biografía de Sanson Florentino», *A.E.A.* (1971), páginas 155-163.

SILVA MAROTO, P., «Pintura hispano-flamenca en Ávila: Juan de Pinilla o el maestro de San Marcial», *A.E.A.* (1972), págs. 33-41.

SIMONSON FUCHS, A., «The Virgin of the Councillors by Luis Dalmau (1443-1445). The contract and its eyckian execution», *G.B.A.*, XCIX (1982), págs. 45-54.

TORMO Y MONZÓ, «La colección de tablas de doña Isabel la Católica conservada en Granada», *B.S.C.E.*, II (1904), págs. 487-491.

TORMO Y MONZÓ, E., «Las sargas del pintor San Leocadio», *Cultura Española*, IX (1908), página 167.

TORMO Y MONZÓ, E., «La pintura aragonesa cuatrocentista y la retrospectiva de la exposición de Zaragoza en general», *B.S.E.E.*, XVII (1909), páginas 234-243.

TORMO Y MONZÓ, E., «Las conferencias de M. Emile Bertaux en el Ateneo y en la Universidad», *A.E.*, III (1912-13), págs. 107-128.

TORMO Y MONZÓ, E., *Jacomart y el arte hispano-flamenco cuatrocentista*, Madrid, 1913.

TORMO Y MONZÓ, E., «El retablo de Sinobas, de 1503», *B.S.E.E.* (1916), pág. 222 y ss.

TORMO Y MONZÓ, E., «Bartolomé Bermejo, el más recio de los primitivos españoles. Resumen de su vida, de su obra y de su estudio», *A.E.A.A.* (1926), págs. 11-94.

TORMO Y MONZÓ, E., «Comentario a la *Filiación histórica*», *A.E.A.A.* (1932), págs. 21-36; (1933), páginas 99-102; (1934), págs. 123-133.

TORMO Y MONZÓ, E., «Rodrigo de Osona, padre

e hijo, y su escuela», *A.E.A.A.* (1932), páginas 101-147; (1933), págs. 153-210.

TORMO Y MONZÓ, E., «El pintor de los españoles en Roma en el siglo XV. Antoniazzo Romano», *A.E.A.* (1943), págs. 189-211.

TORRE, E., «Maestre Antonio Inglés y Melchor Alemán, pintores de los RR. CC.», *A.E.*, XX (1953-55), págs. 105-110.

TORRE, E., «Michel Sittou, pintor de Isabel la Católica. Su estancia en España», *Hispania*, XVIII (1958), págs. 190-200.

TRAMOYERES BLASCO, «El pintor Luis Dalmau», *La Cultura Española*, 6 (1907).

TRAMOYERES BLASCO, «El maestro Rodrigo de Osona y su hijo del mismo nombre», *Cultura Española*, IX (1908), págs. 139 y ss.

TRIZNA, J., *Michel Sittow. Peintre revalais de l'école brigéoise (1468-1525-1526)*, Bruselas, 1977.

URQUIDI, J., «El ecce-homo de Dueñas, obra de Gil de Siloé», *B.S.A.A.*, IX (1942-43), págs. 179-181.

VANDEVIVERE, I., «L'intervention du sculpteur hispano-rhenan Alejo de Vahia dans le *Retablo Mayor* de Palencia (1505)», *Mélanges Jacques Lavalleye*, Lovaina, 1970, págs. 305-318.

VAN SCHOUTE, R., *Les primitifs flamands. La Chapelle Royale de Grenade*, Bruselas, 1963.

Vergos—in the Collection of the Hispanic Society of America, Nueva York, 1928.

WETHEY, A. H., *Gil de Siloé and his School*, Cambridge, 1936.

WETHEY, A. H., «Annequin de Egas Cueman, a flaming in Spain», *A.B.* (1937).

YOUNG, E., *Bartolomé Bermejo*, Londres, 1975.

2. *Cultura humanista y primeras obras italianas*

AINAUD, J., «El contrato de Ordóñez para el coro de Barcelona», *Anales y Boletín de los Museos de arte de Barcelona*, VI (1948), págs. 345 y ss.

ALCOLEA GIL, S., *El retablo de San Eloy de los plateros de Barcelona*, Barcelona, 1956.

ALLENDE-SALAZAR, «Pedro Berruguete en Italia», *A.E.A.A.* (1927), págs. 133 y ss.

ANDREI, P., *Sopra D. Fancelli fiorentino e Bartolome Ordognes Spagnuolo*, Massa, 1871.

ANDRÉS, T., «El rejero Juan Francés», *A.E.A.* (1956), págs. 189-210.

ANGULO ÍÑIGUEZ, D., «El maestro de Portillo», *A.E.A.* (1940-41), págs. 476-477.

ANGULO ÍÑIGUEZ, D., «La Virgen con el niño de Berruguete de la colección del vizconde de Roda», *A.E.A.* (1943), págs. 111-115.

ANGULO ÍÑIGUEZ, D., «La *Adoración de los Reyes* del Museo de Bayona, atribuida a Rodrigo de Osona», *A.E.A.*, 18 (1943), págs. 383 y ss.

ANGULO ÍÑIGUEZ, D., «Pedro Berruguete: dos obras probables de juventud», *A.E.A.* (1945), páginas 137-149.

ANGULO ÍÑIGUEZ, D., *Pedro Berruguete en Paredes de Nava*, Barcelona, 1946.

ANGULO ÍÑIGUIEZ, D., «Los relieves del patio de la Universidad de Salamanca», *A.E.A.* (1950), páginas 356.

ANGULO ÍÑIGUEZ, D., «Un nuevo retrato de Isabel la Católica», *B.R.A.H.* (1950).

ANGULO ÍÑIGUEZ, D., «El retrato de Isabel la Católica», *Arbor* (1951).

ANGULO ÍÑIGUEZ, D., «Un nuevo retrato de don Fernando el Católico», *A.E.A.* (1951).

ANGULO ÍÑIGUEZ, D., «Los retratos de los Reyes Católicos del Palacio de Windsor», *Clavileño* (1951).

ANGULO ÍÑIGUEZ, D., *Isabel la Católica, sus retratos, sus vestidos y sus joyas*, Santander, 1951.

ANGULO ÍÑIGUEZ, D., «El retrato de Isabel la Católica de la colección Bromfield Davenport», *A.E.A.* (1954), págs. 260-261.

ANGULO ÍÑIGUEZ, D., «L'enigme de Berruguete, peintre castillan, dans l'attribution des peintures d'Urbino», *Les Beaux-Arts*, Bruselas, 1957.

ANGULO ÍÑIGUEZ, D., «Las pinturas de Berruguete del retablo mayor de la iglesia de Santa Eulalia, de Paredes de Nava», Madrid, 1965, *Instituto Conservación y restauración de obras de arte*, páginas 5-12.

ARCO, R. DEL, «El pintor cuatrocentista Pedro de Aponte», *Arte Español*, II (1914), págs. 106 y ss.

ARCO, R. DEL, «Pedro de Ponte, o Aponte, pintor del Rey católico», *B.S.A.A.*, IX (1942-43), páginas 59-77.

BABELON, J., «Sur un portrait de Ferdinand le Catholique au Musée de Beaux Arts de Poitiers», *Les amis des Musées de Poitiers* (1952).

BACAICOA, P. F., «Simbolismo del sillar de Paredes de Nava», *A.E.A.*, 22 (1949), pág. 260.

BARCIA, A. M., «Retratos de Isabel la Católica», *R.A.B.M.*, XVII (1907), págs. 76 y ss.

BERENGUER, «El maestro Yacobo Florentin», *B.S.E.E.* (1900).

BERMEJO, E., *Juan de Flandes*, Madrid, 1962.

BERTAUX, E., «Monuments et souvenirs des Borgia dans le Royaume de Valence», *G.B.A.* (1908), tercer periodo.

BOLOGNA, F., *Napoli e le rotte mediterranee della Pittura*, Nápoles, 1979.

BOSQUE, A. DEL, *Artisti italiani in Spagna. Dal XIV secolo al Re Cattolici*, Milán (s. f.).

BRANS, J. V. L., «Juan de Flandes. Pintor de la Reina Católica y de Castilla», *Clavileño*, IV, 21 (1953), págs. 28 y ss.

CAAMAÑO MARTÍNEZ, J. M., «El maestro de Manzanillo», *Goya*, 63 (1964), págs. 134-139.

CAMÓN AZNAR, J., «Pedro Berruguete y la exposición del Museo de Gante», *Goya*, 22 (1958), páginas 236-242.

CAUSA, R., «Sagrera, Laurana e l'arco di Castel Nuovo», *Paragone*, 55 (1954), págs. 3-20.

CONDORELLI, A., «Il problema di Juan de Borgoña», *Commentari* (1960), XI, 1, págs. 46-59.

CONDORELLI, A., «Un ritratto firmato, Opus Johannes Burgundi», *Commentari* (1965), página 77.

CONDORELLI, A., «Problemi di pittura valenzana», *Comentarii*, XVII, Roma, 1966, n. 1-3, págs. 112-128.

CROCE, B., *La corte spagnuola di Alfonso d'Aragona a Napoli* (1894).

CHÂTELET, A., «Pedro Berruguete et Juste de Gand», en *Actas del XXIII Congreso Internacional de Historia del Arte*, Granada, 1973, págs. 335-343.

DARBY, D., «The retablo of Avila», *Parnassus* (1929).

DAVILLIER, J. C., «Niculoso Pisano, peintre ceramiste italien établi á Seville», *G.B.A.* (1865).

DÍEZ DEL CORRAL, R., «Lorenzo Vázquez y la casa del cardenal don Pedro González de Mendoza», *Goya*, 155 (1980), págs. 280-285.

ECKHOUT, LAVALLEYE Y PAUWELS, *Berruguet et la Cour d'Urbin*, Catálogo exp. Gante, 1957.

FIOCO, G., «I pittori da Santa Croce», *L'arte* (1916).

FLAMA, «El sepulcre del Duc de Cardona a Bellpuig», *Gaseta de les arts*, n. 16.

FRIEDLANDER, M. J., «Juan de Flandes», *Cicerone* (1930), pág. 1.

FROTHINGAM, W., «Tile altar by Niculoso Pisano and others at Tentudia», *Connoiseur*, enero 1964.

GALLEGO Y BURÍN, A., *La Capilla Real de Granada*, Madrid, 1931, 1952.

GALIAY, J., «Retratos de los Reyes Católicos en la portada de Santa Engracia de Zaragoza», *Seminario de arte aragonés* (1945), págs. 5 y ss.

GAMBA, G., «Pietro Berruguete», *Dédalo* (1927), páginas 638 y ss.

GARCÍA, E., «Los tapices de Fonseca en la catedral de Palencia», *B.S.A.A.*, XIII (1946-47), páginas 173-196; XIV (1948); XV (1949-50), páginas 144-149.

GAYA NUÑO, J. A., «En Italia, con Pedro Berruguete», *Goya*, 15 (1956), págs. 147-157.

GAYA NUÑO, J. A., *Fernando Gallego* (1958), Madrid.

GAYA NUÑO, J. A., «Sobre el retablo de Ciudad Rodrigo, por Fernando Gallego y sus colaboradores», *A.E.A.* (1958), págs. 299-312.

GAYA NUÑO, J. A., «Tres nuevas pinturas en el Museo del Prado», *Goya* (1960), págs. 206 y siguientes.

GESTOSO, J., *Noticias de algunas esculturas de barro vidriado, italianas y andaluzas*, Cádiz, 1909.

GESTOSO, J., «Más esculturas vidriadas italianas y andaluzas», *Museum* (1911), págs. 262 y ss.

GLOUGH, C. H., «Pedro Berruguete and the court of Urbino: a case of wishful thinking», *Notizie da Palazzo Albano*, III (1974), n. 1, págs. 17-24.

GLÜCK, G., «Bildnisse von Juan de Flandes», *Pantheon*, VIII (1931), págs. 313 y ss.

GNUDI, C., *Lo studiolo di Federico de Montefeltro*, Forlí, 1938.

GÓMEZ MORENO, M., «La Capilla de la Universidad de Salamanca», *Boletín de la Sociedad Castellana de Excursiones*, VI (1913-14), págs. 321 y ss.

GÓMEZ MORENO, M., «En la Capilla Real de Granada», *A.E.A.A.* (1925), págs. 245 y ss.

GÓMEZ MORENO, M., «Francisco Chacón, pintor de la reina Católica», *A.E.A.A.* (1927), páginas 359-360.

GÓMEZ MORENO, M., *Las águilas del Renacimiento*, Madrid, 1941.

GÓMEZ MORENO, M., «La joya del Ayuntamiento madrileño ahora descubierta», *A.E.A.*, 24 (1951).

GÓMEZ MORENO, M. E., *Bartolomé Ordóñez*, Madrid, 1956.

GÓMEZ MORENO, M., y SÁNCHEZ CANTÓN, F. J., «Sobre Fernando Gallego», *A.E.A.A.* (1927), páginas 349 y ss.

GÓMEZ PIÑOL, E., «Jacobo florentino y la obra de talla de la sacristía de la catedral de Murcia», Universidad de Murcia, 1970.

GONZÁLEZ MUÑOZ, M. DEL C., «El antiguo retablo de la colegial de Talavera. Posible obra de Juan de Borgoña», *A.E.A.* (1974), págs. 53-56.

GONZÁLEZ SIMANCAS, «Un retablo de Pedro Berruguete», *A.E.A.* (1925), págs. 221 y ss.

GUDIOL, J., «Las pinturas de Fernando Gallego en la bóveda de la Biblioteca de la Universidad de Salamanca», *Goya* (1956), 13, págs. 8-13.

GUDIOL, J., «Oeuvres inédites de Jean de Flandes», *Miscellanea Prof. Dr. D. Roggen*, Amberes, 1957, páginas 349 y ss.

HAVERKAMP BEGEMANN, E., «Juan de Flandes y los Reyes Católicos», *A.E.A.*, XXV (1952), páginas 237-247.

HERNÁNDEZ DÍAZ, J., «Presencia de Torrigiano en el Cinquecento europeo», *A.H.* (1973), páginas 171-173, 311-327.

HERNÁNDEZ PERERA, J., *Escultores florentinos en España*, Madrid, 1957.

HULIN DE LOO, *Pedro Berruguete et les portraits d'Urbin*, París, 1942.

ISHERWOOD KAY, H., «Two Paintings by Juan de Flandes», *B.M.*, LVIII (1931), págs. 197 y ss.

JOHANSEN, P., «Meister Michel Sitow, Hofmaler der Königin Isabelle von Kastilien und bürger von Reval», *J.P.K.*, LXI (1940), págs. 1-36.

J. P., «La tabla conocida por la Virgen del Caballero de Montesa», *B.S.E.E.*, 29 (1921), página 308.

JUSTI, C., «Juan de Flandes, ein nierderländischen Hofmaler Isabella der Katholischen», *J.P.K.*, VII (1887), págs. 157 y ss.

KRUFT, H. W., «Pace Gagini and the sepulcres of Ribera in Seville», en *Actas del XXIII Congreso Internacional de Historia del Arte*, Granada, 1973, págs. 327 y ss.; Granada, 1976.

LAFORA, J., «Autorretrato de Pedro Berruguete», *B.S.E.E.* (1901), pág. 49.

LAFORA, J., «De Pedro Berruguete, Apuntes para la catalogación de algunas de sus obras», *A.E.*, VIII (1926), págs. 163-169.

LÁINEZ ALCALÁ, R. L., *Pedro Berruguete, pintor de Castilla*, Madrid, 1943.

LAVALLEYE, M. J., *Juste de Gand o Pedro Berruguete*, Bruselas, 1933.

LAVALLEYE, M. J., *Juste de Gand, peintre de Féderic de Montefeltre*, Lovaina, 1936.

LAVALLEYE, M. J., «Unité ou colaboration dans la décoration du Palais Ducal d'Urbino. Juste de Gand, Berruguete, Giovanni Santi, Melozzo da Forli», *Les Beaux-Arts* (1957).

LAYNA SERRANO, F., «Las tablas de la iglesia de San Ginés de Guadalajara», *B.S.E.E.* (1936-40), páginas 89-102.

LÉVI, E., *Fortune e aventure de'artifici italiani in Catalogna*, Nápoles, 1932.

LONGHI, R., «Una pietá del Maestro del Cavaliere de Montesa», *Paragone* (1963), 161, páginas 55-57.

LOO y REYNAUD, «Origen del retablo de Juan Bautista atribuido a Juan de Flandes», *A.E.A.*, LII, 206 (1979), págs. 125-144.

LOZOYA, M. DE, *Escultura de Carrara en España*, Madrid, 1957.

LLEÓ CAÑAL, V., «Recibimiento en Sevilla del Rey Fernando el Católico en 1508», *A.H.*, 188 (1978), págs. 9-25.

MADURELL, J. M., «Bartolomé Ordóñez», *Anales y Boletín de los Museos de Arte de Barcelona*, (1948), páginas 345 y ss.

MAYER, A. L., «Una colección de arte español en Reggio d'Emilia», *Revista Española de Arte* (1935), páginas 330-332.

MAYER, A. L., «Dos tablas primitivas españolas», *A.E.*, 4 (1920), págs. 170-173.

MAYER, A. L., «Pinturas del Maestro del Caballero de Montesa», *A.E.A.*, XI (1935), págs. 207-208.

MILICUA, J., «Nuevas sobre Ordóñez y Siloé en Nápoles», *A.E.A.* (1951), págs. 331-334.

MORALES, A., *Francisco Niculoso Pisano*, Sevilla, 1977.

MORENO VILLA, J., «Un pintor de la Reina Católica», *B.S.E.E.*, XXIV (1916), págs. 276-281.

MORISANI, O., «Per l'arte de Diego Ordóñez», *Rassegna storica napoletana* (1941), II, pág. 185.

MORISANI, O., *Saggi sulla scultura napoletana del Cinquecento*, Nápoles, 1941.

MORRISON, R., «Ritratti de Ferdinando e Isabella eseguiti da Pietro Berruguete», *L'arte* (1935), páginas 474 y ss.

MORTE GARCÍA, C., «La personalidad artística de Pedro Aponte a partir del retablo de San Miguel Ágreda (Soria)», en *Primer coloquio de arte aragonés*, Teruel, 1978, págs. 219-234.

NIETO GALLO, G., «Miguel Angel Nacherino y sus obras en la provincia de Burgos», *B.S.A.A.* (1950), págs. 119 y ss.

PITA ANDRADE, J. M., «Don Álvaro de Fonseca y el arte del Renacimiento», *Cuaderno de Estudios Gallegos* (1958), págs. 173 y ss.; «Realizaciones artísticas de D. Alonso de Fonseca», *ibíd.* (1968), páginas 29-44; «La huella de Fonseca en Salamanca», *ibíd.*, págs. 209-232.

POSCHMANN, A., «Algunos datos nuevos y curiosos sobre el monumento de don Felipe el Hermoso y doña Juana la Loca en la Real Capilla de Granada», *R.A.B.M.*, XXXVIII (1918), páginas 42 y ss.

PROSKE, B. G., *Castilian Sculpture. Gothic to Renaissance*, Nueva York, 1951.

QUINN, R. M., *Fernando Gallego and the retablo of Ciudad Rodrigo*, Tucson, 1961.

ROSENTHAL, E. E., «The Image of Roman Architecture in Renaissance Spain», *G.B.A.*, LII (1958), págs. 329-346.

SALAS, X. DE, «Sobre un cuadro de Rodrigo de Osona, hijo», *A.E.A.*, XL (1967), pág. 263.

SÁNCHEZ CANTÓN, F. J., «Tablas de Fernando Gallego en Zamora y Salamanca», *A.E.A.A.* (1929), págs. 279-283.

SAN ROMÁN, F. DE B., «La capilla de San Pedro de la catedral de Toledo: datos artísticos», *A.E.A.A.* (1928), págs. 227-235.

SANZ VEGA, F., «Marcos de Pinilla, autor del retablo de San Miguel de Arévalo (Ávila)», *A.E.A.* (1958), págs. 243-246.

SARTHOU CARRERES, C., «La colegiata de Gandía», *B.S.E.E.* (1926), págs. 33-37.

S. C., «Carta del Cardenal Mendoza al cabildo de Toledo sobre su sepultura», *B.S.E.E.* (1915), páginas 161 y ss.

SEBASTIÁN, S., «Antikisierende motiven in der Dekoration der italienischen Renaissance», *Spanischer Forschungen der Görresgesellschaft*, XVI (1960).

SEBASTIÁN, S., «La escalera dorada de la catedral de Burgos», *Goya*, 47 (1962).

SEBASTIÁN, S., «Las fuentes inspiradoras de los grutescos en el Renacimiento», *P.V.*, XXVII (1966), págs. 229 y ss.

SEBASTIÁN, S., «Los grutescos del palacio de la Calahorra», *Goya*, n. 63, págs. 144 y ss.

SEBASTIÁN, S., y CORTÉS, L., *Simbolismo de los programas humanísticos de la Universidad de Salamanca*, Salamanca, 1973.

SEBASTIÁN, S., «El mensaje iconológico de la portada de la Universidad de Salamanca. Revisión», *Goya*, 137 (1977), págs. 296-303.

TORMO, E., «Las tapicerías de Palacio de arte de transición o primer Renacimiento flamenco», *B.S.E.E.* (1906), págs. 161-169.

TORMO, E., «El escultor cincocentista Nacherino y sus obras en tierra de Burgos», *B.S.E.E.* (1910), págs. 41 y ss.

TORMO, E., *Las tablas de las iglesias de Játiva*, Madrid, 1912.

TORMO, E., «Otra tabla desconocida de Juan de Flandes», *B.S.E.E.*, XXVI (1918), págs. 53-55.

TORMO, E., «Obras conocidas y desconocidas de Pietro Torrigiano», *B.S.E.E.*, XXVI (1918).

TORMO, E., «La tabla conocida por la Virgen del Caballero de Montesa», *B.S.E.E.*, 29 (1921), páginas 308 y ss.

TORMO, E., «El sepulcro de don Ramón Folch de Cardona en Bellpuig», *B.R.A.H.*, LXXXVII (1925), págs. 288 y ss.

TORMO, E., «De nuestro Pedro Berruguete. ¿Quién fue en Italia su excelso mecenas», *B.S.E.E.* (1943), págs. 7-18.

TORMO, E., «Las obras del maestro del Caballero de Montesa del Prado», *A.E.A.* (1945).

VANDEVIVERE, I., *Les primitifs flamands. La Cathédrale de Palencia et l'église paroissiale de Cervera de Pisuerga*, Bruselas, 1967.

WETHEY, H. E., «The early works of Bartolomé Ordóñez and Diego Siloé», *A.B.* (1943), páginas 226 y ss.

WINKLER, F., «Der Maler del urbinatischen Zyklus des berühmten Männer», *Kunstcronik* (1927).

YOUNG, E., «A rediscovered painting by Pedro Berruguete and its companions panels», *A.B.* (1975), págs. 473-475.

3. *El modelo clásico y los intentos de regularización*

ABBAD RÍOS, F., «Estudios del Renacimiento aragonés. I. La vida y el arte de Juan de Moreto», *A.E.A.* (1944), págs. 162-177; II. «Las obras de Juan de Moreto», *A.E.A.* (1945), págs. 317-346; III. «Obras atribuidas equivocadamente a Moreto», *A.E.A.* (1946), págs. 217-227.

ABBAD RÍOS, F., «Seis retablos aragoneses de la época del Renacimiento», *A.E.A.* (1950), páginas 53 y ss.

ABIZANDA Y BROTO, M., *Damián Forment*, Barcelona, 1942.

AGUILERA CERNI, M., «Actualidad de Yáñez de la Almedina», *A.A.V.* (1955), págs. 106 y ss.

ALBAREDA, J., *La influencia de Alberto Durero en dos obras de Forment*, en *homenaje a D. M. Parro*, Zaragoza, 1947.

ALONSO CORTÉS, N., «Algunas noticias sobre Pedro de Guadalupe», *B.S.A.A.*, t. 1 (1932), páginas 289 y ss.

ANGULO ÍÑIGUEZ, D., «Martín Schongauer y algunas miniaturas castellanas», *A.E.* (1924), páginas 173-180.

ANGULO ÍÑIGUEZ, D., «Alejo Fernández. La adoración de los Reyes, del conde de la Viñaza. Algunas obras dudosas», *A.E.A.A.*, XVIII (1930), págs. 241-250.

ANGULO ÍÑIGUEZ, D., «Pedro Fernández, pintor de principios del siglo XVI (un supuesto Pedro de Córdoba)», *A.E.A.A.*, VI (1930), pág. 73.

ANGULO ÍÑIGUEZ, D., «La pintura en Burgos a principios del siglo XVI (nuevas huellas de Schongauer)», *A.E.A.A.*, VI (1930), pág. 75.

ANGULO ÍÑIGUEZ, D., «La aprobación de la orden franciscana de la colección Johnson de Filadelfia», *A.E.A.* (1931), págs. 178 y ss.

ANGULO ÍÑIGUEZ, D., «Pintura sevillana de principios del siglo XVI», *Revista Española de Arte*, tomos III-IV (1934-35), págs. 234-240.

ANGULO ÍÑIGUEZ, D., «El pintor Juan de Zamora», *A.E.A.A.* (1936), págs. 207 y ss.

ANGULO ÍÑIGUEZ, D., «El maestro de Becerril», *A.E.A.A.* (1937), págs. 15-24.

ANGULO ÍÑIGUEZ, D., «Varias obras de Alejo Fernández y de su escuela», *Anales de la Universidad Hispalense* (1939).

ANGULO ÍÑIGUEZ, D., «El maestro de los Del Campo en Segovia», *A.E.A.* (1940), págs. 475-476.

ANGULO ÍÑIGUEZ, D., «El maestro de Portillo», *A.E.A.* (1940), pág. 476 y ss.

ANGULO ÍÑIGUEZ, D., «Nueva obra del maestro de Becerril», *A.E.A.*, XIV (1940-41), pág. 478.

ANGULO ÍÑIGUEZ, D., «El maestro de Astorga», *A.E.A.* (1943), págs. 404-409.

ANGULO ÍÑIGUEZ, D., «La pintura del Renacimiento en Navarra», *P.V.*, IV (1943), n. 13, páginas 3-26 y 421.

ANGULO ÍÑIGUEZ, D., «Alejo Fernández. Los retablos de D. Sancho de Matienzo, de Villasana de Mena (Burgos)», *A.E.A.* (1943), págs. 125-141.

ANGULO ÍÑIGUEZ, D., «El pintor gerundense Porta», *A.E.A.* (1944), págs. 341-359.

ANGULO ÍÑIGUEZ, D., «Durero y los pintores catalanes del siglo XVI», *A.E.A.* (1944), págs. 327-330.

ANGULO ÍÑIGUEZ, D., «Pintores cordobeses del Renacimiento», *A.E.A.*, 17 (1944), pág. 226.

ANGULO ÍÑIGUEZ, D., «León Picardo», *A.E.A.* (1945), págs. 84-96.

ANGULO ÍÑIGUEZ, D., «Varios pintores de Palencia.

El maestro de Astorga», *A.E.A.* (1945), páginas 221 y ss.

ANGULO ÍÑIGUEZ, D., *Alejo Fernández*, Sevilla, 1946.

ANGULO ÍÑIGUEZ, D., «La Virgen, el Niño y San Juan con Santa Ana y Santa Isabel, de Yáñez», *A.E.A.* (1946), pág. 64.

ANGULO ÍÑIGUEZ, D., «Nuevas pinturas del Renacimiento en Navarra», *P.V.* (1947), n. 27, páginas 3-14, 159.

ANGULO ÍÑIGUEZ, D., «Una nueva obra del maestro de la Santa Cruz, de Burgos», *A.E.A.*, 21 (1948), páginas 127 y ss.

ANGULO ÍÑIGUEZ, D., «Bramante et la Flagellation du Musée du Prado», *G.B.A.*, XLII (1953), páginas 5-8.

ANGULO ÍÑIGUEZ, D., «Tres pinturas renacentistas valencianas», *A.E.A.* (1954), págs. 69-70.

ANGULO ÍÑIGUEZ, D., *Juan de Borgoña*, Madrid, 1954.

ANGULO ÍÑIGUEZ, D., «Pinturas del siglo XVI en Toledo y Cuenca. Juan de Borgoña y su escuela. Pedro de Aponte en Atri. Yáñez y Sebastián del Piombo», *A.E.A.* (1956), págs. 43-58.

ANGULO ÍÑIGUEZ, D., «Juan de Borgoña», *A.E.A.*, XXX (1957), pág. 329.

ANGULO ÍÑIGUEZ, D., «Una nueva obra de Alejo Fernández», *A.E.A.* (1959), 127, XXXII, página 256.

ANGULO ÍÑIGUEZ, D., «El maestro de Pilatos del Museo Lázaro», *A.E.A.*, XXXV (1962), páginas 327-328.

ANGULO ÍÑIGUEZ, D., «El retablo de Santa Catalina, de León Picardo, en Barbasín», *P.V.*, 94-95, páginas 49-60.

ARAGONESES, M. J., «La *Virgen del Joyel*, pintura inédita de Guillermo Benson, hallada en Murcia», *A.E.A.* (1967), págs. 107-113.

ARCO, R. DEL, «La pintura aragonesa en el siglo XVI. Obras y artistas inéditos», *A.E.*, 1 (1912-13), pág. 385.

ARCO, R. DEL, «El arte en Huesca durante el siglo XVI, artistas y documentos inéditos», *B.S.E.E.*, XXIII (1915), págs. 11-21, 187-197.

ARCO, R. DEL, «Sobre Juan Moreto», *B.S.E.E.* (1923).

ARCO, R. DEL, «Nuevas noticias de artistas altoaragoneses», *A.E.A.* (1947), págs. 216-239.

ARCO, R. DEL, *El retablo mayor de Montearagón*, Zaragoza, 1954.

ÁVILA PADRÓN, A., «El pintor Juan Soreda. Estudio de su obra», *Goya*, 153 (1979), págs. 136-145.

ÁVILA PADRÓN, A., «Juan Soreda y no Juan Pereda. Nuevas noticias documentales e iconográficas», *A.E.A.*, LII, 201 (1979), págs. 405-424.

AZCÁRATE, J. M., «Una traza de Juan de Borgoña», *A.E.A.* (1948), págs. 55-58.

AZCÁRATE, J. M., «Un dato sobre Pedro de Guadalupe», *B.S.A.A.*, 26 (1960), pág. 187.

BERMEJO, E., «Nuevas obras de Benson en España», *A.E.A.* (1970), págs. 117-130.

BERTAUX, E., «Le retable monumental de la cathédrale de Valence», *G.B.A.*, 38 (1907), páginas 103 y ss.

BERTAUX, E., «Les peintres Ferrando et Andrés de Llanos a Murcie», *G.B.A.* (1908).

BIALOSTOCKI, J. A., «Madonna and Child from Felipe Vigarny workshop», *Bulletin du Musée National du Varsovia*, XII (1971), págs. 49 y siguientes.

CAAMAÑO MARTÍNEZ, J., «El retablo de San Martín de Medina del Campo», *B.S.A.A.*, 27 (1961), páginas 31-44.

CAAMAÑO MARTÍNEZ, J., «En torno al maestro de Pozuelo», *B.S.A.A.*, 30 (1964), págs. 103-113.

CAAMAÑO MARTÍNEZ, J., «Sobre la influencia de Juan de Borgoña», *B.S.A.A.* (1964), págs. 292-305.

CAAMAÑO MARTÍNEZ, J., «La presencia del maestro de Portillo en Valladolid. Nuevas obras», *A.E.A.* (1965), págs. 87-104.

CAAMAÑO MARTÍNEZ, J., «Antonio Vázquez (nuevos comentarios y obras)», *B.S.A.A.*, XXXVI (1970), págs. 193-204.

CADIÑANOS, I., «La iglesia de Valpuesta y su retablo, obra del escultor Felipe Bigarny», *A.E.A.*, LII, 206 (1979), págs. 186-194.

CAMÓN AZNAR, J., «Dos pinturas del Museo Lázaro Galdiano», *Goya* (1961-62), págs. 278 y ss.

CAMÓN AZNAR, J., «Bartolomé de Castro en el Museo Lázaro Galdiano», *Goya*, 31 (1965), páginas 31-34.

CANDEIRA, C., «Los retablos de Gaspar de Tordesillas», *B.S.A.A.* (1941-42), págs. 111-137.

CARTER, D., «Some iconographical aspects of an early sixteenth century Madonna from Castilla», *Bulletin des Musées Royaux de Beaux-Arts* (1954), n. 1, págs. 3-10.

CASAL, CONDE DE, «Enterramientos de los Reyes de España», *A.E.* (1921), págs. 212-225.

CATURLA, M. L., «Fernándo Yáñez no es leonardesco», *A.E.A.* (1942), págs. 35-49.

CID PRIEGO, C., «El sepulcro de don Juan Lanuza en la iglesia del castillo de Alcañiz», *Seminario de Arte aragonés*, VII-IX (1957), págs. 89 y ss.

COVARSÍ, A., «Un retablo de la catedral de Badajoz», *Revista de Estudios Extremeños* (1927), páginas 22 y ss.

CRUZ VALDOVINOS, J. M., «Retablos inéditos de Juan de Borgoña», *A.E.A.*, LIII, 209 (1980), páginas 27-56.

CHABAS, R., *La pintura del altar mayor de la catedral de Valencia*, Valencia, 1891.

DÍAZ PADRÓN, M., «Nuevas pinturas del maestro de Osma», *A.E.A.*, 207 (1979), págs. 343-346.

DÍAZ PADRÓN, M., «Una tabla del maestro de Becerril en el Museo de Burgos», *A.E.A.*, XLI (1968), n. 161, págs. 63-64.

DÍAZ PADRÓN, M., «Dos retablos del maestro de Becerril en Ventosa de la Cuesta», *A.E.A.* (1970), págs. 269-278.

DÍAZ PADRÓN, M., «Una nueva tabla del maestro de Osma», *A.E.A.* (1972), pág. 61.

DÍAZ PADRÓN, M., y GARRIDO, M. C., «Una tabla inédita de Pedro Machuca en el Monasterio de Lerma», *A.E.A.*, 216 (1981), págs. 441-448.

DOMÍNGUEZ BORDONA, J., «Felipe Vigarny, resumen de los datos hasta ahora conocidos», *B.S.E.E.*, XXII (1914), págs. 269-274.

DOMÍNGUEZ BORDONA, J., «El escultor Felipe de Vigarny o de Borgoña (Datos inéditos)», *B.S.E.E.* (1914), págs. 262 y ss.

DOPORTO MACHORI, L., «Los retablos de Gabriel Yoli, en Teruel», *B.S.E.E.*, XXIII (1915), páginas 270-287.

DURÁN, A., «Noticia d'uns pintors del segle XVI. Els Alegrets de Cervera», *Boletín Academia Bellas Letras de Barcelona*, XI (1923), págs. 25 y ss.

ESCOLANO, F., «Tablas sevillanas de San Andrés, de Baeza», *A.E.A.* (1944), págs. 316-319. ANGULO ÍÑIGUEZ, D., «Comentario al artículo anterior», *íd.*, págs. 320-322.

ESTELLA, M., «Obras escultóricas del siglo XVI en los conventos de la Trinidad y de la Merced de Burgos», *A.E.A.*, LII, 205 (1979), páginas 55-74.

ESTELLA, M., «Las obras artísticas del plateresco madrileño», *A.E.A.*, LIV, 215 (1981), páginas 273-296.

FILGUEIRA VALVERDE, J., «El escultor Cornielis de Holanda en Pontevedra», *El Museo de Pontevedra*, I (1942).

FUENTES, F., «Un nuevo retablo de Pedro de Oviedo», *P.V.*, VI (1945), págs. 405 y ss.

GALIAY, J., «Un interesante retablo de Pedro Moreto», *Seminario de Arte aragonés*, II (1945), pág. 7.

GARCÍA GUINEA, M. A., «El retablo del Palacio Arzobispal de Valladolid», *B.S.A.A.*, XV (1949-1959), págs. 151-167.

GARCÍA GUINEA, M. A., «Las tablas del maestro Portillo en La Seca (Valladolid)», *B.S.A.A.* (1953-54).

GARCÍA REY, «El sepulcro del cardenal Cisneros», *A.E.*, IX (1928-29), págs. 483-486.

GARCÍA REY, «Fe de errores a una obra (Retablo de San Juan de la Penitencia en Toledo)», *A.E.*, X (1930-31), págs. 50-54.

GARÍN, F., *Yáñez de la Almedina*, Valencia, 1954.

GARÍN, F., «Leonardescos españolesE, *R.I.E.* (1953), páginas 347-359.

GASCÓN DE GOTOR, A., «El escultor valenciano Damián Forment en la primera mitad del siglo XVI», *B.R.A.H.*, LXII (1913), pág. 38.

GILMAN PROSKE, B., «Dos estatuas de la familia Cárdenas, de Ocaña», *A.E.A.* (1959), págs. 29-37.

GIMÉNEZ FERNÁNDEZ, «Alejo Fernández», *Revista Española*, Morón, 1922.

GIMÉNEZ FERNÁNDEZ, «El retablo mayor de la catedral de Sevilla y sus artistas», en *Documentos para la Historia del Arte en Andalucía*, I, Sevilla, 1927.

GÓMEZ MENOR, J., «Unas tablas de Correa del Vivar documentadas», *B.A.T.* (1965-66), pág. 32.

GÓMEZ MENOR, J., «Juan Correa de Vivar. Algunos datos documentales sobre su vida y su obra», *A.E.A.* (1966), págs. 291-303.

GÓMEZ MENOR, J., «Algunos documentos inéditos de Juan de Borgoña y de otros artífices toledanos de su tiempo», *Arte Toledano* (1968), n. 1, páginas 164-183.

GÓMEZ MORENO, M., «Sobre Cornielis de Holanda», *Museo de Pontevedra*, I (1942), pág. 77.

GÓMEZ MORENO, M., «La capilla de la Universidad de Salamanca», *B.S.C.E.* (1913-14), págs. 321 y siguientes.

GÓMEZ MORENO, M., «Estudios sobre el Renacimiento en Castilla II. En la Capilla Real de Granada», *A.E.A.A.* (1926).

GÓMEZ MORENO, M., «La sillería del coro de la catedral de León», *A.E.* (1941), págs. 3-6.

GÓMEZ MORENO, M., *Diego Siloé*, Granada, 1963.

GONZÁLEZ MARTÍ, M., «Las tablas de los pintores Llanos y Almedina», *Museum*, IV (1914), página 379.

GONZÁLEZ MARTÍ, J., «Cuatro retablos de la catedral atribuidos a Juan de Borgoña y Francisco de Amberes», *Boletín Academia de Toledo* (1924), páginas 197 y ss.

GONZÁLEZ MUÑOZ, M. DEL C., «El antiguo retablo de la colegiata de Talavera. Posible obra de Juan de Borgoña», *A.E.A.*, XLVII (1974), n. 185, págs. 53-66.

GUDIOL, J., «Un retaule de Joan Gascó», *Butlletí Centre excursionistas de Vich*, I (1912-14), pág. 46.

GUDIOL, J., «Maestre Joan Gascó», *Estudis universitaris Catalans* (1930).

GUDIOL, J., «El maestro de Ávila», *Goya* (1957-58), páginas 138 y ss.

GUDIOL, J., «Un pintor manierista: Juan de Pereda», *Il Vasari*, 21 (1963), págs. 80-83.

GUTIÉRREZ-CORTINES CORRAL, C., «Jerónimo Quijano, un artista del Renacimiento español», *Goya*, 139 (1977), págs. 2-11.

HERNÁNDEZ DÍAZ, J., «Una obra de Maestre Miguel en la catedral de Santiago», *A.E.A.A.* (1932), pág. 149.

HERNÁNDEZ DÍAZ, J., «Más sobre Maestre Miguel, imaginero», *A.E.A.A.* (1934), págs. 171 y ss.

HERNÁNDEZ DÍAZ, J., «Nicolás de León, entallador», *A.E.A.* (1935), págs. 247 y ss.

HERNÁNDEZ PERERA, J., *Escultores florentinos en España*, Madrid, 1957.

HERNÁNDEZ PERERA, J., «La Sagrada Familia, de Pedro Machuca, en la catedral de Jaén», *A.E.A.* (1960), págs. 79-80.

HUIDOBRO, L., «Artistas burgaleses: Diego de Siloé», *Boletín Comisión de Monumentos de Burgos* (1922-25).

HUIDOBRO, L., «León Picardo», *Boletín Comisión de Monumentos de Burgos*, V (1938).

HUIDOBRO, L., «Una obra desconocida de Felipe Vigarny», *Boletín Comisión de Monumentos de Burgos* (1946).

IBÁÑEZ MARTÍN, J., *Gabriel Yoly*, Madrid, 1956.

JUSTI, C., «El misterio del retablo leonardesco de Valencia», *B.S.E.E.*, X (1902), págs. 203 y ss.

LAFOND, P., «Philippe de Bourgogne», *B.M.*, XV (1909), págs. 289 y ss.

LAFUENTE, E., «Un primitivo toledano: Pedro Delgado», *B.S.E.E.*, XLIV (1936), págs. 161-168.

LÓPEZ JIMÉNEZ, J. C., «Una tabla leonardesca en Murcia», *A.E.A.* (1959), págs. 325-326.

LOZOYA, MARQUÉS DE, «Un pequeño museo de primitivos: la capilla de los Del Campo en la parroquia de la Trinidad de Segovia», *B.S.E.E.*, 35 (1927), pág. 289; 36 (1928), pág. 245.

LOZOYA, MARQUÉS DE, «El retablo de Carbonero el Mayor. En torno a Ambrosio Benson», *A.E.A.* (1940), págs. 19-25.

LOZOYA, MARQUÉS DE, «Los sepulcros de los Arias Dávila», *E.S.*, 9 (1957), págs. 67 y ss.

LOZOYA, MARQUÉS DE, *Escultura de Carrara en España*, Madrid, 1957.

LOZOYA, MARQUÉS DE, «Algo más sobre Ambrosius Benson», *A.E.A.* (1960), págs. 1-17.

LLABRÉS, «Documentos sobre Forment», *Revista de Huesca* (1914).

MADURELL, J., «Labor artística de Nicolás de Credensa», *Anales y Boletín de los museos de arte de Barcelona* (1944).

MADURELL, J., «Pedro Munyes y Enrique Fernández. Notas para la historia de la pintura catalana de la primera mitad del siglo XVI», *Anales y Boletín de los Museos de Barcelona* (1943), páginas 13-91.

MADURELL, J., «Pietro Paulo de Montalbergo: artista pintor y hombre de negocios», *Anales y Boletín de los Museos de Barcelona*, III (1945), páginas 195-229.

MADURELL, J., «Bartolomé Ordóñez (contribución al estudio de su vida artística y familiar)», *Anales y Boletín de los Museos de arte de Barcelona*, VI (1948), págs. 245-373.

MADURELL, J., «El pintor Pedro Nunyes y el retablo de San Eloy», *Museo* (1950), págs. 131 y ss.

MADURELL, J., «La labor pictórica de Pedro Nunyes (1512-54)», *A.E.* (1968-69), págs. 85-123.

MARCOS RUPÉREZ, N., «Retablo de la Capilla Mayor de Santo Domingo de la Calzada», *B.S.E.E.*, 30 (1922), págs. 5-16.

MARÍAS, F., «Datos sobre la vida y la obra de Juan de Borgoña», *A.E.A.*, XLIX (1976), 194, páginas 180-182.

MARÍAS, F., «Notas sobre Felipe Vigarny: Toledo y la Espeja», *B.S.A.A.*, XLVII (1981), páginas 425-429.

MARQUÉS CASANOVAS, J., «Una tabla del pintor Pedro Matas», *Girona* (1977), n. 79, págs. 111-119.

MARTÍN GONZÁLEZ, J. J., «El retablo mayor de la iglesia parroquial de Olivares de Duero», *B.S.A.A.* (1953-54), págs. 31-41.

MARTÍN GONZÁLEZ, J. J., «Atribuciones de obras de escultores españoles del siglo XVI», *B.S.A.A.* (1954), págs. 199 y ss.

MARTÍN GONZÁLEZ, J. J., «Un retablo castellano en la colegiata de Junquera de Ambia (Orense)», *B.S.A.A.*, 29 (1963), pág. 261.

MARTÍN GONZÁLEZ, J. J., «Retablo de San Miguel, del maestro de Osma», *B.S.A.A.*, XXXIX (1977), págs. 453-459.

MARTÍN GONZÁLEZ, J. J., «Sobre una obra del maestro de Manzanillo», *B.S.A.A.*, XLIII (1977), páginas 431-434.

MARTÍN GONZÁLEZ, J. J., «Tablas inéditas de Antonio Vázquez», *B.S.A.A.*, XLVII (1981), páginas 441-443.

MARTÍNEZ ABELENDA, D., «La escultura de la capilla del Condestable, en la catedral de Burgos», *Boletín del Instituto Fernán González*, Burgos, 1956, páginas 59 y ss.

MARTÍNEZ BURGOS, M., «Nicolás de Vergara, cantero», *A.E.A.* (1950), págs. 303 y ss.

MARTÍNEZ BURGOS, M., «Sobre León Picardo», *Boletín de la Comisión Monumental de Burgos* (1951).

MARTÍNEZ BURGOS, M., «En torno a la catedral de Burgos, I. El coro y sus andanzas», *Boletín del Instituto Fernán González*, Burgos, 1953-54. «II. Colonias y Siloés», *íd.*, 1955-56.

MATEO, I., «Dos retablos inéditos de Juan Correa del Vivar, el de Santiago del Arrabal de Toledo y el de la iglesia parroquial de Torrijos», *A.E.A.*, 208 (1979), págs. 461-472.

MAYER, A. L., «Ein frühwerk des Alexo Fernández in der Dresdener Galeria», *Kunstchronik* (1921), páginas 250 y ss.

MAYER, A. L., «Un retablito, en boj, flamenco-español», *A.E.A.* (1934), págs. 255-256.

MAYER, A. L., «Anotaciones a algunas tablas primitivas españolas», *B.S.E.E.* (1936-40), páginas 114-117.

MELON, A., «Forment y el monasterio de Poblet (1527-1535)», *R.A.B.M.*, XXXVI (1917), páginas 276 y ss.

MÉNDEZ CASAL, A., «Un cuadro firmado "Juan Núñez" 1525», *A.E.*, t III (1916-17), págs. 424 y siguientes.

MERGELINA, C., «Los evangelistas de Fresnedillo de Dueñas (Burgos)», *B.S.A.A.* (1948), página 181.

MONTESA, M. DE, «Más acerca de la obra encargada a Vigarny por los Condestables», *A.E.A.* (1945), página 232.

NIETO, G., «Tablas de la iglesia de Portillo», *B.S.A.A.* (1936), págs. 87 y ss.

NIETO ALCAIDE, V., «El maestro Enrique Alemán, vidriero de las catedrales de Sevilla y Toledo», *A.E.A.* (1967), págs. 55-82.

NIETO ALCAIDE, V., «La vidriera del renacimiento en Segovia (iglesias románicas y antigua catedral). Avance para su estudio», *A.E.A.* (1970), páginas 219-229.

PANO, M., «Damián Forment en la catedral de Barbastro», *Cultura Española* (1906), pág. 812; (1909), pág. 3.

PELLEJERO, C., «Un notable pintor del siglo XVI. Juan de Bustamante», *P.V.*, 12 (1943), páginas 315-326.

PÉREZ SÁNCHEZ, A. E., «Varias tablas del maestro de Albacete», *A.E.A.*, XXXVI (1963), n. 143, páginas 257-259.

PÉREZ SÁNCHEZ, A. E., «Sobre una obra de Juan de Borgoña», *A.E.*, XXVI (1968-69), páginas 13-14.

PORTELA SANDOVAL, F., «Vasco de la Zarza en Palencia», *Goya*, 127 (1975), págs. 18-21.

POST, CH., «Juan de Borgoña in Italy and in Spain», *G.B.A.*, XLVIII (1956), págs. 129-142.

POST, CH., «Note on the article on Juan de Borgoña in Italy and Spain», *G.B.A.* (1957), pág. 208.

RAMOS, G., «Blas de Oña, pintor», *B.S.A.A.*, 39 (1973), págs. 473-476.

REDONDO CANTERA, M. J., «Diego Siloé, autor del sepulcro de don Antonio de Rojas», *B.S.A.A.* (1978), págs. 446 y ss.

REPRESA, A., «Una policromadora del siglo XVI», *B.S.A.A.*, XII (1945-46), pág. 161.

RIVERA MANESCAR, S., «Dos tablas del Museo arqueológico de Valladolid», *B.S.A.A.*, 17 (1950-51), págs. 85-95.

RUBINSTEIN, M., «Gabriel Yoly, sculpteur sur bois», *Actas del Congreso de Historia del Arte*, París, 1920.

RUIZ-AYÚCAR, M. JESÚS, «El sepulcro y la lauda de El Tostado», *A.E.A.*, LIV, 213 (1981), páginas 93-101.

RUIZ DE OGAYA, J., «El maestro de la portada del antiguo hospital de Pamplona, Juan de Villarreal», *P.V.*, XXVII (1966), págs. 221 y ss.

SALAS, X. DE, «Damián Forment i el monestir de Poblet», *Estudis universitaris catalans*, XIII (1928), página 445.

SALAS, X. DE, «Escultores renacientes en el Levante español», *Anales y Boletín de los Museos de arte de Barcelona* (1942).

SALAS, X. DE, «El águila que estaba en Barcelona», *A.E.A.* (1942), págs. 61 y ss.

SÁNCHEZ CANTÓN, F. J., «Los sepulcros de Espeja», *A.E.A.A.* (1933), pág. 117.

SÁNCHEZ TRUJILLANO, M. T., «Pintura mural en Santo Domingo de Arévalo», *B.S.A.A.*, LXIV (1978), págs. 439-442.

SAN MARTÍN PAYO, J., «El retablo mayor de la catedral de Palencia», *Publicaciones del Instituto Tello de Meneses*, 10 (1953), págs. 275 y ss.

SANZ VEGA, F., «Marcos de Pinilla, autor del retablo de San Miguel de Arévalo (Ávila)», *A.E.A.* (1957), págs. 243-246.

SARALEGUI, L. DE, «Las puertas del retablo de la catedral de Valencia», *B.S.E.E.*, 15 (1907), páginas 137 y ss.

SARALEGUI, L. DE, «El retablo mayor de Ávila», *Museum*, VII (1921-26), págs. 243 y ss.

SARALEGUI, L. DE, «Sobre algunas tablas españolas», *A.E.A.* (1946), págs. 131-159.

SEBASTIÁN, S., «Identificación del maestro de Alcoraz con Jerónimo Martínez», *A.E.A.* (1959), páginas 69-72.

SENTENACH, N., «La Virgen del Amaro de los navegantes o del Buen Aire», *A.E.*, VII (1924-25), página 5.

SERRANO SANZ, M., «Gil Morlanes, escultor del siglo XV y principios del siglo XVI», *R.A.B.M.* (1916-17).

SIERRA CORRELLA, A., «El convento de monjas de San Juan de la Penitencia de Toledo. Noticias sobre su fundación y sus artes», *Revista Española de Arte* (1935), págs. 249-254.

SUIDA, W., *Leonardo und sein Kreis*, Munich, 1929.

SUTRA VIÑAS, J., «Turmas, pintor renacentista», *Butlletí Centre excursionista Catalunya* (1937), páginas 173, 221, 245, 247.

SUTRA VIÑAS, J., «Las tablas renacentistas de Millás», *B.S.E.E.* (1950), págs. 183-190.

TORMO Y MONZÓ, E., «El escultor renacentista Nacherino y sus obras en tierras de Burgos», *B.S.E.E.*, XVIII (1910), págs. 41-43.

TORMO Y MONZÓ, E., «Los artistas italianos que trabajaron en España en el siglo XVI (Conferencia de Emile Bertaux)», *A.E.*, t. I (1912-13), página 115. «Los comienzos del Renacimiento italiano en la pintura de Francia y España (Conferencia de Emile Bertaux)», *íd.*, pág. 125.

TORMO Y MONZÓ, E., «Algo más sobre Vigarni, primer escutor del renacimiento en Castilla», *B.S.E.E.*, XXII (1914), págs. 275-295.

TORMO Y MONZÓ, E., «Yáñez de la Almedina, el más exquisito pintor del Renacimiento en España», *B.S.E.E.*, XXIII (1915), págs. 198-256.

TORMO Y MONZÓ, E., «El retablo de Sigüenza de Juan de Pereda de 1525», *B.S.E.E.* (1916), páginas 225 y ss.

TORMO Y MONZÓ, E., «Obras conocidas y desconocidas de Yáñez de la Almedina», *B.S.E.E.* (1924), págs. 30-39.

TORMO Y MONZÓ, E., *Monumentos de españoles en Roma y de portugueses e hispano-americanos*, Madrid, 1942.

TORRE REVELLO, «La Virgen del Buen Aire», *Publicaciones del Instituto de Investigaciones históricas de la Facultad de Filosofía y Letras de Buenos Aires*, LVII (1931).

TRAMOYERES, L., *El escultor valenciano Damián Forment* (1903).

TRAMOYERES, L., «El pintor Nicolás Falcó», *A.A.V.*, IV (1918).

TRAPIER, E. DU GUÉ, «Tres paneles de un retablo por Pedro Romana», *A.E.A.*, XXXV (1962), n. 137, págs. 60-71.

URQUIDI, J., «El Ecce-Homo de Dueñas, obra de Diego de Siloé», *B.S.A.A.* (1943), pág. 179.

VALVERDE MADRID, J., «La pintura sevillana en la primera mitad del siglo XVI (1501-1560), *A.H.*, t. 24 (1956), págs. 117 y ss.

VETTER, E. M., «La tabla de los carmelitas del Museo Lázaro Galdiano», *Goya* (1961-62), página 330.

VILLACAMPA, F. C., «La capilla del Condestable de la catedral de Burgos. Documentos para su historia», *A.E.A.A.* (1928), págs. 25-44.

WETHEY, H. E., «A Madonna and Child by Diego de Siloé», *A.B.* (1940), págs. 190 y ss.

WETHEY, H. E., «The early works of Bartolomé Ordóñez and Diego de Siloé», *A.B.* (1943), páginas 226-235.

ZERI, F., «Ioannes Hispanus», *Proportioni*, 11 (1948), págs. 172 y ss.

ZERI, F., «Altra deposizione de Iaonnes Hispanus», *Paragone*, I (1950), págs. 11, 60-61.

4. *El arte de Corte en torno a Carlos V*

ABELLA RUBIO, J. J., «El túmulo de Carlos V en Valladolid», *B.S.A.A.* (1978), págs. 177-196.

AINAUD, J., «El contrato de Ordóñez para el coro catedralicio de Barcelona», *Anales y Boletín de los Museos de Arte de Barcelona*, VI (1948), páginas 375 y ss.

AROZENA, O., «El retrato de Alfonso V, por Juan de Juanes», *Saitabi*, VII (1949).

BATAILLON, M., «Plus Oultre: la Cour découvre le Nouveau Monde», en *Les Fetes a la Renaissance. II. Fetes et cérémonies au temps de Charles Quint*, París, 1960.

BEER, R., «Acten, regesten und inventaren aus dem Archivo General zu Simancas», *J.K.S.* (1891), págs. XCI y ss.

BEINERT, B., «Carlos V en Mülhberg, de Tiziano. Una carat desconcida del pintor alemán Christoph Amberger», *A.E.A.* (1946), págs. 1-17.

BEROQUI, P., *Tiziano en el Museo del Prado*, Madrid, 1946.

BONET CORREA, A., «Túmulos del Emperador Carlos V», *A.E.A.* (1960), págs. 55-66.

BOUZA BREY, «Las exequias del Emperador Carlos I en la catedral de Santiago», *Cuadernos de Estudios Gallegos*, XIV (1959), n. 43.

CASTRILLÓN VIZCARA, A., *El arte de Leone Leoni*, Lima, 1968.

CATÁLOGO: *Carlos V y su ambiente. Exposición-homenaje en el IV centenario de su muerte*, Toledo, 1958.

CHECA, F., «Un programa imperialista: el túmulo erigido a Carlos V en Alcalá de Henares», *R.A.B.M.*, LXXXII (1979), págs. 369-379.

CHECA, F., *Carlos V y la imagen del héroe en el Renacimiento*, Madrid, (en prensa).

EINEM, H. VON, *Karl V und Titian*, Colonia, 1960, en *Karl der Kaiser und seine Zeit*, y también en *Arbeitgemeinsam für Forschungen des Landes Nordheim Westfalen*, Heft, 92 (1960).

ESPADAS BURGOS, M., «Vicisitudes políticas de una estatua; el Carlos V de Leon Leoni», *Anales del Instituto de Estudios Madrileños*, t. 9 (1973), páginas 503 y ss.

GÓMEZ MORENO, M., *Las Aguilas del Renacimiento en España*, Madrid, 1941.

GÓMEZ MORENO, M., «Los pintores Julio y Alejandro y sus obras en la Casa Real de la Alhambra», *B.S.E.E.*, XXVI (1918), págs. 20-35.

GÓMEZ MORENO, M., «Estudios sobre el Renacimiento en Castilla II. En la Capilla Real de Granada», *A.E.A.A.*, I (1925), págs. 245-288.

MADURELL MARIMÓN, J. M., «Notas documentales sobre el coro de la Seo de Barcelona», *A.E.A.* (1958), págs. 343-346.

MARTÍN GONZÁLEZ, J. J., «El palacio de Carlos V en Yuste», *A.E.A.* (1950-51).

MONTESA, MARQUÉS DE, «El busto de Carlos V en el pensil de Mirabel», *A.E.* (1950), págs. 78-84.

PACHECO LEIVA, *Retratos de Carlos I de España y V de Alemania. Apuntes de iconografía real* (1919).

PACHECO LEIVA, «Apuntes de iconografía referentes a Carlos I», *A.E.* (1919-20).

PINCHART, A., «Tableaux et sculptures de Charles V», *Revue Universelle des Arts*, III (1856), páginas 225-239.

RAMÓN Y FERNÁNDEZ OXEA, J., «Reliquias de Yuste», *A.E.A.* (1947), págs. 26-59.

ROSENTHAL, E. E. *The Cathedral of Granada. A Study in the Spanish Renaissance*, Princeton, 1961.

ROSENTHAL, E. E., «The lombard sculptor Niccoló

da Corte in Granada, from 1537 to 1552»,
Art Quaterly, XXIX (1966), págs. 231 y ss.

ROSENTHAL, E. E., «Niccoló da Corte and the
Portal of the Palace of Andrea Doria in Genoa»,
Festschrift Ulrich Middeldorf (1968), págs. 358-
363.

ROSENTHAL, E. E., «Plus Ultra, Non plus Ultra,
and the Columnar Device of Emperor Charles V», *J.C.W.I.*, XXXIV (1971).

ROSENTHAL, E. E., «The invention of the columnar
device of Emperor Charles V at the Court
of Burgundy in Flanders in 1516», *J.C.W.I.*,
XXXVI (1973).

ROSENTHAL, E. E., «Plus Oultre: The Idea Imperial
of Charles V in its Columnar Device on the
Alhambra», en *Hortus Imagines. Essays in Western
Art*, Kansas, 1974, págs. 85-93.

SÁNCHEZ CANTÓN, F. J., «Carlos V, el Aretino y
Tiziano», *A.E.A.A.* (1928), págs. 237-238.

SÁNCHEZ CANTÓN, F. J., «El gran friso histórico de
relieve en el Ayuntamiento de Tarazona», en
Itinerarios de Arte, Madrid, 1974.

SARRABLO ARGUELES, E., «La cultura y el arte
venecianos en las relaciones con España a través
de la correspondencia diplomática de los siglos XVI y XVII», *R.A.B.M.*, LXII (1956), páginas 639-684.

SEBASTIÁN, S., «La exaltación de Carlos V en la
arquitectura mallorquina del siglo XVI», *Estudio general luliano*, Palma de Mallorca, 1971.

SWOBODA, K. M., *Kaiser Karel V und die spanische
Kunst* en *Kunst und Gesichte. Vorträge und Auf-
satze*, Viena-Colonia-Graz, 1969, págs. 140-148.

TORRES BALBÁS, L., «La Torre del Peinador de la
Reina o de la Estufa», *A.E.A.A.* (1931), páginas 193-212.

TREVOR-ROPER, H., *Princes and artists. Patronage
and Ideology at four Habsburg Courts 1517-1633*,
Londres, 1976.

TURMO, I., «La capa del Emperador Carlos V, de
Santiago de Sevilla», *A.E.A.* (1952), páginas 257-265.

5. El problema del manierismo

ÁLVAREZ DE TERÁN, C., y GONZÁLEZ TEJERINA, M.,
«Papeletas sobre artistas y menestrales castellanos», *B.S.A.A.* (1934-35), págs. 417-424;
(1935-36), págs. 117-124, 131-133.

ARU, C., «I dialoghi romani di Francisco de Holanda», *L'Arte*, XXXI (1928), págs. 117 y ss.

BESSONE, A., «Della sinceritá di Francisco de Holanda», *Il Vasari* (1930), págs. 202 y ss.

CLEMENTS, R. J., «The Autenticity of Francisco
de Holanda's *Diálogos en Roma*», *Publications of

the Modern Language Association of America, LXI
(1946), págs. 1018-1028.

CORDEIRO BLANCO, F., «Identificación de una obra
desconocida de Francisco de Holanda», *A.E.A.*
(1955), págs. 1-37.

FRANKL, V., *El Antijovio de Jiménez de Quesada y las
concepciones de realidad y verdad en la época de la
Contrarreforma y Manierismo*, Madrid, 1963.

GARCÍA CHICO, E., «Artistas palentinos. Censos de
población», *B.S.A.A.*, XII (1944-45), págs. 197-
201.

GÓMEZ MENOR, J., «Inventario. El taller o estudio
del pintor toledano Alonso Sánchez», *A.E.*,
XXVI (1968-69), págs. 138 y ss.

MARTÍN GONZÁLEZ, J. J., «La vida de los artistas
en Castilla la Vieja y León durante el Siglo
de Oro», *R.A.B.M.* (1959).

MARTÍNEZ RUIZ, J., «El taller de Juan de Orea»,
Cuadernos de la Alhambra, 1 (1965), pág. 59.

PERER, M. L., «L'ambiente romano attorno a
Michelangelo», *Acmé*, III (1950), págs. 89-101.

RZEPINSKA, M., «Contributo ai Dialoghi romani
di Francisco d'Hollanda», *Comentari*, XI (1960),
páginas 248-259.

SEGURADO, J., *Francisco d'Ollanda. Da sua vida
e obras. Arquitecto da Renaisença ao Serviço de
D. Joao III. Pintor. Desenhador. Escritor. Humanista. «Fac simile» da carta a Miguel Angelo —1553
e dos seus Tratados sobre Lisboa e Desenho— 1571*,
Lisboa, 1970.

TIETZE, H., «Francisco de Holanda und Don Gian-
nottis Dialogue und Michelangelo», *Repertorium für Kunstwissenschaft*, XXVIII, pág. 295.

6. La imagen religiosa del manierismo

ABIZANDA Y BROTO, M., «Tomás Peligret o Pelegret,
pintor del siglo XVI», *B.S.E.E.*, XXV (1917),
páginas 177-179.

AGAPITO Y REVILLA, J., «Alonso de Berruguete,
sus obras, su influencia en el arte escultórico
español», *B.S.C.E.*, IV (1909-10), págs. 513
y ss., 537; V (1911-12), págs. 1-25.

AGAPITO Y REVILLA, J., «El retablo mayor de
San Andrés, de Olmedo», *B.S.C.E.* (1915-16),
páginas 124 y ss.

AGAPITO Y REVILLA, J., «El escultor Juan Picardo»,
B.S.E.E., 30 (1922), págs. 153-159.

AGAPITO Y REVILLA, J., «Visitas y paseos por Valladolid: dos retablitos de Berruguete en San Esteban», *B.S.C.E.*, VI (1913-14).

AGAPITO Y REVILLA, J., «Una obra auténtica de
Berruguete: el retablo de la Adoración de los
Reyes en Santiago», *B.S.C.E.* (1913-14), pági-
nas 121 y ss.

AGAPITO Y REVILLA, J., «Retablo flamenco en el

Salvador y dos retablos de Berruguete en San Esteban», *B.S.C.E.* (1913-14), pág. 50.

AGAPITO Y REVILLA, J., «Un retablo conocido, unas esculturas no vulgarizadas y unos lienzos poco elogiados», *B.S.C.E.* (1913-14), páginas 145 y 178.

AGAPITO Y REVILLA, J., «Los retablos de San Benito el Real», *B.S.C.E.* (1913-14), páginas 193 y 217.

AGAPITO Y REVILLA, J., «Los retablos de Medina del Campo», *B.S.C.E.* (1915), págs. 347 y ss.

AGAPITO Y REVILLA, J., «El sepulcro del comendador Alderete en San Antolín de Tordesillas», *A.E.* (1916-17), pág. 340.

AGAPITO Y REVILLA, J., «La obra de los maestros de la escultura española. Obras de Berruguete en Toledo», *Toletum* (1918) págs. 56, 65, 133, 176.

AGAPITO Y REVILLA, J., «Los restos del retablo mayor de San Benito», *Boletín Museo Provincial Bellas Artes en Valladolid* (1925-28), pág. 85.

AGAPITO Y REVILLA, J., «Un testamento inédito de Juan de Juni», *Boletín Museo Provincial de Bellas Artes de Valladolid* (1925-28), pág. 141.

AGAPITO Y REVILLA, J., «De la sillería del convento de San Benito», *Boletín Museo Provincial de Bellas Artes de Valladolid* (1925-28), págs. 25, 69 y 101.

AGAPITO Y REVILLA, J., «La obra más antigua de las conocidas del escultor vallisoletano Gaspar de Tordesillas: retablo de la capilla de la Piedad, en la parroquia de Oñate», *Boletín del Museo Provincial de Bellas Artes de Valladolid* (1925-28), págs. 134 y ss.

AGAPITO Y REVILLA, J., «Las cofradias, las procesiones y los Pasos de Semana Santa en Valladolid», *Boletín del Museo Provincial de Bellas Artes de Valladolid* (1925-30).

AGAPITO Y REVILLA, J., «Estatuas de alabastro por Berruguete», *Boletín Museos de Valladolid* (1927), páginas 165 y ss.

AGAPITO Y REVILLA, J., «La obra de los maestros de la escultura vallisoletana. Papeletas razonadas para un catálogo. I. Alonso Berruguete», Valladolid, 1929; «II. Juan de Juni», Valladolid, 1929.

AGAPITO Y REVILLA, J., «Obras del Museo: las de Pedro de la Cuadra», *Boletín del Museo Provincial de Bellas Artes de Valladolid* (1929-30), páginas 33 y ss.

AGAPITO Y REVILLA, J., «El escultor en piedra Miguel de Espinosa en Rioseco y en otras partes», *Boletín del Museo Provincial de Bellas Artes de Valladolid* (1929-30), pág. 21.

AGAPITO REVILLA, J., «Relieve del Nacimiento, mal atribuido a Berruguete», *Boletín del Museo de Valladolid* (1930), págs. 77 y ss.

AGAPITO REVILLA, J., «Berruguete, pintor», *B.S.A.A.*, 1 (1931), págs. 230 y ss.

AGAPITO REVILLA, J., «Una rectificación necesaria sobre la sillería de San Benito de Valladolid», *B.S.A.A.* (1932), págs. 289 y ss.

AGAPITO REVILLA, J., «Del escultor Jerónimo Corral», *B.S.A.A.*, 1 (1932), págs. 257 y ss.

AGUILERA CERNI, V., «Noticia de una nueva obra de Vicente Masip», *A.A.V.* (1957), págs. 45 y ss.

ALBI, J., *Juan de Juanes y su círculo artístico*, 3 vols., Valencia, 1979.

ALDANA FERNÁNDEZ, S., «Una *Resurrección del Señor* atribuida a Alonso Berruguete», *A.A.V.* (1962), páginas 32 y ss.

ALMARCHE, F., «La familia de Juan de Juanes», *A.A.V.*, X (1924), págs. 72 y ss.

ALMENAS, C. DE LAS, «Acerca de dos tablas de Morales», *A.E.* (1918), págs. 126 y ss.

ALONSO CORTÉS, N., «Alonso Berruguete, señor de Vilatoquite, y el retablo de la Mejorada», *Boletín de la Real Academia de Bellas Artes de Valladolid* (1933), págs. 436 y ss., 494 y ss.

ALLENDE-SALAZAR, J., «La familia Berruguete (noticias inéditas)», *B.S.C.E.*, t. VII (1915-16), páginas 194 y ss.

ALLENDE-SALAZAR, J., «Alonso Berruguete en Florencia», *A.E.A.A.* (1934), págs. 185-187.

ANGULO ÍÑIGUEZ, D., «Una *Piedad* de Morales en Ledston Hall», *A.E.A.* (1950), págs. 154 y ss.

ANGULO ÍÑIGUEZ, D., «Una obra de Cosida en la colección Sterling de Glasgow», *A.E.A.*, XXIV (1951), págs. 166-167.

ANGULO ÍÑIGUEZ, D., *Pedro de Campaña*, Sevilla, 1951.

ANGULO ÍÑIGUEZ, D., «Algunas obras de Pedro de Campaña», *A.E.A.* (1951), págs. 225 y ss.

ANGULO ÍÑIGUEZ, D., «Luis de Vargas: Virgen con el niño y santos, firmada en 1566», *A.E.A.* (1973), pág. 188.

ANGULO ÍÑIGUEZ, D., «Una nueva *Crucifixión* de Pedro de Campaña», *A.E.A.* (1974), pág. 332.

ANTAL, F., «The Master of the Stockholm Pietá», *B.M.* (1950), págs. 272 y ss.

ANTÓN, M. LUISA, «Una Santa Cena de Juni», *B.S.A.A.* (1934-35), págs. 295-298.

ANTÓN, F., «Obras de arte que atesoraba el monasterio de San Francisco de Valladolid», *B.S.A.A.* (1935-36), págs. 19-49.

ARCO, R. DEL, «El coro de la catedral zaragozana del Pilar», *B.S.E.E.* (1925), págs. 161-165.

ARELLANO CÓRDOBA, A., «Correa del Vivar; Gregorio Pardo y el retablo de Juan Nicolás», *Toletum*, 11 (1981).

AROZENA, O., «El pintor Vicente Masip, padre de Joan de Joanes», *Anales de la Universidad de Valencia*, XI (1930), págs. 98 y ss.

AROZENA, O., «Un cuadro de Vicente Juan Masip», *Saitabi* (1942).

ARRIBAS, F., «Ilustraciones a las biografías de Alonso González de Berruguete y de su hijo Alonso Berruguete», *B.S.A.A.* (1948-49), páginas 243-249.

AZCÁRATE, J. M., «Sobre el arco de Jamete en la catedral de Cuenca», *A.E.A.* (1945), pág. 178.

AZCÁRATE, J. M., «Sobre un retablo de Arciniega y la iglesia de Santiago de Guadalajara (1548-1554)», *A.E.A.*, XXI (1948), págs. 128 y ss.

AZCÁRATE, J. M., «Algunos juicios sobre Giraldo de Merlo», *A.E.A.* (1948), págs. 308 y ss.

AZCÁRATE, J. M., «Alonso Berruguete y el Renacimiento castellano», *Publicaciones*, 22 (1962), páginas 5-19.

AZCÁRATE, J. M., *Alonso Berruguete. Cuatro ensayos*, Valladolid, 1963.

AZCÁRATE, J. M., «La influencia miguel-angelesca en la escultura española», *Goya*, 74-75 (1966), págs. 104-121.

AZCÁRATE, J. M., «La capilla del Obispo en la iglesia de San Andrés», *Instituto de Estudios Madrileños*, Madrid, 1971.

BÄCZKSBACKA, I., «Kristus och Mater Dolorosatypen i Morales maleri», *Särtryck ur Kunsthistorik Tieskrift*, 3-4, Helsingfors, 1954, páginas 64-72.

BÄCZKSBACKA, I., *Luis de Morales*, Helsinki, 1962.

BENITO DOMÍNGUEZ, I. DE, «Ermita y sepulcro de San Segundo», *B.S.E.E.*, I, 4 (1943), páginas 29-32.

BERJANO, D., *El pintor Luis de Morales*, Madrid, 1918.

BOLOGNA, F., «Osservazioni su Pedro de Campaña», *Paragone*, V (1943), págs. 27-49.

BOLOGNA, F., *Roviale spagnuolo e la pittura napoletana del Cinquecento*, Nápoles, 1959.

BUENDÍA, R., y ÁVILA, R., «La intervención de Villoldo en el retablo de Renera», *B.S.A.A.* (1980).

BUSTAMANTE GARCÍA, A., «Papeletas de arte castellano. Juan de Porres y Giraldo de Merlo en Ávila. El convento de San José», *B.S.A.A.*, 36 (1970), págs. 507 y ss.

CAAMAÑO MARTÍNEZ, J. M., «El retablo de San Martín de Medina del Campo», *B.S.A.A.*, t. 27 (1961), pág. 31.

CAAMAÑO MARTÍNEZ, J. M., «El estilo personal de Alonso Berruguete», *R.I.E.* (1961), págs. 327-334.

CAAMAÑO MARTÍNEZ, J. M., «Unas tablas renacentistas de Villaverde de Medina», *B.S.A.A.*, 28 (1962), págs. 255-261.

CAAMAÑO MARTÍNEZ, J. M., «Tendencias manieristas en la pintura vallisoletana de la segunda mitad del siglo XVI», *B.S.A.A.*, 28 (1962), página 5.

CAAMAÑO MARTÍNEZ, J. M., «Juan de Villoldo», *B.S.A.A.*, XXXII (1966), págs. 71-88.

CAAMAÑO MARTÍNEZ, J. M., «Francisco Giralte», *Goya* (1967), págs. 230-239.

CAAMAÑO MARTÍNEZ, J. M., «Antonio Vázquez. Nuevos comentarios y obras», *B.S.A.A.*, 36 (1970), págs. 193 y ss.

CAMÓN AZNAR, J., «Notas de escultura española», *B.S.A.A.*, VII (1940-41), págs. 81-84.

CAMÓN AZNAR, J., «Un crucifijo de Juni», *B.S.A.A.* (1941), pág. 81.

CAMÓN AZNAR, J., «Juan de Juni: Virgen en la iglesia de Becerril de Campos (Palencia)», *B.S.A.A.*, VII (1940-41), págs. 81-84.

CAMÓN AZNAR, J., «Juan de Valmaseda», *Goya*, 12 (1956), págs. 358-365.

CAMÓN AZNAR, J., «Alonso de Berruguete», *Goya*, 50 (1962), págs. 78-89.

CAMÓN AZNAR, J., «El arte de Pedro de Campaña», *Goya*, n. 88 (1969), págs. 208-215.

CAMÓN AZNAR, J., «Formación pictórica de Alonso Berruguete», *Goya*, 98 (1970), págs. 69-71.

CAMÓN AZNAR, J., *Alonso Berruguete*, Madrid,

CAMPS Y CAZORLA, E., «El retablo de la iglesia parroquial de Santa Cruz en Cardeñosa (Ávila)», *A.E.A.* (1929), págs. 145-155.

CANDEIRA, C., «Los retablos de Gaspar de Tordesillas», *B.S.A.A.* (1942), pág. 111.

CASTELL, V., y ROBRES, R., «El divino Morales, pintor de cámara del beato Juan de Ribera en Badajoz», *Boletín de la Sociedad Castellonense* (1945), págs. 36 y ss.

CASTRO, F., «La Virgen del Pajarito», *Revista de Estudios Extremeños* (1941), págs. 310 y ss.

CASTRO, J. R., «Escultores navarros. Domingo de Segura», *P.V.*, t. VI (1945), págs. 523 y ss.

COSSÍO, F. DE, *Alonso de Berruguete*, Valladolid, 1946.

COSSÍO, F. DE, «Notas sobre el retablo de la capilla mayor de San Benito en Valladolid, obra de Alonso Berruguete», *Vell i nou* (1920-21), páginas 417 y ss.

COVARSÍ, A., «A propósito de unas tablas de Morales», *Revista de Estudios Extremeños* (1927), página 127.

COVARSÍ, A., «Los Morales de la exposición de Fregenal», *Revista de Estudios Extremaños* (1928), página 385.

COVARSÍ, A., «El museo de la catedral de Badajoz: los Morales», *Revista de Estudios Extremeños* (1933).

COVARSÍ, A., «Comentario sobre colaboradores e imitadores del divino Morales», *Revista de Estudios Extremeños* (1941), págs. 297 y ss.

COVARSÍ, A., «Dos nuevos Morales», *Revista de Estudios Extremeños* (1942), págs. 191 y ss.

CHECA CREMADES, F., «Clasicismo, mentalidad religiosa e imagen artística: las ideas estéticas de Diego de Cabranes», *R.I.E.* (1979), págs. 51-60.

DOMÍNGUEZ BARRUETE, R., «Visitas y paseos por

Valladolid. La casa de Berruguete, iglesia de San Benito y parroquia de San Miguel y San Julian», *B.S.C.E.* (1905-1906), pág. 229.

DOMÍNGUEZ BORDONA, J., *Proceso inquisitorial contra el escultor Esteban Jamete*, Madrid, 1933.

D'ORS, E., «Glosas: Berruguete, Juni, Fernández», *Boletín del Museo de Valladolid*, t. II (1930), páginas 108 y ss.

DÍAZ PADRÓN, M., «Nuevas pinturas del maestro de las medias figuras», *A.E.A.*, LIII, 210 (1980), páginas 169-184.

ENCISO VIANA, E., «Guiot de Beaugrant en El Villar de Ávila», *B.S.A.A.*, XXVII (1961), páginas 103-121.

ESTELLA, M., «Notas sobre escultura sevillana del siglo XVI», *A.E.A.* (1975), págs. 225-242.

ESTELLA, M., «El sepulcro del marqués de Villanueva, en Santa Clara de Moguer, obra de Gian Giacomo della Porta, con la colaboración de Giovanni Maria Parallio», *A.E.A.*, 208 (1979), págs. 440-451.

FERRAND, M., «Alonso Vázquez», *Anales de la Universidad Hispalene* (1951), págs. 133 y ss.

FLORIANO, A. C., «El retablo de Santa María la Mayor de Cáceres», *B.S.A.A.* (1940-41), páginas 85-95.

FORADADA, J., «El mausoleo del cardenal Tavera», *R.A.B.M.* (1876), pág. 73.

FOULKES, C., «Acerca del retablo del bautismo de los Masip, en la catedral de Valencia», *B.S.E.E.*, t. 26 (1918), págs. 54 y ss.

GARCÍA CUESTA, T., «Las vidrieras pintadas de la catedral de Palencia (siglo XVI)», *B.S.A.A.*, XXV, págs. 69-87.

GARCÍA CUESTA, T., «La catedral de Palencia según los protocolos», *B.S.A.A.* (1952-53), págs. 67-90.

GARCÍA CHICO, E., «Los Bolduque, escultores», *B.S.A.A.*, 5 (1936-39), págs. 37 y ss.

GARCÍA CHICO, E., «Una obra de Juan de Juni en Valladolid», *B.S.A.A.* (1942), pág. 285.

GARCÍA CHICO, E., «Juan del Corral y la capilla de San Ildefonso», *B.S.A.A.* (1942), pág. 286.

GARCÍA CHICO, E., «El retablo mayor de Boadilla del Camino», *B.S.A.A.* (1942), pág. 286.

GARCÍA CHICO, E., *Juan de Juni*, Valladolid, 1949.

GARCÍA CHICO, E., «Los grandes imagineros de Castilla: Juan Picardo», *B.S.A.A.*, XXIII (1957), págs. 41-53.

GARCÍA GUERETA, R., «El retablo de Juan de Juni de Nuestra Señora de la Antigua en Valladolid», *Arquitectura* (1923), pág. 232.

GARCÍA RODRÍGUEZ, E., «En el IV Centenario de Alonso Berruguete», *Toletum* (1964), págs. 145 y siguientes.

GAYA NUÑO, J. A., *Alonso Berruguete en Toledo*, Barcelona, 1944.

GAYA NUÑO, J. A., «Pequeña historia de la valoración de Morales», *Revista de Estudios Extremeños*, XVI (1960), n. 1, págs. 20-30.

GAYA NUÑO, J. A., *Luis de Morales*, Madrid, 1961.

GOLDSCHMIDT, W., «El problema del arte de Luis de Morales», *Revista Española de Arte* (1935-36), páginas 274-280.

GÓMEZ MORENO, M., «Alonso Berruguete: su personalidad», *Boletín de la Academia de San Fernando*, t. 13 (1961), págs. 13 y ss.

GÓMEZ MORENO, M., «Retablo atribuido a Berruguete en Santa Úrsula, de Toledo», *B.S.C.E.* (1915-16), pág. 169.

GÓMEZ MORENO, M., «El retablo mayor de la catedral de Oviedo», *A.E.A.A.*, XXV (1933), páginas 1-20. «II. La documentación del retablo, transcrita por José Cuesta y Filemón Arribas».

GÓMEZ MORENO, M. ELENA, «Isidro de Villoldo, escultor», *B.S.A.A.* (1941-42), págs. 139-150.

GONZÁLEZ MARTÍ, M., *Joanes*, Valencia, 1926.

GRISERI, A., «Perino, Machuca, Campaña», *Paragone*, VIII, 87 (1957), págs. 13-21.

GRISERI, A., «Nuove schede di manerismo iberico», *Paragone*, 113 (1959).

GRISERI, A., «Berruguete e Machuca dopo il viaggio italiano», *Paragone*, 179 (1964), páginas 3-19.

GRISERI, A., «Precisazioni per Alonso Berruguete», *Comentarii*, 20 (1969), págs. 63-74.

GUTIÉRREZ CUÑADO, A., «El retablo de Donzel, de San Salvador», *B.S.A.A.* (1943), págs. 79 y ss.

HAUPT, A., «Ein spanisches Zeichenbuch der Renaissance», *J.K.S.K.*, XXIV (1903), págs. 3 y siguientes.

HERNÁNDEZ DÍAZ, J., «Nicolás de León, entallador», *A.E.A.A.* (1935), págs. 247-257.

HERNÁNDEZ DÍAZ, J., «Estudios de imaginería andaluza. El retablo de la Redención de los Carmelitas de Aracena y una nueva imagen de Mercadante de Bretaña», *A.H.*, 20 (1954), páginas 203 y ss.

HERNÁNDEZ DÍAZ, J., «Roque de Bolduque en Santa María de Cáceres», *A.E.A.* (1970), páginas 375-384.

HERNÁNDEZ GUARDIOLA, L., «Un intento de clasificación de ciertas obras de Nicolás Borrás en el Museo de Bellas Artes de Valencia», *A.A.V.* (1975), págs. 25-27.

HERNÁNDEZ GUARDIOLA, L., *Vida y obra del pintor Nicolás Borrás*, Alicante, 1976.

HERNÁNDEZ PERERA, J., «La Madonna della Purità y Luis de Morales», *Regnum Dei*, XIV (1958), 53, págs. 3-12.

HERRÁEZ, J., «Antonio de Arfián: aportaciones al estudio del arte pictórico sevillano del siglo XVI», *B.S.E.E.*, 37 (1929), págs. 270-309.

HINOJOS, J., *El divino Morales*, Cáceres, 1926.

IBÁÑEZ, A., «El escultor Juan de Lizazazu y el retablo de la capilla de la Anunciación en la catedral de Burgos», *B.S.A.A.*, XXXIX (1973), páginas 189-201.

IBÁÑEZ, A., «Pedro de Colindres y el retablo mayor de Santibáñez Zarzaguda (Burgos)», *B.S.A.A.*, XLII (1976), págs. 275-290.

IBÁÑEZ, A., «El escultor Ortega de Córdoba y los retablos de Fontecha (Álava) y Padrones de Bureba (Burgos)», *B.S.A.A.*, XLVI (1980), páginas 351-362.

IGUAL, A., *Juan de Juanes*, Barcelona, 1943.

JUSTI, K., «Peter de Kempeneer, gennant Maese Pedro Campaña», *J.P.K.S.* (1884), págs. 154 y siguientes.

LAMPÉREZ, V., «Las capillas del Obispo y San Isídro», *B.S.E.E.* (1898), págs. 57 y ss.

LAYNA SERRANO, F., «La parroquia de Mondéjar: sus retablos y el del Almonacid», *B.S.E.E.* (1935), páginas 265-290.

LAYNA SERRANO, F., «Las tablas de Santa María del Rey, en Atienza (Guadalajara)», *B.S.E.E.*, LVII (1953), págs. 273-281.

LEGUINA, E., *Pedro Villegas Marmolejo*, Sevilla, 1896.

LIZARRALDE, J. A., *La Universidad de Oñate*, Tolosa, 1930.

LONGHI, R., «Comprimari spagnoli della maniera italiana», *Paragone*, IV, 43 (1953), págs. 3-15.

LONGHI, R., «Ancora sul Machuca», *Paragone*, XX (1969), n. 231, págs. 34-39.

LÓPEZ JIMÉNEZ, J. C., «Gaspar Requena. Pedro Rubiales», *A.A.V.* (1960), págs. 64-65.

LÓPEZ REY-ARROYO, J., «En torno a Juan de Juanes. Dos retratos en busca de actor», *A.E.*, XXVI (1968-69), págs. 245 y ss.

LÓPEZ REY, J., «Vicente Macip, Sebastiano del Piombo e l'esprit tridentin», *G.B.A.*, LXXVIII (1971), págs. 343 y ss.

LÓPEZ TORRIJOS, R., «Los autores del sepulcro de los marqueses del Zenete», *A.E.A.*, 203 (1978), páginas 323-336.

LOZOYA, MARQUÉS DE, «Las vidrieras quinientistas de la catedral de Segovia», *A.E.A.* (1949), páginas 193-206.

LLORÉNS Y RAGA, P. L., «Vicente Macip, en la Seo de Segorbe», *A.A.V.*, XLIII (1972), páginas 22-25.

MACHO, V., «Ensayo biográfico y estudio sobre la obra de Alonso Berruguete», *A.E.* (1931), página 142-152.

MAGDALENO, R., «El retablo mayor de la colegiata de Medina del Campo», *B.S.A.A.*, t. 6 (1939-40), páginas 119-121.

MARCH, J., «Tres tablas del Palau de Barcelona y una atribuida a Berruguete», *B.S.E.E.* (1948).

MARÍN, M. T., «La *Crucifixión* de Alonso Berruguete en el Museo de Valladolid», *B.S.E.E.* (1948), páginas 73-76.

MARTÍ Y MONSÓ, J., «Alonso González de Berruguete. El retablo de la iglesia de Santiago, en Cáceres», *Revista de Estudios Extremeños* (1902), páginas 93 y ss.

MARTÍ Y MONSÓ, J., «Retablos de Quintanilla de Abajo y de Olivares», *B.S.C.E.*, I (1903), páginas 314 y ss.

MARTÍ Y MONSÓ, J., «Juan de Juni y Esteban Jordán, en Medina de Rioseco», *B.S.C.E.* (1903-1904), pág. 175.

MARTÍ Y MONSÓ, J., «Retablo del Colegio del Arzobispo (Salamanca)», *B.S.C.E.*, II (1905-1906), págs. 127 y ss.

MARTÍ Y MONSÓ, J., «Retablo de la iglesia de San Pedro, en la villa de Cisneros. Obra de Francisco Giralte», *B.S.C.E.* (1905-1906), págs. 421 y siguientes.

MARTÍ Y MONSÓ, J., «La capilla del doctor Luis del Corral en la iglesia de la Magdalena de Valladolid», *B.S.C.E.* (1907-1908), págs. 258 y 279.

MARTÍ Y MONSÓ, J., «Pintura de un retablo por Juan Tomás Celma», *B.S.C.E.*, IV (1909), página 40.

MARTÍN, T., «La iglesia parroquial del Casra, de Cáceres, y su retablo mayor», *Revista de Estudios Extremeños* (1931), pág. 39.

MARTÍN CONTRERAS, E., *Berruguete y la escultura castellana*, Valladolid, 1884.

MARTÍN GONZÁLEZ, J. J., «El convento de Santa Catalina de Valladolid», *B.S.A.A.*, XII (1945-46), páginas 111-125.

MARTÍN GONZÁLEZ, J. J., «Juni y el *Laocoonte*», *A.E.A.* (1952), págs. 59-66.

MARTÍN GONZÁLEZ, J. J., «La policromía en la escultura castellana», *A.E.A.* (1953), páginas 259-312.

MARTÍN GONZÁLEZ, J. J., «El retablo mayor de la iglesia parroquial de Olivares de Duero», *B.S.A.A.*, XX (1953-54), págs. 31-42.

MARTÍN GONZÁLEZ, J. J., «Atribuciones de obras a escultores españoles del siglo XVI», *B.S.A.A.* (1954), págs. 199 y ss.

MARTÍN GONZÁLEZ, J. J., *Juan de Juni*, Madrid, 1954.

MARTÍN GONZÁLEZ, J. J., «Miguel de Espinosa. Entallador e imaginero», *Goya*, 21 (1957).

MARTÍN GONZÁLEZ, J. J., «Una copia de Sebastiano del Piombo», *A.E.A.* (1958), págs. 255-256.

MARTÍN GONZÁLEZ, J. J., «La sillería de San Marcos de León», *Goya*, 29 (1959), págs. 279-282.

MARTÍN GONZÁLEZ, J. J., «El manierismo en la cultura española (anotaciones)», *R.I.E.* (1960), páginas 301-312.

MARTÍN GONZÁLEZ, J. J., «Consideraciones sobre la vida y las obras de Alonso Berruguete», *B.S.A.A.*, XXVII (1961), págs. 11-30.

MARTÍN GONZÁLEZ, J. J., «Guillén Doncel y Juan de Angés», *Goya*, 47 (1912), págs. 344-351.

MARTÍN GONZÁLEZ, J. J., «Una escultura inédita de Juan de Juni», *B.S.A.A.* (1963).

MARTÍN GONZÁLEZ, J. J., «Atribuciones al escultor Pedro de la Cuadra», *B.S.A.A.*, 30 (1964), páginas 291 y ss.

MARTÍN GONZÁLEZ, J. J., «Sobre algunas esculturas vallisoletanas», *B.S.A.A.* (1966).

MARTÍN GONZÁLEZ, J. J., «Juan de Juni y Juan de Angés», *C.E.G.* (1966), págs. 72 y ss.

MARTÍN GONZÁLEZ, J. J., «Berruguete y Juni, confrontados», en *Homenaje al profesor Alarcos Llorach*, Valladolid, 1967, págs. 889 y ss.

MARTÍN GONZÁLEZ, J. J., «Precisiones sobre Gaspar Becerra», *A.E.A.* (1970), págs. 327-356.

MARTÍN GONZÁLEZ, J. J., *Juan de Juni. Vida y obra*, Madrid, 1974.

MARTÍN GONZÁLEZ, J. J., «Nuevas pinturas del maestro de Olivares», *B.S.A.A.*, XVIII (1977), páginas 434-436.

MARTÍN GONZÁLEZ, J. J., «Nuevos dibujos de Alonso Berruguete», *B.S.A.A.*, XLVII (1981), páginas 444-446.

MARTÍN ORTEGA, A., «Datos sobre Francisco Hernández y Francisco Giralte, en Madrid», *B.S.A.A.*, XXIII (1957), págs. 65-76.

MARTÍN ORTEGA, A., «Más sobre Francisco Giralte, escultor», *B.S.A.A.*, XXVII (1961), págs. 123-130.

MARTÍNEZ RUIZ, J., «El taller de Juan de Orea», *Cuadernos de la Alhambra*, 1 (1965), págs. 59 y siguientes.

MATEO GÓMEZ, I., «Juan Correa de Vivar y el retablo de la iglesia de San Nicolás de Toledo», *A.E.A.*, 216 (1981), págs. 448-449.

MAYER, A. L., «Morales, gloria del *manierismo* español», *A.E.* (1931), págs. 185-187.

MELERO, S., «Esplendor y muerte de Berruguete», *A.E.*, XXII (1958-59), págs. 91 y ss.

MELIDA, J. R., «Un Morales y un Goya existentes en la catedral de Madrid», *B.S.E.E.*, 17 (1901).

MORALES, «Un tríptico de Joanes en Sor de Chera», *A.A.V.* (1918), págs. 116 y ss.

MORALES, A., «Pedro de Campaña y su intervención en la Capilla Real de Sevilla», *A.H.*, 185 (1977), págs. 189-194.

MORALES, A., *La Capilla Real de Sevilla*, Sevilla, 1979.

MOYA VALGAÑÓN, J. G., «El retablo mayor de Fuentes y Tomás Peligret», *Cuadernos de Filosofía y Letras* (Zaragoza), 1963, n. 50.

NAVASCUÉS PALACIO, P., «Rodrigo Gil y los entalladores de la fachada de la Universidad de Alcalá», *A.E.A.* (1972).

NIETO ALCAIDE, V., *Corpus Vitrearum Medii Aevi, España I: Las vidrieras de la catedral de Sevilla*, Madrid, 1969.

NIETO ALCAIDE, V., «La vidriera del Renacimiento en Segovia (iglesias románicas y antigua catedral). Avance para su estudio», *A.E.A.*, 43 (1970), págs. 225 y ss.

NIETO ALCAIDE, V., *Corpus vitrearum medii aevi, España II: Las vidrieras de la catedral de Granada*, Granada, 1973.

NIETO ALCAIDE, V., «La vidriera manierista en España: obras importadas y maestros procedentes de los Países Bajos (1542-1561)», *A.E.A.* (1973), págs. 93-130.

NIETO ALCAIDE, V., «Programas iconográficos en la vidriera española del siglo XVI», *Goya*, 121 (1974), págs. 7-13.

NIETO ALCAIDE, V., *Arnao de Vergara*, Sevilla, 1974.

NIETO ALCAIDE, V., «La iconografía de la catedral de Segovia, *Miscelánea de Arte*, Madrid, 1982, páginas 104-107.

NIETO GONZÁLEZ, J. R., «La huella de Juni en el escultor Sebastián de Ucete», *B.S.A.A.*, XVIII (1977), págs. 445-452.

ORUETA, R. DE, *Berruguete y su obra*, Madrid, 1917.

ORUETA, R. DE, «Notas sobre Alonso Berruguete», *A.E.A.A.* (1926), págs. 129-136.

PADILLA, M., «El divino Morales, pintor inédito», *A.E.* (1924), págs. 139-152.

PARRADO DEL OLMO, J. M., «Juan Picardo al servicio de los Manuel en Peñafiel», *B.S.A.A.*, 39 (1973), págs. 521 y ss.

PARRADO DEL OLMO, J. M., «Nuevas atribuciones a Juan de Villoldo», *B.S.A.A.*, XLII (1976), páginas 291-299.

PARRADO DEL OLMO, J. M., «Datos inéditos sobre Francisco de la Maza», *B.S.A.A.*, XLVII (1981), págs. 439-440.

PARRADO DEL OLMO, J. M., «Luis del Castillo y unas pinturas en Marzales (Valladolid)», *B.S.A.A.*, XLVII (1981), págs. 446-449.

PARRADO DEL OLMO, J. M., *Los escultores seguidores de Berruguete en Ávila*, Ávila, 1981.

PARRADO DEL OLMO, J. M., *Los escultores seguidores de Berruguete en Palencia*, Valladolid, 1981.

PÉREZ SÁNCHEZ, A. E., *El retablo de Morales en Arroyo de la Luz*, Catálogo de la exposición, Madrid, 1974.

PÉREZ SÁNCHEZ, A. E., «Un nuevo y curioso documento sobre Morales», *A.E.A.*, L (1977), 199, páginas 313-316.

PÉREZ SÁNCHEZ, A. E., «Juan de Juanes en su centenario», *A.A.V.* (1979), págs. 5-16.

PÉREZ VILLAAMIL, M., «El Renacimiento español. Martín de Valdoma y su escuela», *A.E.* (1916), página 193.

PÉREZ VILLANUEVA, J., «El retablo del Monasterio de la Mejorada, de Alonso Berruguete», *B.S.A.A.* (1932), págs. 27-35.

PÉREZ VILLANUEVA, J., «Una Piedad de Juni», *B.S.A.A.* (1932-33), págs. 91-94.

PÉREZ VILLANUEVA, J., «Una Santa Ana de Juan de Juni», *B.S.A.A.* (1933), pág. 271.

PÉREZ VILLANUEVA, J., «La obra de los hermanos Corral», *B.S.A.A.* (1934), págs. 359 y ss.

PÉREZ VILLANUEVA, J., «Tres tablas de Morales», *B.S.A.A.* (1933-34), págs. 211-212.

PÉREZ VILLANUEVA, J., «Una escultura de Berruguete: el *Ecce Homo* del retablo de la Mejorada, en Olmedo», *B.S.A.A.* (1934), pág. 41.

PÉREZ VILLANUEVA, J., «Una obra desconocida de Alonso Berruguete», *B.S.A.A.* (1935-36), páginas 55-58.

PORTELA SANDOVAL, F., «Nicolás de Vergara *el Mozo*», *Goya*, 112 (1973), págs. 208-213.

PORTELA SANDOVAL, F., «Pedro de Flandes», *Goya*, 113, págs. 342-345.

RAGGHIANTI, C. L., «Postilla berruguetiana», *Critica d'arte*, 6 (1954), págs. 588-593.

RAMÍREZ DE ARELLANO, R., «Giraldo de Merlo», *A.E.* (1914-15), págs. 25 y ss.

RECCHIUTO GENOVESE, A., «La Virgen de las Angustias de Juan de Juni. Estudio para su conservación y restauración», *Informes y trabajos del Instituto de Conservación y restauración de obras de arte*, 12 (1972).

RIVERA BLANCO, J. J., «Juan de Angers *el Viejo* y el retablo de Carvajal de la Legua», *B.S.A.A.*, XLIII (1977), págs. 452-456.

RIVERA, J., y RODICIO, C., «Francisco Juli, escultor y cantero», *B.S.A.A.*, XLVII (1981), págs. 415-423.

RODRÍGUEZ GUTIÉRREZ DE CEBALLOS, A., «Nuevas pinturas de Luis de Morales», *A.E.A.* (1973), páginas 69-71.

RODRÍGUEZ MOÑINO, A., «El divino Morales en Portugal, 1565-1576», *Boletin dos Museus Nacionales de Arte Antiga*, III (1944), págs. 5-19.

RODRÍGUEZ MOÑINO, A., «El retablo de Morales en Higuera la Real, 1565-1566», *B.S.E.E.* (1945), págs. 27-56.

RODRÍGUEZ MOÑINO, A., «El beato Juan de Rivera y no el beato Juan de Villegas», *A.E.* (1946), páginas 39-40.

RODRÍGUEZ MOÑINO, A., «Dos pinturas sobre cobre del divino Morales», *Academia*, II (1954), n. 3, páginas 227-228.

ROKISKI LÁZARO, M. L., «Obras de Diego de Tiedra en Cuenca», *A.E.A.* (1974), págs. 39-51.

SACS, J., «Pere Serafí», *Vell i nou*, V (1919), páginas 435 y ss.

SALAS, X. DE, «The Origins of the sculptor Juan de Juni», en *Studies in Renaissance and Baroque art presented to Anthony Blunt* (1967).

SAMBRICIO, V. DE, «En torno al Divino Morales», *B.S.A.A.* (1940-41), págs. 131-141.

SÁNCHEZ CANTÓN, F. J., «La supuesta Quinta Angustia de Morales de 1567, rectificación», *A.E.A.* (1945), págs. 180 y ss.

SÁNCHEZ CANTÓN, F. J., «Identificación del eclesiástico retratado por Morales en el Museo del Prado», *A.E.A.* (1945), págs.61-62.

SANCHO, H., «El retablo de San Marcos, de Jerez», *A.H.* (1952), págs. 141 y ss.

SANPERE, S., «Pedro *el Greco* (Pere Serafí)», *Boletín Academia Bellas Letras Barcelona*, I (1901), páginas 157 y ss.

SANZ MARTÍNEZ, J., «Las vidrieras de la catedral nueva de Salamanca», *A.E.A.A.* (1933), páginas 55-125.

SARALEGUI, L. DE, «Algunas sargas y sargueros en Valencia», *Museum*, VII, 6, págs. 203-214.

SEBASTIÁN, S., «El retablo de Santa Gadea del Cid (Burgos)», *A.E.A.* (1957), págs. 325-329.

SEBASTIÁN, S., «Identificación del maestro de Alcaraz con Jerónimo Martínez», *A.E.A.*, 32 (1959), páginas 69-72.

SEGURA, E., «El divino Morales», *Revista de Estudios Extremeños* (1927), págs. 267 y ss.

SENTENACH, N., «Gaspar Becerra», *B.S.E.E.* (1895), página 188.

SERRANO FATIGATI, E., «Escultura en Madrid desde la segunda mitad del siglo XVI a nuestros días», *B.S.E.E.*, XVII (1908), págs. 222-280; XVIII (1909), págs. 41-56, 141-162.

SERRERA, J. M., «Antón Pérez, pintor sevillano del siglo XVI», *A.H.* (1977), n. 185, págs. 127-148.

SERRERA, J. M., «Una Virgen con el Niño, de Luis de Morales», *A.E.A.*, LI (1978), n. 202, páginas 181-184.

SOLER D'HYVER, C., «Un cuadro de Vicente Macip, atribuido a Lorenzo Lotto», *A.A.V.* (1968), páginas 99-103.

SOLER D'HYVER, C., «Un inédito de Morales en Montijo», *Revista de Estudios Extremeños*, 2 (1972), páginas 363-369.

SOLÍS RODRÍGUEZ, C., *Luis de Morales*, Badajoz, 1977.

SOLÍS RODRÍGUEZ, C., «El retablo de Morales en Puebla de la Calzada», *Bellas Artes*, VI (1975), 43, págs. 12-14.

TATLOCK, R., «Two pictures by Morales», *B.M.* (1922), pág. 133 y ss.

TEREY, «Ein unbekanntes Bild des Pedro de Campaña», *Belvedere* (1928), págs. 130 y ss.

TORBADO, J. C., «Catedral de León. Retablo de la capilla del Cristo», *A.E.A.A.* (1931), páginas 213-219.

TORBADO, J. C., «El Crucifijo de Juan de Juni», *A.E.A.A.* (1931), págs. 37-40.

TORBADO, J. C., «El retablo de Trianos y los relieves de Sahagún», *A.E.A.A.* (1936), págs. 75-85.

TORMO Y MONZÓ, E., «Nuevos estudios sobre la pintura española del Renacimiento», *B.S.E.E.* XI (1903), págs. 27-36.

TORMO Y MONZÓ, E., «Gaspar Becerra (notas varias)», *B.S.E.E.*, XX (1912); XXI (1913), páginas 119-157 y 245-265.

TORMO Y MONZÓ, E., «Notas al estudio sobre "Los retablos de Medina del Campo"», *B.S.C.E.*, VI (1913-14), pág. 286.

TORMO Y MONZÓ, E., «La Inmaculada y el arte español», *B.S.E.E.*, XXII (1914), págs. 109-130.

TORMO Y MONZÓ, E., *El divino Morales*, Barcelona, 1917.

TORMO Y MONZÓ, E., «El gran bautismo de los Masip, en la catedral de Valencia», *B.S.E.E.*, tomo XXVI (1918), págs. 54 y ss.

TORRES PÉREZ, J. M., «El taller de Morales en Arroyo de la Luz», *Alcántara*, 181 (1975), páginas 5-10.

TRAMOYERES, L., «Nuevas pinturas de Juan de Juanes», *Las Provincias*, 26 de septiembre de 1909.

TRAMOYERES, L., «La Purísima Concepción de Juan de Juanes. Orígenes y vicisitudes de esta famosa pintura», *A.A.V.*, III (1917), págs. 113 y siguientes.

TRAMOYERES, L., «Un dibujo de Alonso Berruguete en el Museo de Valencia», *A.A.V.* (1917), páginas 110 y ss.

TRAPIER, E. DU GUE, *Luis de Morales and leonardesque influence in Spain*, Nueva York, 1953.

URANGA, J., «Un cuadro de Morales en Olite», *P.V.*, t. VII (1945), pág. 159 y ss.

ZERI, F., «The Master of the Morales Stockholm Pietà», *B.M.* (1950), págs. 272 y ss.

VALVERDE MADRID, J., «Antón Pérez, el pintor de Fuenteovejuna», *Fons Melaria*, V, 108 (1951), páginas 23-24.

VELASCO, B., «Retablo de Pedro Bolduque en Cuéllar», *E.S.*, 22 (1970), págs. 95 y ss.

VILANOVA, F., «Catálogo de las obras de Juan de Juanes», *El Archivo III* (1893), págs. 43 y ss.

VILLALPANDO, M., «Pedro de Bolduque, escultor», *E.S.* (1949), págs. 402 y ss.

WEISE, G., «Ein unbekkantes Frühwerk Berruguetes in der Kathedrale zu Valencia», *Pantheon* XXII (1938), págs. 279 y ss.

YUBERO GALINDO, D., «Las vidrieras de la catedral de Segovia», *E.S.* (1965), págs. 5-44.

ZERI, F., «Alfonso Berruguete: una Madonna con San Giovaninno», *Paragone* (1953), págs. 49 y ss.

7. *Formulación nobiliaria del clasicismo manierista*

ALBA, DUQUE DE, «Un retrato desconocido del Gran Duque de Alba», *A.E.*, XIV (1943), IV, página 3.

ALBA, DUQUE DE, «Pinturas murales del castillo del Gran Duque de Alba en la villa de Alba de Tormes», *Goya* (1963), n. 53, págs. 274-281.

ALBA, DUQUE DE, *La batalla de Mühlberg en las pinturas murales de Alba de Tormes*, Madrid, 1952.

ALLENDE SALAZAR, J., «Don Felipe de Guevara, coleccionista y escritor de arte del siglo XVI», *A.E.A.A.* (1925), págs. 189-192.

ANTÓN, F., «La Casa Blanca», *La Esfera* (1919).

CAMPOS RUIZ, C., «La sacra capilla del Salvador», *Don Lope de Sosa* (1915-1918).

CORTÉS, J., «La exposición de las pinturas de Oriz en la Sociedad de Amigos del Arte. La victoria del emperador Carlos V en Sajonia y otros asuntos», *A.E.*, XV (1945), pág. 4.

ESTEBAN LORENTE, F. J., «Imperio, religión, finanzas y filosofia en el palacio de Gabriel Zaporta», *Boletín del Museo e Instituto «Camón Aznar»*, VI-VII (56-79) (1981).

GARCÍA CHICO, E., «La capilla de los Benavente en Medina de Rioseco», *B.S.A.A.* (1933-34), páginas 319-356.

GARCÍA CHICO, E., «La colegiata de Villagarcía de Campos», *B.S.A.A.*, IX (1942-43), págs. 89-104.

GARCÍA CHICO, E., «El palacio de los Dueñas de Medina del Campo», *B.S.A.A.* (1949-50), páginas 87-97.

GIL, M., «Una visita a los jardines de Abadía o Sotofermoso de la casa ducal de Alba», *A.E.* (1945), págs. 58-66.

GÓMEZ MORENO, M., «Obras de Miguel Ángel en España», *A.E.A.A.* (1930), págs. 189-197.

LAMPÉREZ, V., «Rodrigo Dueñas. Médicis castellano», *Raza Española*, enero-febrero de 1919.

LAMPÉREZ, V., «Palacio de Saldañuela, en Sarracín (Burgos)», *B.S.E.E.*, XXIII (1915), páginas 257-262.

LÓPEZ REY, J., «En torno a Juan de Juanes. Dos retratos en busca de autor», *A.E.* (1968-69), página 245.

LÓPEZ TORRIJOS, R., «Los autores de los sepulcros de los marqueses de Zente», *A.E.A.* (1978), páginas 323-336.

PÉREZ VILLANUEVA, J., «La escultura en yeso en Castilla. La obra de los hermanos Corral», *B.S.A.A.* (1933-34), págs. 359-383.

REDONDO CANTERA, M. J., «Aportaciones al estudio iconográfico de la capilla Benavente», *B.S.A.A.*, XLVII (1981), págs. 245-264.

SALTILLO, M. DE, «El retrato del Comendador Mayor don Juan de Zúñiga», *A.E.*, XIII (1941), páginas 4-7.

SÁNCHEZ CANTÓN, F. J., «Viaje de un humanista español a las ruinas de Talavera la Vieja», *A.E.A.A.* (1927), págs. 221-227.

SEBASTIÁN, S., «La clave amatoria del palacio de Miranda en Burgos», *Boletín del Centro de Investigaciones Históricas y Estéticas*, Caracas, 1978.

SEBASTIÁN, S., «El programa de la capilla funeraria

de los Benavente de Medina de Rioseco», *Traza y Baza* (1973), n. 3.

SEBASTIÁN, S., «La casa Zaporta: espejo de palacios aragoneses», *Goya*, 105 (1971), págs. 164-167.

SEBASTIÁN, S., «La casa Zaporta (patio de la Infanta): sus claves mitológicas», *Boletín del Museo e Instituto Camón Aznar*, I (5-19) (1980).

SEBASTIÁN, S., «Interpretación iconológica del palacio del conde de Morata en Zaragoza», *Goya*, 132 (1976), págs. 363-368.

SUBÍAS GUALTER, J., «Los libros de pasantías», *Goya*, 52 (1963), págs. 224-228.

TORRES BALBÁS, L., «Medina de Rioseco. La capilla de los Benavente», *Arquitectura* (1922), página 94.

8. *La idea del arte entre el manierismo y la contrarreforma*

BROWN, JH., «La teoría del arte de Pablo de Céspedes», *R.I.E.* (1965), págs. 95-105.

LEDDA, G., *Contributo allo studio della letteratura emblematica in Spagna (1549-1613)*, Pisa, 1970.

MACRI, O, «Poesia e pittura in Fernando de Herrera», *Paragone*, IV, 41 (1953), págs. 3-18.

RODRÍGUEZ DE RIVAS, M., «Consideración social de los artistas de pasados tiempos. Índice del siglo XV al XIX», *A.E.* (1941), págs. 17-29.

SÁNCHEZ PÉREZ, A., *La literatura emblemática española, siglos XVI y XVII*, Madrid, 1977.

ZARCO CUEVAS, FR. J., «Testamento de Pompeyo Leoni, escultor de Carlos V y Felipe II, otorgado en Madrid, a 8 de octubre de 1608», *Revista Española de Arte* (1932), págs. 63-76.

9. *La imagen religiosa de la Contrarreforma*

AGAPITO Y REVILLA, J., «La obra de Esteban Jordán en Valladolid», *A.E.* (1914-15), páginas 318, 352 y 397, (1916-17), págs. 32, 240.

AGAPITO Y REVILLA, J., «Pantoja de la Cruz en Valladolid», *B.S.E.E.*, 30 (1922), págs. 81-87.

AGAPITO Y REVILLA, J., «La obra de los maestros de la escultura vallisoletana. Papeletas razonadas para un catálogo. III. Esteban Jordán», Valladolid, 1929.

ALONSO CORTÉS, N., «Noticias de los Arfe», *B.R.A.H.*, LXXVIII (1951), págs. 71 y ss.

ALONSO FERNÁNDEZ, M. DE LAS N., «Juan de Arfe y Pompeo Leoni», *B.S.A.A.*, VII (1940-41), páginas 17-35.

ALTADILL, J., «Miguel de Ancheta», *Boletín de la Comisión de Monumentos*, Navarra, 1912-13, página 281.

ANDRÉS ORDAX, S., *La escultura romanista en Álava*, Vitoria, 1973.

ANDRÉS ORDAX, S., «El escultor Pedro López de Gámiz», *Goya*, 129 (1975), págs. 156-157.

ANDRÉS ORDAX, S., *El escultor Lope de Larrea*, Vitoria, 1976.

ANDRÉS ORDAX, S., «Dos nuevos relieves de Anchieta en San Miguel de Vitoria», *B.S.A.A.*, XLII (1976), págs. 409-472.

ANDRÉS ORDAX, S., «El retablo de Anchieta en Moneo (Burgos)», *B.S.A.A.*, XLIII (1977), páginas 437-444.

ANDRÉS ORDAX, S., «La obra escultórica de la capilla de don Rodrigo de Vicuña, en Vicuña (Álava)», *B.S.A.A.*, XXXIX (1977), páginas 203-224.

ANGULO ÍÑIGUEZ, D., «Dibujos españoles en el Museo de los Uffizzi (frutos de un viaje)», *A.E.A.A.* (1927), págs. 341 y ss.

ANGULO ÍÑIGUEZ, D., «Velázquez y Pacheco», *A.E.A.*, XXIII, 92 (1950), págs. 354-356.

ANGULO ÍÑIGUEZ, D., «Los frescos de Pablo de Céspedes en la iglesia de la Trinidad de los Montes», *A.E.A.*, 42 (1969), págs. 305-307.

ANGULO ÍÑIGUEZ, D., «Gabriel de Cárdenas: tríptico firmado en 1588», *A.E.A.* (1973), páginas 189-191.

ANTÓN, F., «La iglesia de Sancti Spiritus, de Valladolid», *A.E.A.* (1951), págs. 155 y ss.

ARCO, R. DEL, «De escultura aragonesa: Juan Miguel de Orliens o Urliens», *Seminario de Arte Aragonés*, V (1953), págs. 51 y ss.

AROCENA, F., «Ensayo de filiación de Juan de Anchieta», *B.S.A.A.*, 8 (1952), págs. 123 y ss.

ARTECHE, J., «Anchieta y no Ancheta», *B.S.A.A.*, 5, (1949), págs. 275 y ss.

BARRIO LOZA, J. A., «Otra obra importante del escultor Pedro de Arbulo», *A.E.A.* (1977), páginas 415 y ss.

BECERRA, F., «Las obras del escultor Juan Bazcardo en Viana», *Boletín Comisión de Monumentos de Navarra* (1936).

BENITO DOMÉNECH, F., *Pinturas y pintores en el Real Colegio de Corpus Christi*, Valencia, 1980.

BENITO DOMÉNECH, F., «Más sobre pintura y pintores en el Real Colegio de Corpus Christi», *A.A.V.* (1981).

BERNALES BALLESTEROS, J., «Mateo Pérez de Alessio, en Sevilla y Lima», *A.H.*, 171-173 (1973), páginas 221-271.

BERRUEZO, J., «Un Crucifijo de Juan de Ancheta», *Boletín Sociedad Vasca de Amigos del País, Homenaje a don Julio de Urquijo* (1949), pág. 425.

BIURRUN, T., «Lope de Larrea y sus obras», *Boletín Comisión Monumental de Navarra* (1935), páginas 68 y ss.

BIURRUN, T., *La escultura religiosa y Bellas Artes*

en Navarra durante la época del Renacimiento, Pamplona, 1935.

BIURRUN, T., «La sillería del coro de la catedral de Pamplona, impropiamente atribuida a un imaginario Miguel de Ancheta», *Boletín Sociedad Monumental de Navarra* (1935), págs. 286 y ss.; (1936), págs. 110 y ss.

BROWN, JH., «Algunas adiciones a la obra de Blas de Prado», *A.E.A.*, XLI (1968), págs. 29-33.

BUESA, F., «Juan Fernández de Navarrete *el Mudo*», *Revista Contemporánea* (1901).

CAAMAÑO MARTÍNEZ, J. M., «Iconografía mariana y Hércules cristianado en los textos de Paravicino», *B.S.A.A.*, XXXIII (1967), págs. 221-222.

CABEZUDO ASTRAIN, J., «La obra de Anchieta en Tafalla», *P.V.*, IX (1947), pág. 277.

CALÍ, M., *Da Michelangelo all'Escorial*, Turín, 1980.

CAMÓN AZNAR, J., «La significación artística de Ancheta», *P.V.*, II (1941), págs. 8 y ss.

CAMÓN AZNAR, J., «Dos retablos de Juan de Ancheta», *A.E.A.* (1942), págs. 237-243.

CAMÓN AZNAR, J., *El escultor Juan de Ancheta*, Pamplona, 1943.

CAMÓN AZNAR, J., «La iconografía en el arte trentino», *R.I.E.* (1945), págs. 385-394.

CAMÓN AZNAR, J., «El estilo trentino», *R.I.E.* (1945), págs. 429-442.

CAMÓN AZNAR, J., «Un Crucifijo de Juan de Ancheta», *P.V.*, VIII (1947), pág. 145.

CAÑEDO ARGÜELLES, C., «La influencia de las normas artísticas de Trento en los tratadistas españoles del siglo XVI», *R.I.E.*, 127, páginas 223-242.

CAÑEDO ARGÜELLES, C., *Arte y teoría. La Contrarreforma y España*, Oviedo, 1982.

CASADO ALCALDE, E., *La pintura en Navarra en el último tercio del siglo XVI*, Pamplona, 1976.

CASTRO, J. R., «Los retablos de los monasterios de Oliva y Fitero. Obras de Roland de Mois», *P.V.* (1941), n. 3, págs. 13-26.

CATÁLOGO, *El Toledo de «el Greco»*, Toledo, 1982.

CAVESTANY, J., «Una obra inédita, firmada por el escultor castellano Pedro de Arbulo», *A.E.* (1930), págs. 6-9.

CAVESTANY, J., «Una obra inédita, firmada por el escultor riojano Arbulo Marguvete», *B.S.E.E.*, tomo 47, págs. 33 y ss.

COLLAR DE CÁCERES, «Nuevas obras del pintor Alonso de Herrera», *A.E.A.*, XLIX (1976), n. 193, págs. 17-39.

COLLAR DE CÁCERES, F., «Un Cristo de Berruguete en el convento de Santa Cruz de Segovia», *A.E.A.*, L (1977), n. 198, págs. 141-145.

CUARTERO Y HUERTA, B., «Un cuadro de Alonso Sánchez Coello», *A.E.*, II (1914-15), página 346.

DÁVILA FERNÁNDEZ, P., *Los sermones y el arte*, Valladolid, 1980.

DÍAZ PADRÓN, M., «Una Anunciación de Antonio Vázquez, atribuida al maestro de Borja», *A.E.A.*, XLIV (1971), págs. 193-194.

DOMÍNGUEZ, R., «Juan Fernández de Navarrete, célebre pintor logroñés», *B.S.C.E.* (1903), páginas 297 y ss.

ESTELLA, M., «El encargo de un Cristo de madera a Pompeyo Leoni», *B.S.A.A.* (1978), páginas 456 y ss.

FERRAND, M., «Alonso Vázquez», *Anales Universidad Hispalense* (1951), págs. 133 y ss.

FITZ DARBY, D., *Juan de Sariñena y sus colegas*, Valencia, 1967.

FORONDA, M., «Tríptico de Rómulo Cincinato», *B.S.E.E.*, III (1895-96), págs. 95, 144 y ss.

GABRIELLI, N., «Studi sull pittore Cesare Arbasia», *Atti della Societá di Archeologia e Belle Arti* (1932), páginas 31 y ss.

GABRIEL Y RAMÍREZ DE CARTAGENA, A. DE, «El monasterio de Nuestra Señora de la Estrella y el pintor Juan Fernández de Navarrete», *B.S.E.E.*, L (1946), págs. 233-239.

GALLEGO BURÍN, A., *Pablo de Rojas, el maestro de Martínez Montañés*, Sevilla, 1939.

GARCÍA CHICO, E., «El retablo mayor de la colegiata de Villagarcía de Campos», *B.S.A.A.*, XIV (1952-53), págs. 15-22.

GARCÍA CHICO, E., «La colegiata de Medina del Campo», *B.S.A.A.* (1954-55), págs. 53-79.

GARCÍA GAÍNZA, C., «Miguel de Espinal y los retablos de Ochagavia», *P.V.* (1967), nn. 108-109, páginas 339-351.

GARCÍA GAÍNZA, C., *Los Oscariz, una familia de pintores navarros del siglo XVI*, Pamplona, 1969.

GARCÍA GAÍNZA, C., *La escultura romanista en Navarra*, Pamplona, 1969.

GARCÍA GAÍNZA, C., «Navarra entre el Renacimiento y el Barroco», *Actas del XXIII Congreso Internacional de Historia del Arte*, Granada, 1973, páginas 290 y ss.

GARCÍA REY, V., «Juan Bautista Monegro, escultor y arquitecto», *B.S.E.E.*, 39 (1931), págs. 109-125; 40 (1932), págs. 22-38, 219-220; 41 (1933), páginas 149-152, 204-224; 42 (1934), páginas 202-223; 43 (1935), págs. 53-72, 211-237.

GILMAN PROSKE, B., «Relieve de un retablo de Juan de Oviedo», *A.E.A.* (1961), págs. 271-274.

GÓMEZ MENOR, J., «El pintor Blas de Prado», *B.A.T.*, I, 2 (1966), págs. 60-74; 3 (1967), páginas 101 y ss.

GÓMEZ MORENO, M., «El gran Pablo de Céspedes, pintor y poeta», *Boletín Academia Cordobesa* (1948), págs. 63 y ss.

GÓMEZ MORENO, M., «Diego de Pesquera, escultor», *A.E.A.* (1955), págs. 289-304.

GÓMEZ MORENO, M. E., «El retablo de Vileña», en *Actas del XXIII Congreso Internacional de Historia del Arte*, II, Granada, 1973, págs. 304 y ss.

GOÑI GAZTAMBIDE, J., «El coro de la catedral de Pamplona», *P.V.*, XXVII (1966), págs. 321 y siguientes.

GUERRERO LOVILLO, J., «Dos relieves navarros del siglo XVI», *A.E.A.* (1949), págs. 357-358.

GUTIÉRREZ CUÑADO, A., «El retablo de Donzel de San Salvador. ¿Colaboró en él Juan de Angers?», *B.S.A.A.*, IX (1942-43), págs. 79-87.

HERAS GARCÍA, F., «Una nueva obra de Francisco de la Maza», *B.S.A.A.*, 36 (1970), pág. 497.

HERNÁNDEZ DÍAZ, J., *Imaginería hispalense del Bajo Renacimiento*, Sevilla, 1951.

HERNÁNDEZ PERERA, J., «Iconografía española. El Cristo de los Dolores», *A.E.A.* (1954), páginas 47-61.

HERRERA CASADO, A., «La capilla de Luis de Lucena en Guadalajara (revisión y estudio iconográfico)», *Wad-al-Hayara*, 2, vol. II (1975), páginas 5-25.

HORNEDO, R. M., «Arte trentino», *R.I.E.* (1945), páginas 443-471.

HUARTE, *Juan de Anchieta: sus retablos y los de sus discípulos*, San Sebastián, 1925.

INSAUSTI, S., «Artistas en Tolosa: Jerónimo de Larrea y Goisueta, maestro escultor», *Boletín de la Sociedad Vasca de Amigos del País* (1955), página 41.

INSAUSTI, S., «El retablo mayor de Santa María, en Tolosa», *Boletín de la Sociedad Vasca de Amigos del País* (1956), págs. 397 y ss.

INSAUSTI, S., «El escultor Joanes de Anchieta en Astrain», *B.S.A.A.*, t. 13 (1957), págs. 415 y siguientes.

INSAUSTI, S., «Lope de Larrea y Ercilla y el archivo provincial de Guipúzcoa», *B.S.A.A.*, t. 17 (1961), págs. 165 y ss.

J. B., «La última y hasta ahora ignorada obra de Anchieta», *Boletín de la Sociedad Vasca de Amigos del País* (1948), pág. 116.

JIMENO JURIO, J. M., «Autores y fechas del retablo de Eguiaterra (Araquil) de Ramón de Orcariz», *P.V.*, t. XXVII (1966), págs. 227 y ss.

LAFUENTE FERRARI, E., «La vida de un tema iconográfico en la pintura andaluza», *A.E.A.A.*, página 239.

LAFUENTE FERRARI, E., «Esculturas en marfil de Gaspar Muñoz Delgado», *A.E.* (1950), páginas 97 y ss.

LAFUENTE, E., «Un nuevo Cristo», *Academia* (1953), página 19.

LECUONA, M. DE, «El autor de los retablos mayores de Pamplona y Calahorra», *P.V.* (1945), páginas 29-35.

LECUONA, M. DE, «El escultor Juan Bazcardo y sus obras en la catedral de Calahorra», *P.V.* (1946), páginas 27-41.

LÓPEZ MARTÍNEZ, C., *El escultor y arquitecto Juan de Oviedo y de la Bandera, 1565-1625*, Sevilla, 1943.

LÓPEZ MARTÍNEZ, C., «El notable escultor J. Hernández de Estrada, maestro de Martínez Montañés, 1540-1586», *Calvario* (1946).

LÓPEZ DE LOS MOZOS, J. R., «A propósito de un salmo davídico en la capilla de Luis de Lucena (Guadalajara), su simbolismo», *A.E.A.*, LIII (1980), págs. 194-201.

LOZOYA, M. DE, «El último pintor del Renacimiento en Valencia. Fray Nicolás Borrás», *Studia Hierosymiana*, VI (1973), págs. 229-240.

LLEÓ CAÑAL, V., «Un libro de dibujos inédito sobre el Corpus Christi sevillano en el siglo XVI», *A.E.A.* (1976), págs. 243-258.

LLEÓ CAÑAL, V., *Arte y espectáculo. La fiesta del Corpus Christi en Sevilla en los siglos XVI y XVII*, Sevilla, 1971.

LLEÓ CAÑAL, V., «El monumento de la catedral de Sevilla en el siglo XVI», *A.H.*, n. 180.

LLORDEN, «Dos artistas en la catedral de Málaga, Diego Rebollo, rejero; César Arbasía, pintor», *La Ciudad de Dios* (1949), págs. 483 y ss.

MADURELL, J. M., «Los maestros de la escultura renaciente en Cataluña: Martín Díez de Liatzasolo», *Anuario y Boletín del Museo de Arte de Barcelona* (1945), t. III, págs. 7 y ss.

MADURELL, J. M., «Isaac Hermes y las pinturas de la capilla de los Reyes del convento de Santo Domingo de Valencia», *A.E.A.*, XXVIII (1955), págs. 147-150.

MARÍAS, F., «Maestros de la catedral, artistas y artesanos: datos sobre la pintura toledana de la segunda mitad del siglo XVI», *A.E.A.*, LIV (1981), págs. 319-340.

MARTÍ Y MONSÓ, J., «Juan de Juni y Esteban Jordán, en Medina de Rioseco», *B.S.C.E.* (1903-1904), págs. 275 y ss.

MARTÍ Y MONSÓ, J., «Pleitos de artistas, Juan de Arfe y el pendón de los plateros de Burgos», *B.S.C.E.*, Valladolid, 1907-1908, págs. 189-196 y 208-211.

MARTÍ Y MONSÓ, J., «Pleitos de artistas: un retablo para la iglesia de San Juan de Pedraza (Segovia), *B.S.C.E.*, III (1907-1908), 362 y ss., 380 y ss.

MARTÍN GONZÁLEZ, J. J., «Un retablo del XVI en la iglesia de San Pablo», *B.S.C.E.*, t. 14, 48 (1977), págs. 226-227.

MARTÍN GONZÁLEZ, J. J., «Un nuevo Juan Rodríguez, escultor», *B.S.A.A.*, 15 (1948-49), páginas 258-261.

MARTÍN GONZÁLEZ, J. J., «Dos estatuitas del estilo de Esteban Jordán», *B.S.A.A.* (1952), páginas 125 y ss.

MARTÍN GONZÁLEZ, J. J., *Esteban Jordán*, Valladolid, 1952.

MARTÍN GONZÁLEZ, J. J., «El pintor Gregorio Martínez», *B.S.A.A.* (1954-55), págs. 81-91.

MARTÍN GONZÁLEZ, J. J., «Nueva obra de Esteban Jordán», *B.S.A.A.* (1955-56), págs. 139 y ss.

MARTÍN GONZÁLEZ, J. J., «En torno al pintor Antonio Vázquez: nuevas obras», *A.E.A.* (1957), páginas 125-133.

MARTÍN GONZÁLEZ, J. J., «Pinturas inéditas de Antonio Vázquez», *B.S.A.A.*, XXV (1959), página 179.

MARTÍN GONZÁLEZ, J. J., «El maestro de Sobrado», *B.S.A.A.* (1966), págs. 67 y ss.

MARTÍN GONZÁLEZ, J. J., «Un lienzo atribuido a Pantoja de la Cruz», *B.S.A.A.*, 39 (1973), páginas 459-461.

MARTÍN GONZÁLEZ, J. J., «Sobre pinturas "deshonestas"», *B.S.A.A.* (1980), págs. 492-493.

MESA, J. DE, y GISBERT, T., «El pintor Mateo Pérez de Alessio», *Cuadernos de Arte y Arqueología*, II, La Paz, 1972.

MONTEVERDE, J. L., «Esculturas de Ancheta en las Huelgas de Burgos», *A.E.A.* (1955), págs. 77-79.

MORALES, A., y SERRERA, J. M., «Aportaciones a la obra de Jerónimo Hernández», *A.E.A.*, 216 (1981), págs. 405-406.

MOYA VALGAÑÓN, J. G., «Hernando de Murillas y la escultura del final del Manierismo en la Rioja», *P.V.* (1968), págs. 29-51.

MOYA VALGAÑÓN, J. G., «Micer Pietro Morone, pintor en Aragón en el siglo XVI», *Bellas Artes*, 6 (1978), págs. 41-46.

MULLER, P. E., «Francisco Pacheco as a painter», *Marsyas*, 10 (1960-61).

MUR, B. DE, «Sobre un cuadro de Navarrete *el Mudo*», *B.S.E.E.*, XXVIII (1920), págs. 216-225.

NAVASCUÉS PALACIO, P., «El maestro de Gallipienzo y el retablo de Mendieta, *P.V.*, XXVI (1965), págs. 75 y ss.

NAVASCUÉS PALACIO, P., «Ramón Oscáriz, pintor navarro del siglo XVI», *P.V.* (1965), n. 88-89, páginas 103-106.

NIETO GALLO, G., «Un nuevo lienzo de Pantoja de la Cruz», *B.S.A.A.* (1934-35), págs. 373-374.

PALOMERO PÁRAMO, J. M., «El contrato de aprendizaje de Jerónimo Hernández con Juan Bautista Vázquez, El Viejo», *A.H.*, 196 (1981), páginas 139-142.

PALOMERO PÁRAMO, J. M., «Juan de Oviedo El Viejo y el retablo del *Camino del Calvario* del monasterio de Santa María de Jesús de Sevilla», *B.S.A.A.* (1981), págs. 430-434.

PARRADO DEL OLMO, J. M., «Una Piedad de Adrián Álvarez en Tordesillas», *B.S.A.A.*, 38 (1972), página 519.

PARRADO DEL OLMO, J. M., «Nuevas atribuciones de Juan de Villoldo», *B.S.A.A.*, XLII (1976), páginas 291-304.

PARRADO DEL OLMO, J. M., «Aportación al estudio de la escultura en Palencia durante el último tercio del siglo XVI», *B.S.A.A.* (1980), páginas 308-328.

PÉREZ ESCOLANO, V., *Juan de Oviedo y de la Bandera*, Sevilla, 1977.

PÉREZ MÍNGUEZ, F., «Los trípticos de Zumaya», *B.S.E.E.*, 30 (1922), págs. 121 y ss.

PÉREZ SÁNCHEZ, A. E., «Céspedes de Guadalupe», *A.E.A.*, XLIV (1971), 175, págs. 338-341.

PESCADOR DEL HOYO, M. C., «Diego de Marquina y los retablos de Bujedo y Retuerta», *B.S.A.A.* (1954-55), págs. 93-108.

PORTELA SANDOVAL, F., «La puerta de la Presentación de la Catedral de Toledo», *A.E.* (1968-1969), págs. 15-19.

POST, CH., «The Adoration of the Magi by Blas de Prado», *Norfolk Museum Papers* (1953), n. 1.

PROSKE, B. G., «Relieve de un retablo de Juan de Oviedo», *A.E.A.* (1961), págs. 271 y ss.

RODICIO, C., y LLAMAZARES, «La escultura del obispo Juan de San Millán; obra documentada de Esteban Jordán», *B.S.A.A.*, XLIII (1977), páginas 456-459.

RODRÍGUEZ GUTIÉRREZ DE CEBALLOS, A., «Nuevos datos documentales sobre el escultor Domingo Beltrán», *A.E.A.* (1959), págs. 259-294.

RODRÍGUEZ MOÑINO, A., «Hans de Bruxelles y Jerónimo de Valencia (entalladores del siglo XVI, 1554-1601)», *B.S.A.A.*, IX (1942-43), págs. 121-156.

RODRÍGUEZ MOÑINO, A., «La escultura en Badajoz durante el siglo XVI (1555-1608)», *B.S.A.A.*, XIII (1946-47), págs. 101-131.

RODRÍGUEZ MOÑINO, A., «Alonso González, pintor (1564-1600)», *A.E.* (1952), págs. 53-62.

ROTETA, A. M., «El retrato-grabado español en Pedro Ángel», *Goya*, 130 (1972), págs. 220-227.

SALAS, X. DE, «Escultores renacientes en el Levante español», *Anuario y Boletín del Museo de Arte de Barcelona* (1941), págs. 79 y ss.; (1942), páginas 35 y ss.

SALAS, X. DE, «Escultores renacientes en el Levante español: Martín Diez de Liatzasolo», *Anuario y Boletín del Museo de Arte de Barcelona* (1943), págs. 93 y ss.

SAMANIEGO HIDALGO, «El retablo zamorano a finales del siglo XVI: Montejo y Falcote», *B.S.A.A.*, XLVI (1980), págs. 329-350.

SÁNCHEZ CANTÓN, F. J., *Los Arfe*, Madrid, 1920.

SÁNCHEZ CANTÓN, F. J., «Un pintor desconocido del siglo XVI. Alonso de Cayas Ostos», *A.E.A.A.*, I (1925), págs. 231-232.

SÁNCHEZ CANTÓN, F. J., «El obispo Pazos, el cronista Morales y el pintor César Arbasía», *A.E.A.A.* (1937), págs. 73-74.

SÁNCHEZ-PALENCIA MANCEBO, A., «Los retablos de la capilla de San Blas de la Catedral de Toledo», *A.E.A.* (1974), págs. 407-410.

SANZ GARCÍA, J., «El retablo de Santa Clara de Briviesca (estudio documental)», *Boletín de la Comisión Provincial de Monumentos de Burgos*, nota 48 (1934-36).

SANZ SERRANO, M. J., *Juan de Arfe Villafañe y la Custodia de Sevilla*, Sevilla, 1978.

SARAVIA, C., «Repercusión en España del Decreto del Concilio de Trento sobre las imágenes», *B.S.A.A.*, XXVI (1960), págs. 129-143.

SARTHOU CARRERES, C., *Visita al Real Colegio del Patriarca*, Valencia, 1942.

SARTHOU CARRERES, C., «El Colegio del Patriarca en Valencia», *A.A.V.* (1960), págs. 50-59.

SEGURA, R. G., «El retablo mayor de Fuenmayor (Rioja) y algunas noticias de su escultor Bascardo», *B.S.E.E.* (1933), pág. 243.

SEGURA, R., «Apuntes acerca del escultor riojano Arbulo Marguvete», *B.S.E.E.* (1943), páginas 133-144.

SERRERA, J. M., *Pedro Villegas Marmolejo (1519-1596)*, Sevilla, 1976.

SOLANO PEREDA-VIVANCO, M. F., «Un cuadro de Pantoja de la Cruz», *B.S.A.A.* (1933-34), páginas 386-387.

STASTNY, F., «Pérez de Alessio y la pintura del siglo XVI», *Anales del Instituto de Arte Americano e Investigaciones Estéticas*, Buenos Aires, 1969, n. 22, págs. 9-47.

TÁBAR DE ANITÚA, F., «Del retablo de San Miguel de Vitoria: una escultura inédita de Juan de Anchieta», *A.E.A.* (1974), págs. 328-330.

TERÁN, M., y CAMPS, E., «La obra maestra de los broncistas españoles. La reja del sepulcro de Cisneros», *A.E.A.* (1929), págs. 107-108.

TORBADO, J. C., «El Crucifijo del trascoro de la catedral de León», *A.E.A.A.* (1922), páginas 49-52.

URANGA GALDIANO, J. E., *Retablos navarros del Renacimiento*, Pamplona, 1947.

URIBESALCO, A. S., «El escultor Lope de Larrea y Ercilla», *B.S.A.A.*, 14 (1958), págs. 539 y ss.

URREA, J., «El escultor Francisco Rincón», *B.S.A.A.*, 39 (1973), págs. 491-500.

VEGUÉ Y GOLDONI, A., «Un lugar común en la historia del arte español. El cambio de estilo en Tiziano, Navarrete, el Greco y Velázquez», *A.E.A.A.*, IV (1928), págs. 55 y ss.

VERA, J. DE, «Alonso de Herrera, pintor segovianо», *E.S.* (1951), págs. 389-394.

VILLALPANDO, M., «Contrato de Alonso de Herrera para hacer un retablo en la iglesia de Duruelo», *E.S.* (1951), págs. 249-252.

WATTENBERG, F., «Algunos retablos de la iglesia de San Miguel de Valladolid», *B.S.A.A.*, XI (1943-44), págs. 191-200.

YARZA LUACES, J., «Aspectos iconográficos de la pintura de Juan Fernández de Navarrete *el Mudo* y relaciones con la Contrarreforma», *B.S.A.A.*, XXXVI (1970), págs. 43-68.

YARZA LUACES, J., «Navarrete *el Mudo* y el monasterio de la Estrella», *B.S.A.A.*, XXXVIII (1972), páginas 323-334.

YARZA LUACES, J., «Alonso de Herrera. Pinturas en dos retablos laterales de San Sebastián de Villacastín», *Goya*, 115 (1973), págs. 10-14.

ZAMORA, H., «La capilla de las reliquias en el Monasterio de Guadalupe», *A.E.A.* (1972), páginas 43-54.

ZUMALDE, I., «Datos para la biografía de Joanes de Anchieta», *B.S.A.A.*, XXI (1965), páginas 413 y ss.

10. *La nueva imagen del Príncipe*

AGAPITO REVILLA, J., «Del escultor Jerónimo de Corral», *Boletín de la Academia de Bellas Artes de Valladolid* (1932), n. 1.

AGAPITO REVILLA, J., «Honras por Felipe II y proclamación de Felipe III en Valladolid», *B.S.E.E.*, 31 (1923), págs. 126-162.

AGUIRRE, R. DE, «Juan Pantoja de la Cruz, pintor de cámara», *B.S.E.E.*, 30 (1922), págs. 17-22; 270-274; (1923), págs. 201-205.

ALONSO, M. DEL N., «Juan de Arfe y Pompeyo Leoni», *B.S.A.A.* (1941), págs. 173 y ss.

ÁLVAREZ OSSORIO, F., «Medallas de Benvenuto Cellini, Leon y Pompeyo Leoni y Jacome Trezzo, conservadas en el Museo Arqueológico Nacional», *A.E.A.* (1949), págs. 61-78.

ANDRÉS, G. DE, «El pintor segoviano Nicolás Greco, hijo del cretense Nicolás de la Torre, copista griego de Felipe II», *A.E.A.*, XL (1967), páginas 359 y ss.

ANTOLÍN, G., «Miniaturistas de El Escorial», *A.E.*, 8 (1913), págs. 405-408.

ARCO, R. DEL, «Estimación española del Bosco en los siglos XVI y XVII», *R.I.E.* (1952), páginas 417-431.

AZCÁRATE, J. M., «Los enterramientos reales en El Escorial», *Goya*, n. 56-57, págs. 130-147.

BABELON, J., «Le tombeau de Doña Juana de Portugal», *Revue de l'art Ancien et Moderne* (1913).

BABELON, J., «Gianello delle Torre, horloger de Charles-Quint et de Philippe II», *Revue de l'art ancien et moderne* (1914).

BABELON, J., «Un peintre de Philippe II, Federicco Zuccaro a l'Escurial», *Revue de l'art ancien et moderne* (1920), págs. 272 y ss.

BABELON, J., *Jacopo da Trezzo et la Construction de l'Escurial. Essai sur les arts á la Cour de Philippe II, 1519-1589*, París, 1922.

BARBERÁN, C., «El padre José de Sigüenza como crítico de arte de las pinturas del Monasterio de El Escorial», *La Ciudad de Dios*, 177 (1964), páginas 86-99.

BERUETE, A., «Pintores de Felipe II», en *Conferencias de arte*, Madrid, 1924.

BRIGANTI, G., *Il manerismo e Pellegrino Tibaldi*, Roma, 1945.

CABELLO LAPIEDRA, L. M., «Escultura escurialense», *Revista Española de Arte* (1934), págs. 66-88.

CASTRILLÓN, A., «El manuscrito Cani: nuevos datos sobre la vida de Leone Leoni, aretino», *A.E.*, XXVI (1968-69), págs. 80 y ss.

CLOULAS, A., «Les peintures du grand retable au Monastère de l'Escorial», *Mélanges de la casa de Velázquez*, IV, París, 1968, páginas 349-370.

CLOULAS, A., «Les choix esthétiques de Philippe II: Flandre ou l'Italie, selon le temoignage de fray José de Sigüenza», en *Actas del XXIII Congreso Internacional de Historia del Arte*, Granada, 1973.

CHECA, F., «Capricho y fantasía en El Escorial (sobre el grutesco y el gusto por lo fantástico en el monasterio)», *Goya*, 156 (1980), págs. 328-335.

DOMÍNGUEZ BORDONA, J., «Federico Zuccaro en España», *A.E.A.A.* (1927), págs. 77-89.

DOMÍNGUEZ BORDONA, J., «Sobre la participación de Pedro Castello en el retablo de El Escorial», *A.E.A.A.*, 9 (1933), págs. 139 y ss.

FLORIT, J. M., «Los aposentos de Felipe II en San Lorenzo del Escorial», *B.S.E.E.*, 28 (1920), págs. 39-48, 94-101; 29 (1921), págs. 302-307; 31 (1923), págs. 296-300.

GARCÍA, E., «La obra en bronce hecha en Italia para el retablo y tabernáculo de San Lorenzo el Real de El Escorial», *B.S.A.A.* (1946), páginas 127 y ss.

GARCÍA REY, V., «Nuevas noticias para la biografía del pintor Alonso Sánchez Coello», *B.S.E.E.* (1927), págs. 199 y ss.

GARCÍA REY, V., «Juan Bautista Monegro», *B.S.E.E.*, 39 (1931), págs. 109 y ss., 183 y ss.; 40 (1932), págs. 22 y ss., 129 y ss., 136 y ss.; 41 (1933), págs. 148 y ss., 204 y ss.; 42 (1934), páginas 202 y ss.; 43 (1935), págs. 53 y ss., 211 y ss.

HARRIS, E., y ANDRÉS, G., «Descripción de El Escorial por Cassiano del Pozzo (1626)», *A.E.A.* (1972).

ÍÑIGUEZ ALMECH, F., *Casas Reales y jardines de Felipe II*, Madrid, 1952.

JUNQUERA, P., «Ornamentos sagrados y relicarios del Real Monasterio de San Lorenzo», *Goya*, 56-57 (1963), págs. 180-190.

KUSCHE, M., *Juan Pantoja de la Cruz*, Madrid, 1964.

LOGA, V. VON, «Antonis Mor als Hofmaler Karls V und Philips II», *J.K.S.* (1907-1909), págs. 91 y siguientes.

LOHMAN, G., «Cuatro pinturas desconocidas de Sánchez Coello», *A.E.A.* (1950), págs. 159 y ss.

LORENTE JUNQUERA, M., «La Santa Margarita de Tiziano en El Escorial», *A.E.A.*, 24 (1951), página 67.

LOZOYA, MARQUÉS DE, «Restauración de las pinturas del claustro mayor del monasterio de El Escorial», *R.S.*, 37 (1973), págs. 65 y ss.

LOZOYA, M. DE, «Algo más sobre la fortuna del Greco en España», *B.R.A.H.*, CXXIII (1948), octubre-diciembre.

L. P. B., «Libros para Felipe II. Epitafios para el emperador Carlos V», *A.E.A.* (1948), páginas 58-61.

MARÍAS, F., «Luca Cambiasso: testamento escurialense e inventario de bienes», *A.E.A.*, LII (1979), n. 205, págs. 83-86.

MARTÍN GONZÁLEZ, J. J., «Noticias varias sobre artistas de la Corte en el siglo XVI», *B.S.A.A.*, XXXVII (1971), págs. 225-240.

MARTÍN GONZÁLEZ, J. J., «Una nota documental a la obra de los Leoni», *A.E.A.* (1950), pág. 257.

MARTÍN GONZÁLEZ, J. J., «Sobre la intervención de León Leoni en el retablo del Escorial», *B.S.A.A.*, XIII (1950-51), págs. 126-127.

MARTÍN GONZÁLEZ, J. J., «Una cama rica de Felipe II», *B.S.A.A.* (1952-53), págs. 133-135.

MARTÍN GONZÁLEZ, J. J., «El alcázar de Madrid en el siglo XVI (nuevos datos), *A.E.A.* (1962), páginas 1-19.

MILICUA, J., «A propósito del pequeño Crucifijo tizianesco del Escorial», *A.E.A.* (1957), páginas 115-123.

MONTESA, MARQUÉS DE, «Felipe II, según iba en San Quintín», *Arte Español*, t. XXI, 57 (1956), página 197.

MORENO VILLA, J., «Sobre Antonio Pupiler», *A.E.A.A.* (1932), págs. 275-279.

MORENO VILLA, J., «Documentos sobre pintores recogidos en el archivo de Palacio», *A.E.A.A.* (1936), págs. 261-268.

MULLER, F. E., «Philip II, Federico Zuccaro, Pelegrino Tibaldi, Bartolomé Carducho and the Adoration of the Magi in the Escorial retablo mayor», en *Actas del XXIII Congreso Internacional de Historia del Arte*, Granada, 1973.

OLLERO, J., «Miguel Coxcie y su obra en España», *A.E.A.* (1975), págs. 165-168.

PÁRAMO, A., «El escultor y arquitecto Juan Bautista Monegro», *Toletum* (1928).

PARDO CANALÍS, E., «Miguel Ángel y Leon Leoni», *Goya* (1966-67), págs. 219 y ss.

PÉREZ ESCOLANO, V., «Los túmulos de Felipe II y Margarita de Austria en la catedral de Sevilla», *A.H.*, 185 (1977).

PÉREZ SÁNCHEZ, A. E., «Sobre los pintores de El Escorial», *Goya* (1963-64), pág. 148.

PÉREZ SÁNCHEZ, A. E., «Notas sobre Miguel Barroso, pintor escurialense», *A.E.A.*, XL (1967), páginas 155 y ss.

PIOT, CH., «Alonso Coello, peintre espagnol de Bruxelles», *Bulletin de l'Academie Royale de Belgique* (1815), págs. 299 y ss.

PITA ANDRADE, J. M., «Las pinturas al fresco en El Escorial», *Goya* (1963-64), pág. 154.

PLAZA, A., «Juan Pantoja de la Cruz y el Archivo de Simancas», *B.S.A.A.* (1934-35), págs. 259-262.

PLON, E., *Les maitres italiens au servicce de la maison d'Autriche. Leon Leoni sculpteur de Charles Quint et Pompeo Leoni sculpteur de Philippe II*, París, 1887.

POLERÓ Y TOLEDO, V., *Catálogo de los cuadros del Real Monasterio de San Lorenzo*, Madrid, 1854.

PROSKE, B. G., *Pompeyo Leoni: Work in Marble and alabaster in relation to Spanish sculpture*, Nueva York, 1956.

QUINTERO, P., «Tasación de las pinturas de El Pardo (1612)», *B.S.E.E.* (1904), págs. 55 y ss.

RAMÍREZ DE LUCAS, J., «Pintores de, en y para El Escorial», *Arquitectura*, VIII (1963), págs. 26 y siguientes.

ROBLOT DELONDRE, L., *Portraits d'enfants*, París, 1913.

SALAS, X. DE, *El Bosco en la literatura española*, Discurso leído el 30 de mayo de 1943..., Barcelona.

SALAZAR, ABDÓN M., «El Bosco y Ambrosio de Morales», *A.E.A.* (1955), págs. 117-119.

SALTILLO, M. DEL, «La herencia de Pompeyo Leoni», *B.S.E.E.* (1934), págs. 95-121.

SAN ROMÁN, F. DE B. «Alonso Sánchez Coello», *B.A.T.*, XII (1930), págs. 158 y ss.

SAN ROMÁN, F. DE B., *Alonso Sánchez Coello*, Lisboa, 1938.

SÁNCHEZ CANTÓN, F. J., «El primer inventario del palacio de El Pardo (1564)», *A.E.A.A.* (1934), págs. 69-75.

SÁNCHEZ CANTÓN, F. J., «¿Quién fue el pintor Georgius, que firma un retrato en las Descalzas Reales?», *A.E.A.* (1944), págs. 131-133.

SÁNCHEZ CÁNTON, F. J., «Sobre la vida y las obras de Juan Pantoja de la Cruz», *A.E.A.* (1947), páginas 95-120.

SANZ, M. J., «Estudio iconográfico del túmulo de Felipe II levantado en la colegiata de la ciudad de Belmonte», *R.I.E.* (1978), págs. 33-47.

SENTENACH, N., «Los retratistas renacientes», *B.S.E.E.* (1912), págs. 111-121.

TANNER, M., *Titian: The poesia for Philip II*, tesis doctoral, Nueva York, 1976.

TAYLOR, R., «Architecture and Magic. Considerations on the Idea of the Escorial», en *Essays in the History of Architecture, presented to Rudolf Wittkower*, Londres, 1967. Traducción al español en *Traza y Baza*, 1978.

THODE, H., «Philip II und Michelangelo», *Repertorium für Kunstwisenchaft*, XXIII (1900), páginas 287-289.

TORMO, E., «La pintura escurialense. Recensión del doble libro del padre Zarco», *A.E.A.A.* (1933), págs. 73-90.

TREVOR-ROPPER, H., *Princes and artists. Patronage and Ideology at four Habsburg Courts 1517-1633*, Londres, 1976.

VÁZQUEZ MARTÍNEZ, A., «Nuevos datos sobre Federico Zuccaro», *B.S.E.E.* (1951), págs. 41-56.

VÁZQUEZ MARTÍNEZ, A., «Datos nuevos sobre Jacome Trezzo y el tabernáculo de El Escorial», *B.S.A.A.* (1941-42), págs. 288-297.

VÁZQUEZ MARTÍNEZ, A., «La venida de Federico Zuccaro a San Lorenzo del Escorial», *B.S.E.E.* (1946), págs. 117-137.

VEGUE Y GOLDONI, A., «Una carta de Jacopo da Trezzo y dos de Pompeo Leoni», *A.E.A.A.* (1926), págs. 156-160.

V. V. A. A., *El Escorial*, Madrid, 1963.

WETHEY, H. E., «Los retratos de Felipe II por Tiziano», *A.E.A.* (1969), págs. 129-138.

ZARCO CUEVAS, J., «Inventario de las alhajas, cuadros... donadas por Felipe II a... El Escorial (1571-1598)», *B.R.A.H.* (1930).

ZARCO CUEVAS, J., «Pintores españoles en San Lorenzo el Real de El Escorial (1508-1614): Juan Fernández de Navarrete *el Mudo*», *A.E.*, t. X (1930-31), págs. 106 y ss.

ZARCO CUEVAS, J., *Los pintores italianos de San Lorenzo de El Escorial*, Madrid, 1931.

ZARCO CUEVAS, J., *Pintores españoles en San Lorenzo el Real de El Escorial (1566-1613)*, Madrid, 1931.

ZARCO CUEVAS, J., «La pintura escurialense. Observaciones y reparos a don Elías Tormo», *Religión y Cultura* (1932).

ZIMMERMANN, H., «Zur Ikonographie des Hauses Habsburg», *J.K.P.K.*, 28 (1912), págs. 153 y ss.

11. La imagen de la nobleza en la España de la Contrarreforma

ALLENDE-SALAZAR, J., «Francisco de Mendieta y su cuadro "Jura de los Fueros de Vizcaya", por Fernando el Católico», *B.S.E.E.* (1924), páginas 269-273.

ARITIO, D. DE, «El pintor Francisco de Mendieta

(siglos XVI-XVII), *Boletín Real Sociedad Vascongada de Amigos del País*, t. 10 (1954), págs. 300 y siguientes.

BARCIA, A. M., «Retrato de don Pedro Gasca (Sánchez Coello)», *R.A.B.M.*, 13 (1905), páginas 231 y ss.

CAVESTANY, J., «Blas de Ledesma, pintor de fruteros», *A.E.*, XIV (1943), III, págs. 16 y ss.

CORTÉS, J., «La exposición de las pinturas de Oriz», *A.E.*, XVI (1945), págs. 4 y ss.

GARCÍA REY, V., «Juanelo Turriano. Matemático y relojero», *A.E.* (1929), págs. 524-526.

HAZAÑAS Y RÚA, J., *Noticia de las academias literarias, artísticas y científicas de los siglos XVII y XVIII*, Sevilla, 1888.

HERRERA, A., «Don Martín Gurrea de Aragón, conde de Ribagorza y duque de Vista Hermosa», *B.S.E.E.*, X (1902), págs. 3-4.

HERRERA CASADO, A., *El palacio del Infantado*, Guadalajara, 1975.

KUNOTH, J., «Francisco Pacheco's Apotheosis of Hercules», *J.C.W.I.* (1964), págs. 335-337.

LAYNA SERRANO, F., «La desdichada reforma del palacio del Infantado, hecha por el quinto duque en el siglo XVI», *B.S.E.E.* (1946), página 794.

LÓPEZ TORRIJOS, R., «Obras de los Carlone en Espala», *Goya* (1980), págs. 80-85.

LOZOYA, M. DE, «El retrato de don Francisco Gutiérrez de Cuéllar en la catedral de Segovia», *B.S.E.E.* (1925), págs. 166-170.

LOZOYA, M. DE, «Las pinturas de la casa del Monte de Piedad de Segovia», *E.S.*, X (1958), páginas 99 y ss.

MARÍAS, F., «El cigarral toledano del cardenal Quiroga», *Goya* (1980), págs. 216-222.

MARTÍN GAMERO, *Los cigarrales de Toledo*, Toledo, 1857.

MARTÍN MAYOBRE, R., «Sobre las pinturas de Oriz», *A.E.*, XVI (1946), págs. 53 y ss.

MÉLIDA, J. R., *Discursos de Medallas y Antigüedades por don Martín Gurrea y Aragón*, Madrid, 1902.

RIVERO, C. M., «Nuevos documentos de Juanelo Turriano», *Revista Española de Arte* (1936), páginas 17-21.

RODRÍGUEZ MOÑINO, A., «Artes suntuarias en Badajoz: 1562-1660 (antología de materias preciosas)», *B.S.A.A.*, XI (1943-44), págs. 81-97.

SAN MARTÍN, J., «Observaciones sobre el pintor Mendieta y su obra *Jura de los Fueros de Vizcaya*», *Boletín de la Real Sociedad Vascongada de Amigos del País*, 28 (1972), págs. 183 y ss.

SAN VICENTE, ÁNGEL, «La capilla de San Miguel del Patronato Zaporta, en la Seo de Zaragoza», *A.E.A.* (1963), págs. 99-118.

SAN PETRILLO, B. DE, «Las pinturas de la Generalidad de Valencia. Investigación iconográfica»,

A.E.A. (1943), págs. 97-102; (1944), págs. 49-54 y 323-326.

SÁNCHEZ CANTÓN, F., «Doña Leonor de Mascarenhas y fray Juan de la Miseria», *B.S.E.E.* (1918), pág. 104 y ss.

SÁNCHEZ CANTÓN, F. J., «Juanelo Turriano en España», *B.S.E.E.* (1933), págs. 225 y ss.

SÁNCHEZ CANTÓN, F. J., *Las pinturas de Oriz y la guerra de Sajonia*, Pamplona, 1944.

TORRES MARTÍN, R., «Blas de Ledesma y el origen del bodegonismo español», *Goya* (1973-74), páginas 217 y ss.

TRAMOYERES, L., «Pinturas murales del Salón de Cortes», *El Archivo* (1891).

TRAMOYERES, L., «La capilla de los jurados de Valencia», *A.A.V.*, V (1919), págs. 73 y ss.

URANGA, J. E., «Las pinturas del palacio de Oriz», *P.V.*, IV (1943), pág. 262.

ZAMORA, F., «El pintor Juan de Aragón y los Loaisas granadinos. Un retablo ignorado», *A.E.A.* (1943), pág. 310.

12. *El Greco*

AZCÁRATE, J. M., «La iconografía de *El Expolio* de el Greco», *A.E.A.*, 28 (1955), págs. 189-197.

BARRES, M., *Le Greco ou le secret de Tolède*, París, 1911.

BERUETE, A., *El Greco, pintor de retratos*, Toledo, 1914.

BLUNT, A., «El Greco's dream of Philipp II: An Allegory of the Holy League», *J.C.W.I.*, 3 (1939-40), págs. 58-69.

BROWN, JH. (y otros), *Figures of Thougt: El Greco as interpreter of History, Tradition and Ideas*, Washington, 1982.

BUSTAMANTE GARCÍA, A., «El Colegio de doña María de Aragón en Madrid», *B.S.A.A.*, 38 (1972), páginas 427-438.

CATÁLOGO, *El Greco de Toledo*, Exposición 1982 (textos de Jh. Brown, Kagan y otros).

CAMÓN AZNAR, J., *Dominico Greco*, 2 vols., Madrid, 1970.

COSSÍO, M. B., *El Greco*, Madrid, 1908.

COSSÍO, M. B., *Dominico Theotocopuli, El Greco*, Barcelona, 1972 (revisión de Natalia Cossío).

DVORAK, M., «Über den Greco und der Manierismus», en *Kunstgesichte als Geistesgesichte*, Munich, 1928.

GARCÍA REY, V., «Recuerdos de antaño: el Greco y la entrada de los restos de Santa Leocadia en Toledo», *A.E.*, 8 (1926), págs. 125-129.

GUDIOL, J., *Doménikos Theotocopoulos: «el Greco», 1541-1614*, Nueva York, 1973.

MARAÑÓN, G., «Las academias toledanas en tiempo de el Greco», *Papeles de Son Armadans*, 1 (1956), páginas 13-30.

MARAÑÓN, G., «*El Greco» y Toledo*, Madrid, 1953, 1973.

MARÍAS, F., Y BUSTAMANTE, A., *Las ideas artísticas de «El Greco»: comentarios a un texto inédito*, Madrid, 1981.

MARTÍN GONZÁLEZ, J. J., «El Greco, arquitecto», *Goya*, 26 (1958), págs. 86-88.

PITA ANDRADE, J. M. (Álvarez Lopera, José, colaborador), *El Greco*, Milán, 1981.

SALAS, X. DE, *Miguel Ángel y «el Greco»*, Madrid, 1967.

SALAS, X. DE, «Une exemplaire des Vies de Vasari annoté par le Greco», *G.B.A.* (1967), páginas 177-180.

SAN ROMÁN, F. DE B., «*El Greco» en Toledo o nuevas investigaciones acerca de la vida y obras de Dominico Theotocopuli*, Madrid, 1910.

SAN ROMÁN, F. DE B., «De la vida del Greco», *A.E.A.A.*, 3 (1927), págs. 139 y ss.

SOEHNER, H., «Der Stand der Greco-Forschung», *Zeitschrift für Kunstgesichte*, 19 (1956), páginas 47-75.

WETHEY, H. E., «*El Greco» y su escuela*, 2 vols., Madrid, 1967.

WITTKOWER, R., «El Greco's language of gestures», *Art News*, 56 (1957), págs. 45 y ss. Traducción española en *Sobre la arquitectura de la Edad del Humanismo*, Barcelona, 1979.